Tableau des masses atomiques (2001)

Éléments	Symboles	Numéros atomiques	Masses atomiques	Éléments	Symboles	Numéros atomiques	Masses atomiques
Actinium	Ac	89	[227]	Mendélévium			[258]
Aluminium	Al	13	26,981 538(2)	Mercure			200,59(2)
Américium	Am	95	[243]	Molybdène			95,94(2)
Antimoine	Sb	51	121,760(1)	Néodyme			144,24(3)
Argent	Ag	47	107,868 2(2)	Néon			20,179 7(6)
Argon	Ar	18	39,948(1)	Neptunium			[237]
Arsenic	As	33	74,921 60(2)	Nickel	Ni		58,693 4(2)
Astate	At	85	[210]	Niobium	Nb	41	92,906 38(2)
Azote	N	7	14,006 7(2)	Nobélium	No	102	[259]
Baryum	Ba	56	137,327(7)	Or	Au	79	196,966 55(2)
Berkélium	Bk	97	[247]	Osmium	Os	76	190,23(3)
Béryllium	Be	4	9,012 182(3)	Oxygène	O	8	15,9994(3)
Bismuth	Bi	83	208,980 38(2)	Palladium	Pd	46	106,42(1)
Bohrium	Bh	107	[264]	Phosphore	P	15	30,973 761(2)
Bore	B	5	10,811(7)	Platine	Pt	78	195,078(2)
Brome	Br	35	79,904(1)	Plomb	Pb	82	207,2(1)
Cadmium	Cd	48	112,411(8)	Plutonium	Pu	94	[244]
Calcium	Ca	20	40,078(4)	Polonium	Po	84	[209]
Californium	Cf	98	[251]	Potassium	K	19	39,098 3(1)
Carbone	C	6	12,010 7(8)	Praséodyme	Pr	59	140,907 65(2)
Cérium	Ce	58	140,116(1)	Prométhium	Pm	61	[145]
Césium	Cs	55	132,905 45(2)	Protactinium	Pa	91	231,035 88(2)
Chlore	Cl	17	35,453(2)	Radium	Ra	88	[226]
Chrome	Cr	24	51,996 1(6)	Radon	Rn	86	[222]
Cobalt	Co	27	58,933 200(9)	Rhénium	Re	75	186,207(1)
Cuivre	Cu	29	63,546(3)	Rhodium	Rh	45	102,905 50(2)
Curium	Cm	96	[247]	Rubidium	Rb	37	85,467 8(3)
Darmstadtium	Ds	110	[281]	Ruthénium	Ru	44	101,07(2)
Dubnium	Db	105	[262]	Rutherfordium	Rf	104	[261]
Dysprosium	Dy	66	162,500(1)	Samarium	Sm	62	150,36(3)
Einsteinium	Es	99	[252]	Scandium	Sc	21	44,955 910(8)
Erbium	Er	68	167,259(3)	Seaborgium	Sg	106	[266]
Étain	Sn	50	118,710(7)	Sélénium	Se	34	78,96(3)
Europium	Eu	63	151,964(1)	Silicium	Si	14	28,085 5(3)
Fer	Fe	26	55,845(2)	Sodium	Na	11	22,989 770(2)
Fermium	Fm	100	[257]	Soufre	S	16	32,065(5)
Fluor	F	9	18,998 403 2(5)	Strontium	Sr	38	87,62(1)
Francium	Fr	87	[223]	Tantale	Ta	73	180,947 9(1)
Gadolinium	Gd	64	157,25(3)	Technétium	Tc	43	[98]
Gallium	Ga	31	69,723(1)	Tellure	Te	52	127,60(3)
Germanium	Ge	32	72,64(1)	Terbium	Tb	65	158,925 34(2)
Hafnium	Hf	72	178,49(2)	Thallium	Tl	81	204,383 3(2)
Hassium	Hs	108	[277]	Thorium	Th	90	232,038 1(1)
Hélium	He	2	4,002 602(2)	Thulium	Tm	69	168,934 21(2)
Holmium	Ho	67	164,930 32(2)	Titane	Ti	22	47,867(1)
Hydrogène	H	1	1,007 94(7)	Tungstène	w	74	183,84(1)
Indium	In	49	114,818(3)	Uranium	U	92	238,028 91(3)
Iode	I	53	126,904 47(3)	Vanadium	V	23	50,941 5(1)
Iridium	Ir	77	192,217(3)	Ununbium	Uub	112	[285]
Krypton	Kr	36	83,798(2)	Ununquadium	Uuq	114	[289]
Lanthane	La	57	138,905 5(2)	Unununium	Uuu	111	[272]
Lawrencium	Lr	103	[262]	Xénon	Xe	54	131,293(6)
Lithium	Li	3	6,941(2)	Ytterbium	Yb	70	173,04(3)
Lutécium	Lu	71	174,967(1)	Yttrium	Y	39	88,905 85(2)
Magnésium	Mg	12	24,305 0(6)	Zinc	Zn	30	65,409(4)
Manganèse	Mn	25	54,938 049(9)	Zirconium	Zr	40	91,224(2)
Meitnerium	Mt	109	[268]				

Note Un nombre entre parenthèses indique l'incertitude sur le dernier chiffre.
Une valeur entre crochets désigne la masse atomique de l'isotope le plus stable.

CHIMIE GÉNÉRALE

JOHN C. KOTZ

PAUL M. TREICHEL JR

TRADUCTION ET ADAPTATION
DE MARCEL DENEUX

CHIMIE GÉNÉRALE

John C. kotz
Paul M. Treichel, Jr.

Traduction et adaptation de Marcel Deneux

Version française de *Chemistry and Chemical Reactivity*,
5th edition, by John C. Kotz and Paul M. Treichel, Jr.
© 2003 Thomson Learning, inc.
Thomson Learning™ is a trademark used herein under licence.

© 2005, Groupe Beauchemin, éditeur ltée

3281, avenue Jean-Béraud
Laval (Québec) H7T 2L2
Téléphone :   (514) 334-5912
                1 800 361-4504
Télécopieur :   (450) 688-6269
www.beaucheminediteur.com

Nous reconnaissons l'aide financière du gouvernement
du Canada par l'entremise du Programme d'aide au
développement de l'industrie de l'édition (PADIÉ) pour
nos activités d'édition.

Les informations et les activités présentées dans ce manuel
ont été soigneusement choisies et révisées pour assurer
leur exactitude et leur valeur éducationnelle. Toutefois, l'Éditeur
n'offre aucune garantie ni ne se tient aucunement responsable
de l'utilisation qui peut être faite de ce matériel. L'Éditeur
se dégage de toute responsabilité pour tout dommage spécifique,
général ou exemplaire qui pourrait résulter entièrement ou
en partie de la lecture ou de l'usage de ce matériel.

ISBN : 2-7616-2014-3

Dépôt légal : 2e trimestre 2005
Bibliothèque nationale du Québec
Bibliothèque et Archives Canada

Imprimé au Canada
1 2 3 4 5   08 07 06 05

Éditrice : **Sophie Gagnon**

Directrice de la production : **Maryse Quesnel**

Chargé de projet : **Dany Cloutier**

Révision linguistique : **Annick Loupias**

Correction d'épreuves : **Viviane Deraspe**

Recherche iconographique : **Marie Renée Buckowski**

Traduction et adaptation des exercices et des réponses :
Isabelle Dubuc

Indexation : **Julie Fournier**

Couvertures, conception graphique et mise en pages :
Dessine-moi un mouton

Impression : **Imprimeries Transcontinental inc.**

L'Éditeur tient à souligner la collaboration des personnes
suivantes pour leurs commentaires et précieux conseils.
Serge Bazinet, Collège de Maisonneuve
Judith Bouchard, Cégep du Vieux-Montréal
Julie Boucher, Collège de Bois-de-Boulogne
Jaque Couture, Collège François-Xavier-Garneau
Grazyna Czartoryski, Collège de l'Outaouais
Jocelyne Poupart-Deneux, Collège Jean-de-Brébeuf
Normand Denicourt, Cégep de Trois-Rivières
Isabelle Dubuc, Cégep de Chicoutimi
Hélène Forest, Collège Ahuntsic
Sonia Moffat, Collège de Sherbrooke

L'Éditeur tient tout particulièrement à remercier
Mme Jocelyne Poupart-Deneux, Collège Jean-de-Brébeuf,
pour ses commentaires, de même que Mme Isabelle Dubuc,
Cégep de Chicoutimi, pour la traduction des exercices
de fin de chapitres et des réponses correspondantes,
de même que pour les conseils judicieux qu'elle a
prodigués durant la production de cet ouvrage.

Avant-propos

Chemistry & Chemical Reactivity

La première édition de *Chemistry & Chemical Reactivity* de J. C. Kotz et P. M. Treichel Jr date maintenant de plus de 15 ans. La présentation et le contenu des chapitres ont beaucoup évolué depuis, grâce aux critiques de plus d'une centaine de professeurs chevronnés qui ont participé à la révision des différents manuscrits. La **cinquième édition (2003)** est l'aboutissement de tous ces efforts de renouvellement et de mises à jour visant à s'adapter aux intérêts changeants des étudiants et à l'évolution des méthodes pédagogiques. Elle décrit dans un langage accessible la réactivité des éléments et de leurs composés, et donne un vaste aperçu des principes sur lesquels repose la chimie. Celle-ci n'y est pas présentée comme une science isolée, mais comme partie intégrante de l'histoire des sciences et du monde contemporain. Le manuel est conçu comme un cours d'introduction offert à des étudiants qui désirent poursuivre une carrière scientifique, quelle que soit leur discipline principale. L'approche utilisée (des observations expérimentales à l'élaboration des lois et des théories, des plus simples aux plus complexes), comme en témoigne particulièrement la découverte de la structure de l'ADN présentée dans différents chapitres, permet d'exposer avec concision et rigueur les découvertes et les concepts qui ont mené à la compréhension actuelle des propriétés de la matière, connaissance essentielle à toute personne s'orientant vers le domaine scientifique.

Le choix du contenu, l'esprit dans lequel il a été présenté, la logique interne des chapitres et l'agencement de leur séquence, etc., s'accordent très bien avec les préoccupations véhiculées dans la description du programme *Sciences de la nature 200.B0*, du *Programme intégré en Sciences, Lettres et Arts 700.A0*, et du *Baccalauréat international*.

Traduction en français et adaptation au contexte collégial québécois

L'adaptation a consisté essentiellement à séparer l'ouvrage original en deux manuels, *Chimie générale* et *Chimie des solutions*, correspondant respectivement au contenu à privilégier pour soutenir l'acquisition des compétences 00UL (Analyser les transformations chimiques et physiques de la matière à partir des notions liées à la structure des atomes et des molécules) et 00UM (Analyser les propriétés des solutions et les réactions en solution).

Chimie générale

Le manuel *Chimie générale* se trouve ainsi séparé en quatre grandes sections.

La première constitue le point de départ de la compréhension de la liaison chimique et peut être considérée comme un rappel de quelques notions étudiées au secondaire.

Chapitre 1 – La matière, l'énergie et les mesures. Définition des termes importants, différents types d'énergies, classification et grandes propriétés de la matière, unités de mesure et incertitudes.

Chapitre 2 – Les atomes et les éléments. Émergence de la théorie atomique, masse atomique, mole, description et organisation du tableau périodique.

Chapitre 3 – Les molécules, les ions et leurs composés. Définitions, formules, nomenclature, masse molaire.

La deuxième section explicite la structure de l'atome.

Chapitre 4 – Les électrons et l'atome. Conceptions de l'atome d'hydrogène selon Bohr et selon la mécanique quantique, nombres quantiques, orbitales atomiques.

Chapitre 5 – Les configurations électroniques et les propriétés périodiques des éléments. Principes à la base de la configuration électronique des éléments, conséquences des configurations sur quelques propriétés.

La troisième section traite des différents types de liaisons chimiques.

Chapitre 6 – La liaison chimique et la structure des molécules : les concepts fondamentaux. Notation de Lewis, composés ioniques, liaison covalente, structures de Lewis, règle de l'octet, résonance, polarité, électronégativité, propriétés des liaisons, géométrie des molécules (théorie RPE).

Chapitre 7 – Les liaisons chimiques et la structure des molécules : l'hybridation des orbitales atomiques et les orbitales moléculaires. Théorie des électrons localisés (recouvrement des orbitales, hybridation, liaisons multiples), théorie des orbitales moléculaires, les métaux et les semiconducteurs.

Chapitre 8 – Les forces intermoléculaires, les liquides et les solides. Forces de Van der Waals, liaison hydrogène, propriétés des liquides, état solide, diagramme de phases.

Le manuel se termine par une section nettement plus quantitative, le chapitre sur les gaz faisant office de lien entre les états condensés de la matière et la stœchiométrie.

Chapitre 9 – Les gaz et leurs propriétés. Loi des gaz parfaits, pressions partielles, théorie cinétique, diffusion et effusion, gaz réels.

Chapitre 10 – Les réactions, les équations chimiques et la stœchiométrie. Équilibrage des équations, différents types de calculs, réactions en solution aqueuse, réactif limitant, rendement, analyse quantitative.

Ce manuel constitue un très bon outil pédagogique de référence, dont le contenu soutient l'acquisition de la compétence visée. Les auteurs sont conscients que toutes les notions présentées ne peuvent être étudiées en un seul cours de 45 périodes. Il revient donc au professeur de sélectionner parmi la somme d'informations celles qui lui semblent essentielles et les mieux adaptées à ses étudiantes et étudiants. Les objectifs d'apprentissage présentés au début de chacun des chapitres et mis en relation avec les éléments de compétence visés peuvent le guider dans cette tâche.

Les particularités de l'ouvrage

Accessibles en un coup d'œil, le verso de la couverture et la première page du manuel présentent le tableau périodique des éléments et le tableau des masses atomiques.

Présentation des chapitres

Présentée sur deux pages, l'introduction de chacun des chapitres raconte une histoire ou un événement en lien avec les notions présentées. Elle donne également les éléments de compétence, les objectifs d'apprentissage et le plan du chapitre.

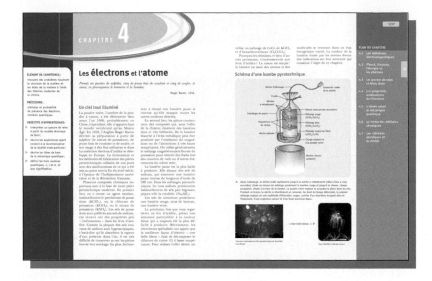

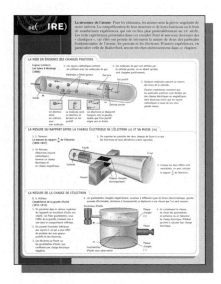

Point de mire

L'introduction est suivie par la rubrique *Point de mire*, qui énonce clairement quelques notions clés qui seront étudiées tout le long du chapitre.

Encadrés

Les définitions, les équations, les démarches générales de résolution de problèmes et les conclusions font l'objet d'encadrés.

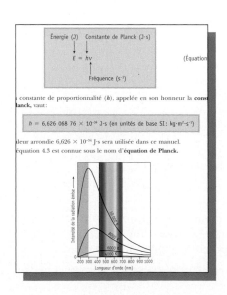

Capsules

L'élève découvrira différentes capsules qui situent la matière dans un contexte plus global.

Histoire et découvertes Ces capsules replacent les découvertes importantes en chimie et en sciences physiques, en général. Elles présentent les hommes et les femmes qui ont contribué à l'avancement de la chimie.

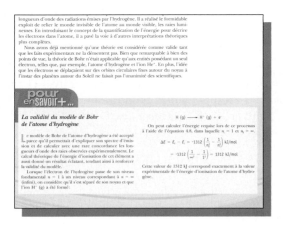

Pour en savoir plus Cette rubrique permet à l'élève d'approfondir certaines notions, de les situer dans un contexte d'application précis et de mieux les comprendre.

Perspectives La capsule *Perspectives* traite de la place et de la contribution de la chimie dans le développement de la connaissance.

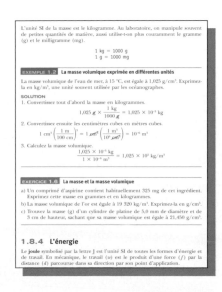

Exemples et exercices Au fil de la lecture, l'étudiant est appelé à appliquer les notions qu'il vient d'étudier. Les exemples viennent illustrer les notions théoriques. Ils sont suivis d'exercices qui permettent à l'étudiant de vérifier sa compréhension de la matière.

Trucs et astuces Ces capsules facilitent l'apprentissage en suggérant à l'étudiant des méthodes de résolution de problèmes.

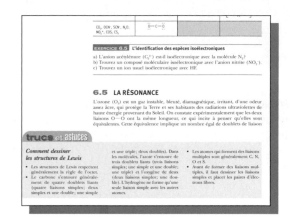

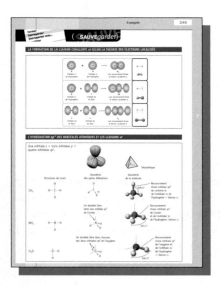

À sauvegarder

Présentée sous forme de tableaux synthèses, la section *À sauvegarder* résume les concepts clés étudiés tout le long du chapitre que l'élève doit maîtriser pour démontrer qu'il a atteint les éléments de compétence énoncés dans l'introduction.

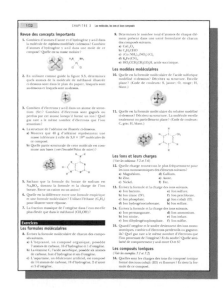

Exercices de fin de chapitre

L'élève trouvera à la fin de chaque chapitre une série d'exercices qui passe en revue les concepts importants et présente des questions sous forme thématique. Les questions de révision plus difficiles sont identifiées par une couleur.

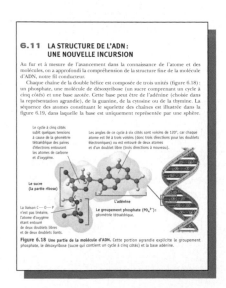

Représentations graphiques

Des représentations graphiques sous forme de photographies, d'illustrations ou de schémas viennent illustrer le propos.

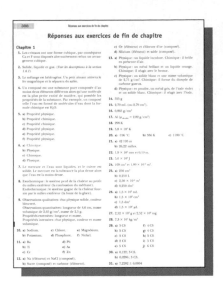

Corrigé

Les réponses à tous les exercices sont données à la fin de l'ouvrage.

Annexes

L'élève y trouvera les définitions des unités SI de base, les symboles ou les abréviations des grandeurs, les unités courantes, les valeurs de quelques constantes physiques et un tableau de correspondance entre la nomenclature des composés inorganiques utilisée dans le manuel et la nomenclature systématique recommandée par l'UICA.

Glossaire et index

Situé à la fin du manuel, le glossaire regroupe les définitions des termes propres à la chimie, écrits en caractères gras dans le texte. Un index général facilite le repérage des mots et des expressions clés du manuel.

Table des matières

Les découvertes scientifiques mentionnées dans ce manuel*

ANNÉE	TRAVAUX ET DÉCOUVERTES SCIENTIFIQUES
1643	**Evangelista Torricelli :** baromètre au mercure
1648	**Blaise Pascal :** démonstration expérimentale de la pression atmosphérique
1662	**Robert Boyle :** volume d'un gaz inversement proportionnel à sa pression
1679	**Edme Mariotte :** à température constante, volume d'un gaz inversement proportionnel à sa pression
1709	**Gabriel Daniel Fahrenheit :** thermomètre à alcool
1714	**Gabriel Daniel Fahrenheit :** échelle de température, thermomètre à mercure
1741-1742	**Anders Celsius :** thermomètre à mercure et échelle de température centigrade
1747-1751	**Benjamin Franklin :** expérience du cerf-volant, paratonnerre, charges positives et charges négatives
1754-1761	**Joseph Black :** CO_2, bases de la calorimétrie, température constante lors des changements d'état
1765-1771	**Henry Cavendish :** H_2, notions de potentiel et de charges électriques
1772	**Joseph Priestley :** début de ses travaux sur les gaz (isole et caractérise huit gaz)
1774	**Joseph Priestley :** publication de ses travaux sur l'oxygène
	Antoine Laurent de Lavoisier : début de ses expériences sur la combustion, la constitution de l'air, l'eau, l'oxygène, la nomenclature des éléments
1783	**Pilâtre de Rozier** et le **marquis d'Arlandes :** premier vol dans un ballon à air chaud conçu par les frères **Joseph Michel** et **Jacques Étienne Montgolfier**
	Jacques Charles et un des frères **Robert :** premier vol dans un ballon à hydrogène
1784, 1787	**Jacques Charles :** à pression constante, volume d'un gaz proportionnel à sa température
1785	**Charles Augustin de Coulomb :** forces entre les charges électrostatiques
1789	**Antoine Laurent de Lavoisier :** loi de la conservation de la masse, classification des éléments chimiques
1801	**John Dalton :** loi des pressions partielles des gaz
1808	**John Dalton :** table des masses atomiques d'une vingtaine d'éléments
1811	**Amedeo Avogadro :** des volumes égaux de gaz, dans les mêmes conditions de température et de pression, contiennent le même nombre de molécules
1829 à 1846	**Thomas Graham :** loi sur la vitesse de diffusion des gaz
1840	**Germain Henri Hess :** additivité des enthalpies de réaction
1843	**James Joule :** équivalent mécanique de la chaleur
1848, 1851	**Lord Kelvin :** échelle de température et zéro absolu

ANNÉE	TRAVAUX ET DÉCOUVERTES SCIENTIFIQUES
185?	**Geissler :** pompe au mercure pour faire le vide dans les tubes à décharge
1862	**Béguyer de Chancourtois :** tableau périodique cylindrique à 24 éléments
1863	**John Newlands :** loi des octaves (périodicité des propriétés des éléments)
1864 à 1873	**James Clerk Maxwell :** théorie des champs électromagnétiques
1865	**Friedrich August Kekulé :** suggestion de la structure du benzène
1869	**Dmitri Ivanovitch Mendeleïev :** classification périodique des éléments
	Hittorf : rayons cathodiques
1870	**Julius Lothar von Meyer :** classification périodique des éléments
1873	**Johannes Van der Waals :** forces d'attraction intermoléculaires
1877	**Ludwig Boltzmann :** théorie cinétique des gaz
1879	**Thomas Edison :** lampe à incandescence
1880	**Sir William Crookes :** tube cathodique, propriétés des rayons cathodiques
1885	**Johann Jacob Balmer :** expression mathématique des raies spectrales de l'hydrogène
1886	**Heinrich Rudolf Herz :** ondes électromagnétiques radio
	Eugen Goldstein : rayons canaux
1887	**Svante August Arrhenius :** théorie ionique des électrolytes, des acides et des bases
1891	**George Johnstone Stoney :** introduction du mot « électron »
1895	**Wilhelm Conrad Roentgen :** rayons X
	Jean Perrin : rayons cathodiques = électrons ; rayons canaux = corpuscules chargés d'électricité positive
1896	**Henri Becquerel :** radioactivité naturelle
	Jean Perrin : rayons X = ondes électromagnétiques
	Friedrich Wilhelm Ostwald : introduction du mot « mole »
1897	**Joseph John Thompson :** rapport e/m de l'électron
1898	**Pierre** et **Marie Curie :** polonium et radium
1899	**Henri Becquerel :** radioactivité de l'uranium = particules chargées déviées par un champ magnétique
	Ernest Rutherford : radiations du radium nommées « rayons α »
1900	**Johannes Robert Rydberg :** équation définissant les raies spectrales de l'hydrogène
	Max Planck : émission des corps noirs, naissance de la théorie quantique
1900	**Paul Villard (Ernest Rutherford ?) :** rayons γ = ondes électromagnétiques

* Selon les sources consultées, les dates varient parfois d'une ou de quelques années.

ANNÉE	TRAVAUX ET DÉCOUVERTES SCIENTIFIQUES
1901	**Wilhelm Wien:** rayons canaux = particules chargées d'électricité positive
1903	**Ernest Rutherford:** rayons α = particules chargées d'électricité positive
1905	**Albert Einstein:** effet photoélectrique
	Ernest Rutherford: rapport e/m des particules α
1906	**Lyman:** raies émises par l'hydrogène dans l'ultraviolet
	William Coolidge (General Electric Company): ampoule électrique à filament de tungstène (1906-1910)
1908	**Ernest Rutherford:** particules α = noyaux d'hélium
1909	**Hans Geiger:** détecteur de particules α
	Hans Geiger, E. Marsden, sous la direction d'**Ernest Rutherford:** noyau atomique
1911	**Ernest Rutherford** (Geiger et Marsden): modèle nucléaire de l'atome
	Peter Debye: polarité des molécules
1912	**Max von Laue, William Henry** et **William Lawrence Bragg:** rayons X et cristallographie
	Willem Hendrik Keesom: interactions entre dipôles permanents
1913	**Niels Bohr:** modèle atomique
	Henry Gwyn-Jeffreys Moseley: rayons X des éléments et classification périodique
1914	**Frederick Soddy:** notion d'isotopes
	Ernest Rutherford: rayons γ = ondes électromagnétiques, noyau atomique et protons
1916	**Gilbert Newton Lewis:** modèle de liaisons chimiques, structure moléculaire
1917-1919	**Ernest Rutherford:** première désintégration nucléaire artificielle
1919	**Francis William Aston:** perfectionnement du spectromètre de masse
	Robert Andrew Millikan: publication des travaux portant sur la charge de l'électron
1920	**Ernest Rutherford:** existence du neutron
1923, 1924	**Louis de Broglie:** aspect ondulatoire des particules
1925	**George Uhlenbeck** et **Samuel Goudsmit:** postulat de l'existence du spin de l'électron
	Wolfgang Pauli: principe d'exclusion
1926	**Erwin Schrödinger:** fonctions d'onde de l'électron
	Max Born: carré des fonctions d'onde de Schrödinger = probabilité de présence de l'électron

ANNÉE	TRAVAUX ET DÉCOUVERTES SCIENTIFIQUES
1926	**Enrico Fermi:** statistiques de Fermi-Dirac, niveau de Fermi
1927	**Werner Heisenberg:** principe d'incertitude
	Georges Lemaître: origine de la théorie du big-bang
	Clinton Joseph Davisson, Lester Halbert Germer: diffraction des électrons par un cristal métallique
1928	**Paul Dirac:** généralisation de la notion de spin
	Alexander Fleming: pénicilline
1930	**Fritz London:** interactions entre dipôles instantanés
	Walther Bothe, H. Becker: nouveau « rayonnement » très pénétrant (les neutrons)
1931	**Linus Carl Pauling:** nature de la liaison chimique
	Irène et **Frédéric Joliot-Curie:** nouveau rayonnement (les neutrons) capable d'expulser des protons d'un bloc de paraffine
1932	**James Chadwick:** neutron = particule neutre de masse voisine de celle du proton
	Robert Sanderson Mulliken: orbitale moléculaire
1935	**Robert Sanderson Mulliken:** méthode LCAO de calcul des orbitales moléculaires
1938	**Roy Plunkett:** téflon
1952,1953	**Rosalind Franklin, Maurice Wilkins:** rayons X et ADN
1953	**Francis Harry Compton Crick, James Dewey Watson:** structure de l'ADN
1957	**Ronald J. Gillespie** (avec **R. S. Nyholm**): théorie de la répulsion des paires d'électrons
1962	**Neil Bartlett:** préparation d'un composé du xénon
1965	**Barnett Rosenberg:** *Cisplatine*
1981	**Gerd Binning, Heinrich Rohrer:** microscope à effet tunnel
1985	**Richard Smalley, Robert Curl, Harold Kroto:** fullerènes

Préface

Je crois que bien des gens ignorent encore comment fonctionne la science.
James Watson, préface de *The double Helix,* 1968.

La double hélice

L'acide désoxyribonucléique (ADN) présent dans tous les êtres vivants contient l'information permettant la réplique de la plante ou de l'animal. La structure de cette pierre angulaire de la vie a été découverte par James D. Watson, Francis Crick et Maurice Wilkins, auxquels on a attribué, en 1962, le prix Nobel de médecine et de physiologie, en hommage à leur travail. Rosalind Franklin, collaboratrice de la première heure, morte prématurément en 1958 à l'âge de 37 ans, ne fut pas associée à cette récompense qui n'est pas décernée à titre posthume.

L'élucidation de la structure de l'ADN est certainement une des découvertes majeures du XXe siècle ; son histoire a été relatée par Watson dans son livre *The double Helix.*

Durant ses études à l'université d'Indiana, Watson s'intéresse beaucoup aux gènes et espère élucider leur rôle en biologie « sans jamais avoir appris la chimie ». Plus tard cependant, Crick et Watson reconnurent la contribution inestimable de la chimie à leur découverte alors que leur imagination vagabondait sur le contenu d'un livre classique en chimie organique.

La recherche des solutions de problèmes complexes implique le regroupement en équipes de scientifiques issus de diverses formations. Aussi, en 1951, Watson se rend à l'université de Cambridge (Angleterre) et y rencontre Crick, qui, selon ses dires, parle plus fort et plus vite que n'importe qui. Crick partage le même point de vue que Watson sur l'importance fondamentale de l'ADN. Les deux chercheurs, convaincus que la compréhension de la génétique passe obligatoirement par la connaissance de la structure de l'ADN, base chimique de l'hérédité, ont besoin de données expérimentales semblables à celles qui pourraient émaner des expériences menées au King's College de Londres par Maurice Wilkins et Rosalind Franklin : leur groupe étudie en effet cette structure par diffraction des rayons X, méthode habituellement utilisée en cristallographie.

Au début, le groupe du King's College n'est pas très enclin à partager ses données et, qui plus est, ne semble pas comprendre pourquoi Crick et Watson sont si pressés de les obtenir. Ceux-ci sont confrontés à un problème éthique : peuvent-ils travailler un sujet que d'autres chercheurs proclament être le leur ? Watson remarque : « Le fair-play anglais interdit à Francis [Crick] de marcher dans les plates-bandes de Maurice [Wilkins]. »

Watson et Crick adhèrent très tôt à l'hypothèse selon laquelle la structure globale de l'ADN est celle d'une hélice, les atomes formant des chaînes qui tournent sur elles-mêmes comme les vrilles d'une vigne. Ils savent aussi quels éléments la constituent et ont une vague idée de la manière dont ils sont regroupés. Ils ignorent cependant la structure fine de l'hélice. La réponse vient au printemps 1953 : la molécule d'ADN est composée de deux chaînes enroulées l'une autour de l'autre, le tout formant une double hélice.

Pour aborder le problème de la structure de l'ADN, Watson et Crick font appel aux **modèles moléculaires,** technique fréquemment utilisée de nos jours. Ils construisent des représentations des différentes parties de la chaîne d'ADN et essaient divers arrangements compatibles chimiquement entre eux. Finalement, ils aboutissent à une séquence « si belle qu'il ne pouvait en être autrement », que les résultats expérimentaux de Wilkins et Franklin confirmeront. Malgré son utilité indubitable, la modélisation ne constitue pas une preuve en soi : seule l'évidence expérimentale est concluante.

▲ **Des formes hélicoïdales.**
Le filet d'un foret se déroule autour de son axe et quelques plantes comme la vigne grimpent en s'agrippant à l'aide de vrilles hélicoïdales. Le squelette de l'ADN se présente de la même manière. Charles D. Winters

La façon dont Crick, Watson, Wilkins et Franklin furent amenés finalement à partager l'information, leurs connaissances et leurs intuitions forme la trame d'un roman intéressant, et illustre comment la science progresse souvent. Comme le mentionnera plus tard Watson dans son livre, Rosalind Franklin finit par admettre que « la construction de modèles, qu'elle et Wilkins appréciaient peu initialement, représentait une approche sérieuse de la science, et n'était pas le refuge facile des dilettantes désireux de passer à côté du travail fastidieux requis par une honnête carrière scientifique ».

L'IMPORTANCE DE LA CHIMIE DANS VOTRE PROGRAMME D'ÉTUDES

La chimie s'intéresse aux changements de la matière. Dans les premiers temps, elle se préoccupait de la transformation d'une substance naturelle en une autre. À l'heure actuelle, elle s'occupe toujours de ces transformations, mais a élargi son champ d'études aux substances synthétiques (figure 1).

Pourquoi l'étude de la chimie est-elle obligatoire dans votre programme d'études collégiales? En premier lieu, elle vous aide à comprendre comment les scientifiques perçoivent le monde matériel qui vous entoure. En second lieu, elle contribue à la compréhension de disciplines aussi diverses que la biologie, la géologie, la science des matériaux, la médecine, la physique et de nombreuses branches de l'ingénierie. Finalement, tous les produits, naturels ou artificiels, affectent votre vie quotidienne d'une multitude de manières.

Les connaissances acquises et les habiletés développées en chimie vous aideront dans votre carrière professionnelle et vous prépareront aussi à devenir des citoyens et des citoyennes mieux informés d'un monde qui devient technologiquement plus complexe et... plus intéressant.

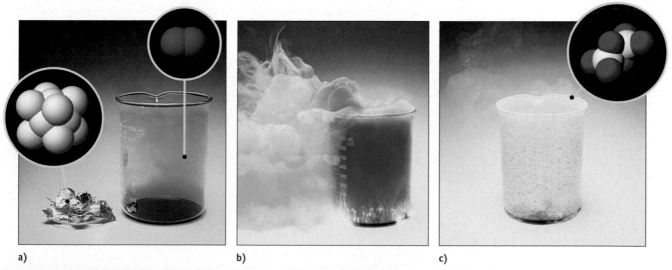

a) b) c)

Figure 1 La chimie étudie les atomes, les molécules et leurs transformations. a) L'aluminium, un solide métallique, et le brome, un liquide brun-rouge, **b)** se combinent **c)** pour former du bromure d'aluminium, un solide blanc. Les modèles moléculaires donnent une idée de la manière dont les atomes sont assemblés dans l'aluminium, le brome et le bromure d'aluminium. Charles D. Winters

LA MÉTHODE SCIENTIFIQUE

Avant d'aborder à proprement parler le contenu de ce cours de *Chimie générale*, il nous semble utile d'aborder dans cette préface quelques idées fondamentales communes aux scientifiques de toutes les disciplines : le fonctionnement de la recherche, le hasard et l'intégrité.

La recherche

L'histoire de la découverte de la structure de l'ADN relatée brièvement en introduction illustre bien le déroulement de la recherche scientifique.

Les scientifiques explorent un champ d'études qu'ils ont eux-mêmes choisi ou un domaine qui leur a été proposé dans le but de trouver une réponse à un problème bien identifié ou de découvrir des applications que l'on prévoit utiles à la société. L'objet sur lequel portent leurs travaux constitue le **sujet de recherche.**

Ensuite, les scientifiques entreprennent une **revue de la littérature** publiée sur le sujet, afin de se faire une bonne idée de l'orientation à privilégier. Ainsi, Watson et Crick ont lu les publications sur l'ADN, en particulier celles de Linus Pauling, et ont discuté avec Maurice Wilkins et Rosalind Franklin, leurs collègues du King's College de Londres, qui étudiaient aussi l'ADN.

Plus tard, les chercheurs émettent une **hypothèse,** tentative d'explication possible du problème, admise provisoirement avant d'être soumise au verdict de l'expérience.

À l'étape suivante, les chercheurs conçoivent et réalisent des **expériences,** dans le but de confirmer certaines hypothèses ou d'en infirmer d'autres. C'est en suivant cette démarche que Watson et Crick ont été amenés à construire des modèles des parties composant l'ADN afin de visualiser l'agencement des atomes les uns par rapport aux autres et de vérifier si les arrangements réalisés correspondaient aux résultats expérimentaux obtenus par Wilkins et Franklin.

Les premières expériences aboutissent généralement à la révision de l'hypothèse initiale ou à son élargissement et, conséquemment, à la conception et à la mise en œuvre de nouvelles expérimentations. À la suite d'un certain nombre d'essais, dont les résultats sont vérifiés afin de s'assurer de leur reproductibilité, un modèle de comportement peut se dégager. À ce stade, on entrevoit l'existence possible d'une règle générale. Finalement, après de nombreuses expériences conduites bien souvent par d'autres scientifiques sur une assez longue période de temps, la règle générale peut devenir une **loi,** un énoncé concis ou une équation mathématique décrivant le comportement général des phénomènes naturels observés.

Une fois que suffisamment d'expériences reproductibles ont été effectuées et que les résultats expérimentaux ont été généralisés sous forme de loi ou de règle générale, les théories commencent à s'élaborer. Une **théorie** est une explication de faits observés et de lois s'y rapportant, en fonction d'un modèle simple ayant des propriétés connues. D'une théorie peuvent surgir de nouvelles hypothèses. Les théories abondent, non seulement dans les sciences expérimentales, mais aussi dans d'autres disciplines telles l'économie ou la sociologie. Les lois sont le reflet des faits expérimentaux et changent rarement ; par contre, les théories sont des inventions de l'esprit humain et ne sont pas infaillibles. À l'aide d'une théorie expliquant certaines observations dans un domaine particulier, il devient possible de prévoir un comportement qui n'a pas encore été étudié. On pourra faire d'autres expériences pour tester sa validité et, incidemment, obtenir des résultats différents de ceux prévus. À la lumière de faits nouveaux, les théories évoluent ou, à la limite, sont abandonnées.

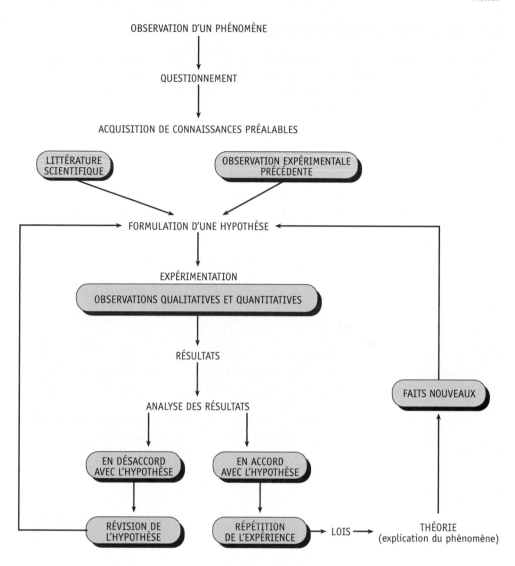

L'importance du hasard... bien exploité !

L'idée que la science ne fait appel qu'à la logique est fortement répandue chez les personnes ne travaillant pas dans un domaine scientifique. Pour elles, un chimiste est un individu en blouse blanche qui passe de façon totalement logique des hypothèses aux expériences et ensuite aux lois et aux théories, sans manifester d'émotions et sans faiblir. Cette représentation est erronée ! Watson et Crick ont travaillé durant des mois et des mois, et commis de nombreuses erreurs avant d'élucider la structure de l'ADN.

Il arrive souvent que des découvertes scientifiques soient tout à fait fortuites, si toutefois ce que l'on appelle « la chance » ou « le hasard heureux » tombe entre de bonnes mains. Le don de l'observation, la curiosité, le discernement et la créativité sont en effet indispensables pour transformer un résultat inattendu en une découverte utile et passionnante. Les découvertes de la pénicilline, en 1928, par Alexander Fleming (1881-1955), du téflon, en 1938, par Roy Plunkett, du *Cisplatine*, un médicament pour traiter le cancer, par Barnett Rosenberg, en 1965, sont trois bons exemples de ce hasard bénéfique correctement exploité.

La découverte du téflon

Un produit qui vous est familier, le téflon, est le fruit du hasard et de la curiosité. En 1938, un jeune scientifique, le Dr Roy Plunkett, travaille dans un laboratoire de la compagnie DuPont dédié à la recherche sur les réfrigérants à base de fluor (que l'on connaît maintenant sous la marque de commerce Fréon). Un jour, Plunkett et ses assistants vident un cylindre contenant du tétrafluoroéthylène. Au lieu des 1000 g attendus, ils n'en recueillent que 990. Où sont passés les 10 g manquants ? Curieux comme tout bon chimiste, les chercheurs décident de sectionner le cylindre afin de pouvoir en examiner l'intérieur. Une substance blanche tapisse sa paroi interne !

▲ **La découverte du téflon.** Sur une photographie prise lors de la reconstitution de l'événement réel qui s'est déroulé en 1938, Roy Plunkett (1910-1994), à droite, et ses assistants découvrent un solide blanc déposé sur la paroi interne d'un cylindre. Le solide, appelé de nos jours le téflon, a été découvert par hasard. Hagley Museum and Library

Les dilemmes et l'intégrité en sciences

On peut penser que la recherche scientifique se déroule de façon linéaire : effectuer une expérience, en tirer une conclusion. Faire de la recherche n'est pas aussi facile. Les frustrations et les déceptions sont le lot commun des chercheurs, et les résultats ne sont pas toujours concluants. Les expériences complexes contiennent une certaine dose d'incertitude et des données contradictoires ou aberrantes peuvent en résulter. Par exemple, vous menez une expérience visant à démontrer l'existence d'une relation directe entre deux grandeurs. Vous récoltez six mesures, que vous présentez sous forme de graphique. Quatre points s'alignent, mais les autres s'éloignent passablement de la droite. Devriez-vous ignorer ces deux

points? Ou devriez-vous effectuer d'autres mesures, alors que vous savez perti-
nemment le temps qu'elles nécessitent et que vous courez ainsi le risque que d'autres chercheurs publient avant vous et soient crédités de la découverte? Ou
devriez-vous considérer que les deux points non alignés invalident votre hypothèse, vous contraignant ainsi à abandonner une bonne idée à laquelle vous avez
consacré plus d'une année de travail? La réponse n'est pas évidente *a priori*.
Cependant, les scientifiques ont le devoir et la responsabilité de rester objectifs
devant ces difficultés. Ce n'est pas toujours facile, il faut bien le reconnaître.

Il est important de se rappeler que les scientifiques sont sujets aux mêmes pressions morales et aux mêmes dilemmes que toute autre personne. Pour s'assurer
malgré tout de l'intégrité de la science, quelques principes de conduite largement
admis ont émergé au cours du temps:
- les résultats expérimentaux doivent être reproductibles;
- ils doivent être publiés avec suffisamment de clarté et de détails pour que d'autres chercheurs puissent les utiliser ou les reproduire;
- les conclusions doivent appartenir au domaine du raisonnable et ne doivent pas
être biaisées;
- la reconnaissance doit revenir à la personne qui le mérite effectivement.

Les chimistes sont confrontés à beaucoup de problèmes éthiques ou moraux.
Objectivement, la chimie a contribué à augmenter l'espérance de vie des humains,
ainsi qu'à améliorer leur qualité de vie. Mais, de manière aussi objective, les produits chimiques peuvent être nocifs, particulièrement lorsqu'ils sont mal utilisés.
Il nous incombe donc à tous de comprendre suffisamment la science pour pouvoir poser les bonnes questions, pour être en mesure d'évaluer la fiabilité des sources d'information et pour se forger une opinion raisonnable en ce qui concerne
notre santé et notre sécurité, ainsi que celles de nos communautés.

Le mot de la fin

Quel que soit le domaine scientifique vers lequel vous envisagez de vous orienter,
vous ne pourrez que constater l'apport fondamental de la chimie à votre discipline.

En plus, vous serez appelé au cours de votre vie à prendre des décisions importantes pour vous et vos proches, et peut-être même au-delà: une compréhension
des fondements de la science en général et de la chimie en particulier ne peut
que vous être utile.

Nous, les auteurs de ce manuel, restons fermement persuadés que l'étude de
la chimie représente un défi stimulant. Cependant, comme toute chose qui en
vaut la peine, elle exige du temps et des efforts. Investissez-vous dans son étude,
consacrez-y le temps nécessaire, consultez vos professeurs, vos confrères et vos
consœurs. Nous sommes sûrs que vous la trouverez aussi captivante, aussi utile et
aussi intéressante que nous l'avons trouvée quand nous étions à votre place.

Des objets contenant du téflon.
Le téflon occupe une place
importante comme matériau
de base entrant dans
la fabrication de produits
industriels et de produits
de consommation courante.
Charles D. Winters

La **matière**, l'**énergie** et les **mesures**

En panne sèche!

Le 23 juillet 1983, un Boeing 767, le vol 143 d'Air Canada, volait sans histoire à une altitude de 8000 m entre Montréal et Edmonton lorsque plusieurs alarmes se déclenchèrent dans la cabine de pilotage. L'un des plus gros avions du monde était transformé en planeur à cause d'une panne sèche!

Comment cet avion à réaction moderne, équipé d'instruments à la fine pointe du progrès, a-t-il pu manquer de carburant? Tout simplement, à cause d'une erreur bête dans le calcul de sa quantité!

Cet avion était équipé d'une jauge de carburant sophistiquée, mais elle fonctionnait mal sur cet appareil. Il

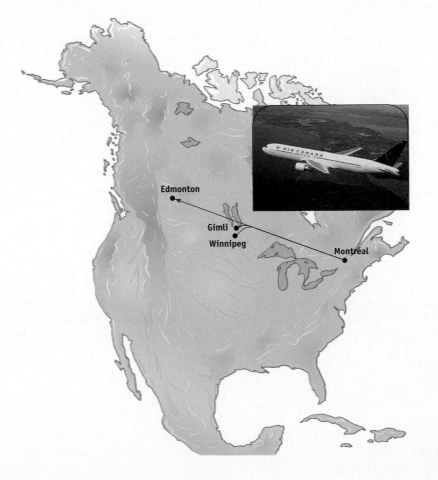

avait quand même reçu l'autorisation de voler parce qu'il y avait une autre façon de déterminer la quantité de combustible restant dans les réservoirs. Les mécaniciens utilisaient une tige, semblable à la jauge de niveau d'huile des moteurs de voiture, pour mesurer le niveau dans chacun des trois réservoirs. Les mécaniciens de Montréal ont lu les jauges calibrées en centimètres et ont transformé ces mesures en volumes exprimés en litres. Selon leurs calculs, il restait environ 7700 L de carburant.

Les pilotes du Boeing savaient qu'il fallait 22 300 kg de carburant pour le voyage. S'il en restait 7700 L dans les réservoirs, pour savoir combien il fallait en ajouter, il suffisait de trouver la masse de ces 7700 L en multipliant par la masse volumique, de retrancher ce nombre de 22 300 kg et de reconvertir le résultat en litres à l'aide de la même masse volumique.

Le premier officier de l'avion demanda à l'un des mécaniciens quel était le facteur de conversion du volume en masse. Le mécanicien répondit : « 1,77 ». Alors, ils effectuèrent les calculs et trouvèrent qu'il fallait environ 4900 L.

Des calculs ultérieurs ont montré qu'il manquait plus de 20 000 L. Pourquoi à peine un quart de ce volume avait-il été ajouté ? Parce que personne ne s'était soucié des *unités* du facteur de conversion 1,77. On s'est rendu compte plus tard qu'il s'agissait de *livres par litre*, la livre étant l'unité de masse courante avant l'adoption officielle du système international d'unités au Canada, non de *kilogrammes par litre*!

En panne sèche, l'avion ne pouvait atterrir à Winnipeg; les contrôleurs aériens l'ont alors dirigé vers Gimli, un petit aéroport abandonné de l'armée de l'air canadienne. Après avoir plané pendant une trentaine de minutes, l'avion est arrivé en vue du terrain d'atterrissage… qui avait été transformé en circuit automobile ! Une course justement se tenait cette journée-là et une barrière métallique avait été érigée en travers de la piste. Le pilote s'arrangea du mieux qu'il put pour atterrir près de la fin de la surface dure. L'avion ralentit sur le ciment, le train d'atterrissage avant céda, plusieurs pneus éclatèrent… et finalement l'avion dérapa tranquillement puis s'arrêta avant la barrière.

Le planeur de Gimli avait réussi à atterrir! Et, quelque part, un mécanicien et un officier font maintenant plus attention aux unités des nombres.

◄ **Le vol 143 d'Air Canada.** Après être tombé en panne sèche, l'avion a plané pendant trente minutes avant d'atterrir sur une piste abandonnée à Gimli, près de Winnipeg. AP/Wide World Photos

Réfléchir sur la matière et l'énergie La chimie s'intéresse à la structure de la matière et à ses interactions. La matière est constituée d'éléments chimiques et de leurs composés. Elle se présente sous plusieurs états physiques : solide, liquide et gazeux. De l'énergie est invariablement échangée durant les transformations physiques et chimiques, le plus souvent sous forme de chaleur.

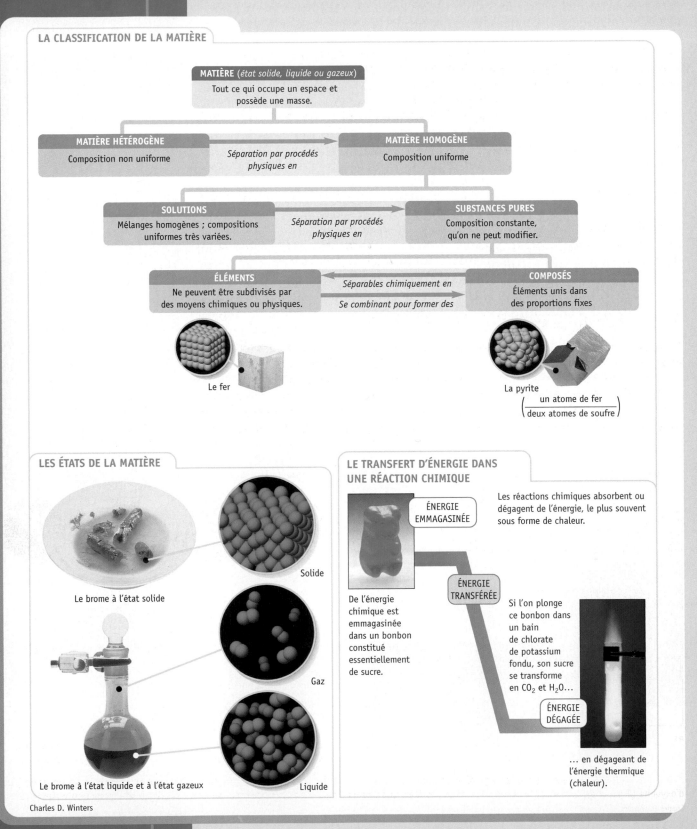

LA CLASSIFICATION DE LA MATIÈRE

MATIÈRE (*état solide, liquide ou gazeux*)
Tout ce qui occupe un espace et possède une masse.

MATIÈRE HÉTÉROGÈNE
Composition non uniforme

Séparation par procédés physiques en

MATIÈRE HOMOGÈNE
Composition uniforme

SOLUTIONS
Mélanges homogènes ; compositions uniformes très variées.

Séparation par procédés physiques en

SUBSTANCES PURES
Composition constante, qu'on ne peut modifier.

ÉLÉMENTS
Ne peuvent être subdivisés par des moyens chimiques ou physiques.

Séparables chimiquement en
Se combinant pour former des

COMPOSÉS
Éléments unis dans des proportions fixes

Le fer

La pyrite
$\left(\dfrac{\text{un atome de fer}}{\text{deux atomes de soufre}}\right)$

LES ÉTATS DE LA MATIÈRE

Le brome à l'état solide

Solide

Gaz

Liquide

Le brome à l'état liquide et à l'état gazeux

LE TRANSFERT D'ÉNERGIE DANS UNE RÉACTION CHIMIQUE

Les réactions chimiques absorbent ou dégagent de l'énergie, le plus souvent sous forme de chaleur.

ÉNERGIE EMMAGASINÉE

De l'énergie chimique est emmagasinée dans un bonbon constitué essentiellement de sucre.

ÉNERGIE TRANSFÉRÉE

Si l'on plonge ce bonbon dans un bain de chlorate de potassium fondu, son sucre se transforme en CO_2 et H_2O...

ÉNERGIE DÉGAGÉE

... en dégageant de l'énergie thermique (chaleur).

I maginez un grand verre rempli d'un liquide transparent, la lumière du jour provenant de la fenêtre le rend éclatant, le verre est froid au toucher. Une bonne gorgée d'eau fraîche serait bien appréciée. Vous vous laisseriez certainement tenter si le verre était dans votre cuisine, mais que feriez-vous s'il se trouvait dans un laboratoire de chimie ? Comment sauriez-vous que ce verre contient effectivement de l'eau pure ? Ou, pour utiliser un langage plus chimique, comment pourriez-vous prouver que le liquide est de l'eau ?

On pense habituellement que l'eau que l'on boit est pure, mais ce n'est pas strictement vrai. En réalité, l'eau potable est presque toujours un mélange de substances, dissoutes ou non. On peut se poser beaucoup de questions sur l'eau comme sur la plupart des mélanges. Quels en sont ses constituants (particules en suspension, oxygène, sels de sodium, de calcium ou de fer dissous, etc.), dans quelles proportions sont-ils présents, comment peut-on les isoler, comment s'influencent-ils mutuellement ?

L'étude de la chimie est incomplète si l'on omet d'y inclure la notion d'**énergie,** dont la forme la plus commune est la chaleur. Ses variations, ses échanges entre différents systèmes constituent un thème majeur de la **thermodynamique,** la science qui étudie les relations entre la chaleur et le travail.

Ce chapitre examine la façon dont les chimistes se représentent la matière. Il expose quelques idées fondamentales touchant les éléments, les atomes, les composés et les molécules, les échanges de chaleur, le tout constituant la raison d'être principale de la chimie. Ensuite, il décrit comment les chimistes caractérisent ces composants de la matière et, finalement, comment se traite l'information quantitative.

1.1 LES ÉLÉMENTS ET LES ATOMES

Le passage d'un courant électrique dans l'eau peut la décomposer en hydrogène et en oxygène (figure 1.1 **a**). Ces deux gaz composés uniquement d'un seul type d'atome ou **élément** appartiennent à la catégorie des **corps simples.**

On connaît actuellement 113 éléments. Il en existe 90 à l'état naturel, les autres sont artificiels. Chaque élément porte un nom et il est représenté par un **symbole** reconnu internationalement. Il s'agit généralement de l'abréviation de

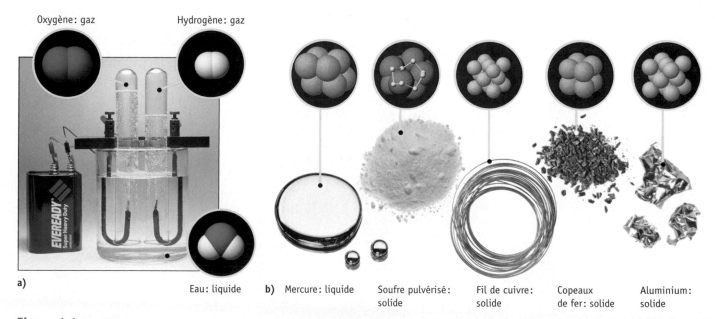

Oxygène: gaz   Hydrogène: gaz

a)   Eau: liquide   **b)** Mercure: liquide   Soufre pulvérisé: solide   Fil de cuivre: solide   Copeaux de fer: solide   Aluminium: solide

Figure 1.1 Les éléments. a) Le passage d'un courant électrique dans l'eau provoque le dégagement d'hydrogène (éprouvette de droite) et d'oxygène (à gauche). **b)** On peut souvent distinguer les éléments chimiques par leur couleur ou par leur état physique à la température ambiante.
Charles D. Winters

son nom, constituée de sa première lettre en majuscule, parfois suivie d'une seconde lettre minuscule non liée à la première, le tout écrit en caractères d'imprimerie.

Certains symboles sont des abréviations évidentes du nom français de l'élément : ainsi, C représente le carbone, S, le soufre, Fe, le fer, Cu, le cuivre, Ag, l'argent, Pb, le plomb, He, l'hélium (issu du grec *hélios*, « soleil »). Dans d'autres cas, surtout lorsque les éléments sont connus depuis l'Antiquité, le symbole est une abréviation de l'ancien nom de l'élément, souvent d'origine latine ou grecque. Le sodium s'appelait en latin *natrium*, d'où le symbole Na, le mercure, *hydrargyrum* (Hg), l'or, *aurum* (Au), l'étain, *stannum* (Sn).

Les éléments artificiels récemment découverts sont nommés d'après le lieu de leur découverte ou d'après le nom d'une personnalité marquante du monde scientifique ou d'après un pays significatif : berkelium (Bk), curium (Cm), américium (Am), francium (Fr).

Le tableau formé de cases renfermant le nom et le symbole des différents éléments, ainsi que certains renseignements supplémentaires, est appelé le **tableau périodique.** Cet outil sera décrit plus en détails dans les chapitres suivants.

La chimie moderne repose sur la compréhension et l'exploration de la nature au niveau atomique : un **atome** est la plus petite partie d'un élément qui conserve toutes les propriétés caractéristiques de cet élément. Cela fera l'objet des chapitres 2, 4 et 5.

1.2   LES COMPOSÉS ET LES MOLÉCULES

Une substance pure comme le sucre, le sel ou l'eau, composée d'au moins deux éléments différents est un **composé chimique** ou tout simplement un **composé.** Seulement 113 éléments sont connus, toutefois il n'y a apparemment aucune limite au nombre de composés qu'ils peuvent former. On en compte de nos jours plus de 20 millions et il s'en découvre environ 500 000 chaque année.

Quand des éléments réagissent ensemble pour former un composé, leurs propriétés générales, telles que leur couleur, leur dureté, leur point de fusion, etc., sont remplacées par les propriétés caractéristiques du composé formé. Considérez à titre d'exemple le sel de table ordinaire (le chlorure de sodium), qui est composé de deux éléments (figure 1.2).

Sodium (Na) : solide

Chlore (Cl_2) : gaz

Chlorure de sodium (Nacl) : solide

Figure 1.2 La formation d'un composé. Le chlorure de sodium (le sel de table ordinaire) peut être obtenu en faisant réagir du sodium (Na), un solide métallique, et du chlore (Cl_2), un gaz jaune. Le produit obtenu est un solide cristallin blanc. Charles D. Winters

- Le sodium, composé d'atomes identiques empilés de façon compacte, est un métal brillant, qui réagit violemment avec l'eau.
- Le chlore, composé d'entités de Cl_2 renfermant chacune deux atomes (*voir la figure 1.2, page 14*) liés fermement ensemble, est un gaz jaune à l'odeur suffocante, qui irrite fortement les voies respiratoires.
- Le chlorure de sodium est un **solide cristallin,** dont les propriétés diffèrent totalement de celles de ses éléments constitutifs. Le sel est composé de sodium et de chlore liés fortement l'un à l'autre.

Il est important de faire la distinction entre un **mélange** de deux éléments (*voir la section 1.5, page 23*) et un composé chimique constitué d'au moins deux éléments différents. Le fer et le soufre (*voir la figure 1.1 b), page 13*) peuvent être mélangés en toutes proportions et conservent chacun leurs propriétés, tandis que la pyrite (figure 1.3), un composé chimique constitué de fer et de soufre, a une composition bien définie et invariable (46,55 g de fer et 53,45 g de soufre dans 100 g de pyrite) et possède des propriétés différentes de celles du fer ou du soufre, ou de n'importe quel mélange des deux.

Ainsi, deux différences majeures distinguent les composés des mélanges: *les composés possèdent des propriétés caractéristiques différentes de celles de leurs éléments constitutifs et leur composition bien définie est constante.*

Quelques composés, comme le sel (NaCl), sont formés d'**ions,** c'est-à-dire d'atomes ou de groupes d'atomes qui ont perdu ou gagné un ou des **électrons,** devenant ainsi électriquement chargés (*voir le chapitre 3, page 72*). D'autres composés, comme l'eau et le sucre, sont formés de **molécules,** la plus petite entité de matière, constituée d'au moins deux atomes identiques ou différents, qui possède les propriétés de la substance.

La composition de n'importe quel composé chimique peut être représentée par sa **formule chimique.** Celle de l'eau est H_2O. H est le symbole de l'hydrogène et son indice 2 signifie que deux atomes d'hydrogène sont présents dans chacune des molécules d'eau. Le symbole O ne comporte pas d'indice: la molécule ne contient qu'un seul atome d'oxygène.

Dans ce manuel, les molécules sont souvent représentées par des modèles qui illustrent leur composition et leur structure. On trouve quelques exemples dans la figure 1.4.

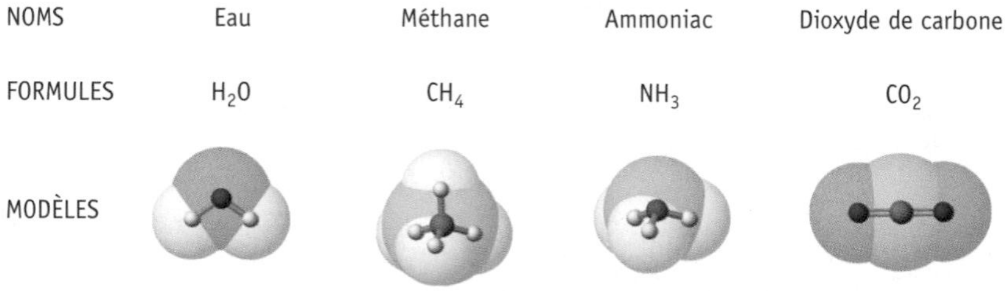

Figure 1.3 La pyrite. La pyrite est un composé chimique à base de fer et de soufre. Elle se présente souvent à l'état naturel sous la forme de cubes dorés presque parfaits. Charles D. Winters

NOMS	Eau	Méthane	Ammoniac	Dioxyde de carbone
FORMULES	H_2O	CH_4	NH_3	CO_2
MODÈLES				

Figure 1.4 Les noms, les formules et les modèles de quelques molécules courantes. Les modèles moléculaires sont largement utilisés en chimie. On a respecté dans ce manuel le code de couleurs généralement accepté: gris pour le carbone, blanc pour l'hydrogène, bleu pour l'azote et rouge pour l'oxygène.

1.3 L'ÉNERGIE

L'énergie se définit par la capacité d'effectuer du travail. Vous devez travailler, vous devez lutter contre les forces de gravité terrestre quand vous gravissez un chemin de montagne. Vous y arrivez parce que vous en avez la capacité, l'énergie pour le faire, celle-ci étant fournie par la nourriture que vous avez absorbée. Les aliments que vous avez consommés sont de l'énergie chimique emmagasinée dans des composés et libérée quand ceux-ci subissent des transformations à l'intérieur de votre corps.

James Cowlin/Image Enterprises, Phoenix AZ   Keith Kent/Science Photo Library/Photo

Figure 1.5 L'énergie et les conversions d'énergie. a) L'eau au sommet d'une chute possède de l'énergie potentielle. En tombant, elle est transformée en énergie cinétique (mécanique). **b)** Dans les éclairs, l'énergie potentielle (électrostatique) est convertie en énergie thermique et lumineuse. Des éoliennes transforment l'énergie (mécanique) du vent en énergie électrique. **c)** L'énergie chimique potentielle.

1.3.1 L'énergie cinétique et l'énergie potentielle

Toutes les formes d'énergie appartiennent à l'une des deux catégories suivantes : cinétique ou potentielle (figure 1.5).

L'**énergie cinétique** découle du mouvement :

- *énergie thermique* des atomes, des molécules ou des ions en mouvement ;
- *énergie mécanique* d'un objet macroscopique comme une balle de tennis ou une automobile en déplacement ;
- *énergie électrique* des électrons se déplaçant dans un conducteur métallique ;
- *énergie sonore,* provoquée par les molécules qui compriment ou dilatent l'espace les séparant.

L'**énergie potentielle** est celle que possède la matière du fait de sa position ou de sa condition :

- *énergie chimique,* qui résulte des liaisons entre les particules formant les composés et des forces intermoléculaires ;
- *énergie gravitationnelle,* comme celle que possède l'eau en haut d'une chute ou un ballon maintenu en l'air ;
- *énergie électrostatique* des charges électriques de signes opposés situées à courte distance l'une de l'autre.

L'énergie potentielle constitue une réserve et peut être convertie en énergie cinétique, comme le fait l'eau qui tombe d'une chute. De la même manière, on peut convertir de l'énergie cinétique en énergie potentielle : de l'eau en mouvement peut actionner une turbine pour produire de l'électricité, qui à son tour peut être utilisée pour décomposer l'eau en ses éléments oxygène et hydrogène. L'hydrogène représente de l'énergie potentielle chimique, puisqu'il peut être brûlé pour produire de la chaleur et de la lumière ou utilisé dans une pile à combustible pour donner de l'électricité.

1.3.2 La conservation de l'énergie

Quand vous vous tenez immobile sur un plongeoir, vous possédez une énergie potentielle considérable parce que vous êtes situé au-dessus du niveau de l'eau.

Au début de votre plongeon, une partie de votre énergie potentielle est transformée en énergie cinétique (figure 1.6).

Durant le plongeon, l'accélération due à la pesanteur fait que votre vitesse augmente constamment (mouvement uniformément accéléré). Votre énergie cinétique augmente (vous vous déplacez de plus en plus vite) et votre énergie potentielle diminue (vous vous rapprochez du niveau de l'eau). Quand vous entrez dans l'eau, votre vitesse diminue brusquement et une grande partie de votre énergie cinétique a été transférée sous forme d'énergie mécanique à l'eau qui jaillit autour de vous. Finalement, vous flottez immobile à la surface de l'eau, qui redevient calme. En réalité, si l'on pouvait la mesurer, on s'apercevrait que la température de l'eau a augmenté légèrement.

Cette suite de conversions illustre le **principe de la conservation de l'énergie** : l'énergie n'est ni créée ni détruite, elle se transforme et l'énergie totale de l'univers est constante. Rappelons ici qu'un principe ne se démontre pas : c'est un postulat ayant évidemment de valeur seulement si les conséquences ne sont pas contredites par l'expérience.

S'appuyant sur ce principe, il est inexact de dire, par exemple, que l'énergie de l'huile utilisée pour chauffer votre maison est consommée et perdue lors de la combustion. Ce qui a été consommé est une source d'énergie. La ressource a diminué, mais l'énergie totale est restée identique. L'énergie chimique présente initialement dans l'huile a été convertie en une quantité équivalente d'énergie, transférée maintenant sous forme de chaleur à l'intérieur de nos maisons et… aux gaz de combustion s'échappant par la cheminée.

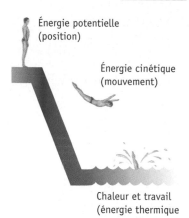

Énergie potentielle (position)

Énergie cinétique (mouvement)

Chaleur et travail (énergie thermique et mécanique)

Figure 1.6 La loi de la conservation de l'énergie. L'énergie potentielle du plongeur est convertie en énergie cinétique, transmise à l'eau sous forme mécanique et, après immobilisation, sous forme de chaleur.

1.3.3 La chaleur et la température

On peut, par exemple, mesurer les changements de **température** à l'aide d'un thermomètre à mercure (figure 1.7).

De la **chaleur** est transférée de l'eau chaude au thermomètre. L'augmentation d'énergie entraîne une plus grande agitation des atomes de mercure, l'espace entre les atomes s'accroît, le volume du mercure augmente et la colonne grimpe dans le tube capillaire.

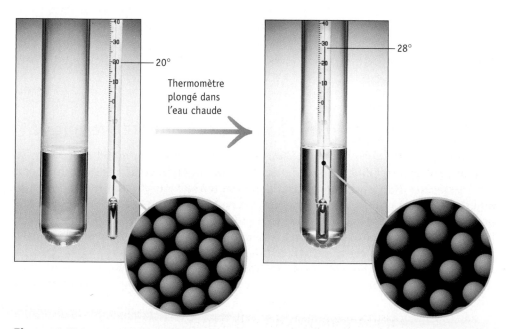

20°

Thermomètre plongé dans l'eau chaude

28°

Figure 1.7 La prise de température. Le volume du mercure d'un thermomètre plongé dans l'eau chaude augmente légèrement, si bien que le niveau s'élève dans la colonne graduée en degrés Celsius.

Charles D. Winters

D'une façon très générale, *la chaleur peut être vue comme un processus par lequel de l'énergie est transférée à cause d'une différence de température.* La température quant à elle est liée à la vitesse moyenne à laquelle se déplacent les molécules, les atomes ou les ions.

Il est important de bien comprendre trois aspects relatifs à l'énergie thermique et à la température :
- la chaleur et la température sont deux choses distinctes ;
- plus l'énergie thermique d'une substance est grande, plus rapides et plus nombreux sont les mouvements (de rotation, de vibration et de translation) de ses atomes ou de ses molécules, ou de ses ions ;
- l'énergie thermique totale d'un corps quelconque est la somme des énergies individuelles de ses atomes ou de ses molécules, ou de ses ions.

L'énergie thermique d'une substance dépend à la fois de sa quantité et de sa température. Ainsi, une tasse de café chaud peut contenir moins d'énergie thermique qu'une baignoire remplie d'eau tiède, même si la température du café est plus élevée que celle de l'eau du bain.

◆ **Le volume et la température**

Pratiquement toutes les substances, quel que soit leur état, se dilatent sous l'effet de la chaleur.
Leur coefficient de dilatation est une mesure de cette propriété physique.

1.3.4   Le système et le milieu extérieur

En thermodynamique chimique, les mots « système » et « milieu extérieur » ont des significations bien précises. Un **système chimique fermé** (ou clos), que l'on désignera pour simplifier système, est un ensemble de substances susceptibles ou non de réagir entre elles : il représente l'objet à l'étude. La matière qu'il contient reste confinée à l'intérieur et seule l'énergie peut être échangée avec le **milieu extérieur** (ou **milieu ambiant,** ou **environnement**). Un système peut être contenu à l'intérieur de frontières physiques bien réelles telles que les parois d'un flacon, les parois d'une cellule végétale ou, au contraire, à l'intérieur de frontières hypothétiques imaginaires (figure 1.8). Il est toujours nécessaire dans les démonstrations scientifiques de bien l'identifier. Par exemple, lors de l'étude de la quantité de chaleur dégagée par une réaction chimique, on peut circonscrire comme système le ballon dans lequel a lieu la réaction et son contenu ; le milieu ambiant est constitué de l'air du laboratoire et de tout ce qui peut entrer en contact avec le ballon réactionnel. Au niveau atomique, le système peut être un atome ou une molécule, l'environnement étant constitué des atomes ou des molécules voisines.

Figure 1.8 Le système et son milieu extérieur. Le contenu d'un becher dans lequel se produit une réaction chimique forme un système, le becher et le laboratoire constituent son milieu ambiant. La Terre peut être considérée aussi comme un système, tandis que le reste de l'Univers constitue son environnement.

NASA, Charles D. Winters

1.3.5   Le transfert de chaleur et l'équilibre thermique

Un transfert de chaleur se produit toujours quand deux objets de températures différentes sont mis en contact. Dans la figure 1.9, l'eau du becher et le cylindre de métal chauffé au bec Bunsen ne sont pas à la même température. Quand on plonge le métal dans l'eau plus froide, la chaleur est transférée du métal à l'eau et, au bout d'un certain temps, les deux entités ont la même température. On dit alors que l'**équilibre thermique** du système eau–métal est atteint : cela signifie que la température reste stable et identique dans tout le système.

Pour un système et son environnement, deux adjectifs sont utilisés pour décrire la direction de l'échange de chaleur, *exothermique* et *endothermique* (figure 1.10) :
- dans un processus **exothermique,** le système perd de la chaleur (*exo-* signifie en grec « au-dehors ») au profit du milieu extérieur ;
- à l'inverse, lors d'un processus **endothermique,** le système gagne de la chaleur (*endo-,* « en dedans » en grec) fournie par le milieu extérieur.

Figure 1.9 Le transfert d'énergie thermique. De la chaleur est transférée de l'échantillon métallique chauffé au bec Bunsen à de l'eau plus froide. Au bout d'un certain temps, la température du métal et celle de l'eau sont identiques : l'équilibre thermique est atteint. Charles D. Winters

La variation de température entre un état initial (indice i) et un état final (indice f) est notée par la lettre grecque delta majuscule, Δ.

$$\Delta T = T_f - T_i$$

Comme il est mentionné dans l'encadré *Pour en savoir +… Les conventions de signes* (*voir la page 20*), la variation de température calculée à l'aide de l'équation est une valeur algébrique dotée d'un signe positif ou négatif, qui indique la direction du transfert de chaleur. *Une valeur négative signifie que le système a perdu de la chaleur,* l'a transférée au milieu extérieur (processus exothermique). À l'inverse, *une valeur positive indique que la quantité de chaleur du système a augmenté* (processus endothermique).

◆ *L'équilibre thermique*

Même s'il n'y a aucun changement apparent lorsque l'équilibre thermique est atteint, cela ne veut pas dire qu'il ne se passe plus rien dans le système. Tout au contraire, des transferts d'énergie entre molécules continuent de se produire, mais l'ensemble de tous ces échanges énergétiques est égal à zéro. Cette constatation, pas de changement visible ou notable au niveau macroscopique, mais continuité des processus au niveau des particules, est typique des états d'équilibre que l'on qualifie de dynamique.

◆ *L'énergie cinétique*

L'énergie cinétique (E_c) d'un corps de masse (m) se déplaçant à la vitesse (v) est calculée à l'aide de la formule $E_c = \dfrac{1}{2}\,mv^2$.

1.4 LES PROPRIÉTÉS PHYSIQUES

Vous reconnaissez vos amis à leur apparence physique, à savoir leur taille, la couleur des cheveux ou de leurs yeux. La remarque est aussi valable pour les substances chimiques. On peut différencier facilement un cube de glace d'un cube de plomb ayant la même grandeur. Non seulement à cause de leur apparence : l'un est transparent et incolore, l'autre est opaque et brille d'un éclat métallique, mais aussi, par exemple, en les soupesant : l'un est nettement plus léger que l'autre (figure 1.11). Ces propriétés, qui peuvent être observées ou mesurées sans affecter la composition de la substance, sont des **propriétés physiques**. La masse volumique et les températures de fusion ou d'ébullition d'une substance appartiennent à cette catégorie.

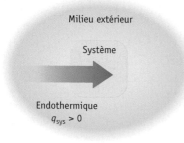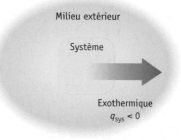

Endothermique : de la chaleur est transférée du milieu extérieur au système.

Exothermique : le système perd de la chaleur au profit du milieu extérieur.

Figure 1.10 Les processus exothermique et endothermique. q représente symboliquement la chaleur échangée, tandis que son indice « sys » réfère au système. Charles D. Winters

Les conventions de signes

Lorsqu'on désire quantifier un changement ou une variation d'une grandeur quelconque en chimie, on soustrait toujours la valeur initiale de la valeur finale. En conséquence, le signe du résultat algébrique indique soit une augmentation ($+$), soit une diminution ($-$). Appliquée aux températures, cette convention conduit à l'interprétation suivante (notez au passage que le « système » sert toujours de référence) :

Par sa nature, une quantité de chaleur (q) n'est affectée d'aucun signe algébrique. Par contre, si l'on désire indiquer la direction d'un transfert de chaleur, on attribue un signe à la valeur numérique en prenant comme référence le système. Une valeur négative signifie que le système a perdu de la chaleur, l'a transférée au milieu extérieur (processus exothermique). À l'inverse, une valeur positive indique que la quantité de chaleur du système a augmenté (processus endothermique). La quantité de chaleur d'un objet ne peut être en soi négative, mais elle peut augmenter ou diminuer.

Température du système	$\Delta T_{sys} = T_f - T_i$	Chaleur (q)	Direction du transfert de chaleur
La température augmente.	$\Delta T_{sys} > 0$ ($+$)	$q > 0$ ($+$)	Le système absorbe de la chaleur (processus endothermique).
La température diminue.	$\Delta T_{sys} < 0$ ($-$)	$q < 0$ ($-$)	Le système dégage de la chaleur (processus exothermique).

1.4.1   La masse volumique

La **masse volumique,** le rapport entre la masse d'une substance quelconque et son volume, est une propriété physique qui peut contribuer à son identification.

Figure 1.11 Les propriétés physiques. Les propriétés physiques (telles que la masse volumique, la couleur, les points de fusion, etc.) permettent de distinguer facilement un cube de glace d'un morceau de plomb. Charles D. Winters

$$\text{Masse volumique} = \frac{\text{masse}}{\text{volume}}$$ (Équation 1.1)

Si l'on connaît deux des trois grandeurs, il est facile de calculer la troisième en transformant, au besoin, l'équation 1.1.

EXEMPLE 1.1   **Le calcul de la masse d'un échantillon**

Calculez la masse de 24,0 cm³ de mercure, sachant que sa masse volumique est égale à 13,5 g/cm³.

SOLUTION

On modifie l'équation 1.1 de manière à isoler la masse.

$$\text{Masse} = \text{volume} \times \text{masse volumique}$$

$$\text{Masse} = 24,0 \text{ cm}^3 \times 13,5 \text{ g/cm}^3 = 324 \text{ g}$$

EXERCICE 1.1   **La masse volumique**

À une température et à une pression données, la masse volumique de l'air sec est égale à $1,18 \times 10^{-3}$ g/cm³. Calculez le volume (cm³) occupé par 15,5 g d'air sec dans les mêmes conditions.

1.4.2 La température

Les températures auxquelles un composé solide fond (son point de fusion) ou un composé liquide bout (son point d'ébullition) sont aussi des propriétés physiques caractéristiques de ces substances. Trois échelles ont cours actuellement : Fahrenheit, Celsius et Kelvin. Aux États-Unis, la température est donnée en degrés Fahrenheit, dont l'abréviation est °F. L'échelle Celsius (°C) est la norme dans la plupart des autres pays, dont le Canada ; elle cohabite avec l'échelle Kelvin (K) dans les travaux scientifiques.

L'**échelle Celsius,** nommée ainsi en hommage à l'astronome suédois Anders Celsius (1701-1744) qui la suggéra le premier, repose sur les propriétés de l'eau saturée d'air. On a assigné 0 °C à son point de congélation et 100 °C à son point d'ébullition à la pression atmosphérique normale (101,325 kPa ; *voir le chapitre 9, page 304*). Un °C correspond à $\frac{1}{100}$ de l'intervalle entre ces deux marques.

La température extérieure au Québec peut baisser, l'hiver, à -30 jusqu'à -40 °C. En laboratoire, on peut atteindre des températures bien plus basses, mais on a constaté expérimentalement qu'elles ne pouvaient être inférieures à -273,15 °C. Sir William Thomson (1824-1907), connu plutôt sous le nom de lord Kelvin, fut le premier à suggérer une échelle qui n'aurait pas de valeurs négatives : l'**échelle Kelvin** utilise les mêmes divisions que l'échelle Celsius, les unités sont des kelvins (K) au lieu des °C et le point 0 correspond à la température la plus basse possible appelée le **zéro absolu** (0 K = -273,15 °C). Puisque les divisions sont identiques, à une variation de x °C correspond une variation de x K. Dans ce manuel, par convention, t désigne une température Celsius et T, une température Kelvin.

Les deux échelles sont liées par l'équation :

$$\text{Température (K)} = \frac{1\ K}{1\ °C}\ (\text{Température (°C)} + 273,15\ °C)$$

ou compte tenu de la convention précédente :

$$\boxed{T = t + 273,15}$$

Il est à noter que, contrairement aux °C, on n'utilise pas le symbole ° pour les températures Kelvin. Le nom de l'unité est le kelvin (pas de majuscule) et son abréviation est K.

◆ *La température*
t = °C
T = K

EXERCICE 1.2 **Les conversions de températures**

L'azote liquide bout à 77 K. Exprimez cette température en degrés Celsius.

1.4.3 L'influence de la température sur les propriétés physiques

Les valeurs numériques des propriétés de la matière sont souvent affectées par la température. Les variations de la masse volumique en fonction de la température n'échappent pas à ce fait. Dans le cas de l'eau, ces variations, bien que peu importantes, affectent considérablement l'environnement (*voir le tableau 1.1, page 22*).

À l'approche de l'hiver, l'eau des lacs se refroidit et sa masse volumique augmente : l'eau plus froide, donc plus dense, descend vers les profondeurs (*voir la figure 1.12 a, page 22*). Lorsque la température atteint 3,98 °C, la masse volumique

Lord Kelvin (1824-1907)

William Thomson, lord Kelvin, a été professeur de sciences naturelles à l'université de Glasgow (Écosse) de 1846 à 1899. Il est surtout reconnu pour ses travaux sur la chaleur et le travail, qui l'ont conduit à proposer une échelle de température dite absolue.

Collection E. F. Smith/Van Pelt Library/Université de Pennsylvanie

TABLEAU 1.1 L'influence de la température sur la masse volumique de l'eau

Température (°C)	Masse volumique de l'eau (g/cm³)
0 (glace)	0,917
0 (eau liquide)	0,999 84
2	0,999 94
4	0,999 97
10	0,999 70
25	0,997 05
100	0,958 37

Source : *Handbook of chemistry and physics*, 63ᵉ édition, CRC Press, 1982-1983, p. F5 et F6 (valeurs arrondies).

est maximale (0,999 97 g/cm³) et le mouvement cesse. L'eau qui continue à se refroidir est moins dense et demeure à la surface. À 0 °C, la glace commence à apparaître et flotte à la surface à cause de sa moindre masse volumique[1] (0,917 g/cm³).

Lorsqu'on désire effectuer en laboratoire des mesures précises mettant en jeu des volumes de liquides, il est nécessaire de spécifier la température à laquelle on opère, puisque cette propriété en dépend. La température à laquelle a été calibrée la verrerie de laboratoire utilisée à de telles fins (pipettes, fioles jaugées, burettes en particulier) est gravée sur les instruments de précision (figure 1.12 **b**). Comme la masse volumique implique par définition un volume, on doit toujours préciser la température à laquelle elle a été calculée : une manière simple de l'indiquer est d'affecter au symbole utilisé pour la masse volumique, généralement ρ (rhô), l'indice t. La définition exacte de la masse volumique ρ_t devient donc : masse de l'unité de volume d'une substance à une température t donnée.

L'équation 1.1 s'écrit alors plus précisément

$$\rho_t = \frac{m}{V}$$

dans laquelle m représente la masse de l'échantillon et V, son volume mesuré à la température t.

Figure 1.12 L'influence de la température sur les propriétés physiques. a) Des glaçons sont déposés délicatement du côté droit d'un aquarium rempli d'eau et un colorant bleu, du côté gauche. L'eau au contact immédiat de la glace se refroidit, devient plus dense que celle située plus bas et descend vers le fond de l'aquarium. Le courant de convection créé par le mouvement de l'eau est mis en évidence par le colorant. **b)** La verrerie de laboratoire est calibrée à une température déterminée, généralement 20 °C (proche de la température ambiante). Elle ne contient le volume spécifié qu'à la température indiquée. Charles D. Winters

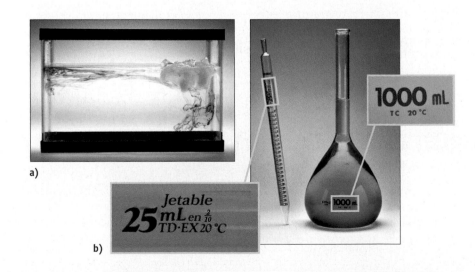

1. Dans la très grande majorité des composés, la masse volumique du solide est supérieure à celle du liquide. La glace est une exception notable (*voir le chapitre 8, page 258*).

1.4.4 Les propriétés extensives et les propriétés intensives

On classe souvent les propriétés de la matière en deux catégories. Les propriétés dites **extensives** dépendent de sa quantité; la masse et le volume en sont des exemples.

Au contraire, les **propriétés intensives** sont indépendantes des quantités; un cube de glace ou un iceberg fondent tous deux à 0 °C: le point de fusion est une propriété intensive. La masse volumique appartient aussi à cette catégorie, ce qui peut sembler curieux à première vue puisqu'elle est définie à partir de deux propriétés extensives. Cependant, en y réfléchissant bien, on se rend compte que la masse volumique de l'eau ne dépend pas de la quantité: si l'on prend un échantillon plus volumineux, sa masse augmente dans la même proportion et le rapport $\dfrac{m}{V}$ reste constant.

1.5 LES CHANGEMENTS PHYSIQUES ET LES CHANGEMENTS CHIMIQUES

On appelle **changement physique** une transformation des propriétés physiques de la matière. Dans une telle opération, l'identité de la substance est préservée même si le changement affecte son état, sa taille ou sa forme. La **fusion** d'un solide en est un exemple (un changement d'état dans ce cas) et la température où elle se produit, son **point de fusion,** est si caractéristique que sa détermination fait souvent partie des moyens d'identification des substances (figure 1.13).

Contrairement aux propriétés physiques (*voir la section 1.4, page 19*), une **propriété chimique** implique nécessairement un changement de la nature de la substance. Par exemple, lorsqu'on approche une chandelle allumée d'un ballon rempli d'hydrogène (H_2), l'enveloppe de ce dernier se rompt, l'hydrogène se mélange à l'oxygène (O_2) de l'air et la chaleur dégagée par la chandelle provoque une explosion, et produit de l'eau (H_2O) (*voir la figure 1.14, page 24*).

Le naphtalène, un solide blanc à 25 °C, fond à 80,2 °C.

L'aspirine, un solide blanc à 25 °C, fond à 135 °C.

Figure 1.13 Une propriété physique servant à distinguer des composés. À 25 °C, l'aspirine et le naphtalène sont tous deux solides. À la température d'ébullition de l'eau, le naphtalène est liquide (à gauche, dans le becher), alors que l'aspirine n'a toujours pas changé d'état (à droite, dans le becher). Une différence dans une de leurs propriétés physiques, la température de fusion dans ce cas, permet de les distinguer l'un de l'autre. Charles D. Winters

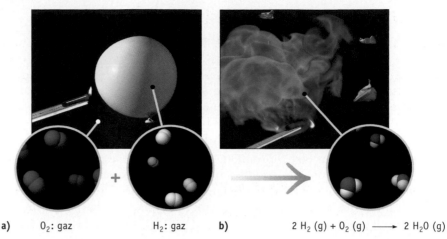

Figure 1.14 L'explosion d'un mélange d'hydrogène et d'oxygène. a) Un ballon rempli d'hydrogène (H_2) est entouré d'oxygène (O_2), un constituant de l'air. **b)** La flamme de la chandelle déclenche l'explosion du mélange d'hydrogène et d'oxygène, produisant de la vapeur d'eau (H_2O). Charles D. Winters

Cette explosion est un exemple de **changement chimique,** que l'on appelle plus communément une **réaction chimique.** Il y a eu transformation des substances de départ, les **réactifs,** en d'autres substances, les **produits.** La faculté de l'hydrogène (H_2) de réagir avec l'oxygène (O_2) pour donner un autre composé (H_2O) est une de ses propriétés chimiques : dans cette transformation, l'atome d'hydrogène a « changé d'appartenance ». Il est passé du composé initial, la molécule d'hydrogène (H_2), qui a été détruite, à un nouveau composé, l'eau (H_2O).

Lors d'une réaction chimique, le nombre total d'atomes d'un même élément reste inchangé. Par contre, leur combinaison dans les produits est différente de ce qu'elle était dans les réactifs. La réaction de l'hydrogène et de l'oxygène pour donner de l'eau peut être symbolisée comme suit :

$$2\ H_2\ (g) + O_2\ (g) \longrightarrow 2\ H_2O\ (g)$$

Réactifs   Produits

Cette représentation est une **équation chimique.** Elle signifie que les substances situées à la gauche de la flèche, les réactifs, « se transforment en » pour donner les substances situées à droite, les produits. Elle indique aussi que, s'il y a quatre atomes H et deux atomes O avant la réaction (membre de gauche), on retrouve ces mêmes nombres après la réaction (membre de droite), mais dans des combinaisons différentes. La lettre entre parenthèses indique l'état des réactifs et des produits : (g) pour gazeux, (l) pour liquide, (s) pour solide et (aq) pour « en solution aqueuse ».

Finalement, la très grande majorité des changements physiques ou chimiques sont accompagnés d'un échange d'énergie. Comme on l'a vu précédemment, la formation de l'eau à partir de l'hydrogène et de l'oxygène dégage dans l'environnement beaucoup d'énergie sonore, thermique et lumineuse.

Charles D. Winters

EXERCICE 1.3   **Les réactions chimiques et les changements physiques**

Vous faites bouillir de l'eau sur un feu de camp (*voir la photographie ci-contre*). Identifiez les changements chimiques et les changements physiques qui se produisent.

1.6 LA CLASSIFICATION DE LA MATIÈRE

Au regard d'un chimiste, de l'eau potable dans un verre est un liquide, qui peut être soit le composé chimique H_2O, soit, plus probablement, un **mélange homogène** d'eau et de substances dissoutes, ce qui en ferait une **solution.** Il est possible aussi que notre eau contienne des petites particules en suspension et constitue un **mélange hétérogène.** Ces différentes suppositions concernant le liquide observé (substance pure, mélange homogène ou mélange hétérogène?) illustrent quelques-uns des moyens utilisés pour classifier la matière.

1.6.1 Les états de la matière et la théorie cinétique

Une des premières constatations à propos de la matière est son **état**: est-elle un solide, un liquide ou un gaz? Un **solide** possède une forme rigide qui lui est propre, son volume est fixe et varie très peu en fonction de la température ou de la pression extérieure. Les **liquides,** tout comme les solides, ont un volume déterminé, mais ils sont fluides et prennent la forme de leur contenant. Les **gaz** sont aussi fluides, mais ils occupent tout le volume de leur contenant, la pression étant alors déterminée par la température.

Aux basses températures, pratiquement toute la matière est présente à l'état solide. Quand la température augmente, les solides se transforment en liquide. Finalement, si la température est assez élevée, les liquides passent à l'état gazeux. Des changements de volume accompagnent ces changements d'état: pour une quantité donnée de substance, le volume augmente légèrement lors de la fusion (passage de l'état solide à liquide), l'eau étant une exception notable, il augmente fortement lors de l'**évaporation** (passage de l'état liquide à gazeux).

Selon la **théorie cinétique** de la matière, toutes les substances sont composées de particules extrêmement petites (atomes, molécules ou ions) en mouvement perpétuel.

Dans les solides, ces particules sont empilées de façon très compacte, selon un arrangement régulier; elles vibrent autour de leur position moyenne et prennent rarement la place d'une particule adjacente.

Les atomes ou les molécules à l'état liquide ou gazeux se distribuent au hasard et n'occupent pas une place spécifique comme dans les solides. Les liquides et les gaz sont fluides parce que leurs particules, non assujetties à un endroit particulier, peuvent se déplacer. Dans des conditions ordinaires, les particules d'un gaz sont fortement éloignées les unes des autres.

Les molécules à l'état gazeux se déplacent extrêmement rapidement parce qu'elles sont très peu gênées par leurs voisines. Elles sont constamment en mouvement, entrent en collision entre elles et avec les parois de leur contenant. Ces déplacements aléatoires les conduisent à occuper tout le volume mis à leur disposition: le volume du gaz est le volume de son récipient (figure 1.15) (sa pression est alors déterminée par la température).

Un autre aspect important de cette théorie a trait à la température: la vitesse de déplacement des particules augmente avec cette dernière. L'énergie cinétique des particules, c'est-à-dire l'énergie découlant du mouvement, s'oppose à leurs forces d'attraction. Un solide passe à l'état liquide (fusion) quand la température est telle que ses particules vibrant de plus en plus vite et de plus en plus loin finissent par se heurter les unes les autres, et par se libérer de leurs positions moyennes initiales. Si l'on continue à élever la température, les particules, aux mouvements toujours plus rapides, surmontent l'emprise de leurs voisines et parviennent à l'état gazeux. *À une augmentation de température correspond une augmentation de la vitesse des particules:* ce concept sera souvent mis à profit dans les discussions futures.

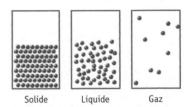

Solide   Liquide   Gaz

Figure 1.15 Les solides, les liquides et les gaz. Une représentation schématique de l'arrangement des particules dans les différents états de la matière selon la théorie cinétique.

1.6.2   La matière : niveaux macroscopique et submicroscopique

On observe habituellement les propriétés de la matière à partir d'un échantillon suffisamment grand pour être vu, mesuré ou manipulé. À l'aide de nos sens ou de quelques instruments simples, on peut, par exemple, décrire la couleur d'une substance, savoir si elle se dissout dans l'eau ou si elle conduit l'électricité, ou réagit avec un autre composé. Toutes ces observations ou manipulations font partie du monde **macroscopique** de la chimie.

Au niveau des atomes, des molécules ou des ions, on entre dans un monde que l'on ne peut voir. Imaginez que l'on divise et subdivise un échantillon de matière au-delà de ce que l'on peut voir à l'œil nu, au-delà de ce qu'un microscope peut vous révéler. Au bout de cette démarche hypothétique, on arrivera aux particules individuelles, les entités, qui constituent la substance : on a atteint le niveau **submicroscopique** du monde matériel (*voir l'encadré* Perspectives « Le monde des nanomètres », *page 31*).

Le niveau submicroscopique intéresse particulièrement les chimistes. Les atomes, les molécules et les ions ne peuvent être « vus » tel qu'on l'entend dans le monde macroscopique, mais ils n'en sont pas moins réels. Les chimistes se représentent mentalement les atomes et imaginent comment ils peuvent se combiner pour former des molécules. Une symbolisation adéquate leur permet de passer du monde macroscopique, domaine de l'expérimentation, au monde submicroscopique (figure 1.16).

1.6.3   Les substances pures

Revenez à l'exemple du verre d'eau. Comment peut-on savoir si le liquide est de l'eau pure, c'est-à-dire composée d'une seule substance, ou un mélange de substances ? Bien sûr, une observation attentive peut vous donner quelques indices. Voyez-vous des particules en suspension ? Le liquide dégage-t-il une odeur particulière ? Est-il vraiment incolore ? Mais, ce n'est pas suffisant.

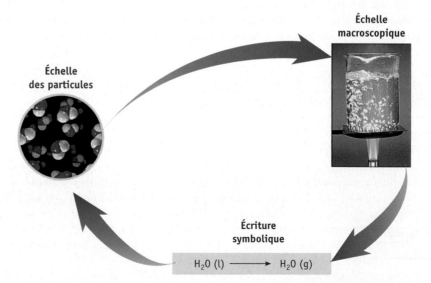

Figure 1.16 La symbolisation en chimie. Ce que l'on observe en chimie relève généralement du monde macroscopique. Ces observations sont ensuite transcrites sous forme symbolique. Pour comprendre le processus mis en cause, on essaie de visualiser ou d'imaginer ce qui se passe au niveau submicroscopique (le niveau des atomes, des ions ou des molécules). Charles D. Winters

Toute **substance pure** satisfait à deux exigences primordiales. Premièrement, elle possède un ensemble de propriétés qui lui sont spécifiques. Si l'on pense qu'une substance incolore, inodore et insipide est effectivement de l'eau, on doit examiner attentivement quelques autres propriétés plus représentatives et les comparer à celles de l'eau. Si la substance fond à 0 °C et bout à 100 °C à la pression atmosphérique normale (101,325 kPa), il est pratiquement assuré que c'est bien de l'eau, puisque l'eau est la seule substance à présenter ces caractéristiques.

Deuxièmement, une substance pure ne peut être séparée en deux ou plusieurs constituants par un moyen physique quelconque. Si l'on y arrivait, cette substance serait classifiée dans les mélanges.

1.6.4 Les mélanges homogène et hétérogène

Une soupe au poulet et aux nouilles est de toute évidence un mélange de solides et de liquide (figure 1.17 **a**). Comme ses constituants ne sont pas répartis uniformément dans tout le volume et que, de ce fait, la composition change d'un endroit à un autre, le mélange est dit hétérogène. Des mélanges hétérogènes peuvent apparaître complètement uniformes, mais ne le sont pas toujours en réalité. Le sang, par exemple, ne paraît pas hétérogène à l'œil nu, mais son examen au microscope révèle la présence de cellules rouges et de cellules blanches (figure 1.17 **b**). Il en est de même pour le lait, constitué de matières grasses et de protéines en suspension dans un liquide. Dans un mélange hétérogène, les propriétés varient selon l'endroit que l'on privilégie ou d'un échantillon à l'autre.

Au contraire, un mélange homogène est un mélange totalement uniforme au niveau **microscopique** (figure 1.17 **c**). Aucun examen au microscope optique ne peut montrer que les propriétés diffèrent d'un endroit à un autre.

Une grande partie du travail des chimistes consiste à extraire un ou plusieurs constituants des mélanges réactionnels. Il est très rare qu'ils y arrivent en une seule étape. L'élimination de plus en plus poussée des « impuretés » ou des contaminants, la **purification,** conduit à un produit de plus en plus pur. La figure 1.18 (*voir la page 28*) illustre une étape de la purification de l'eau : l'élimination, au moins partielle, par filtration de boues en suspension.

En pratique, une substance ne peut être pure à 100 %. Cette affirmation peut sembler contradictoire avec ce que l'on a écrit dans la section 1.6.3, « Les substances *pures* ». Dans le paragraphe de cette section, la pureté est une notion théorique qui permet essentiellement de distinguer les substances des mélanges :

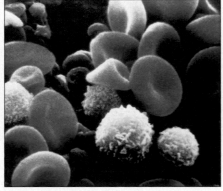

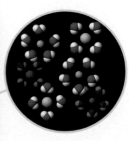

a) Charles D. Winters   **b)** Ken Edwards/Science Source/Photo Researchers, Inc.   **c)** Charles D. Winters

Figure 1.17 Les mélanges. a) Cette tasse contient un mélange hétérogène de soupe au poulet et aux nouilles. **b)** Une prise de sang peut paraître homogène, mais son examen au microscope révèle qu'il s'agit plutôt d'un mélange hétérogène de particules en suspension dans un liquide. **c)** Un mélange homogène (une solution) : du sel de table dans de l'eau. Les particules individuelles entrant dans la composition du sel (des ions) sont entourées de molécules d'eau. On ne peut voir ces particules au microscope.

b) Usine de traitement des eaux du bassin Spectacle, Littleton, Massachusetts

a) Charles D. Winters

Figure 1.18 La purification de l'eau par filtration. a) Une filtration simplifiée en laboratoire. On verse lentement de l'eau boueuse dans un entonnoir tapissé d'un papier filtre ; celui-ci retient la boue et l'eau limpide est recueillie dans un erlenmeyer. **b)** La filtration destinée à ôter les particules en suspension dans les eaux usées constitue une des premières étapes de la purification industrielle de l'eau.

une eau « pure » ne contient théoriquement que de l'eau et n'est pas un mélange. Pour contourner cette apparence de contradiction entre la théorie et la pratique, dans la suite de ce manuel, à moins qu'il ne soit nécessaire de le préciser, on parlera tout simplement de substance, étant sous-entendu que celle-ci est pure dans le sens théorique du terme.

1.7 LES UNITÉS DE MESURE

Supposez qu'à la suite d'un mélange de deux solutions dans une éprouvette il apparaisse un solide de couleur jaune.

La couleur, l'apparence, l'état de la nouvelle substance, etc., sont des observations **qualitatives,** qui n'impliquent ni mesures ni calculs. Par contre, la pesée du solide séché ou la mesure de la température avant et après la réaction, qui se traduisent par des nombres associés à des unités de mesure, sont des observations **quantitatives.**

En chimie, la mesure du temps, de la masse, du volume, etc., sont des opérations courantes. Ces opérations conduisent à une valeur numérique, suivie de son unité et de sa précision.

Pour exprimer les mesures, la communauté scientifique a adopté le système international d'unités (SI), version améliorée du système métrique. Toutes les unités du SI dérivent des **unités de base** répertoriées dans le tableau 1.2.

TABLEAU 1.2 Les unités de base du SI

Grandeurs	Unités	Abréviations
masse	kilogramme	kg
longueur	mètre	m
temps	seconde	s
température	kelvin	K
quantité de matière	mole	mol
courant électrique	ampère	A
intensité lumineuse	candela	cd

On associe généralement des préfixes aux unités de mesure pour éviter l'usage des très grands ou des très petits nombres (tableau 1.3). Par exemple, les distances sont mesurées en kilomètres sur les autoroutes: 1 km vaut exactement 1000 m. En chimie, on utilise souvent le centimètre ou le millimètre, « centi » signifiant $\frac{1}{100}$ et « milli » $\frac{1}{1000}$. À l'échelle des atomes, les dimensions sont souvent exprimées en nanomètres (1 nm $= 1 \times 10^{-9}$ m).

TABLEAU 1.3 Quelques préfixes utilisés avec les unités du SI

Préfixes	Valeurs	Abréviations
téra	10^{12}	T
giga	10^9	G
méga	10^6	M
kilo	10^3	k
hecto	10^2	h
déca	10^1	da
déci	10^{-1}	d
centi	10^{-2}	c
milli	10^{-3}	m
micro	10^{-6}	μ
nano	10^{-9}	n
pico	10^{-12}	p

1.8 LE TRAITEMENT DES DONNÉES NUMÉRIQUES

Cette section décrit quelques calculs courants et la façon de traiter l'information numérique.

1.8.1 Le facteur de conversion

Supposez que vous désiriez calculer la masse volumique, en g/cm^3, d'un morceau de métal à partir des données expérimentales suivantes.

$$\text{Température} = 25\ °C$$
$$\text{Masse} = 13,56\ g$$
$$\text{Longueur} = 6,45\ cm$$
$$\text{Largeur} = 2,50\ cm$$
$$\text{Épaisseur} = 3,1\ mm$$

Pour calculer la masse volumique, vous avez besoin de la masse et du volume de l'échantillon. Pour connaître le volume d'un parallélépipède rectangle, il suffit de multiplier sa longueur par sa largeur et par son épaisseur. Cependant, avant d'entreprendre ce calcul, il faut que ces grandeurs soient exprimées avec la même unité. Sachant qu'il y a 10 mm dans 1 cm,

$$1\ cm = 1 \times 10^{-2}\ m \qquad 1\ mm = 1 \times 10^{-3}\ m$$
$$\frac{1\ cm}{1\ mm} = \frac{1 \times 10^{-2}\ m}{1 \times 10^{-3}\ m} = 10 \qquad 1\ cm = 10\ mm$$

on convertit l'épaisseur mesurée en centimètres.

$$\text{Épaisseur} = 3,1\ mm \times \frac{1\ cm}{10\ mm} = 0,31\ cm$$

$$\text{Volume} = \text{longueur} \times \text{largeur} \times \text{épaisseur}$$
$$= 6{,}45 \text{ cm} \times 2{,}50 \text{ cm} \times 0{,}31 \text{ cm} = 5{,}0 \text{ cm}^3$$

La masse volumique ρ_{25} est égale à:

$$\rho_{25} = \frac{13{,}56 \text{ g}}{5{,}0 \text{ cm}^3} = 2{,}7 \text{ g/cm}^3$$

Lorsqu'on a converti l'unité du nombre mesurant l'épaisseur de l'échantillon, nous avons utilisé les rudiments de l'**analyse dimensionnelle.** Nous avons multiplié le nombre exprimé en millimètres par un **facteur de conversion,** qui transforme les millimètres en centimètres $\left(\dfrac{1 \text{ cm}}{10 \text{ mm}}\right)$. Les unités sont traitées comme les nombres, les millimètres apparaissant au numérateur et au dénominateur s'éliminent. Dans l'égalité ne restent plus que les centimètres, l'unité désirée.

Le facteur de conversion représente l'équivalence d'une mesure exprimée dans deux unités différentes: $1 \text{ cm} \equiv 10 \text{ mm}$ ($\equiv$: équivalant à); $1 \text{ g} \equiv 1000 \text{ mg}$; $12 \text{ œufs} \equiv 1 \text{ douzaine d'œufs}$. Comme le numérateur et le dénominateur expriment la même quantité, le facteur de conversion équivaut au nombre 1. De ce fait, la multiplication par ce facteur ne modifie pas la grandeur mesurée, seule son unité est changée. On écrit le facteur de manière à ce que l'unité désirée soit située au numérateur.

$$\begin{array}{ccccc} \text{nombre} & \times & \left(\dfrac{\text{nouvelle unité}}{\text{unité initiale}}\right) & = & \text{nouveau nombre} \\ \text{(unité initiale)} & & & & \text{(nouvelle unité)} \\ \uparrow & & \uparrow & & \uparrow \\ \text{Quantité à convertir} & & \text{Facteur de conversion} & & \text{Quantité convertie} \end{array}$$

EXERCICE 1.4   **La conversion des unités de longueur**

La longueur et la largeur d'une page d'un livre de référence sont respectivement de 25,3 et 21,6 cm. Exprimez ces grandeurs en mètres et en millimètres. Calculez, en centimètres carrés et en mètres carrés, la surface d'une page.

1.8.2   Le volume

Puisque l'unité SI de longueur est le mètre, l'unité de volume est le mètre cube (m^3). Cependant, cette unité est trop grande pour répondre aux opérations courantes d'un laboratoire. C'est pourquoi les chimistes lui préfèrent le **litre** (L). Un litre, par définition, est égal à 1 dm^3, le volume d'un cube ayant 1 dm ou 10 cm de côté.

$$1 \text{ L} = 1000 \text{ mL} = 1 \text{ dm}^3 = 1000 \text{ cm}^3$$
$$1 \text{ cm}^3 = 1 \text{ mL} = 10^{-3} \text{ L}$$

Les unités mL et cm^3 sont interchangeables, tout comme les unités L et dm^3.

EXERCICE 1.5   **La conversion des unités de volume**

Le format courant des bouteilles de vin est de 750 mL. Combien de litres et de décilitres cette bouteille contient-elle?

perspectives

Le monde des nanomètres

Le nanomètre, soit un milliardième de mètre, est une unité bien adaptée aux dimensions des atomes et des molécules. Huit atomes d'oxygène s'alignent sur une longueur de 1 nm. La nanotechnologie est un champ d'études très à la mode actuellement, car les matériaux qui présentent ces dimensions, les nanomatériaux, peuvent posséder des propriétés uniques.

Le diamètre des nanotubes de carbone, dont les parois sont formées de réseaux d'atomes de carbone, est de quelques nanomètres. Ces nanotubes sont au moins cent fois plus résistants que l'acier et sont environ six fois moins denses. En outre, ils conduisent la chaleur et l'électricité nettement mieux que le cuivre. Aussi, on les utilise dans des appareils conducteurs miniaturisés qui doivent être très résistants. Récemment, on a réussi à les remplir d'atomes de potassium, ce qui les a transformés en de meilleurs conducteurs électriques. Et plus récemment encore, en insérant un nanotube dans un autre, on a fabriqué une sorte de « roulement à billes » de taille moléculaire.

Les nanomatériaux ne sont cependant pas nouveaux. Depuis une centaine d'années, les manufacturiers de pneus renforcent le caoutchouc en y incorporant du noir de carbone, dont les particules ont une taille de l'ordre des nanomètres.

Le microscope à force atomique (MFA) est devenu un instrument important en chimie et en physique. La sonde, une pointe constituée d'une mèche de nanotube de carbone, est placée au-dessus de la surface à étudier et interagit avec les molécules de celle-ci. Une zone est balayée ligne par ligne. À la fin de l'opération, on obtient une cartographie de la zone étudiée semblable à celle de la surface de silicone reproduite ci-contre.

Les nanotechnologistes voudraient fabriquer des machines ou des instruments à l'échelle nanométrique. En guise d'exemple, les chercheurs d'IBM ont déjà mis au point un appareil regroupant huit consoles, chacune d'elles étant une sonde MFA recouverte d'une courte chaîne d'ADN. Quand elles balaient la surface d'un échantillon d'ADN, l'appareil enregistre les interactions. Les chercheurs espèrent ainsi être en mesure de déceler d'infimes différences entre des échantillons d'ADN dans le but ultime de caractériser certaines maladies ou de les traiter.

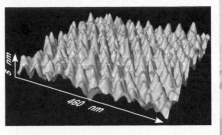

▲ Une cartographie MFA de la surface d'un échantillon de silicium. En moyenne, l'espace entre les « nanobosses » est de 38 nm, environ 160 atomes de silicium. Les nanobosses ont une largeur moyenne de 25 nm ou 100 atomes de silicium. Melissa A. Hines/Université Cornell

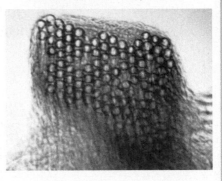

▲ Ce paquet étrange, d'une épaisseur située entre 10 et 20 nm, est constitué de nanotubes de carbone ayant un diamètre de 1,4 nm.

P. Nicolaev, Université Rice, Centre de nanoscience et de nanotechnologie

▲ Le professeur Alex Zettl de l'université de Californie à Berkeley exhibe un modèle de nanotube de carbone. Laboratoire Lawrence, Berkeley

▲ Les huit sondes MFA de ce dispositif ont une longueur de 0,5 mm. Laboratoire de recherche IBM, Zurich

1.8.3 La masse

L'unité SI de la masse est le kilogramme. Au laboratoire, on manipule souvent de petites quantités de matière, aussi utilise-t-on plus couramment le gramme (g) et le milligramme (mg).

$$1 \text{ kg} = 1000 \text{ g}$$
$$1 \text{ g} = 1000 \text{ mg}$$

EXEMPLE 1.2 **La masse volumique exprimée en différentes unités**

La masse volumique de l'eau de mer, à 15 °C, est égale à 1,025 g/cm³. Exprimez-la en kg/m³, une unité souvent utilisée par les océanographes.

SOLUTION

1. Convertissez tout d'abord la masse en kilogrammes.

$$1,025 \text{ g} \times \frac{1 \text{ kg}}{1000 \text{ g}} = 1,025 \times 10^{-3} \text{ kg}$$

2. Convertissez ensuite les centimètres cubes en mètres cubes.

$$1 \text{ cm}^3 \left(\frac{1 \text{ m}}{100 \text{ cm}} \right)^3 = 1 \text{ cm}^3 \left(\frac{1 \text{ m}^3}{10^6 \text{ cm}^3} \right) = 10^{-6} \text{ m}^3$$

3. Calculez la masse volumique.

$$\frac{1,025 \times 10^{-3} \text{ kg}}{1 \times 10^{-6} \text{ m}^3} = 1,025 \times 10^3 \text{ kg/m}^3$$

EXERCICE 1.6 **La masse et la masse volumique**

a) Un comprimé d'aspirine contient habituellement 325 mg de cet ingrédient. Exprimez cette masse en grammes et en kilogrammes.

b) La masse volumique de l'or est égale à 19 320 kg/m³. Exprimez-la en g/cm³.

c) Trouvez la masse (g) d'un cylindre de platine de 5,0 mm de diamètre et de 3 cm de hauteur, sachant que sa masse volumique est égale à 21,450 g/cm³.

1.8.4 L'énergie

Le **joule** symbolisé par la lettre J est l'unité SI de toutes les formes d'énergie et de travail. En mécanique, le travail (w) est le produit d'une force (f) par la distance (d) parcourue dans sa direction par son point d'application.

$$w = \text{force} \times \text{distance} = fd$$

La force étant exprimée en newtons, produit d'une masse par une accélération ($\text{kg}\cdot\text{m}\cdot\text{s}^{-2}$), et la distance en mètres (m), l'unité SI du joule en termes d'unités de base est $\text{kg}\cdot\text{m}^2\cdot\text{s}^{-2}$.

$$1 \text{ J} = 1 \text{ kg}\cdot\text{m}^2\cdot\text{s}^{-2}$$

Une ancienne unité de mesure de la chaleur est la **calorie** (cal), dont il existe plusieurs définitions. En Amérique du Nord, on utilisait la calorie 15 °C (cal_{15}) définie officiellement en 1939 comme la quantité de chaleur nécessaire pour élever la température d'un gramme d'eau de 14,5 °C à 15,5 °C (1 cal_{15} = 4,1858 J). La calorie n'est plus utilisée avec le SI. Le facteur de conversion accepté en thermodynamique est :

$$1 \text{ cal} = 4{,}184 \text{ J}$$

La **Calorie** (Cal), avec une lettre majuscule, appelée aussi la « grande calorie », est encore parfois utilisée en diététique; elle équivaut à 1000 cal, soit environ 4,18 kJ.

1.8.5 Les mesures et les incertitudes

Toute mesure, quelle qu'elle soit, nécessite un instrument et, de ce fait, comporte une **incertitude,** dont l'ampleur dépend non seulement de l'habileté de l'expérimentateur que l'on ne peut quantifier, mais aussi de la qualité des instruments utilisés, de leur précision. Mesurer, par exemple, une longueur avec un micromètre précis au millième de millimètre ou avec une règle en plastique, graduée au millimètre, ne peut conduire à la même qualité de résultat.

Les instruments de mesure sont calibrés à partir d'étalons acceptés et reconnus. Dans le cas de la masse par exemple, plusieurs pays détiennent une réplique certifiée conforme du prototype international en platine iridié conservé au Bureau international des poids et mesures (France) qui définit le kilogramme. Les balances sont calibrées à partir des masses standards détenues par les laboratoires nationaux accrédités, et l'incertitude d'une mesure de masse dépend de la précision de la balance utilisée.

Pour la verrerie volumétrique, telle que les pipettes et les fioles jaugées, les **incertitudes absolues** sont inscrites sur l'instrument ou fournies par le fabricant. Elles sont exprimées avec les mêmes unités que le volume. Par exemple, l'incertitude absolue sur le volume d'une fiole jaugée de 100 mL est égale à 0,1 mL, à 20 °C: son volume est de $(100{,}0 \pm 0{,}1)$ mL, à cette température.

Dans le cas des instruments possédant des divisions (burette, pipette graduée, cylindre, etc.), on admet généralement que l'incertitude absolue sur chaque lecture (y compris le 0) correspond à la moitié d'une division.

Finalement, le dernier chiffre affiché sur le cadran numérique d'un instrument de mesure est considéré comme précis à 1 près.

Le rapport de l'incertitude absolue sur la valeur acceptée (mesurée ou calculée), souvent exprimé en pourcentage, est appelé l'**incertitude relative.**

$$\text{Incertitude relative (en \%)} = \frac{\text{incertitude absolue}}{\text{valeur mesurée ou calculée}} \times 100 \text{ \%}$$

Dans l'exemple de la fiole jaugée de 100 mL, l'incertitude relative sur le volume est de $\dfrac{0{,}1 \text{ mL}}{100 \text{ mL}} = 0{,}001$ ou 0,1 %. On dit alors que le volume est connu à 0,1 % près.

1.8.6 Les incertitudes maximales dans les calculs, les chiffres significatifs

Dans plusieurs expériences, la quantité recherchée n'est pas mesurée directement; elle est obtenue par un calcul à partir des valeurs mesurées.

Les soustractions et les additions

Pour déterminer la masse d'un échantillon (m) à partir de la masse du contenant (m_1) et de la masse totale du contenant et de l'échantillon (m_2), il faut effectuer l'opération suivante.

$$\text{Masse de l'échantillon} = \text{masse totale} - \text{masse du contenant}$$
$$m = m_2 - m_1$$

L'incertitude sur la masse de l'échantillon dépend des incertitudes sur les mesures ayant servi au calcul, qui sont assimilées à une légère variation de chacune des variables (m_1 et m_2). Le calcul différentiel conduit à :

$$dm = dm_2 - dm_1$$

Les quantités mathématiques dm_2 et dm_1 mesurant l'accroissement de m_2 et de m_1 sont des grandeurs qui ont un signe. Dans le cas des mesures expérimentales, même si l'on connaît les incertitudes absolues sur ces deux mesures, on ne peut savoir si elles sont négatives ou positives. On se place alors dans la situation la plus défavorable possible et on additionne toutes les incertitudes. On remplace le signe négatif devant les symboles d par un signe positif et l'on remplace d par Δ : l'incertitude absolue devient l'**incertitude maximale absolue.**

$$\Delta m = \Delta m_2 + \Delta m_1$$

Pour trouver l'**incertitude maximale relative** sur m, il suffit de diviser Δm par m.

Ce raisonnement appliqué à une addition aboutirait à la même constatation. On retient que *l'incertitude maximale absolue sur le résultat d'une addition ou d'une soustraction est égale à la somme des incertitudes absolues des nombres initiaux.*

EXEMPLE 1.3   Le calcul de l'incertitude maximale

Calculez la masse de chlorure de sodium (m) obtenue à l'aide des deux pesées suivantes.
Masse du récipient vide (m_1) = (54,3 ± 0,1) g.
Masse du récipient et du chlorure de sodium (m_2) = (60,7 ± 0,1) g.
Donnez les incertitudes maximales absolue et relative sur ce résultat.

SOLUTION

$m = m_2 - m_1 = 60,7 \text{ g} - 54,3 \text{ g} = 6,4 \text{ g}$
$\Delta m = \Delta m_2 + \Delta m_1 = 0,1 \text{ g} + 0,1 \text{ g} = 0,2 \text{ g}$
$\dfrac{\Delta m}{m} = \dfrac{0,2 \text{ g}}{6,4 \text{ g}} = 0,031$ (qu'on arrondit à 0,03 ou 3 %).
$m = (6,4 \pm 0,2)$ g ou $m = 6,4$ g à 3 % près.

Les divisions et les multiplications

Le calcul différentiel est aussi mis à contribution pour déterminer l'incertitude sur une division ou une multiplication. Le raisonnement est identique. Pour ce genre d'opérations, on utilise toutefois la dérivée logarithmique plutôt que la dérivée simple : le calcul est plus facile et il conduit directement à l'incertitude relative maximale. Reprenez l'exemple de la masse volumique (ρ) d'un corps quelconque, obtenue en divisant sa masse (m) par son volume (V).

$$\rho = \frac{m}{V} \qquad \ln \rho = \ln m - \ln V$$

La dérivation de cette expression donne :

$$d(\ln \rho) = d(\ln m) - d(\ln V) \qquad \text{et} \qquad \frac{d\rho}{\rho} = \frac{dm}{m} - \frac{dV}{V}.$$

On remplace le signe $-$ par le signe $+$ et d par Δ.

$$\frac{\Delta \rho}{\rho} = \frac{\Delta m}{m} + \frac{\Delta V}{V}$$

Pour trouver l'incertitude maximale absolue $\Delta\rho$, il suffit de multiplier l'incertitude maximale relative par ρ.

Le calcul pour une multiplication aboutit au même résultat. *L'incertitude relative maximale sur le résultat d'une multiplication ou d'une division est égale à la somme des incertitudes relatives des termes de l'opération.*

EXEMPLE 1.4 **Le calcul de l'incertitude maximale**

Un échantillon solide de masse (m) égale à $(26,55 \pm 0,01)$ g occupe un volume (V) de $(8,7 \pm 0,1)$ mL. Calculez sa masse volumique et les incertitudes maximales relative et absolue sur cette valeur.

SOLUTION

$$\rho = \frac{m}{V} = \frac{26,55 \text{ g}}{8,7 \text{ mL}} = 3,051\ 724\ 138 \text{ g/mL (valeur donnée par la calculatrice)}$$

$$\frac{\Delta\rho}{\rho} = \frac{\Delta m}{m} + \frac{\Delta V}{V} = \frac{0,01 \text{ g}}{26,55 \text{ g}} + \frac{0,1 \text{ mL}}{8,7 \text{ mL}} = 0,011\ 870\ 901$$

(valeur donnée par la calculatrice).

$\Delta\rho = 0,01187 \times 3,051$ g/mL $= 0,03622$ g/mL, qu'on arrondit à $0,04$ g/mL pour ne conserver qu'une seule décimale différente de 0.

On exprime le résultat de la manière suivante :

$$\rho = (3,05 \pm 0,04) \text{ g/mL ou } \rho = 3,05 \text{ g/mL à 1,2 \% près.}$$

Commentaire Si l'on voulait augmenter la précision de ce résultat, il faudrait agir en priorité sur la précision du volume de l'échantillon. Celle-ci contribue en effet plus à l'incertitude relative maximale que ne le fait celle de la masse : $\frac{0,1}{8,7} = 1,15$ % pour le volume et $\frac{0,01}{26,55} = 0,04$ % pour la masse. On note aussi que, puisque toutes les incertitudes relatives s'additionnent, la précision du résultat ne peut être plus élevée que la précision de la mesure la moins précise.

Les chiffres significatifs

Revenez aux résultats des deux exemples précédents.

$$m = (6,4 \pm 0,2) \text{ g et } \rho = (3,05 \pm 0,04) \text{ g/mL}$$

On appelle **chiffres significatifs** d'une valeur numérique *tous les chiffres certains et le chiffre sur lequel se situe l'incertitude.* La masse m contient deux chiffres significatifs, le 6 qui est certain et le 4 sur lequel porte l'incertitude. La masse volumique, quant à elle, en contient trois, deux certains (le 3 et le 0) et un, incertain (le 5).

Il faut écrire $(10,0 \pm 0,1)$ g et non pas $(10 \pm 0,1)$ g. Le 0 qui suit 10 est significatif, puisque c'est sur lui que pèse l'incertitude. Cette valeur est donnée avec trois chiffres significatifs, des chiffres qui « ont une signification », qui veulent dire quelque chose. De la même manière, on écrira $(5,2 \pm 0,1)$ mL et non pas $(5,17 \pm 0,1)$ mL: dans cette dernière valeur, le 7 ne veut rien dire, n'est pas significatif, puisque le chiffre 1 qui le précède est déjà incertain. Cette valeur ne peut que posséder deux chiffres significatifs.

Par convention, lorsque l'incertitude n'est pas mentionnée explicitement, il est entendu que le dernier chiffre d'un nombre est incertain à ± 1. Par exemple, $12,3$ mL doit être interprété comme $(12,3 \pm 0,1)$ mL.

Dans les calculs simples, où il n'est pas toujours nécessaire d'évaluer systématiquement la grandeur de l'incertitude, absolue ou relative, il est souvent plus facile de recourir aux chiffres significatifs plutôt qu'aux calculs d'incertitudes impliquant les Δ.

Les règles de détermination du nombre de chiffres significatifs et de l'arrondissement d'une valeur numérique sont répertoriées dans l'encadré ci-dessous.

Les chiffres significatifs (CS) et l'arrondissement des nombres

Règle 1. Lisez le nombre de gauche à droite et comptez tous les chiffres en commençant par le premier chiffre différent de zéro.

1,23	3 CS
0,00123	3 CS. Pour éviter toute confusion possible, adoptez la notation scientifique $1,23 \times 10^{-3}$.
0,020	2 CS
100	Lorsqu'une valeur mesurée ne contient pas de décimale et qu'elle se termine par un ou plusieurs zéros, le nombre de CS est difficile à évaluer *a priori*. Certains zéros peuvent servir à indiquer l'ordre de grandeur, tandis que d'autres peuvent être notés pour tenir compte de la précision. Dans un tel cas, c'est l'incertitude qui détermine le nombre de CS: dans les mesures (100 ± 1) g et (100 ± 10) g, il y a respectivement 3 et 2 CS. Par convention, dans ce manuel, lorsque la marge d'incertitude n'est pas exprimée, tous les zéros terminant une valeur sont significatifs. Il faut alors comprendre que l'incertitude est de 1 sur le dernier 0. Pour éviter toute confusion, utilisez la notation scientifique: $(1,00 \times 10^2)$ possède 3 CS, tandis que $(1,0 \times 10^2)$ n'en a que 2.
$\dfrac{100 \text{ cm}}{1 \text{ m}}$	Nombre infini de CS, car 100 et 1 sont des nombres exacts. Les nombres exacts: les valeurs obtenues par comptage (5 doigts dans une main), les valeurs obtenues par définition $\left(\dfrac{100 \text{ cm}}{1 \text{ m}}\right)$, la base 10 pour les logarithmes, les coefficients stœchiométriques, les nombres purs $\left(\dfrac{4}{3}\pi r^3\right)$.

Règle 2. Le résultat d'une addition ou d'une soustraction contient un nombre de décimales égal à celui du terme qui en a le moins.

0,12	2 CS	2 décimales
+ 1,9	2 CS	1 décimale
+ 10,925	5 CS	3 décimales
12,945	3 CS	1 décimale

Règle 3. Le résultat d'une multiplication ou d'une division contient autant de CS que le nombre qui en a le moins.

$$\frac{0,01208}{0,0236} = 0,51186 = 0,512 \quad 3 \text{ CS}$$

4 CS (numérateur), 3 CS (dénominateur)

Règle 4. L'arrondissement des nombres.

4.1 Si le premier des chiffres à éliminer est inférieur à 5, le chiffre précédent est conservé.
6,974 951 5 arrondi à trois chiffres = 6,97.

4.2 Si le premier des chiffres à éliminer est supérieur à 5, le chiffre précédent est augmenté de 1.
6,974 951 5 arrondi à deux chiffres = 7,0.

4.3 Si le premier chiffre à éliminer est 5 et si au moins un des chiffres qui le suivent est plus grand que 0, le chiffre précédant le 5 est augmenté de 1.
6,974 951 5 arrondi à cinq chiffres = 6,9750.

4.4 Si le premier chiffre à éliminer est 5 et que tous les chiffres suivants sont des 0 ou sont inconnus, le chiffre précédant le 5 reste inchangé s'il est pair ou 0, est augmenté de 1 s'il est impair (le nombre arrondi se termine toujours dans ce cas par un chiffre pair).
6,974 951 5 arrondi à sept chiffres = 6,974 952.
6,974 950 5 arrondi à sept chiffres = 6,974 950.

Les séquences de calculs

Dans une séquence de calculs, il est prudent de ne pas arrondir les résultats intermédiaires afin d'éviter les erreurs. Supposez la multiplication suivante: $2,5 \times 4,50 \times 3,000$. Si l'on effectue la première multiplication et que l'on arrondit son résultat pour respecter les CS, on arrive à:

$$2,5 \times 4,50 = 11,25 \text{ arrondi à } 11 \ (2 \text{ CS})$$
$$11 \times 3,000 = 33 \ (2 \text{ CS}).$$

Sans l'arrondissement intermédiaire, on obtient:

$$2,5 \times 4,50 = 11,25$$
$$11,25 \times 3,000 = 33,75 \text{ arrondi à } 34 \ (2 \text{ CS}).$$

Dans la mesure du possible, il est toujours préférable de ne pas calculer les résultats intermédiaires non nécessaires et d'effectuer les opérations à la fin du raisonnement : la réponse est alors donnée avec le bon nombre de CS. Si malgré tout on doit les calculer, il est bon d'y inclure au moins un CS de plus que le nombre suggéré par les valeurs initiales. On arrondit ensuite correctement le résultat final.

EXERCICE 1.7   **L'utilisation des chiffres significatifs**

a) Exprimez correctement la somme et le produit des deux quantités suivantes : 10,26 et 0,063.

b) Exprimez correctement la valeur de x : $x = \dfrac{(110,7 - 64)}{0,056 \times 0,00216}$.

1.9   LA RÉSOLUTION DE PROBLÈMES

La chimie est une science expérimentale, qui implique la résolution de nombreux problèmes quantitatifs. La résolution de problèmes, parfois complexes, n'est pas évidente, d'autant plus qu'il n'existe pas de règle universelle pour les aborder tant ils sont multiples. Cependant, quelques conseils très généraux peuvent aider à développer une approche relativement systématique de la question.

1. **Le problème.** Lisez attentivement l'énoncé pour bien cerner la question.
2. **La stratégie.** Quels sont les principes mis en jeu ? Qu'est-ce qui fait partie des données et est donc connu ? Organisez l'information pour savoir ce qui manque ou pour trouver les relations qui existent entre les données. S'il s'agit de données numériques, affectez-les toujours de leurs unités.

   Que vous demande-t-on exactement ? Essayez de schématiser la situation sous forme de figure ou de diagramme.

   Imaginez un plan de résolution en déterminant les étapes à suivre théoriquement. Aidez-vous des unités du résultat recherché pour déterminer les grandeurs qui vous sont nécessaires.
3. **La solution.** Mettez le plan à exécution. Suivez systématiquement toutes les étapes, en prêtant attention aux unités. Vérifiez votre raisonnement et vos calculs.
4. **La vérification de la réponse.** Est-elle de l'ordre de grandeur de ce à quoi on doit s'attendre ? Est-elle raisonnable compte tenu des données initiales ?

EXERCICE 1.8   **La résolution de problèmes**

La peinture que vous avez choisie pour recouvrir un mur de 7,6 m de long et 2,74 de haut a une masse volumique de 0,914 g/cm³. Sachant que l'épaisseur moyenne d'une couche est de 0,13 mm, combien de litres de peinture sont-ils nécessaires pour effectuer ce travail ? Quelle est la masse (g) de cette quantité de peinture ?

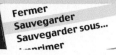

(**SAUVE**garder)

LA CLASSIFICATION DE LA MATIÈRE

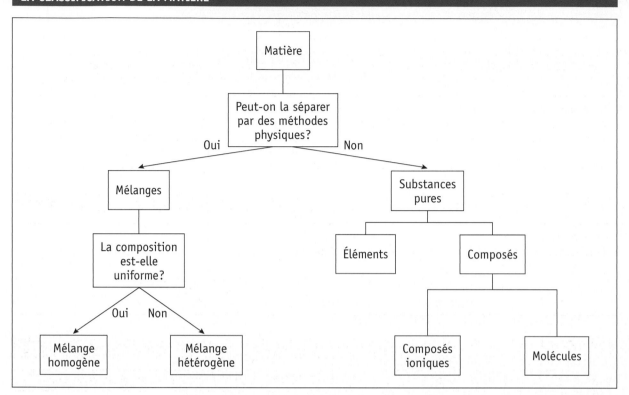

LES ÉTATS DE LA MATIÈRE

Solide	Forme propre, volume fixe variant peu avec la température ou la pression.
Liquide	Fluide, volume déterminé, prend la forme de son contenant.
Gaz	Fluide, occupe tout le volume de son contenant; la pression dépend alors de la température.

LES CHANGEMENTS D'ÉTAT DE LA MATIÈRE

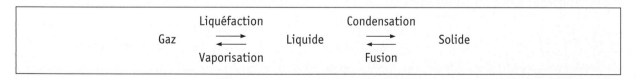

LA FORMULE CHIMIQUE EST UNE REPRÉSENTATION DE LA COMPOSITION DES COMPOSÉS.

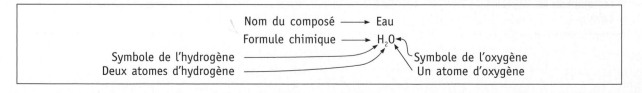

LES PROPRIÉTÉS DES COMPOSÉS

Propriétés physiques	Propriétés chimiques
Propriétés qui peuvent être mesurées ou observées sans affecter la composition de la substance.	Elles impliquent nécessairement un changement de nature de la substance. Le processus de transformation est appelé la **réaction chimique.**
Exemples Masse volumique, couleur, point de fusion, point d'ébullition, état physique, viscosité.	**Exemples** La faculté de l'hydrogène de réagir avec l'oxygène pour former de l'eau, le sodium réagit avec le chlore en donnant du chlorure de sodium.

LA RÉACTION CHIMIQUE

L'équation chimique
Représentation écrite et condensée d'une réaction chimique

Exemple

$$\text{Coefficient } 2\ H_2\ (g) + O_2\ (g) \longrightarrow 2\ H_2O\ (g)\ \text{État physique}$$

Réactifs « se transforment en » Produits

L'ÉNERGIE

Énergie cinétique (le mouvement)	Énergie potentielle (la position ou la condition)
• *thermique* des atomes, des molécules ou des ions en mouvement; • *mécanique*: objet en mouvement; • *électrique*: déplacement des électrons dans un conducteur; • *sonore*: compression/dilatation de l'espace séparant les molécules.	• *chimique*: liaisons intra et intermoléculaires; • *gravitationnelle*: les hauteurs relatives; • *électrostatique*: charges électriques de signes opposés à courte distance l'une de l'autre.

LES ÉCHANGES DE CHALEUR

L'échange de chaleur peut être vu comme un processus par lequel de l'énergie est transférée à cause d'une différence de température.

Température du système	$\Delta T_{sys} = T_f - T_i$	Chaleur (q)	Direction du transfert de chaleur
La température monte.	$\Delta T_{sys} > 0\ (+)$	$q > 0\ (+)$	Le système absorbe de la chaleur (processus endothermique).
La température baisse.	$\Delta T_{sys} < 0\ (-)$	$q < 0\ (-)$	Le système dégage de la chaleur (processus exothermique).

LES UNITÉS DE BASE DU SI

Grandeurs	Unités
masse	kilogramme (kg)
longueur	mètre (m)
temps	seconde (s)
température	kelvin (K)
quantité de matière	mole (mol)
courant électrique	ampère (A)
intensité lumineuse	candela (cd)

L'EXPRESSION DES RÉSULTATS QUANTITATIFS

Incertitude	Valeur numérique associée à une mesure pour rendre compte de son écart possible par rapport à la valeur indiquée.	
Incertitude **absolue**	Incertitude exprimée dans les mêmes unités que la valeur mesurée.	$d = (10{,}22 \pm 0{,}01)$ mm
Incertitude **relative**	Rapport de l'incertitude absolue sur la valeur mesurée.	$d = (10{,}22 \pm 0{,}01)$ mm $\dfrac{\Delta d}{d} = \dfrac{0{,}01 \text{ mm}}{10{,}22 \text{ mm}} = 0{,}000\ 98 = 0{,}1\ \%$
Incertitudes absolue et relative sur une **addition**	$m = m_1 + m_2$ $\Delta m = \Delta m_1 + \Delta m_2$ $\dfrac{\Delta m}{m} = \dfrac{(\Delta m_1 + \Delta m_2)}{m}$	$m_1 = (25{,}8 \pm 0{,}1)$ g $m_2 = (12{,}5 \pm 0{,}1)$ g $m = 25{,}8$ g $+ 12{,}5$ g $= 38{,}3$ g $\Delta m = 0{,}1$ g $+ 0{,}1$ g $= 0{,}2$ g $m = (38{,}3 \pm 0{,}2)$ g $\dfrac{\Delta m}{m} = \dfrac{0{,}2 \cancel{g}}{38{,}3 \cancel{g}} = 0{,}005 = 0{,}5\ \%$ $m = 38{,}3$ g à 0,5 %.
Incertitudes absolue et relative sur une **soustraction**	$m = m_1 - m_2$ $\Delta m = \Delta m_1 + \Delta m_2$ $\dfrac{\Delta m}{m} = \dfrac{(\Delta m_1 + \Delta m_2)}{m}$	$m_1 = (25{,}8 \pm 0{,}1)$ g $m_2 = (12{,}5 \pm 0{,}1)$ g $m = 25{,}8$ g $- 12{,}5$ g $= 13{,}3$ g $\Delta m = 0{,}1$ g $+ 0{,}1$ g $= 0{,}2$ g $m = (13{,}3 \pm 0{,}2)$ g $\dfrac{\Delta m}{m} = \dfrac{0{,}2 \cancel{g}}{13{,}3 \cancel{g}} = 0{,}015 = 1{,}5\ \%$ $m = 13{,}3$ g à 1,5 % près.
Incertitudes relative et absolue sur une **multiplication**	$S = L \times l$ $\dfrac{\Delta S}{S} = \dfrac{\Delta L}{L} + \dfrac{\Delta l}{l}$	$L = (25{,}1 \pm 0{,}1)$ cm $l = (13{,}3 \pm 0{,}1)$ cm $S = 25{,}1$ cm $\times 13{,}3$ cm $= 333{,}83$ cm^2 $\dfrac{\Delta S}{S} = \left(\dfrac{0{,}1 \cancel{cm}}{25{,}1 \cancel{cm}}\right) + \left(\dfrac{0{,}1 \cancel{cm}}{13{,}3 \cancel{cm}}\right)$ $= 0{,}003\ 98 + 0{,}007\ 52 = 0{,}0115 = 1{,}2\ \%$ $\Delta S = 333{,}83$ cm$^2 \times 0{,}0115 = 3{,}8$ cm^2 $S = 334$ cm^2 à 1,2 % près. $S = (334 \pm 4)$ cm^2

| Incertitudes relative et absolue sur une **division** | $\rho = \dfrac{m}{V}$

 $\dfrac{\Delta\rho}{\rho} = \dfrac{\Delta m}{m} + \dfrac{\Delta V}{V}$ | $m = (7{,}311 \pm 0{,}001)\ \text{g}$

 $V = (7{,}7 \pm 0{,}1)\ \text{mL}$

 $\rho = \dfrac{7{,}311\ \text{g}}{7{,}7\ \text{mL}} = 0{,}949\ 48\ \text{g/mL}$
 $\dfrac{\Delta\rho}{\rho} = \left(\dfrac{0{,}001\ \cancel{\text{g}}}{7{,}311\ \cancel{\text{g}}}\right) + \left(\dfrac{0{,}1\ \cancel{\text{mL}}}{7{,}7\ \cancel{\text{mL}}}\right) = 0{,}013 = 1\ \%$
 $\Delta\rho = 0{,}949\ 48\ \text{g/mL} \times 0{,}013$
 $\qquad = 0{,}012\ \text{g/mL} = 0{,}01\ \text{g/mL}$
 $\rho = (0{,}95 \pm 0{,}01)\ \text{g/mL}$
 $\rho = 0{,}95\ \text{g/mL à 1 \% près.}$ |

LES CHIFFRES SIGNIFICATIFS

Chiffres significatifs (CS)

Chiffres conservés dans une mesure ou un résultat pour tenir compte de l'incertitude.

1,23 g	3 CS
0,00123 g	3 CS
2,0 g et 0,020 g	2 CS
$\dfrac{100\ \text{cm}}{1\ \text{m}}$	Nombres exacts.

Additions et soustractions

La réponse contient un nombre de décimales égal au nombre de décimales du nombre qui en a le moins.

$$0{,}12 + 1{,}9 + 10{,}925 = 12{,}945 = 12{,}9$$
$$\qquad\qquad \text{1 décimale} \qquad\qquad \text{1 décimale}$$

Multiplications et divisions

La réponse contient autant de CS que le nombre qui en a le moins.

$$\dfrac{0{,}01208}{0{,}0236} = 0{,}511\ 86 = 0{,}512$$
$$\text{3 CS} \qquad\qquad\qquad \text{3 CS}$$

LES ÉQUATIONS IMPORTANTES

- Température (K) = température (°C) + 273,15

  $T = t + 273{,}15 \qquad (t = 20{,}0\ \text{°C} \Rightarrow T = 20{,}0 + 273{,}15 = 293{,}2\ \text{K})$

- Masse volumique: $\rho_t = \dfrac{m}{V}$ (m = masse de l'échantillon et V = son volume mesuré à la température t).

Revue des concepts importants

1. Le minerai fluorite contient les éléments calcium et fluor. Quels sont les symboles de ces éléments ? À partir de la photographie ci-dessous, comment décririez-vous la forme des cristaux de fluorite ? Connaissant cette information, comment les atomes sont-ils placés dans le cristal ?

Charles D. Winters

2. Quels sont les états de la matière et comment se différencient-ils les uns des autres ?

3. Des grenailles de fer sont mélangées avec du sable (*voir la photographie ci-dessous*). Ce mélange est-il homogène ou hétérogène ? Suggérez un moyen de séparer le fer du sable.

Charles D. Winters

4. Quelle est la différence entre les termes *composé* et *molécule* ? Écrivez une phrase en utilisant ces mots.

5. Déterminez si le terme souligné dans chacun des énoncés suivants est une propriété physique ou chimique.
   a) Le brome est de couleur <u>orange</u>.
   b) Le fer <u>rouille</u> en présence d'air et d'eau.
   c) L'hydrogène peut <u>exploser</u> en présence d'air (*voir la figure 1.14*).
   d) La <u>masse volumique</u> du titane est égale à 4,65 g/cm³.
   e) L'étain <u>fond</u> à 505 K.
   f) La chlorophylle, un pigment se trouvant dans les plantes, est <u>verte</u>.

6. Déterminez si chacun des changements suivants est physique ou chimique.
   a) L'eau de Javel change la couleur de votre chandail préféré du violet au rose.
   b) Par une journée froide, la vapeur d'eau provenant de votre expiration se condense dans l'air.

   c) Les plantes utilisent le dioxyde de carbone de l'air pour synthétiser des molécules de sucre.
   d) Le beurre fond quand il est placé au soleil.

7. La photographie ci-dessous montre des billes de cuivre, immergées dans l'eau et flottant sur du mercure. Qu'est-ce qui est liquide ? Solide ? Quelle substance est la plus dense ? Laquelle est la moins dense ?

Charles D. Winters

8. Définissez les termes *exothermique* et *endothermique*, et donnez un exemple pour chacun.

9. Un échantillon de turquoise (un solide bleu-vert) d'une longueur de 4,6 cm a une masse de 2,5 g et une masse volumique de 2,65 g/cm³. Quelles sont les observations qualitatives et lesquelles sont quantitatives ? Lesquelles sont des propriétés extensives ? intensives ?

Exercices

Les éléments et les atomes, les composés et les molécules

10. Nommez chacun des éléments suivants.
   a) Na
   b) K
   c) Cl
   d) P
   e) Mg
   f) Ni

11. Donnez le symbole de chacun des éléments suivants.
   a) Baryum.
   b) Titane.
   c) Chrome.
   d) Plomb.
   e) Arsenic.
   f) Zinc.

12. Désignez l'élément et le composé dans chacune des paires suivantes.
   a) Na et NaCl.
   b) Le sucre et le carbone.
   c) L'or et le chlorure d'or.
   d) Le silicium et le sable.

Les propriétés physiques et chimiques

13. Quelle partie des énoncés suivants réfère à une propriété physique et laquelle réfère à une propriété chimique ?

a) L'éthanol, un liquide incolore, brûle en présence d'air.

b) L'aluminium, un métal brillant, réagit avec le brome, un liquide orange.

c) Le carbonate de calcium, un solide blanc, a une masse volumique de 2,71 g/cm³. Lorsqu'il réagit avec un acide, il se forme du dioxyde de carbone gazeux.

d) Le zinc en poudre, un métal gris, réagit avec l'iode violet pour former un solide blanc.

La masse volumique

(*Voir l'exemple 1.1*)

14. La masse volumique de l'éthylèneglycol ($C_2H_6O_2$) est égale à 1,11 g/cm³, à 20 °C. Quelle est la masse (g) de 500 mL de ce liquide?

15. Un chimiste a besoin de 2,00 g d'un composé liquide dont la masse volumique égale 0,718 g/cm³. Quel volume du composé utilisera-t-il?

16. La *tasse*, une mesure de volume largement utilisée en cuisine, équivaut à 237 mL. Si une tasse d'huile d'olive a une masse de 205 g, quelle est la masse volumique de cette huile (g/cm³)?

17. Les niveaux d'eau avant et après l'ajout d'un échantillon de 37,5 g d'un métal inconnu dans un cylindre sont montrés dans la figure ci-dessous. Parmi les métaux de la liste suivante, lequel est le plus plausible? (ρ est la masse volumique du métal.)

a) Mg, $\rho = 1{,}74$ g/cm³

b) Fe, $\rho = 7{,}87$ g/cm³

c) Ag, $\rho = 10{,}5$ g/cm³

d) Al, $\rho = 2{,}70$ g/cm³

e) Cu, $\rho = 8{,}96$ g/cm³

f) Pb, $\rho = 11{,}3$ g/cm³

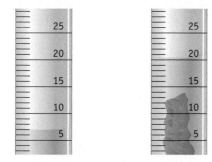

Métal inconnu dans un cylindre gradué (à droite)

La température

(*Voir l'exercice 1.2*)

18. 25 °C est souvent utilisée comme température standard. Exprimez cette température en kelvins.

19. La température à la surface du Soleil est de $5{,}5 \times 10^3$ °C. Quelle est-elle en kelvins?

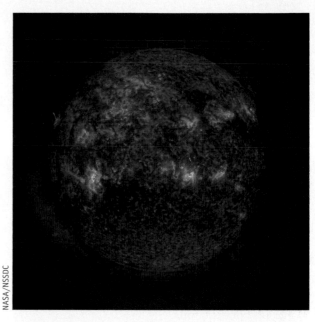

20. Effectuez les conversions de température suivantes.

	°C	K
a)	_____	77
b)	63	_____
c)	_____	1450

Les unités et les conversions d'unités

(*Voir l'exemple 1.2*)

21. La longueur d'un parcours de marathon est de 42,195 km. Convertissez-la en:

a) mètres,

b) milles (1 mille = 1609 m).

22. Exprimez en millimètres et en mètres la longueur d'un crayon de 19 cm de long.

23. Vous suivez un régime qui vous recommande de ne pas consommer plus de 1200 Cal/jour. À combien de joules cela correspond-il?

24. Calculez en centimètres carrés et en mètres carrés la surface d'un disque compact de 11,8 cm de diamètre.

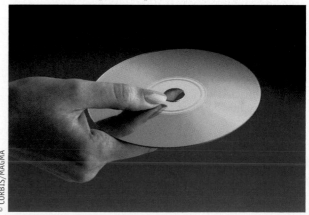

25. Exprimez le volume d'un becher de 250 mL en :
   a) centimètres cubes ;
   b) litres ;
   c) mètres cubes ;
   d) décimètres cubes.

26. Quelques boissons gazeuses sont vendues en bouteilles de 1,5 L. Convertissez ce volume en :
   a) millilitres ;
   b) centimètres cubes ;
   c) décimètres cubes ;
   d) microlitres.

27. Quelle est la masse en grammes et en milligrammes d'un livre de 2,52 kg ?

28. Exprimez en kg/m^3 une masse volumique de 7,3 g/cm^3.

Les chiffres significatifs et les incertitudes

(*Voir les exemples 1.3 et 1.4*)

29. Combien de chiffres significatifs y a-t-il dans chacun des nombres suivants ?
   a) 0,0123   **f)** 1,020
   b) $3,40 \times 10^3$ **g)** $2,300 \times 10^{-4}$
   c) 0,005 46   **h)** $2,34 \times 10^9$
   d) 74   **i)** 20,600
   e) 1,6402   **j)** 14,0067

30. Effectuez chacun des calculs suivants et donnez la réponse avec le nombre approprié de chiffres significatifs.

   a) $(0{,}0546)\,(16{,}0000)\left(\dfrac{7{,}779}{55{,}85}\right)$

   b) $(1{,}68)\left(\dfrac{23{,}56 - 2{,}3}{1{,}248 \times 10^3}\right)$

31. Effectuez les calculs suivants et donnez l'incertitude maximale absolue.

   a) $\dfrac{(40{,}5270 \pm 0{,}0002)}{(5{,}6068 \pm 0{,}0003)}$

   b) $(38{,}01 \pm 0{,}01) - (21{,}58 \pm 0{,}01)$

   c) $\dfrac{(3{,}302 \pm 0{,}009) + (13{,}60 \pm 0{,}01)}{(2{,}01 \pm 0{,}05)}$

La résolution de problèmes

32. La masse des diamants est souvent mesurée en carats, un carat correspondant à 0,200 g. Quel est le volume (cm^3) d'un diamant de 1,50 carat, sachant que sa masse volumique est égale à 3,513 g/cm^3 ?

33. Le diamètre d'une ancienne pièce d'or est de 2,2 cm et son épaisseur, de 3,0 mm. Sa forme étant un cylindre, le volume = π (rayon)² (épaisseur). Quelle est la masse (g) de cette pièce, sachant que la masse volumique de l'or est de 19,3 g/cm^3 ?

34. Refaites les calculs effectués par le personnel de ravitaillement du Boeing 767, qui a manqué de carburant en 1983 près de Winnipeg (*voir l'introduction du chapitre 1*), en utilisant cette fois la bonne unité de masse volumique du kérosène : 1,77 livre par litre (1 livre = 454 g).

Questions de révision

Ces questions peuvent combiner plusieurs des concepts vus précédemment. Les numéros de couleur correspondent à des questions demandant plus de réflexion.

35. Le gallium, qui a un point de fusion de 29,8 °C, fondra-t-il dans votre main ? Justifiez brièvement votre réponse.

36. Le néon, un élément gazeux utilisé dans les enseignes lumineuses, a un point de fusion de -248,6 °C et un point d'ébullition de -246,1 °C. Exprimez ces températures en kelvins.

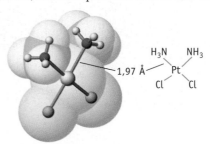

37. Les distances interatomiques sont habituellement données en nanomètres (1 nm = 1×10^{-9} m) ou en picomètres (1 pm = 1×10^{-12} m). À l'occasion, on trouve l'unité Angström (Å) où 1 Å = 1×10^{-10} m. Convertissez en nanomètres et en picomètres la distance séparant l'atome de platine de l'atome d'azote dans le *Cisplatine*, sachant que celle-ci vaut 1,97 Å.

Cisplatine

38. Laquelle de ces deux masses de matière, 600 g d'eau (ρ = 0,995 g/cm^3) ou 600 g de plomb (ρ = 11,34 g/cm^3), occupe le plus grand volume ?

39. Vous ajoutez une pièce de laiton de 154 g ($\rho =$ 8,56 g/cm^3) dans un cylindre gradué de 100 mL contenant déjà 50 mL d'eau. Quel niveau atteindra l'eau dans le cylindre gradué ?

40. Vous ajoutez un morceau de bouteille en plastique ($\rho = 1,37$ g/cm^3) et un morceau d'aluminium ($\rho = 2,70$ g/cm^3) dans un récipient contenant du tétrachlorure de carbone (CCl_4), un solvant liquide possédant une masse volumique de 1,58 g/cm^3. Quel morceau flottera ? Lequel coulera ?

41. Quelle masse de plomb y avait-il dans 250 g d'un bloc de matériau utilisé jadis dans la soudure des tuyaux de cuivre et constitué de 67 % de plomb et de 33 % d'étain ?

42. À partir de la théorie cinétique de la matière et des informations sur les atomes et les molécules présentées dans ce chapitre, dessinez l'arrangement de 10 particules de chacune des substances énumérées ci-dessous. Représentez chaque atome par un cercle et différenciez les sortes d'atomes par une couleur.
   a) Un échantillon de fer solide (constitué d'atomes de fer).
   b) Un échantillon d'eau liquide (constitué de molécules de H_2O).
   c) Un échantillon de vapeur d'eau.
   d) Un mélange homogène de vapeur d'eau et d'hélium gazeux.
   e) Un mélange hétérogène d'eau liquide et d'aluminium solide ; montrez une région de l'échantillon qui inclut ces deux substances.
   f) Un échantillon de laiton (un mélange homogène de cuivre et de zinc).

43. Suggérez une façon de déterminer si le liquide incolore contenu dans un becher est de l'eau. Si c'est le cas, comment pourriez-vous savoir si elle contient ou non des sels en solution ?

44. Le diabète peut modifier la masse volumique de l'urine, cette grandeur peut ainsi devenir un test diagnostique de cette maladie. En effet, les diabétiques éliminent, par voie urinaire, trop de sucre ou trop d'eau. Prévoyez l'effet de chacune de ces conditions sur la masse volumique de l'urine.

45. Quelle expérience pourriez-vous effectuer pour :
   a) séparer du sel de l'eau ?
   b) séparer de la limaille de fer d'un petit morceau de plomb ?
   c) séparer du soufre élémentaire du sucre ?

46. La feuille d'aluminium ($\rho = 2,70$ g/cm^3) contenue dans un rouleau a une surface de 75 pi^2 et une masse de 12 oz. Sachant que 1 pied = 30,48 cm et 1 oz = 28,4 g, calculez l'épaisseur (mm) de cette feuille.

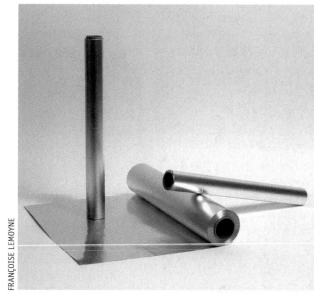

FRANÇOISE LEMOYNE

47. La fluoration des eaux de consommation, par addition de fluorure de sodium, est effectuée aux États-Unis depuis plusieurs décennies. Supposez que vous vivez dans une ville de 150 000 habitants, chacun consommant quotidiennement 660 L d'eau. Quelle masse de fluorure de sodium (kg) doit-on ajouter à l'eau chaque année (365 jours) pour obtenir une concentration en fluorure de 1 ppm (partie par million), soit 1 kg de fluorure par million de kilogrammes d'eau ? (La fraction massique du fluor dans le fluorure de sodium est égale à 0,45, et l'eau a une masse volumique de 1,00 g/cm^3.)

48. La solution présente dans les accumulateurs au plomb (les batteries d'automobiles) contient de l'acide sulfurique. Calculez la masse d'acide (g) contenu dans 500 mL de cette solution, sachant qu'elle a une masse volumique de 1,285 g/cm^3 et qu'elle contient 38,08 % en masse d'acide sulfurique.

© CORBIS/MAGMA

Les atomes et les éléments

Les poussières d'étoiles ou la manufacture des éléments chimiques

Une gamme assez large d'éléments est à l'origine de la planète Terre et du monde animal et végétal qu'elle abrite. Comment la science se représente-t-elle l'émergence cosmique de ces éléments que nous tenons pour acquis dans notre environnement et dans notre vie?

Selon la théorie du big-bang, explication généralement acceptée de l'origine de l'Univers, une boule de matière extrêmement dense, de la dimension d'un pamplemousse, a explosé il y a environ 15 milliards d'années. La température de ce nuage de matière en expansion très rapide est de l'ordre de 10^{30} K. En une seconde, l'espace se peuple de particules dont on parlera dans ce chapitre: protons, électrons et neutrons. Quelques secondes plus tard, l'Univers se refroidit de millions et de millions de degrés, les protons et les neutrons commencent à se combiner pour donner des noyaux d'hélium. Au bout de huit minutes, les scientifiques estiment que l'Univers est composé d'un quart d'hélium et de trois quarts d'hydrogène. En fait, cette composition a peu changé jusqu'à aujourd'hui. Le nuage d'hydrogène et d'hélium continue à se refroidir pendant des milliers d'années et s'agglomère en étoiles comme notre Soleil. Dans ces étoiles, les atomes d'hydrogène fusionnent en atomes d'hélium en dégageant énormément d'énergie. Toutes les secondes, 700 millions de tonnes (7×10^{11} kg) d'hydrogène du Soleil produisent 695 millions de tonnes d'hélium et libèrent $3{,}9 \times 10^{26}$ joules d'énergie.

Progressivement, sur des millions d'années, le cœur d'une étoile qui consume son hydrogène devient de plus en plus dense et de plus en plus chaud, ce qui permet le déclenchement des réactions de fusion nucléaire. Les réactions sont assez rapides et l'onde de pression qui en résulte provoque l'expansion des couches périphériques de l'étoile. Pendant ce temps, le cœur continue à se contracter sous l'effet de la gravitation et de transférer son énergie vers la surface qui va s'amplifier tout en se refroidissant. Le diamètre de l'étoile peut être multiplié par 200, tandis que la baisse de la température périphérique se traduit par un décalage du rayonnement vers le rouge: l'étoile devient une *géante rouge*. Le cœur, en continuant à s'effondrer, voit toujours sa température croître et, si elle devient suffisamment élevée (au-delà de 100 millions de degrés), les atomes d'hélium fusionnent à leur tour et produisent des atomes de plus en plus lourds, le carbone en premier, suivi de l'oxygène et ensuite du néon, du magnésium, du silicium, du phosphore et de l'argon, etc., et finalement du fer. Le fer ne peut plus se transformer en d'autres éléments, simplement parce qu'il n'y a plus suffisamment d'énergie.

Dans certaines conditions, le cœur s'effondre brutalement sur lui-même en entraînant les couches externes de l'étoile. Cet effondrement produit une énergie mécanique énorme dont le transfert à travers les couches de l'étoile a pour résultat de la faire exploser, créant ainsi un des phénomènes les plus lumineux qui soient: la *supernova*. Une *supernova* peut être 100 millions de fois plus brillante que l'étoile originelle, une brillance comparable à celle de toute la Galaxie à laquelle elle appartient. L'explosion des premières *supernova* s'est produite environ cinq milliards d'années après le big-bang.

La *supernova* apparue en 1987 a permis aux astronomes d'étudier ce qui arrive dans ces « pouponnières d'éléments ». L'explosion d'une *supernova* dégage suffisamment d'énergie pour déclencher de nouveau des réactions de fusion dans son cœur, où se trouve du fer, permettant ainsi la création d'éléments plus lourds que ce dernier. Tous les éléments disséminés dans l'espace lors de l'explosion de la *supernova* et des réactions qui s'ensuivent se déplacent et se rassemblent petit à petit en planète comme la Terre.

On connaît raisonnablement bien le mécanisme de formation des éléments dans les étoiles et beaucoup de preuves expérimentales étayent les conclusions. Cependant, la manière dont ces éléments se sont combinés entre eux pour donner des organismes vivants sur Terre, et peut-être sur d'autres planètes, n'est pas encore élucidée.

▲ **La *supernova* de 1987.** Dr Christopher Burrows, ESA/STSc1 et NASA

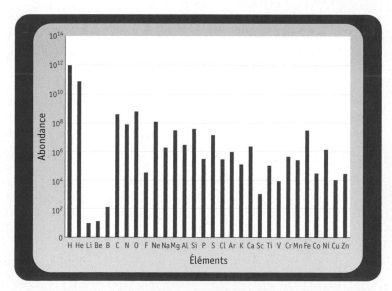

▲ **L'abondance des éléments dans le système solaire.** On note que Li, Be et B sont très peu abondants, que l'abondance de C, N et O est relativement élevée, tout comme celle de Fe. Au-delà de Fe, l'abondance diminue progressivement. (Échelle logarithmique de l'abondance: nombre d'atomes par 10^{12} atomes d'hydrogène H.)

La structure de l'atome Pour les chimistes, les atomes sont la pierre angulaire de notre univers. La compréhension de leur structure et de leurs fonctions est le fruit de nombreuses expériences, qui ont eu lieu plus particulièrement au XXe siècle. Les trois expériences présentées dans cet encadré *Point de mire* sont devenues des « classiques », car elles ont permis de découvrir la nature de deux des particules fondamentales de l'atome, les protons et les électrons. D'autres expériences, en particulier celle de Rutherford, seront décrites ultérieurement dans ce chapitre.

LA MISE EN ÉVIDENCE DES CHARGES POSITIVES

Eugene Goldstein
Les tubes à décharge
(1886)

1. Les rayons cathodiques entrent en collision avec les molécules de gaz.

2. Les molécules de gaz sont attirées par la cathode percée: on en déduit qu'elles sont chargées positivement.

3. Quelques molécules passent au travers des trous de la cathode.

D'autres expériences montrent que les particules positives sont déviées par des champs électriques ou magnétiques, mais beaucoup moins que les rayons cathodiques à cause de leur plus grande masse.

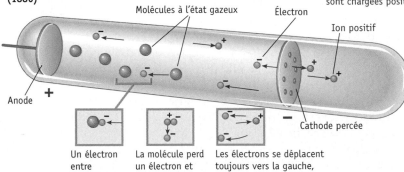

Un électron entre en collision avec une molécule.

La molécule perd un électron et devient un ion positif.

Les électrons se déplacent toujours vers la gauche, tandis que l'ion positif migre vers la droite.

LA MESURE DU RAPPORT ENTRE LA CHARGE ÉLECTRIQUE DE L'ÉLECTRON (e) ET SA MASSE (m)

J. J. Thomson
La mesure du rapport $\frac{e}{m}$ de l'électron
(1896-1897)

2. On organise les polarités des deux champs de façon à ce que les directions de leurs déviations soient opposées.

1. Un faisceau d'électrons (rayons cathodiques) traverse un champ électrique et un champ magnétique.

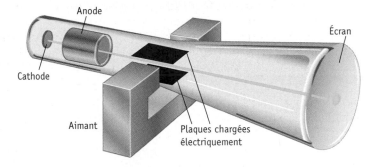

3. Lorsque les deux effets sont neutralisés, on peut calculer le rapport $\frac{e}{m}$ de l'électron.

LA MESURE DE LA CHARGE DE L'ÉLECTRON

R. A. Millikan
L'expérience de la goutte d'huile
(1911-1913)

4. Les gouttelettes chargées négativement, soumises à différents types de forces (électrostatique, gravité, poussée d'Archimède, résistance à l'avancement) se déplacent à une vitesse que l'on peut mesurer.

1. On pulvérise dans le caisson supérieur de l'appareil un brouillard d'huile non volatil. Les fines gouttelettes, sous l'effet de la gravité, tombent une à une dans le compartiment inférieur.

2. On soumet l'enceinte inférieure aux rayons X, ce qui a pour effet de produire des ions gazeux positifs et des électrons.

3. Les électrons se fixent sur les gouttelettes d'huile, leur conférant une charge électrique négative.

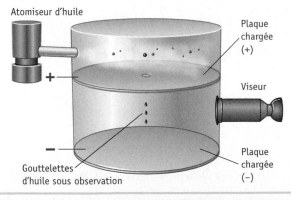

5. En connaissant la vitesse de chute des gouttelettes en présence ou en l'absence de champ électrique, Millikan parvient à calculer leur charge électrique.

Maintenant, vous savez que les éléments chimiques sont formés dans les étoiles, on peut donc continuer leur étude pour tenter de répondre à d'autres questions nous concernant peut-être d'un peu plus près. Pourquoi certains éléments présentent-ils des similarités ? Quelles sont leurs différences essentielles ? Dans ce chapitre, on débutera l'étude des éléments, ces fondements de la chimie.

2.1 LES ÉLECTRONS, LES PROTONS ET LES NEUTRONS : L'ÉMERGENCE DE LA THÉORIE ATOMIQUE

À la suite de nombreuses expériences menées concurremment dans divers pays (dont l'Allemagne, l'Angleterre, la France et les États-Unis) a émergé un modèle d'atome, encore aujourd'hui à la base de la théorie atomique moderne. Trois particules dites **subatomiques** entrent dans la composition de tous les atomes : des protons (une charge électrique positive), des électrons (une charge électrique négative) et des neutrons (pas de charge électrique). Dans ce modèle, les protons et les neutrons sont regroupés dans un très petit noyau, qui contient donc toutes les charges électriques positives. Les électrons, situés autour du noyau, occupent presque tout le volume. Comme les protons et les neutrons ont des masses très nettement supérieures à celle des électrons, le noyau contient pratiquement toute la masse de l'atome. Les atomes sont électriquement neutres : il y a autant de protons dans leur noyau que d'électrons autour. Comment est-on arrivé à cette conception ? C'est ce que l'on va exposer rapidement dans les sections suivantes.

2.1.1 L'électricité

L'électricité a été souvent mise à contribution dans les expériences ayant permis l'émergence du modèle atomique que l'on connaît. On sait depuis l'Antiquité que des objets peuvent porter des charges électriques : les Anciens Égyptiens avaient déjà remarqué que l'ambre jaune, une résine fossilisée d'origine végétale, dure et transparente, attirait de petits objets après avoir été frotté avec un tissu de laine ou de soie. On peut observer de nos jours ce même phénomène en frottant un ballon d'enfant sur les cheveux : ceux-ci se hérissent (*voir la figure 2.1 a, page 51*). Un éclair ou un choc électrique, ressenti parfois en touchant une poignée de porte, apparaît lorsqu'une charge électrique se déplace d'un endroit à un autre.

Deux types de charges électriques ont été découverts du temps de Benjamin Franklin (1706-1790), homme d'État américain et inventeur. Il les qualifie de positive et de négative, parce qu'elles semblent opposées et se neutralisent l'une l'autre. Des expériences ont montré que des charges de même signe se repoussent, alors que les charges de signes opposés s'attirent. Franklin a aussi montré qu'il existe un équilibre de charges : si une charge négative apparaît quelque part, une même quantité de charge positive se manifeste ailleurs.

Dès le XIXe siècle, il est admis que les charges électriques positives ou négatives ont un rapport direct avec la matière, peut-être même avec les atomes.

2.1.2 Le rayonnement cathodique et l'électron

Les premières expériences menant à la découverte de l'électron datent du milieu du XIXe siècle. À cette époque, des physiciens allemands étudient l'action des décharges électriques dans des tubes de verre remplis de gaz à basse pression (vide partiel). Ils constatent entre autres choses l'apparition de lumière, découverte à la base des tubes au néon et des tubes fluorescents actuels. Comme cette émission

lumineuse semble due à quelque chose qui sort de l'électrode négative de l'appareil, la cathode, cette émission est appelée dès 1869 le **rayonnement cathodique.**

Vers 1880, William Crookes (1832-1919), physicien anglais, illustre quelques propriétés remarquables de ce rayonnement : il cause la fluorescence des gaz et des pierres précieuses ; il élève la température des métaux jusqu'à les faire fondre ; il est dévié par un aimant ; il est attiré vers la plaque positive du dispositif ; il fait tourner un moulinet placé dans le tube. Crookes suggère que la cathode émet « un jet de molécules » et non pas des ondes semblables à la lumière, comme le pensent certains de ses collègues.

Jean Perrin (1870-1942, prix Nobel de physique en 1926), physicien français, montre que les rayons cathodiques transportent de l'électricité négative et ne peuvent être assimilés à de la lumière. Comme le rayonnement peut traverser une pellicule solide en la laissant intacte, Perrin en conclut qu'il n'est pas composé de molécules, mais de corpuscules plus petits que les atomes eux-mêmes.

Dès 1894, le physicien anglais Joseph John Thomson (1856-1940, prix Nobel de physique en 1906) réussit à mesurer leur vitesse. Cette vitesse, voisine de 50 000 km/s, le convainc de la nature corpusculaire du rayonnement cathodique, car elle est de très loin inférieure à celle de la lumière. Mais, si ce rayonnement est constitué de particules chargées d'électricité négative, on doit pouvoir en mesurer leur masse et leur charge. Pour ce faire, il applique simultanément un champ électrique et un champ magnétique à un faisceau de rayons cathodiques dans un tube de Crookes (*voir l'encadré* Point de mire, *page 48*). En 1897, il calcule la valeur du rapport entre la charge des particules (e) et leur masse (m), mais ne peut les calculer séparément. Ce rapport est indépendant du métal utilisé comme cathode et des gaz présents dans le tube : il accepte d'appeler ces particules universelles « électrons », ce mot ayant été employé par Stoney depuis 1891 pour désigner l'« unité naturelle d'électricité ».

En 1919, le physicien américain Robert Andrews Millikan (1868-1953, prix Nobel de physique en 1923) publie le fruit de ses expériences sur des gouttes d'huile, commencées une dizaine d'années auparavant (*voir l'encadré* Point de mire, *page 48*) : la valeur de la charge électrique de l'électron est déterminée. Millikan trouve que les charges portées par les gouttelettes d'huile sont des multiples de $1,60 \times 10^{-19}$ C (C, le coulomb, est l'unité SI de charge électrique). Millikan émet l'hypothèse que cette valeur représente la charge de l'électron, l'unité fondamentale de charge électrique. Comme on connaît la valeur du rapport $\dfrac{e}{m}$ de l'électron, on peut calculer sa masse (au repos). Les valeurs acceptées de nos jours sont :

$$e = 1,602\ 176 \times 10^{-19}\ \text{C}$$
$$m = 9,109\ 382 \times 10^{-31}\ \text{kg}$$

Lorsqu'on discute des propriétés des particules fondamentales, on exprime toujours les charges électriques relativement à la charge de l'électron à laquelle on a attribué la valeur -1.

2.1.3 La radioactivité et le rayonnement α

En 1896, par un heureux hasard, le physicien français Henri Becquerel (1852-1908) découvre que la pechblende, minerai contenant de l'uranium, émet un rayonnement capable d'impressionner une plaque photographique, même dans l'obscurité.

En 1898, Marie Curie et ses assistants isolent le polonium (nommé ainsi par référence au pays de naissance de madame Curie, la Pologne) et le radium, qui émettent le même type de rayons que l'uranium. Marie Curie suggère, dès 1899, que les atomes de certains éléments émettent ces rayons inhabituels lors de leur désintégration. Elle nomme ce phénomène la **radioactivité** et désigne comme radioactifs les éléments qui le manifestent.

Naturellement, les chercheurs ont tenté très tôt d'identifier les radiations. En 1898, Henri Becquerel montre que les radiations émises par le radium, soumises à un champ magnétique, se partagent en trois faisceaux distincts : deux d'entre eux, nommés plus tard α (alpha) et β (bêta) par Ernest Rutherford, sont déviés en sens opposé, tandis que le troisième, le rayonnement γ (gamma), ne l'est pas (figure 2.1 **b** ; le champ magnétique est remplacé par un champ électrique).

Le scientifique allemand Fritz Giessel (1852-1927) montre que le faisceau β est constitué d'électrons. Puis, le Français Paul Villard (1860-1934) identifie le faisceau non dévié γ comme une onde électromagnétique semblable aux **rayons X,** mais possédant plus d'énergie. Rutherford prouve en 1902, avec l'aide de son ami et collègue Frederick Soddy (1877-1956, prix Nobel de chimie en 1921), que le rayonnement α est constitué d'hélions, des particules très proches de l'hélium portant deux charges électriques positives.

2.1.4 La découverte du proton

Durant la période qui va *grosso modo* de 1850 à 1920, les chercheurs ne se sont pas exclusivement concentrés sur les rayonnements cathodique et α. Parallèlement, ils ont été amenés à étudier les rayons canaux, dont l'existence a été mise en évidence en 1886 par Eugene Goldstein (*voir l'encadré* Point de mire, *page 48*). Ce chercheur allemand a conçu un tube à rayons cathodiques, dont la cathode métallique est percée. Goldstein remarque que des rayons traversent les trous et se dirigent en sens inverse des rayons cathodiques. Il les nomme les **rayons canaux,** parce qu'ils passent dans les trous comme à travers des canaux.

Jean Perrin suggère, dès 1895, qu'ils sont constitués de corpuscules chargés d'électricité positive.

Histoire et découvertes

Marie Curie (1867-1934)

Marya Sklodowska est née en Pologne. En France, où elle vécut plus tard, on l'appela Marie et ensuite madame Curie. Elle partagea avec son mari, Pierre Curie, et Henri Becquerel le prix Nobel de physique en 1903 récompensant la découverte de la radioactivité naturelle. Elle obtint le prix Nobel de chimie en 1911 pour la découverte des éléments radium et polonium, pour avoir isolé le radium et pour l'étude de la nature des composés de cet élément remarquable. Une de ses filles, Irène Curie (1897-1956), épousa le physicien Jean Frédéric Joliot (1900-1958) : ils partagèrent le prix Nobel de chimie en 1935 pour leurs synthèses de nouveaux éléments radioactifs. Collection E. F. Smith

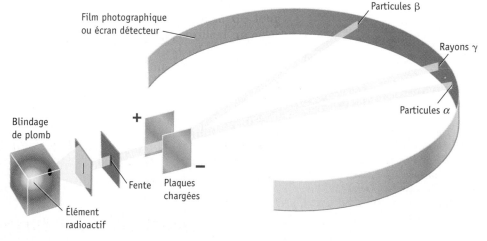

a) Charles D. Winters   **b)**

Figure 2.1 L'électricité et la radioactivité. a) Le frottement d'un ballon d'enfant sur les cheveux fait apparaître des charges électrostatiques. L'expérience montre que des objets chargés d'électricité de signes opposés s'attirent, tandis que des charges électriques de même signe se repoussent. **b)** Des rayons α, β et γ émis par un élément radioactif se comportent différemment dans un champ électrique. Les particules α sont attirées par la plaque négative, elles sont chargées positivement. À l'inverse, les particules β, chargées négativement, dévient vers la plaque positive. On note que l'angle de déviation des particules α est moins grand que celui des particules β, indice que les premières sont plus lourdes que les secondes. Les rayons γ ne sont pas déviés par le champ électrique : ils ne portent aucune charge électrique.

En 1901, le chercheur allemand W. Wien (1864-1928, prix Nobel de physique en 1911) confirme cette opinion : un champ magnétique les fait dévier en sens inverse des rayons cathodiques. Selon les gaz présents dans le tube, on obtient des rapports charge/masse différents. Les rayons canaux sont nettement plus lourds que les électrons, leur masse étant de l'ordre de grandeur des particules de gaz. Comme on s'y attend un peu, l'hydrogène présente le plus grand rapport $\frac{e}{m}$. En 1914, Rutherford établit que l'ion hydrogène est un atome d'hydrogène privé de son électron et conclut que le noyau d'hydrogène est une particule fondamentale de tout noyau atomique. Rutherford l'appellera plus tard le **proton**.

En 1919, Rutherford réussit la première réaction nucléaire artificielle en bombardant de l'azote avec des particules α : des atomes d'azote se transforment en oxygène, tandis que des protons sont émis. Cette expérience désormais célèbre confirme indubitablement la présence de protons dans le noyau.

La masse au repos du proton est égale à :

$$1{,}672\ 622 \times 10^{-27}\ \text{kg}$$

et sa charge électrique vaut +1.

2.1.5   Le neutron

Puisque les atomes sont électriquement neutres, leurs nombres de protons et d'électrons doivent être égaux. Mais on constate expérimentalement que leur masse est nettement plus élevée que celle prédite en considérant uniquement ces deux particules. Dès 1920, plusieurs physiciens, dont Rutherford, suggèrent qu'il doit exister d'autres particules électriquement neutres possédant une masse appréciable, et le mot « **neutron** » commence à faire son apparition. La découverte du neutron est le résultat de trois séries d'expériences réalisées dans trois pays différents.

En 1930, deux physiciens allemands, Walter Bothe (1891-1957, prix Nobel de physique en 1954) et H. Becker, constatent que des éléments légers (béryllium, bore, lithium, etc.) bombardés par des particules α émettent un rayonnement très pénétrant possédant une grande énergie, qu'ils croient être un rayonnement γ encore inconnu.

En 1931, Irène, la fille de Marie Curie, et son mari Frédéric Joliot-Curie découvrent que ce nouveau rayonnement traversant un bloc de paraffine, composé solide riche en hydrogène, a la propriété d'en expulser des protons. Aucun rayon γ n'y est parvenu à ce jour. Ils publient leurs résultats expérimentaux, sans pouvoir valablement les interpréter.

En 1932, en Angleterre, James Chadwick (1891-1974, prix Nobel de physique en 1935), l'un des étudiants de Rutherford, reprend les expériences du couple français et va plus loin en mesurant l'énergie des noyaux projetés. Il affirme que le rayonnement possède trop d'énergie pour être un rayonnement γ et qu'il doit être composé de particules de masse voisine de celle du proton et de charge électrique 0. C'est le neutron, dont la masse au repos acceptée est très légèrement supérieure à celle du proton.

$$1{,}674\ 927 \times 10^{-27}\ \text{kg}$$

2.1.6   Le noyau atomique

J. J. Thomson se représente un atome comme une sphère uniforme de matière chargée positivement dans laquelle se déplace un grand nombre d'électrons.

Pour lui et ses étudiants, il ne reste qu'une question à élucider : Quel est le nombre d'électrons en circulation ? Vers 1910, Rutherford teste cette théorie atomique. Il a déjà découvert que les rayons α sont des particules chargées positivement et possédant une masse voisine de celle de l'hélium. Il se dit que, si le modèle de Thomson est valable, un faisceau de particules aussi massives que les rayons α doivent franchir une mince feuille d'or pratiquement sans être déviées, puisque les charges positives ou négatives dans ce modèle sont réparties uniformément. Les collaborateurs de Rutherford, Hans Geiger (1882-1945) et Ernst Marsden (1889-1970) imaginent le dispositif expérimental schématisé dans la figure 2.2, et observent le comportement des particules. La plupart d'entre elles traversent la feuille d'or en ligne droite, quelques-unes dévient de cette trajectoire de façon appréciable, et d'autres… semblent rebondir et faire pratiquement marche arrière ! Quelque 20 ans plus tard, Rutherford commente cette observation assez surprenante : « C'était presque aussi incroyable que si vous lanciez un obus de 15 pouces sur une feuille de papier de soie et qu'il revenait vous frapper. »

Pour expliquer ces résultats, Rutherford propose un nouveau modèle d'atome où toute la charge positive et presque toute la masse sont concentrées dans un petit volume, qu'il nomme le **noyau.** Les électrons occupent le reste de l'espace. Rutherford, Geiger et Marsden calculent que le noyau de l'atome d'or a un rayon de l'ordre de 10^{-12} cm et comprend 100 ± 20 charges positives (très proches des valeurs acceptées actuelles : respectivement 10^{-13} cm et 79).

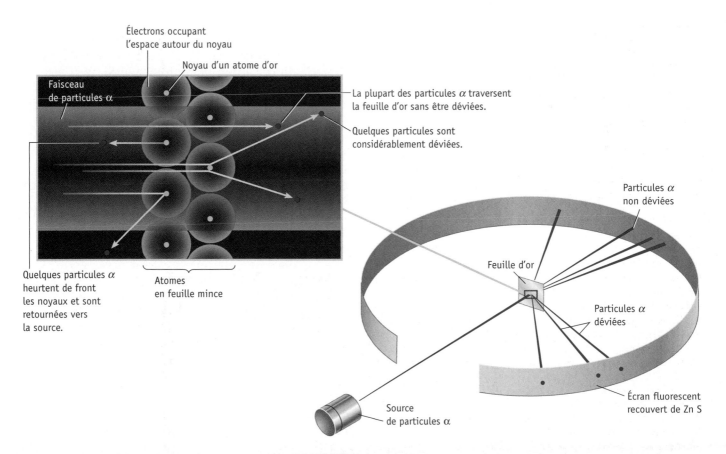

Figure 2.2 L'expérience de Rutherford. À droite : un faisceau de particules α bombarde une feuille d'or très mince. Les particules sont détectées à l'aide d'un écran luminescent au sulfure de zinc. La plupart traversent la feuille d'or en ligne droite, tandis que quelques-unes sont déviées, parfois fortement. À gauche : l'interprétation des résultats de l'expérience.

EXERCICE 2.1 **La description des atomes**

On sait maintenant que les rayons des noyaux atomiques et des atomes sont respectivement de l'ordre de 0,001 pm et 100 pm. Si l'atome avait un rayon de 100 m, il occuperait approximativement un stade de football. Quel serait alors le diamètre de son noyau?

2.2   LE NUMÉRO ATOMIQUE ET LA MASSE ATOMIQUE

2.2.1   Le numéro atomique

Tous les atomes d'un même élément possèdent le même nombre de protons dans leur noyau. L'hydrogène n'en comprenant qu'un seul est, de ce point de vue, le plus simple des éléments. Tous les atomes d'hélium en possèdent deux, tandis que tous ceux de lithium en ont trois et tous ceux de béryllium, quatre. Le nombre de protons dans le noyau d'un élément, représenté habituellement par la lettre Z, est son **numéro atomique.** Dans le tableau périodique, le nombre entier, généralement inscrit au-dessus du symbole de l'élément, représente son numéro atomique, son identité en quelque sorte.

2.2.2   Les masses atomiques relatives et l'unité de masse atomique

Quelle est la masse d'un atome? Les expériences minutieuses menées par les chimistes des XVIIIᵉ et XIXᵉ siècles conduisent toutes à des masses atomiques *relatives*. Par exemple, on sait que la masse d'un atome d'oxygène est 1,33 fois plus grande que celle du carbone et que celle du calcium vaut 2,5 fois celle de l'oxygène.

Les chimistes du XXIᵉ siècle utilisent encore ce système. Après avoir employé plusieurs normes, les scientifiques se sont mis d'accord pour utiliser une base commune: *un atome de carbone possédant six protons et six neutrons dans son noyau a, par définition, une masse de 12.* Un atome d'oxygène (huit protons et huit neutrons), 1,3333 fois plus lourd, a une masse relative de $12 \times 1,3333 = 16,000$. On a assigné les masses aux autres éléments de la même manière.

On exprime souvent les masses atomiques en **unités de masse atomique (u).** Un u est exactement le $\dfrac{1}{12}$ de la masse d'un atome de carbone possédant six protons et six neutrons. La masse de cet atome de carbone est donc, par définition, 12 u.

On sait maintenant qu'elle équivaut à:

$$1\ u = 1,661 \times 10^{-27}\ kg$$

2.2.3   Le nombre de masse

Les masses des protons et des neutrons sont voisines de 1 u (tableau 2.1).

Par contre, l'électron est à peu près 2000 fois plus léger. Puisque les masses des protons et des neutrons sont voisines de 1 u, il est facile d'estimer la masse d'un atome si l'on connaît son nombre de protons et de neutrons. La masse d'un atome est proche de la somme de ces deux nombres, appelée le **nombre de masse** (symbolisé généralement par la lettre A).

Nombre de masse (A) = nombre de protons + nombre de neutrons

TABLEAU 2.1 Les propriétés des particules subatomiques

Particules	Masse		Charge	Symboles
	(g)	(u)		
Électron	$9,109\ 382 \times 10^{-28}$	0,000 548 579 9	-1	e^-
Proton	$1,672\ 622 \times 10^{-24}$	1,007 276	+1	p^+
Neutron	$1,674\ 927 \times 10^{-24}$	1,008 665	0	n^0

Par exemple, l'atome de sodium qui possède dans son noyau 11 protons et 12 neutrons a un nombre de masse égal à 23 (et sa masse atomique est proche de 23 u). L'atome d'uranium le plus répandu contient 92 protons et 146 neutrons : $A = 238$. Pour représenter l'atome, on utilise souvent la notation symbolique suivante.

Nombre de masse →
Numéro atomique → $^A_Z X$ ← symbole de l'élément

L'indice Z est parfois absent, car le symbole de l'élément renvoie à sa valeur donnée dans le tableau périodique. Par exemple, les atomes précédents sont notés :

$$^{23}_{11}Na, \quad ^{238}_{92}U \qquad \text{ou tout simplement} \qquad ^{23}Na, \quad ^{238}U$$

et communément appelés le sodium 23 ou l'uranium 238.

EXERCICE 2.2 La composition des atomes

a) Quel est le nombre de masse d'un atome de fer dont le noyau contient 30 neutrons ?

b) Un atome de nickel qui contient 32 neutrons a une masse de 59,930 788 u. Trouvez sa masse (g).

c) Combien y a-t-il de protons, de neutrons et d'électrons dans un atome de ^{64}Zn ?

2.3 LES ISOTOPES

Hormis quelques exceptions, telles que l'aluminium, le fluor et le phosphore, les atomes des éléments d'un échantillon naturel ont des nombres de masse différents. Par exemple, il existe deux « espèces » de bore, ^{10}B et ^{11}B, et dix atomes d'étain différents. On appelle **isotopes** ces *atomes de même numéro atomique* (Z), *mais de nombres de masse* (A) *différents*.

Tous les atomes d'un même élément ont le même nombre de protons, cinq dans le cas du bore. Pour avoir des nombres de masse différents, il faut que leur nombre de neutrons soit différent. Le noyau du bore 10 contient cinq protons et cinq neutrons, celui du bore 11 en contient respectivement cinq et six.

Les isotopes de l'hydrogène, $Z = 1$, sont tellement importants qu'on leur a attribué des noms particuliers. L'isotope dont le noyau ne contient que le seul proton (^1H), le « protium », est appelé plus couramment l'« hydrogène », celui qui contient en plus du proton un neutron (^2H) est nommé le « deutérium » ou l'« hydrogène lourd » (D) et, finalement, celui qui possède un proton et deux neutrons (^3H) s'appelle le « tritium » (T).

La substitution d'un isotope d'un élément par un autre dans un composé particulier peut provoquer parfois des effets intéressants (*voir la figure 2.3, page 56*).

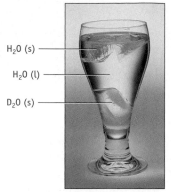

H_2O (s) —
H_2O (l) —
D_2O (s) —

Figure 2.3 La glace de l'eau lourde.
L'eau sous forme de glace (H_2O (s)), dont la masse volumique est inférieure à celle de l'eau liquide (H_2O (l)) (l'eau est au nombre des quelques substances qui sont moins denses à l'état solide qu'à l'état liquide) flotte sur son liquide. De la même manière, la glace lourde (D_2O (s)) flotte sur de l'eau lourde liquide (D_2O (l)).
Cependant, la glace lourde (D_2O (s)) se ramasse au fond du verre d'eau, car sa masse volumique est plus élevée que celle de l'eau liquide (H_2O (l)).
Charles D. Winters

2.3.1   L'abondance isotopique

Un échantillon d'eau contient presque uniquement des molécules H_2O, c'est-à-dire, pour bien préciser, des molécules dans lesquelles les atomes d'hydrogène sont l'isotope ^1H, mais pas totalement. Quelques molécules sont en effet constituées à partir du deutérium (D ou ^2H) dans une proportion de 0,015 % : ce pourcentage représente l'**abondance isotopique** du deutérium dans l'eau.

$$\text{Abondance isotopique (\%)} = \frac{\text{nombre d'atomes d'un isotope donné}}{\text{nombre total d'atomes de tous les isotopes de cet élément}} \times 100\,\%$$

EXERCICE 2.3   **Les isotopes**

a) Il existe trois isotopes de l'argon contenant respectivement 18, 20 et 22 neutrons. Trouvez leurs nombres de masse et écrivez leurs symboles.

b) Le gallium a deux isotopes, ^{69}Ga et ^{71}Ga. Combien y a-t-il de protons et de neutrons dans le noyau de chacun de ces isotopes ? Sachant que l'abondance de ^{69}Ga est égale à 60,1 %, quelle est celle de ^{71}Ga ?

2.3.2   La détermination des masses atomiques et de l'abondance isotopique

Bien que le nombre de masse d'un isotope puisse être considéré comme une approximation de sa masse atomique, seule une mesure expérimentale peut en donner la valeur acceptée comme exacte. Par exemple, la masse atomique du bore 11, cinq protons et six neutrons, est de 11,0093 u et celle du fer 58, de 57,9333 u.

Les masses atomiques des isotopes et leur abondance ont été déterminées à l'aide du spectromètre de masse (*voir la figure 2.4, page 58*), instrument sophistiqué devenu maintenant indispensable dans tout laboratoire moderne de chimie.

Notez deux remarques importantes à propos des masses atomiques.

• La masse de n'importe quel atome n'est pas un nombre entier, sauf, par définition, celle du carbone 12.

• La masse d'un atome est toujours légèrement inférieure à la somme des masses des protons, des neutrons et des électrons. La différence, appelée le défaut de masse, est reliée à l'énergie nécessaire pour maintenir ensemble les particules du noyau.

2.4   LA MASSE ATOMIQUE

Un échantillon quelconque de bore contient des atomes ^{10}B de masse 10,0129 u et des atomes ^{11}B de masse 11,0093 u. On appelle la **masse atomique** (du bore dans ce cas) la *moyenne pondérée des masses des atomes d'un élément à l'état naturel*, exprimée en unités de masse atomique. Comme le bore contient 19,91 % de ^{10}B, sa masse atomique est :

$$\left(\frac{19,91}{100}\right) 10,0129 \text{ u} + \left(\frac{(100 - 19,91)}{100}\right) 11,0093 \text{ u} = 10,81 \text{ u}$$

perspectives

Le tritium, un instrument très puissant en sciences

Le tritium (T ou ^{3}H), un des isotopes de l'élément hydrogène, est radioactif. Il se forme dans les hautes couches de l'atmosphère sous l'action des rayons cosmiques et se retrouve dans une proportion d'un atome pour 10^{18} atomes d'hydrogène. Il se combine avec l'oxygène pour former de l'« eau » radioactive, qui tombe sur la surface terrestre et s'infiltre dans les profondeurs. Là, le tritium se désintègre progressivement et perd la moitié de sa radioactivité en 12,43 années. Comme cette durée est connue avec précision, le tritium est utilisé comme « horloge géologique » pour déterminer, par exemple, l'âge des eaux souterraines. Le contenu en tritium des eaux de surface, renouvelées constamment par la pluie, est presque identique à celui de cette dernière. Mais, à mesure que les eaux s'enfouissent dans le sol, le tritium se désintègre, si bien que les « vieilles eaux » en contiennent moins. Les géologues savent que l'eau s'infiltre relativement lentement. Aussi, lorsqu'elles atteignent une nappe phréatique profonde, leur contenu en tritium a très largement diminué. Ainsi, si l'on ne détecte pratiquement aucune trace de tritium dans un échantillon d'eaux profondes, on peut dire sans grande erreur que la nappe date d'au moins cent ans. D'un autre côté, si l'on en détecte, il est presque assuré qu'elle est constamment réapprovisionnée par de l'eau de surface.

Un géologue de l'Illinois (États-Unis) a dit que « l'analyse des eaux souterraines était essentielle parce qu'elles constituent la principale source d'eau potable et qu'elles sont malheureusement aussi le véhicule le plus probable des polluants stockés dans le sol ».

Le dosage du tritium est long et laborieux. Après l'avoir débarrassé de ses impuretés, l'échantillon d'eau est soumis à l'électrolyse (décomposition de l'eau en ses éléments par passage de courant électrique). Les molécules H_2O sont détruites avant les molécules de T_2O, si bien que l'échantillon résiduel devient de plus en plus concentré en tritium. Même si l'électrolyse s'étire sur à peu près une semaine, ce procédé est viable puisqu'il en résulte une eau environ 20 fois plus concentrée en tritium et qu'à ce niveau de concentration le tritium est plus facilement dosé.

On utilise les isotopes de nombreux éléments pour étudier des mécanismes en biologie, en agriculture et en chimie, pour des recherches en archéologie, dans les pêcheries, sur l'atmosphère et dans les océans, pour des études géologiques et environnementales.

▲ **Un volcan.** On peut utiliser le tritium pour découvrir la source de vapeur d'eau émise par le volcan. Stephen et Donna O'Meara/Cra-072/Photo Researchers, Inc.

Comme on peut le constater dans le tableau 2.2 (*voir la page 58*), la masse atomique d'un élément reflète la masse de l'isotope le plus abondant.

Dans le tableau périodique, la masse atomique est généralement située en-dessous du symbole de l'élément. Dans le cas des éléments instables (radioactifs), c'est la masse atomique de l'isotope le plus stable qui est indiquée entre parenthèses.

L'échantillon à analyser est vaporisé puis ionisé par bombardement d'électrons de haute énergie.

Les ions positifs formés sont accélérés par différentes plaques chargées négativement et arrivent dans un champ magnétique perpendiculaire à la direction du faisceau d'ions.

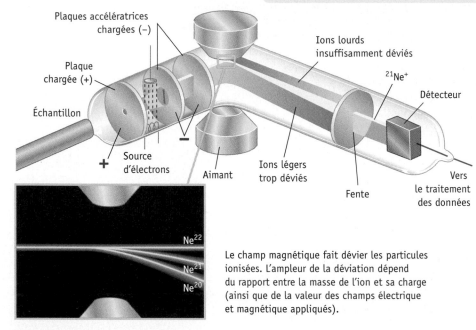

Le champ magnétique fait dévier les particules ionisées. L'ampleur de la déviation dépend du rapport entre la masse de l'ion et sa charge (ainsi que de la valeur des champs électrique et magnétique appliqués).

Dans cet exemple, le champ magnétique est tel que seuls les ions $^{21}Ne^+$ atteignent le détecteur, les ions $^{20}Ne^+$ et $^{22}Ne^+$ respectivement plus légers ou plus lourds le ratent. En faisant varier l'intensité du champ magnétique, chaque faisceau de particules de masses différentes finit sur le détecteur; on peut ainsi enregistrer le spectre de masse, qui se présente sous la forme d'un graphique ayant en ordonnée l'abondance relative et en abscisse le rapport masse/charge.

Figure 2.4 Le spectromètre de masse.

TABLEAU 2.2 L'abondance isotopique et la masse atomique

Éléments	Symboles	Nombre de masse	Masse atomique de l'isotope (u)	Abondance de l'isotope (%)	Masse atomique (u)
Hydrogène	H	1	1,0078	99,985	
	D	2	2,0141	0,015	1,007 94
	T	3	3,0161	0	
Bore	B	10	10,0129	19,91	10,811
		11	11,0093	80,09	
Néon	Ne	20	19,9924	90,48	
		21	20,9938	0,27	20,179 7
		22	21,9914	9,25	
Magnésium	Mg	24	23,9850	78,99	
		25	24,9858	10,00	24,305
		26	25,9826	11,01	

EXERCICE 2.4 Le calcul de la masse atomique

À partir des données suivantes:
^{35}Cl, masse = 34,968 85 u, abondance relative = 75,77 %,
^{37}Cl, masse = 36,965 90 u, abondance relative = 24,23 %,
vérifiez que la masse atomique du chlore est bien égale à 35,45 u.

2.5 L'ATOME, LA MOLE ET LA MASSE MOLAIRE

Découvrir une nouvelle substance est un des plaisirs les plus exaltants de la chimie. Mais, avant d'arriver à ce but, plusieurs opérations d'ordre quantitatif, plus ou moins répétitives doivent être effectuées. En guise d'exemple, quand on envisage de faire réagir un réactif avec un autre, on se demande en premier lieu dans quelle proportion on doit effectuer le mélange ; si la réaction a fonctionné et que l'on a réussi à isoler un produit inconnu, on se doit d'établir sa composition chimique. Pour ce faire, on a besoin d'une méthode qui permet de compter les atomes, une méthode qui permet de relier le monde invisible au monde macroscopique que l'on peut appréhender. Il faut trouver une unité pratique de matière qui correspond à un nombre connu de particules : la mole joue ce rôle. La *mole,* mot issu d'une racine latine signifiant « un gros tas » et suggéré la première fois vers 1896 par Friedrich Wilhelm Ostwald (1853-1932), est l'unité de base du SI de la quantité de matière, depuis 1971.

La **mole** (mol) est la quantité de matière d'un système contenant *autant d'entités élémentaires qu'il y a d'atomes dans 0,012 kg de carbone 12.* Lorsqu'on emploie la mole, les entités élémentaires doivent être spécifiées et peuvent être des atomes, des molécules, des ions, des électrons, d'autres particules ou des groupements spécifiés de telles particules.

Il est important de comprendre que la mole contient toujours *le même nombre de particules, quelles que soient les substances.* Une mole de sodium contient le même nombre d'atomes qu'une mole de fer. La question, longtemps restée sans réponse, est de savoir combien. Après bien des expériences, des essais et des discussions, on a établi que :

$$1 \text{ mol} = 6{,}022\ 141\ 99 \times 10^{23} \text{ entités}$$

Ce nombre extrêmement grand porte le nom de **nombre d'Avogadro,** en l'honneur du scientifique italien Amedeo Avogadro qui en conçut le premier l'idée sous forme d'hypothèse (mais ne put le quantifier). Dans les calculs mettant en jeu le nombre d'Avogadro, on utilisera la valeur $6{,}022 \times 10^{23}$.

On appelle la **masse molaire** (M) d'un élément quelconque la masse en grammes d'une mole de cet élément ($6{,}022 \times 10^{23}$ entités).

La valeur numérique de la masse molaire d'un élément (en g/mol) est égale à celle de la masse atomique de cet élément (en unités de masse atomique) à cause des définitions : un atome de ^{12}C pèse 12 u et il y a 1 mol d'atomes dans exactement 12 g de ^{12}C.

Masse molaire du sodium (M_{Na}) = masse de 1 mol d'atomes de Na
= masse de $6{,}022 \times 10^{23}$ atomes de Na
= 22,9898 g/mol

Une mole de divers éléments est illustrée dans la figure 2.5 (*voir la page 60*). Tous les bechers contiennent $6{,}022 \times 10^{23}$ atomes, mais la masse des échantillons ainsi que leur volume sont différents.

En utilisant l'analyse dimensionnelle et la masse molaire, il est facile de passer des quantités (mol) à la masse et vice versa.

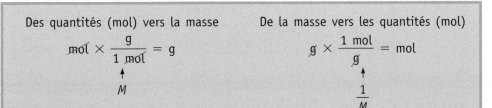

Des quantités (mol) vers la masse

$$\text{mol} \times \underset{\underset{M}{\uparrow}}{\frac{\text{g}}{1 \text{ mol}}} = \text{g}$$

De la masse vers les quantités (mol)

$$\text{g} \times \underset{\underset{\frac{1}{M}}{\uparrow}}{\frac{1 \text{ mol}}{\text{g}}} = \text{mol}$$

Histoire et découvertes

Amedeo Avogadro (1776-1856)

Amedeo Avogadro, comte de Quaregna, était un noble italien. Après avoir exercé la profession d'avocat, il se tourna vers les sciences aux environs de 1800. Il fut le premier professeur de physique mathématique en Italie.

Collection E. F. Smith/VanPelt Library/Université de Pennsylvanie

Figure 2.5 Une mole de quelques éléments courants. En bas, de gauche à droite : soufre (32,066 g), magnésium (24,3050 g), étain (118,710 g), silicium (28,0855 g). En haut : cuivre (63,546 g).
Charles D. Winters

EXEMPLE 2.1 **Les masses et les quantités (mol)**

Quelle masse d'aluminium trouve-t-on dans 0,35 mol de cet élément ?

SOLUTION

La masse molaire de l'aluminium donnée dans le tableau périodique est de 26,9815 g/mol.

$$\text{Masse d'aluminium} = 0,35 \ \cancel{\text{mol de Al}} \times \frac{26,9815 \ \text{g}}{1 \ \cancel{\text{mol de Al}}}$$
$$= 9,4435 \ \text{qu'on arrondit à } 9,4 \ \text{g.}$$

EXERCICE 2.5 **Les conversions des quantités (mol) en masses, des masses en quantités (mol)**

a) Quelle est la masse (g) de 1,5 mol de silicium ?

b) Combien d'atomes et de moles d'atomes y a-t-il dans 454 g de soufre ?

c) Quelle est la masse d'un atome de soufre ?

2.6 LE TABLEAU PÉRIODIQUE

Le tableau périodique des éléments, ou plus simplement le tableau périodique, constitue un outil indispensable en chimie. En plus de contenir des données spécifiques à chacun des éléments, son organisation permet de dégager leurs propriétés semblables.

2.6.1 L'organisation du tableau périodique

Le tableau périodique actuel présente les caractéristiques suivantes.

- Dans les colonnes verticales, appelées les **groupes** ou parfois les familles, sont disposés les éléments qui présentent des propriétés physiques et chimiques similaires. Ces groupes sont numérotés de 1 à 8, quelquefois écrits en chiffres romains de I à VIII, chaque numéro étant suivi de la lettre A ou B. Une nouvelle convention a récemment été adoptée : les groupes sont simplement numérotés de 1 à 18. Dans ce manuel, on utilisera généralement la numérotation traditionnelle, mais la nouvelle sera souvent indiquée entre parenthèses. Les éléments des groupes A (1 et 2, puis de 13 à 18) sont dits **représentatifs,** alors que les éléments des groupes B (de 3 à 12) font partie des **éléments de transition.**
- Les rangées horizontales ou **périodes** sont numérotées de 1 à 7. La première contient seulement H et He. Le lithium (Li), appartenant au groupe 1A (1), est le premier élément de la deuxième période. Le magnésium (Mg) du groupe 2A (2) fait partie de la troisième période.

Le tableau est divisé en plusieurs régions déterminées par les propriétés des éléments. Dans ce manuel, les cases décrivant les **métaux** sont coloriées en mauve, celles des **non-métaux,** en jaune, et celles des **métalloïdes,** en vert. À mesure que l'on se déplace de la gauche vers la droite, le caractère métallique des éléments diminue progressivement et les métalloïdes tracent la frontière entre les métaux et les non-métaux. Quelques éléments sont illustrés dans la figure 2.6 (*voir la page 62*).

Par votre expérience quotidienne, vous êtes tous plus ou moins familiers avec les propriétés des métaux. Ils sont solides, sauf le mercure qui est liquide à la température ambiante, conduisent l'électricité, sont habituellement ductiles (propriété de se laisser étirer en fils fins) et malléables (capacité de former des feuilles plus ou moins minces), forment des alliages (solution d'un métal dans un autre). Le fer (Fe) et, de plus en plus, l'aluminium (Al) sont couramment utilisés dans l'industrie automobile pour leur malléabilité et leur coût relativement faible. Les fils électriques sont en cuivre, car celui-ci conduit mieux l'électricité que la plupart des métaux communs. Le chrome est utilisé comme placage sur d'autres métaux non seulement pour son fini très brillant, mais aussi pour les protéger de la corrosion.

Les propriétés des non-métaux sont très variées. À température ambiante, certains sont solides (soufre, iode, etc.), le brome est liquide et d'autres sont gazeux (azote, oxygène, etc.). À l'exception du carbone sous forme de graphite et de nanotubes (*voir le chapitre 1, page 31*), les non-métaux ne conduisent pas l'électricité, ce qui les distingue principalement des métaux. Tous les non-métaux sont situés à la droite de la diagonale qui va du bore (B) au tellure (Te).

Les quatre éléments de la diagonale [bore, silicium (Si), arsenic (As) et tellure], ainsi que le germanium (Ge) et l'antimoine (Sb), ne rentrent pas totalement dans les catégories précédentes. Ces métalloïdes, autrefois appelés les semi-métaux, sont des éléments qui possèdent quelques caractéristiques physiques des métaux et quelques propriétés chimiques des non-métaux. La définition n'est pas des plus satisfaisantes ; elle a néanmoins le mérite de refléter l'ambiguïté de leur situation. L'antimoine, par exemple, conduit aussi bien l'électricité que n'importe quel autre métal véritable, mais sa chimie s'apparente plus à celle du phosphore (P), un non-métal. Il faut remarquer que les chimistes ne sont pas tous d'accord sur la définition d'un métalloïde et même sur les éléments qui en font partie.

◆ *Le tableau périodique*

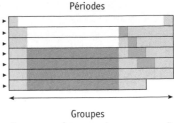

Périodes

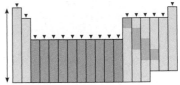

Groupes

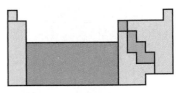

- [ ] MÉTAUX DES GROUPES REPRÉSENTATIFS (A)
- [ ] MÉTAUX DE TRANSITION
- [ ] MÉTALLOÏDES
- [ ] NON-MÉTAUX

2.6.2 La genèse du tableau périodique

Maintenant, on a coutume d'expliquer l'arrangement des éléments du tableau périodique à partir de la structure de l'atome. Cette manière de procéder, quoique pratique, ne reflète pas du tout sa genèse : les premiers tableaux

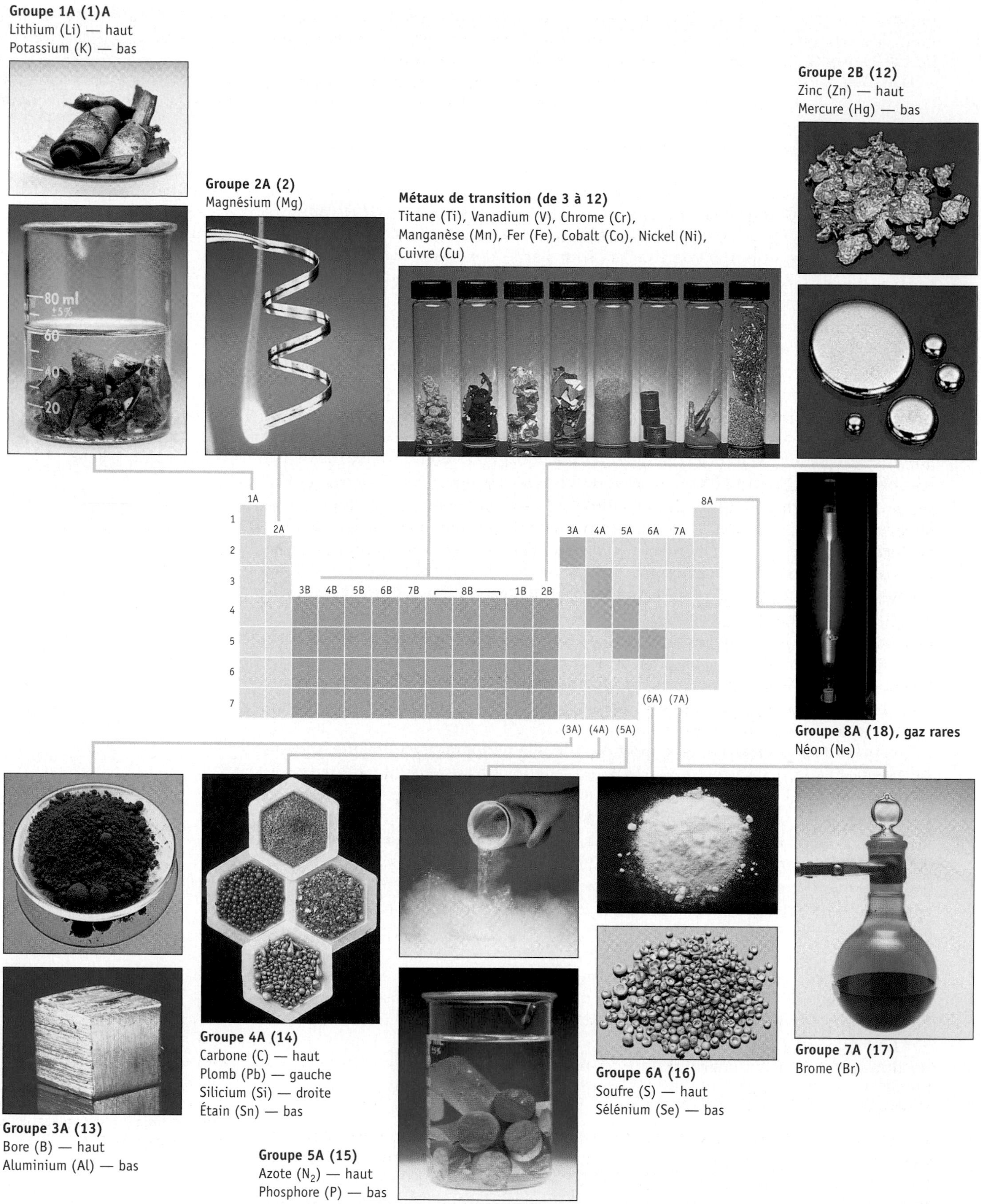
Groupe 1A (1)A
Lithium (Li) — haut
Potassium (K) — bas
Groupe 2A (2)
Magnésium (Mg)
Métaux de transition (de 3 à 12)
Titane (Ti), Vanadium (V), Chrome (Cr), Manganèse (Mn), Fer (Fe), Cobalt (Co), Nickel (Ni), Cuivre (Cu)
Groupe 2B (12)
Zinc (Zn) — haut
Mercure (Hg) — bas
80 ml
±5%
60
40
20
1A
2A
3B 4B 5B 6B 7B 8B 1B 2B
3A 4A 5A 6A 7A
8A
1
2
3
4
5
6
7
(3A) (4A) (5A)
(6A) (7A)
Groupe 8A (18), gaz rares
Néon (Ne)
Groupe 3A (13)
Bore (B) — haut
Aluminium (Al) — bas
Groupe 4A (14)
Carbone (C) — haut
Plomb (Pb) — gauche
Silicium (Si) — droite
Étain (Sn) — bas
Groupe 5A (15)
Azote (N_2) — haut
Phosphore (P) — bas
Groupe 6A (16)
Soufre (S) — haut
Sélénium (Se) — bas
Groupe 7A (17)
Brome (Br)

Figure 2.6 Quelques éléments. Charles D. Winters

périodiques ont été élaborés à la suite de nombreuses observations expérimentales des propriétés physiques et chimiques des éléments, et représentent l'aboutissement des idées des chimistes des XVIIIᵉ et XIXᵉ siècles.

Même si d'autres chercheurs ont tenté de classifier les éléments avant lui, Dmitri Ivanovitch Mendeleïev (1834-1907) est considéré comme le père du tableau périodique.

En 1869, à l'université de Saint-Pétersbourg (Russie), la rédaction d'un manuel de chimie l'amène à rassembler ses idées sur les propriétés des éléments. Il réalise alors que les éléments classés par ordre croissant de masse atomique présentent des caractéristiques qui se répètent à intervalles réguliers, autrement dit il constate une **périodicité dans les propriétés** des éléments. Mendeleïev aligne tous les éléments connus dans l'ordre croissant de masse atomique. Chaque fois qu'il rencontre un élément dont les propriétés sont voisines d'un élément précédent, il commence une nouvelle rangée. Par exemple, les éléments Li, Be, B, C, N, O et F sont classés sur une première ligne. Quand arrive l'élément connu suivant, le sodium (Na), élément dont les propriétés sont très proches de celles du lithium (Li), il commence une nouvelle rangée, le sodium se situant sous le lithium. Les colonnes de sa nouvelle classification contiennent alors des éléments ayant des propriétés similaires, comme Li, Na et le potassium (K).

Son coup de génie est de laisser des espaces vides dans sa classification, quand aucun élément connu n'a les propriétés communes du groupe. Il imagine que cet espace doit être rempli par un élément non encore découvert et prévoit ses principales caractéristiques à partir de sa position dans le tableau. C'est ainsi, par exemple, qu'une case est vacante entre le silicium (Si) et l'étain (Sn): la découverte du germanium (Ge), en 1886, apporte une preuve éclatante des idées de Mendeleïev.

Dans son tableau, les éléments sont classés par ordre croissant de masse atomique. Un coup d'œil à un tableau moderne montre que, sur cette base, les positions du nickel (Ni) et du cobalt (Co) devraient être échangées. Mendeleïev émet l'hypothèse que les masses atomiques sont inexactes, hypothèse non farfelue étant donné les méthodes d'analyse de l'époque. En fait, son ordre est correct et c'est son hypothèse de corrélation entre les propriétés et la masse atomique qui s'est révélée fausse.

En 1913, H. G. J. Moseley (1887-1915), un jeune chimiste anglais travaillant avec Rutherford, corrige l'hypothèse de Mendeleïev. Moseley bombarde d'électrons différents métaux et mesure les longueurs d'onde des rayons X émis. À l'analyse de toutes ses données, il constate que la longueur d'onde des rayons X émis par un élément est liée de façon précise au numéro atomique de cet élément. Les chimistes s'aperçoivent alors que si on classe les éléments par ordre croissant de numéro atomique plutôt que par leur masse les « défauts » de la classification de Mendeleïev disparaissent. Il est maintenant reconnu que les propriétés des éléments sont des fonctions périodiques dépendant du numéro atomique.

2.7 UN SURVOL DES ÉLÉMENTS DU TABLEAU PÉRIODIQUE

Groupe 1A (1): les métaux alcalins (Li, Na, K, Rb, Cs, Fr)

Les éléments du groupe 1A (1) situé le plus à gauche du tableau périodique, les **métaux alcalins,** se présentent à l'état solide à température ambiante. Ils sont très réactifs, réagissant, par exemple, avec l'eau pour donner de l'hydrogène et une solution alcaline (*voir la figure 2.7, page 64*). À cause de leur très grande réactivité, on ne les trouve à l'état naturel que sous forme de composés (NaCl, KCl par exemple).

Histoire et découvertes

Le tableau périodique. En plus de Mendeleïev, beaucoup de chimistes ont contribué au développement de la notion de périodicité des propriétés des éléments et ont suggéré différentes formes de classification des éléments:
A. E. B. de Chancourtois (1820-1886), John Newlands (1837-1898) et plus particulièrement Lothar Meyer (1830-1895).

◆ *Où placer l'hydrogène dans le tableau périodique ?*

Ce n'est certainement pas un métal alcalin. Cependant, tout comme ceux-ci, il donne un ion positif +1. Pour cette raison, on le place souvent dans le groupe 1A (1).

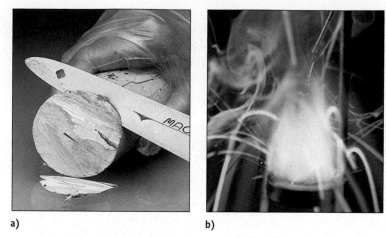

a)   b)

Figure 2.7 Les métaux alcalins. a) Le sodium se coupe au couteau comme du beurre froid. **b)** Les métaux alcalins comme le potassium réagissent fortement avec l'eau en donnant une solution alcaline (basique) et de l'hydrogène, qui à son tour réagit fortement avec l'oxygène de l'air. Charles D. Winters

Groupe 2A (2) : les métaux alcalino-terreux (Be, Mg, Ca, Sr, Ba, Ra)

Les **métaux alcalino-terreux** sont des éléments métalliques qui n'existent pas sous leur forme élémentaire à l'état naturel. Hormis le béryllium, ils réagissent tout comme les alcalins avec l'eau pour donner de l'hydrogène et une solution alcaline. Leurs oxydes, c'est-à-dire les composés qu'ils forment avec l'oxygène, telle la chaux vive (CaO), réagissent aussi avec l'eau en donnant une solution basique. Le magnésium (Mg) et le calcium (Ca) abondent dans la nature (sous forme de composés) : le septième et le cinquième rang respectivement dans la croûte terrestre (tableau 2.3). Le carbonate de calcium ($CaCO_3$) est le principal constituant du calcaire, des coraux, des coquillages, du marbre et de la craie (figure 2.8).

Groupe 3A (13) : B, Al, Ga, In, Tl

Le groupe 3A (13) contient un élément important, l'aluminium. Cet élément est un métal, ainsi que les trois autres qui le suivent dans le groupe, tandis que le bore est un métalloïde. L'aluminium est le métal le plus abondant de la croûte terrestre (tableau 2.3).

TABLEAU 2.3 Les dix éléments les plus abondants (en masse) de la croûte terrestre		
Rangs	**Éléments**	**Abondance (kg/1000 kg de terre)**
1	Oxygène	474
2	Silicium	277
3	Aluminium	82
4	Fer	41
5	Calcium	41
6	Sodium	23
7	Magnésium	23
8	Potassium	21
9	Titane	5,6
10	Hydrogène	1,52

a) James Cowlin/Image Enterprises, Phoenix, AZ

b) Charles D. Winters

Figure 2.8 Les métaux alcalino-terreux. a) Le magnésium chauffé en présence d'air brûle (s'oxyde) pour donner de l'oxyde de magnésium. Les étincelles blanc métallique que l'on voit dans les feux d'artifice proviennent de la combustion violente du magnésium réduit à l'état d'une fine poudre. **b)** Quelques objets contenant les ions calcium : la calcite (le cristal transparent), un coquillage, une pierre calcaire, un médicament bien connu pour éliminer l'excès d'acidité de l'estomac.

Groupe 4A (14) : C, Si, Ge, Sn, Pb, Uuq

Tous les éléments dont on a parlé précédemment sont des métaux, à l'exception du bore. À partir du groupe 4A (14), les groupes contiennent de plus en plus de non-métaux. Dans le groupe 4A cohabitent un non-métal, le carbone (C), deux métalloïdes, le silicium (Si) et le germanium (Ge), deux métaux, l'étain (Sn) et le plomb (Pb). Un dernier élément de numéro atomique 114, nommé provisoirement l'ununquadium (Uuq), découvert en 1999, s'est ajouté au groupe.

La chimie du carbone est si importante qu'elle constitue à elle seule un grand champ d'études, la chimie organique. Le carbone se présente sous plusieurs formes appelées les **allotropes,** chacune possédant ses propres caractéristiques physicochimiques : le graphite, le diamant et les fullerènes (figure 2.9).

▲ **Des composés contenant du silicium.** De l'améthyste et du quartz sur un lit de sable. Ces trois minéraux sont composés de dioxyde de silicium (ou silice SiO_2). Charles D. Winters

a)   b)   c)

Figure 2.9 Les allotropes du carbone. a) Le graphite est formé de couches d'atomes de carbone occupant les sommets d'un hexagone régulier. **b)** Dans le diamant, chaque atome de carbone est relié à quatre autres atomes qui occupent les sommets d'un tétraèdre régulier. **c)** Le buckminsterfullerène (C_{60}) est constitué de 60 atomes de carbone qui forment une sphère. Sa surface, formée de 12 cycles à 5 côtés (pentagones) et de 20 cycles à 6 côtés (hexagones), ressemble à un ballon de soccer.

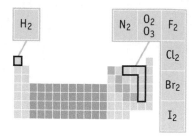

Figure 2.10 Les éléments qui existent sous forme diatomique ou triatomique. Sept éléments existent sous la forme d'une molécule diatomique (deux atomes). La molécule d'ozone, un allotrope de l'oxygène, est triatomique.

▲ Le soufre orthorhombique, l'allotrope le plus répandu du soufre, est constitué d'un cycle à huit côtés ayant la forme d'une couronne.
Charles D. Winters

Le silicium se retrouve dans de nombreux minéraux et pierres précieuses comme l'améthyste. Il est couramment utilisé dans l'industrie électronique. L'étain et le plomb sont connus depuis très longtemps, car il est facile de les extraire de leurs minerais. L'étain mélangé au cuivre, avec parfois du zinc, donne du bronze.

Groupe 5A (15) : N, P, As, Sb, Bi

L'azote, sous forme de N_2 (figure 2.10), constitue les trois quarts environ de l'atmosphère terrestre. L'élément entre dans la composition de nombreuses et importantes substances végétales et animales. L'azote (N_2) est à la base de la fabrication de l'ammoniac (NH_3), un composé industriel important.

Le phosphore se trouve dans plusieurs minéraux, essentiellement sous forme de phosphates. L'élément a plusieurs allotropes, les plus importants étant le phosphore rouge et le phosphore blanc. Celui-ci s'enflamme spontanément à l'air (aussi le conserve-t-on souvent dans l'eau) : l'oxyde qu'il forme alors peut être transformé ensuite en acide phosphorique (H_3PO_4), un ingrédient de plusieurs boissons gazeuses. Le phosphore rouge, qui réagit aussi avec l'oxygène, entre dans la composition des frottoirs servant à enflammer les allumettes.

Groupe 6A (16) : O, S, Se, Te, Po

Le premier élément de ce groupe, l'oxygène, est l'élément le plus abondant de la Terre : il constitue presque la moitié de la masse de sa croûte, à peu près 20 % de son atmosphère, et entre dans la composition de l'eau. L'oxygène, une molécule diatomique comme l'azote, se combine avec presque tous les éléments. Il existe aussi un autre allotrope dont on parle de plus en plus, l'ozone (O_3).

Le soufre est connu à l'état élémentaire depuis très longtemps. Les composés du soufre, du sélénium et du tellure sont souvent malodorants et toxiques ; cependant, le soufre et le sélénium sont des composants essentiels de l'alimentation humaine. Le composé industriel le plus important du soufre est l'acide sulfurique (H_2SO_4).

Groupe 7A (17) : les halogènes (F, Cl, Br, I, At)

Les éléments de ce groupe, les **halogènes,** ne comprennent que des non-métaux. Le fluor, le chlore, le brome et l'iode existent sous la forme de molécules diatomiques. Ils se combinent violemment avec les métaux alcalins pour former des sels, tels que le sel de table (NaCl), et figurent parmi les éléments les plus réactifs, se combinant aussi bien avec les métaux qu'avec les non-métaux.

Groupe 8A (18) : les gaz rares (He, Ne, Ar, Kr, Xe, Rn)

L'hélium, le néon, l'argon, le krypton, le xénon et le radon, les **gaz rares,** sont les moins réactifs de tous les éléments. Tous sont gazeux à température ambiante. Étant très peu abondants sur Terre (d'où leur nom) et très peu réactifs, ils n'ont été découverts que très tardivement, vers la fin du XIXe siècle. L'hélium, l'élément le plus abondant de l'Univers après l'hydrogène, a été détecté sur le Soleil, en 1868, par analyse du spectre solaire ; il n'a été découvert sur la Terre qu'en 1895. Jusqu'en 1962, quand un composé du xénon fut préparé pour la première fois, on pensait qu'ils étaient totalement inertes. C'est pourquoi on les appelle parfois les gaz nobles ou les gaz inertes. Quelques composés du krypton et du xénon sont maintenant connus.

Les éléments de transition

Les éléments de transition sont situés entre les groupes 2A (2) et 3A (13). Ils constituent les groupes B de la quatrième à la septième période de la partie centrale du tableau périodique. Ce sont tous des métaux. La plupart d'entre eux existent sous forme de composés, quelques-uns seulement, nettement moins réactifs, l'argent (Ag), l'or (Au) et le platine (Pt) existent à l'état natif.

Pratiquement tous les éléments de transition ont des applications commerciales. Ils sont présents dans les structures de base (fer, titane, chrome, cuivre), les peintures (titane, chrome), les convertisseurs catalytiques des systèmes d'échappement des automobiles (platine, rhodium), les pièces de monnaie (cuivre, nickel, zinc), les piles électrochimiques (manganèse, nickel, cadmium, mercure), etc.

Bon nombre d'entre eux jouent un rôle biologique important. Mentionnons à titre d'exemple le fer, sous la forme d'ion Fe^{2+}, présent dans l'hémoglobine qui transporte l'oxygène dans le sang.

Deux rangées d'éléments sont placées en bas du tableau périodique pour économiser de l'espace, les lanthanides et les actinides. Les **lanthanides,** qui vont du cérium (Ce) au lutécium (Lu), font suite au lanthane (La) dans la sixième période, tandis que les **actinides,** du thorium (Th) au lawrencium (Lr), suivent l'actinium (Ac) dans la septième période. Des composés des lanthanides font partie des écrans des téléviseurs en couleurs, l'uranium est employé comme combustible nucléaire dans les piles atomiques et l'américium est présent dans les détecteurs de fumée.

EXERCICE 2.6 **Le tableau périodique**

Combien y a-t-il d'éléments dans la troisième période du tableau périodique ? Donnez les nom, symbole et catégorie d'appartenance (métal, métalloïde ou non-métal) de chacun d'entre eux.

2.8 LES ÉLÉMENTS ESSENTIELS

Avec l'augmentation des connaissances en biochimie, la chimie des êtres vivants, on découvre de plus en plus le rôle essentiel de certains éléments. Ils sont si importants qu'une carence en l'un ou l'autre d'entre eux peut entraîner de graves anomalies dans la croissance des êtres et parfois même leur mort. Aucun autre élément ne peut remplacer un **élément essentiel.**

Seulement 11 des 113 éléments connus sont présents en grande quantité dans les systèmes biologiques, presque toujours dans les mêmes proportions (*voir le tableau 2.4, page 68*).

Chez les humains, ces 11 éléments représentent 99,9 % des atomes présents. Quatre d'entre eux, C, H, N et O, constituent à eux seuls 99 % du total (*voir le tableau 2.5, page 68*). La proportion importante d'oxygène et d'hydrogène (respectivement 25,4 % et 62,8 % de tous les atomes) est le reflet de la présence prédominante de l'eau dans les organismes vivants. Les sept autres, à savoir le sodium, le potassium, le calcium, le magnésium, le phosphore, le soufre et le chlore, comptent uniquement pour ≈ 0,9 % du total des atomes. Ils sont généralement présents sous forme d'ions, tels que Na^+, K^+, Mg^{2+}, Ca^{2+}, Cl^- et HPO_4^{2-}.

Ces 11 éléments primordiaux appartiennent à 6 groupes différents, ce sont des éléments « légers », de numéro atomique inférieur à 21.

Dix-sept autres éléments sont présents à l'état de traces dans la plupart des systèmes biologiques, mais pas dans tous. Quelques-uns sont requis par des

▲ Des aliments riches en éléments essentiels. Charles D. Winters

TABLEAU 2.4 Présence des éléments essentiels dans le corps humain

Éléments	Fractions massiques (%)
Oxygène	65
Carbone	18
Hydrogène	10
Azote	3
Calcium	1,5
Phosphore	1,2
Potassium, soufre, chlore	0,2
Sodium	0,1
Magnésium	0,05
Fer, cobalt, cuivre, zinc, iode	< 0,05
Sélénium, fluor	< 0,01

plantes, d'autres par des animaux et d'autres seulement par certaines plantes ou par certains animaux. À quelques exceptions près, ces éléments sont « lourds », leur numéro atomique dépassant 23 (tableau 2.5). Ils font souvent partie intégrante de molécules biologiques, telles que l'hémoglobine (Fe^{2+}) ou la vitamine B_{12} (Co^{2+}), et activent ou régularisent leurs fonctions.

TABLEAU 2.5 Les éléments essentiels

Éléments majoritaires 99,9 % des atomes, 99,5 % de la masse	Éléments présents à l'état de traces 0,1 % des atomes, 0,5 % de la masse
C, H, N, O	V, Cr, Mo, Mn, Fe, Co, Ni, Cu, Zn
Na, Ca, P, S, Cl	B, Si, Se, F, Br, I, As, Sn
K, Mg	–

Sources de quelques éléments essentiels

Éléments	Sources	Concentration (mg d'élément/100 g de source)
Fer	Levure de bière	17,3
	Œuf	2,3
Zinc	Noix du Brésil	4,2
	Poulet	2,6
Cuivre	Huître	13,7
	Noix du Brésil	2,3
Calcium	Fromage suisse	925
	Lait	118
	Brocoli	103
Sélénium	Beurre	0,15
	Vinaigre de cidre	0,09

Fermer
Sauvegarder
Sauvegarder sous...
~~Imprimer~~

(**SAUVE**garder)

2

LES ATOMES

Numéro atomique (Z) Nombre de protons dans le noyau. Nombre de masse (A) Nombre de protons dans le noyau (Z) + nombre de neutrons dans le noyau. Autant d'électrons que de protons.	**Exemple** $Z = 11$ $A = 23$ (11 protons et 12 neutrons). 11 électrons.
Isotopes Même numéro atomique (Z), mais nombres de masse (A) différents.	**Exemples** $^{10}_{5}B$: 5 protons, 5 neutrons, 5 électrons. $^{11}_{5}B$: 5 protons, 6 neutrons, 5 électrons.
Unité de masse atomique (u) $\dfrac{1}{12}$ de la masse d'un atome de carbone 12. Masse atomique d'un élément Moyenne pondérée des masses atomiques des isotopes d'un élément à l'état naturel, exprimée en u.	**Exemple** Le bore (10,81 u) : 19,9 % de $^{10}_{5}B$ (10,01 u) et 80,1 % de (11,01 u). $10,81 \text{ u} = \dfrac{19,9}{100}\,10,01 \text{ u} + \dfrac{80,1}{100}\,11,01 \text{ u}$

LA QUANTITÉ DE MATIÈRE

Mole (mol) Quantité de matière d'un système contenant autant d'entités élémentaires qu'il y a d'atomes dans 0,012 kg de carbone 12.	1 mol contient le nombre d'Avogadro ($6,022 \times 10^{23}$) d'entités.
Masse molaire d'un élément Masse en grammes d'une mole de cet élément. Numériquement égale à la masse atomique de cet élément, exprimée en u.	**Exemple** Le sodium : 22,9898 u Masse molaire : $M_{Na} = 22,9898$ g/mol

LE TABLEAU PÉRIODIQUE

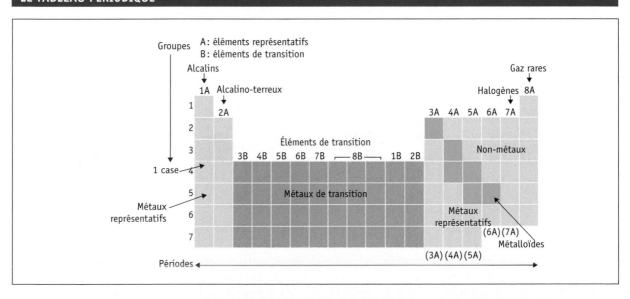

Revue des concepts importants

1. Quelles sont les trois particules fondamentales de l'atome? Quelles sont leurs charges électriques? Lesquelles constituent le noyau d'un atome? Laquelle est la plus légère?

2. Définissez l'unité de masse atomique (u).

3. Que représente le numéro atomique d'un atome? Et son nombre de masse?

4. Qu'a révélé la découverte de la radioactivité sur la structure atomique?

5. Quel serait le diamètre d'un atome si son noyau était de la grosseur d'une orange (diamètre = 6 cm)?

6. Les symboles du titane et du thallium se confondent souvent. Donnez le symbole de ces éléments, leur numéro atomique, leur masse atomique, les numéros du groupe et de la période auxquels ils appartiennent. Sont-ils des métaux, des métalloïdes ou des non-métaux?

7. Le lithium possède deux isotopes stables, ^6Li et ^7Li. Sachant que la masse atomique du lithium est de 6,941 u, quel est l'isotope le plus abondant?

8. Qu'est-ce qui est plus lourd:
   a) 0,5 mol de Na ou 0,5 mol de Si?
   b) 9,0 g de Na ou 0,50 mol de Na?
   c) 10 atomes de Fe ou 10 atomes de K?

9. Identifiez (nom et symbole) et situez l'emplacement dans le tableau périodique (groupe et période) de:
   a) trois éléments métalliques;
   b) quatre non-métaux;
   c) deux métalloïdes.

10. Nommez trois éléments de transition, un halogène, un gaz rare et un métal alcalin.

11. Identifiez (nom, symbole et numéro atomique) un élément découvert par Mme Curie. Cherchez dans un dictionnaire ou dans Internet l'origine du nom de cet élément.

12. Nommez quelques éléments non métalliques possédant des allotropes. Pour l'un d'entre eux, décrivez comment ses allotropes se distinguent les uns des autres.

Exercices

La composition des atomes

13. Quel est le nombre de masse de l'atome de:
    a) magnésium qui contient 15 neutrons?
    b) titane qui contient 26 neutrons?
    c) zinc qui contient 32 neutrons?

14. Symbolisez les atomes suivants à l'aide de la notation (^A_ZX).
    a) Potassium contenant 20 neutrons.
    b) Krypton contenant 48 neutrons.
    c) Cobalt avec 33 neutrons.

15. Combien d'électrons, de protons et de neutrons y a-t-il dans chacun des atomes suivants?
    a) Magnésium 24 (^{24}Mg).
    b) Étain 119 (^{119}Sn).
    c) Thorium 232 (^{232}Th).

Les isotopes

16. Combien d'électrons, de protons et de neutrons y a-t-il dans un atome de technétium 99, un élément radioactif artificiel utilisé en recherche médicale.

17. Combien d'électrons, de protons et de neutrons y a-t-il dans un atome d'américium 241, un élément radioactif utilisé dans les détecteurs de fumée et dans l'analyse des os?

18. Écrivez le symbole (^A_ZX) des trois isotopes radioactifs du cobalt (30, 31 et 33 neutrons) utilisés couramment en recherche médicale.

L'abondance isotopique et la masse atomique

19. Le thallium possède deux isotopes stables, ^{203}Tl et ^{205}Tl. Lequel est le plus abondant?

20. À partir des données suivantes, vérifiez que la masse atomique du magnésium est bien égale à 24,31 u.
    ^{24}Mg, masse = 23,985 u, abondance relative = 78,99 %.
    ^{25}Mg, masse = 24,986 u, abondance relative = 10,00 %.
    ^{26}Mg, masse = 25,983 u, abondance relative = 11,01 %.

21. À l'état naturel, le gallium existe sous la forme de deux isotopes, ^{69}Ga et ^{71}Ga, dont les masses sont respectivement de 68,9257 u et de 70,9249 u. Calculez l'abondance relative de ces deux isotopes.

22. L'antimoine possède deux isotopes stables, le ^{121}Sb de masse 120,9038 u et le ^{123}Sb de masse 122,9042 u. Calculez l'abondance relative de ces deux isotopes.

L'atome et la mole

(*Voir l'exemple 2.1*)

23. Calculez la masse (g) de:
    a) 2,5 mol d'aluminium;   c) 0,015 mol de calcium;
    b) $1,25 \times 10^{-3}$ mol de fer;   d) 653 mol de néon.

24. Combien d'atomes et de moles d'atomes y a-t-il dans:
    a) 127,08 g de Cu?   c) 5,0 mg d'américium?
    b) 0,012 g de lithium?   d) 6,75 g de Al?

25. Quelle est la masse moyenne d'un atome:
    a) de cuivre?
    b) de titane?

Le tableau périodique

26. Combien d'éléments y a-t-il dans le groupe 5A (15) du tableau périodique? Donnez le nom, le symbole et la catégorie d'appartenance (métal, métalloïde ou non-métal) de chacun d'entre eux.

27. Combien de périodes et lesquelles contiennent:
a) 8 éléments?
b) 18 éléments?
c) 32 éléments?

28. Combien d'éléments y a-t-il dans la septième période? Quel nom donne-t-on à la majorité de ces éléments et quelle propriété bien connue les caractérise?

Questions de révision

Ces questions peuvent combiner plusieurs des concepts vus précédemment. Les numéros de couleur correspondent à des questions demandant plus de réflexion.

29. Complétez le tableau suivant (une colonne par élément).

Symbole	^{58}Ni	^{33}S		
Nombre de protons		10		
Nombre de neutrons	____ ____	10	30	
Nombre d'électrons			25	
Nom de l'élément		____	____	____ ____

30. Le potassium est composé de trois isotopes (^{39}K, ^{40}K et ^{41}K). Sachant que ^{40}K a une faible abondance, lequel des deux autres est majoritaire? Justifiez brièvement votre réponse.

31. Revue du tableau périodique.
a) Nommez un élément du groupe 2A (2).
b) Nommez un élément de la troisième période.
c) Nommez un élément de la deuxième période du groupe 4A (14).
d) Nommez un élément de la troisième période du groupe 6A (16).
e) Nommez un halogène de la cinquième période.
f) Nommez un métal alcalino-terreux de la troisième période.
g) Nommez un gaz rare de la quatrième période.
h) Nommez un métalloïde de la quatrième période.

32. Combien d'atomes et de moles d'atomes y a-t-il dans 0,007 89 g de l'élément krypton, un gaz rare?

33. Dans l'alimentation des adolescents, la quantité quotidienne de fer recommandée est de 15 mg. Calculez le nombre de moles d'atomes et le nombre d'atomes correspondant à cette masse.

34. Pour une expérience, vous avez besoin de 0,125 mol de sodium métallique ($\rho = 0,971$ g/cm^3), un métal qui se coupe très bien au couteau (*voir la figure 2.7*).
a) Quel est le volume (cm^3) de votre morceau de sodium, si vous avez prélevé la quantité requise?
b) Supposez que vous avez coupé un cube parfait. Quelle est la longueur de son arête?

35. Un objet, ayant une surface de 15,3 cm^3, est recouvert d'une couche de chrome de 0,015 cm d'épaisseur. Combien d'atomes de chrome constituent le revêtement? (Masse volumique du chrome = 7,19 g/cm^3.)

36. La combustion dans l'air de 0,744 g de phosphore a produit 1,704 g de P_4O_{10}.
a) Calculez la valeur du rapport masse atomique du phosphore/masse atomique de l'oxygène.
b) Calculez la masse atomique du phosphore, sachant que celle de l'oxygène est égale à 16,000 u.

37. Considérez l'atome ^{64}Zn.
a) Cet atome a une masse de $1,06 \times 10^{-22}$ g. Calculez la masse volumique de son noyau, sachant que le rayon de ce dernier est de $4,8 \times 10^{-6}$ nm. (Le volume d'une sphère est $V = \left(\dfrac{4}{3}\right)\pi r^3$.)
b) Calculez la masse volumique de l'espace occupé par les électrons de cet atome, sachant que celui-ci a un rayon de 0,125 nm et que la masse d'un électron est de $9,11 \times 10^{-28}$ g.
c) À partir des résultats précédents, quelle constatation pouvez-vous faire au sujet des masses volumiques relatives des différentes parties d'un atome?

Les **molécules,** les **ions** et leurs **composés**

Les « buckyballs », des molécules étonnantes

Dans les années 1970, d'étranges molécules contenant du carbone sont détectées par des astronomes scrutant l'espace. Harold Kroto, chimiste de l'université du Sussex à Brighton (Angleterre), travaille sur des molécules similaires et pense qu'il peut faire profiter les astronomes de son expérience, et peut-être les aider à découvrir dans l'univers d'autres molécules plus ou moins semblables.

Au début des années 1980, il rencontre Robert Curl, chimiste à l'université Rice (Texas) : l'échange est intéressant, car Curl et Richard Smalley, un autre chimiste de la même université, ont mis au point un instrument leur permettant d'étudier les agrégats d'atomes dans des conditions extrêmes, des conditions qui pourraient exister dans le voisinage des étoiles. Kroto se rend alors en 1985 à l'université Rice pour utiliser l'appareil. Lui et plusieurs étudiants observent pendant une semaine les résultats de la vaporisation du graphite à l'aide de rayons laser. À leur grande surprise, l'instrument détecte comme produit majoritaire une molécule contenant 60 atomes de carbone !

En bons chimistes, Kroto, Curl et Smalley se demandent quelle peut bien être la structure de cette molécule C_{60}. Ils trouvent qu'elle a la forme d'une cage sphérique composée de cycles à cinq et six atomes de carbone.

Elle ressemble à un ballon de soccer ! Après avoir joué avec l'idée de la nommer *soccerène*, ils optent finalement pour « buckminsterfullerène », du nom de R. Buckminster Fuller, l'ingénieur qui a mis au point le dôme géodésique (comme celui du pavillon des États-Unis de l'Exposition universelle tenue à Montréal en 1967, reconverti en « Biosphère »). Les chimistes ne tardent pas à l'appeler *buckyball*, littéralement « le ballon de Bucky ». Richard Smalley a déclaré plus tard : « Pour un chimiste, [la découverte des fullerènes], c'est le plus merveilleux des cadeaux de Noël. » La découverte suscite beaucoup d'intérêt et bientôt on synthétise d'autres molécules cages de carbone. De nombreux usages ont été proposés pour ces nouvelles substances, allant des roulements à « billes » microscopiques aux matières plastiques, en passant par les lubrifiants. On a l'idée de leur greffer des groupements pour les rendre solubles dans l'eau, ce qui a été effectivement réalisé. Des biochimistes ont alors trouvé qu'un dérivé soluble du C_{60} inhibe efficacement la reproduction du virus du VIH. Cette expérience n'a pas débouché sur un médicament pour traiter le sida, mais a servi à prouver la validité d'un concept important.

Finalement, l'idée de Kroto selon laquelle des molécules intéressantes peuvent être décelées dans l'espace a été validée. Des fullerènes ont en effet

La découverte des fullerènes… figure parmi les plus grands moments de la chimie.

H. Aldersey-Williams, *The most beautiful molecule,* New York, John Wiley & Sons, 1995, p. 2.

▲ Un **modèle moléculaire** du « buckyball » C_{60} et un ballon de soccer. Les deux comptent 60 nœuds ou points de rencontre et sont formés de cycles à cinq et six côtés. Le design du dôme du pavillon des États-Unis de l'Expo 67 tenue à Montréal est de R. Buckminster Fuller ; son nom est utilisé pour désigner les molécules cages de carbone. Ballon de soccer : Charles D. Winters ; La Biosphère de l'île Sainte-Hélène : © Environnement Canada. Photo reproduite avec la permission de Travaux publics et services gouvernementaux Canada.

été trouvés au Canada dans une météorite vieille de 1,8 milliard d'années ($1,8 \times 10^9$ a). Cette découverte est assez intéressante, car on pensait à l'époque que les fullerènes auraient pu n'être qu'une curiosité de laboratoire. On sait maintenant qu'ils existent à l'état naturel. Qui plus est, de l'hélium était emprisonné dans la cage du fullerène de la météorite ! Comme le rapport entre ^3He et ^4He de l'hélium piégé dans le fullerène était différent de celui que l'on trouve dans notre système solaire ou de celui constaté sur Terre, on en a déduit que l'hélium captif dans la cage de C_{60} et la molécule elle-même ne provenaient pas de notre système solaire. La boucle était ainsi bouclée.

▲ De gauche à droite, Robert F. Curl, Richard E. Smalley et Harold W. Kroto. Ils se sont partagé le prix Nobel de chimie en 1996. © The Nobel Foundation

La modélisation des molécules Bien des chapitres de ce manuel portent sur la compréhension de la structure et des propriétés des molécules. L'exemple typique illustrant ce fil de pensée est la découverte, au XXe siècle, de la structure de l'acide désoxyribonucléique, l'ADN, présentée dans la préface. Quatre chercheurs principaux sont crédités de cette découverte. Francis Crick et James Watson ont visualisé la structure en la modélisant et les preuves expérimentales ont été fournies par Rosalind Franklin et Maurice Wilkins. Nous reviendrons plus tard sur cette percée scientifique.

LA MODÉLISATION ET LA STRUCTURE DE L'ADN

◄ Sur cette photographie prise en 1953, James Watson (à gauche) et Francis Crick examinent un modèle d'ADN (remarquez le dessin sur le mur, à la droite de Crick). Leur travail, ainsi que celui de Rosalind Franklin et de Maurice Wilkins (photographies ci-dessous), a conduit à la mise en évidence de la double hélice de l'ADN. A. Barrington Brown/Science Source/ Photo Researchers, Inc.

◄ Un modèle de laboratoire de l'ADN. Courtoisie de Indigo® Instruments

▲ Rosalind Franklin, 1920-1958.
Société de microbiologie américaine

▲ Maurice Wilkins, né en Nouvelle-Zélande, en 1916.
© The Nobel Foundation

LA STRUCTURE DE L'ADN : UN SUCRE, DES PHOSPHATES ET DES BASES

L'ADN est une très grosse molécule formée de deux chaînes entrelacées d'atomes de phosphore, de carbone et d'oxygène. Ces atomes font partie des ions phosphate et de molécules d'un sucre, le désoxyribose, symbolisés respectivement par les lettres P et S dans l'hélice de gauche. Les chaînes sont liées entre elles par quatre molécules, l'adénine, la thymine, la guanine et la cytosine, appartenant à la catégorie des bases organiques.

▲ Un échantillon d'ADN.
© BSIP/Emakoff/ Science Source/Photo Researchers, Inc.

3,4 nm

Quatre bases

1. **Adénine** 2. **Thymine**

3. **Guanine** 4. **Cytosine**

Phosphate

Sucre

L e 26 juin 2000, le président des États-Unis, Bill Clinton, a déclaré: « C'est la carte la plus importante, la plus prodigieuse jamais produite par l'homme. » De quoi s'agissait-il? De la carte du génome humain. Les chromosomes, présents dans chaque noyau de presque toutes les cellules vivantes, sont formés de molécules géantes d'ADN (acide désoxyribonucléique). Comprendre le génome humain, c'est-à-dire élucider la structure complète de l'ADN dans chacun de nos 23 chromosomes, va certainement révolutionner la pratique de la médecine.

Pour tenter de comprendre la structure de l'ADN ou de savoir comment des molécules peuvent piéger des atomes, il faut d'abord nous familiariser avec quelques concepts fondamentaux des composés chimiques.

3.1 LES MOLÉCULES, LES COMPOSÉS ET LES FORMULES

Une molécule est la plus petite entité identifiable d'une substance comme l'eau ou le sucre qui conserve sa composition et ses propriétés chimiques. Les substances sont donc composées de **molécules** identiques, une combinaison d'au moins deux atomes de un ou de plusieurs éléments liés entre eux par des forces si grandes que le groupement entier se comporte comme une seule particule. Par exemple, les atomes de l'élément aluminium (Al) se combinent avec des molécules de l'élément brome (Br_2) pour produire le composé Al_2Br_6 (figure 3.1)

$$2\ Al\ (s)\ +\ 3\ Br_2\ (l) \longrightarrow Al_2Br_6\ (s)$$
$$Aluminium\ +\ Brome \longrightarrow Bromure\ d'aluminium$$

Pour décrire sur papier cette réaction chimique, on représente par un symbole ou par une formule la composition de chaque élément et de chaque composé. Dans ce cas, une molécule de Al_2Br_6 est composée de deux atomes de Al et de six atomes de Br.

Les caractéristiques des éléments constituants sont perdues lors de la formation d'un de leur composé. Dans l'exemple précédent, l'aluminium solide, gris métallique, brillant, et le brome, liquide brun-rouge foncé, produisent un solide blanc.

La formule de l'eau s'écrit simplement H_2O. La formule de la thymine, une des bases de l'ADN, est plus longue, $C_5H_6N_2O_2$. Ces deux **formules moléculaires**

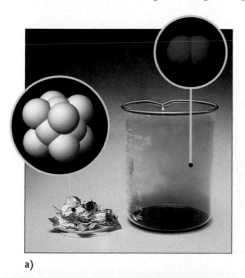

a)   b)   c)

Figure 3.1 La réaction de l'aluminium et du brome. a) De l'aluminium dans un verre de montre et du brome (liquide à température ambiante) dans un becher. **b)** L'addition de l'aluminium au brome contenu dans le becher donne lieu à une réaction violente qui produit **c)** un solide blanc, le bromure d'aluminium (Al_2Br_6). Charles D. Winters

◆ *Écriture des formules chimiques*

Par convention, on écrit les formules moléculaires des composés organiques (qui contiennent du carbone, de l'hydrogène et quelques autres éléments) en commençant par le carbone, suivi de l'hydrogène et des autres éléments classés par ordre alphabétique.

◆ *Les couleurs standards des atomes dans les modèles moléculaires*

Les couleurs des atomes reproduits ci-dessous sont généralement acceptées par les chimistes. Elles sont utilisées dans ce manuel.

carbone

hydrogène

oxygène

azote

chlore

(on dit aussi **formules chimiques**) décrivent la composition des molécules, deux atomes de H et un atome de O pour l'eau, cinq atomes de C, six de H, deux de N et de O pour la thymine, mais ne donnent aucune indication sur leur structure. Celle-ci est importante, car elle permet de comprendre comment une substance peut réagir avec une autre, l'essence de la chimie.

Pour avoir au premier coup d'œil une idée de la structure d'une molécule, on modifie l'écriture de sa formule en faisant apparaître des groupements d'atomes. Par exemple, la **formule semi-développée** de l'éthanol, l'alcool que l'on trouve dans les boissons alcoolisées, CH_3CH_2OH, en dit plus que sa formule moléculaire C_2H_6O. Écrire CH_3CH_2OH implique que la molécule d'alcool consiste en trois groupes, CH_3, CH_2 et OH. Cette écriture permet de le distinguer facilement de CH_3OCH_3, le méthoxyméthane, un composé qui a la même formule moléculaire, C_2H_6O, mais qui est totalement différent.

La **formule développée** d'une molécule donne encore plus de renseignements. Elle indique par des traits symbolisant la **liaison chimique** comment les atomes sont reliés entre eux (tableau 3.1).

TABLEAU 3.1   La représentation des molécules

Nom de la molécule	Formule moléculaire	Formule semi-développée	Formule développée	Modèle moléculaire
Éthanol	C_2H_6O	CH_3CH_2OH		
Méthoxyméthane	C_2H_6O	CH_3OCH_3		

3.2   LES MODÈLES MOLÉCULAIRES

Les chimistes considèrent comme belles les structures moléculaires tout comme on trouve belle une œuvre d'art. Il y a quelque chose d'intrinsèquement attrayant dans la cage sphérique de C_{60} ou dans les motifs des flocons de neige reproduits dans la figure 3.2.

Figure 3.2 La glace. Les flocons de neige, structure à six côtés, reflètent la structure sous-jacente de la glace. Dans celle-ci, les molécules d'eau forment des cycles à six côtés, chaque côté étant constitué de deux atomes d'oxygène et d'un atome d'hydrogène. Mehau Kulyk/Science Photo Library/Photo Researchers, Inc.; modèle par S. M. Young

Mais, fait plus important que leur beauté, de leur structure dépendent la plupart des propriétés physiques et chimiques des composés. Par exemple, deux caractéristiques bien connues de l'eau sont dues à sa structure. La forme de ses cristaux en est la première. La symétrie d'ordre 6 (une rotation de $\frac{360°}{6} = 60°$ conduit à la même figure géométrique) que l'on perçoit au niveau macroscopique dans les cristaux de glace se retrouve aussi au niveau atomique, les atomes d'oxygène et d'hydrogène se disposant pour former des cycles à six côtés. La glace flottant sur son liquide est la deuxième caractéristique de l'eau qui nous concerne ici. Ce phénomène s'explique ainsi : dans la glace, la structure des molécules d'eau les force à se placer selon un motif spatial moins compact que dans le liquide.

Il est souvent difficile de représenter sur le papier, en deux dimensions, les molécules, objets tridimensionnels. Toutefois, on a recours à des manières de faire, devenues conventionnelles, pour se les représenter du mieux que l'on peut. De simples dessins en perspective suffisent parfois (figure 3.3).

Il existe plusieurs types de modèles moléculaires. Le type boules et tiges (ou ressorts parfois) est l'un des plus courants ; les boules de différentes couleurs et grosseurs représentent les atomes, et les tiges, les liaisons les maintenant ensemble. Le modèle compact est plus réaliste, car il simule mieux les tailles relatives des atomes et des molécules. Il présente toutefois le désavantage de cacher des atomes lorsqu'on tente de le reproduire en deux dimensions. Ces différents modèles moléculaires sont aussi utilisés dans la plupart des programmes informatiques spécialisés. Bien que l'image soit toujours en deux dimensions, les dessins en couleurs et en perspective, et surtout les animations qui permettent une vision continue des molécules sous différents angles rendent leur représentation plus qu'acceptable.

3.3 LES COMPOSÉS IONIQUES : FORMULES, NOMENCLATURE ET PROPRIÉTÉS

Jusqu'ici, nous n'avons examiné que des composés moléculaires, c'est-à-dire des substances qui existent à l'échelle submicroscopique en tant qu'entités individuelles. À côté de ces composés existent aussi des **composés ioniques** qui, comme leur nom l'indique, sont formés d'**ions,** c'est-à-dire d'atomes ou de groupements d'atomes portant une ou plusieurs charges électriques positives ou négatives. Le chlorure de sodium (NaCl), ingrédient principal et souvent unique du sel de table, et la chaux vive ou oxyde de calcium (CaO) sont des composés ioniques. Comment reconnaître un composé ionique d'un composé moléculaire ? Ce sera l'objet de cette section.

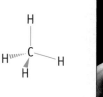

Dessin en perspective de la formule développée

Modèle de plastique à boules et à tiges

Dessin en perspective du modèle précédent

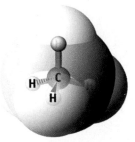

Modèle compact

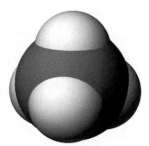

Toutes ces représentations décrivent la même molécule de méthane.

Figure 3.3 Différents moyens de représentation de la molécule de méthane (CH_4). Charles D. Winters

3.3.1   Les ions

Pour prévoir l'issue d'une réaction chimique, il est souvent nécessaire de savoir si des atomes ont perdu ou gagné des électrons (*voir la figure 1.2, page 14*) et, si la réponse est oui, d'en connaître leur nombre.

Les cations

Un atome qui perd un électron (transféré à un autre élément durant la réaction) possède un proton de plus que le nombre d'électrons qui lui restent. Il se transforme en un ion chargé positivement, un ion positif, que l'on appelle **cation** (prononcez « ca-ti-on », non « cassion »). Pour rendre compte de cette charge électrique positive, on accole l'exposant $^+$ au symbole de l'élément, Li^+ par exemple :

$$Li \longrightarrow Li^+ + e^-$$

atome	cation	
3 protons et 3 e^-	3 protons et 2 e^-	1 e^-

Les anions

À l'opposé, quand un atome gagne un ou plusieurs électrons (fournis par un autre élément durant la réaction), son nombre total d'électrons devient supérieur à son nombre de protons dans le noyau. Il acquiert ainsi une charge négative et devient un **anion** (figure 3.4).

$$O + 2 e^- \longrightarrow O^{2-}$$

atome		anion
8 protons et 8 e^-		8 protons et 10 e^-

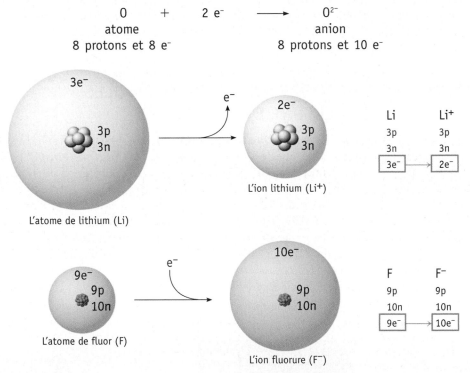

Figure 3.4 Les ions. Un atome de lithium est électriquement neutre puisqu'il possède autant de protons (3) que d'électrons (3). Quand il perd un électron, il a une charge positive de plus qu'il n'a de charges négatives, si bien qu'au total il est chargé +1 : Li^+. Un atome de fluor, avec ses neuf protons et ses neuf électrons, est lui aussi électriquement neutre. En tant que non-métal, il a tendance à former des anions : il peut gagner un électron pour former F^-. Cet anion a un électron de plus qu'il n'a de protons.

L'oxygène, qui a gagné deux électrons et acquis de ce fait deux charges négatives, est noté O^{2-}.

Comment sait-on qu'un atome peut perdre ou gagner des électrons ? La réponse est dans la nature de l'atome : Est-ce un métal ou un non-métal ?

- *Dans les réactions, les métaux perdent généralement un ou des électrons pour donner des cations.*
- *Dans les réactions, les non-métaux gagnent fréquemment un ou des électrons pour former des anions.*

3.3.2 Les ions monoatomiques

Les **ions monoatomiques** proviennent d'un seul atome qui a gagné ou perdu un ou plusieurs électrons. Dans le tableau 3.2 figurent les ions monoatomiques courants des éléments.

TABLEAU 3.2 Les charges des ions monoatomiques les plus fréquents

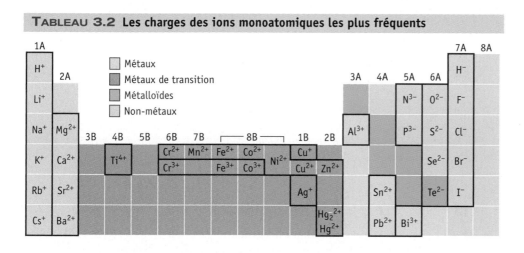

Les métaux des groupes 1A (1), 2A (2) et 3A (13) donnent des cations dont la charge est égale à leur numéro de groupe A (tableau 3.3).

TABLEAU 3.3 Les cations de quelques métaux des groupes 1A (1), 2A (2) et 3A (13)

Groupes	Métaux	Variation du nombre d'électrons	Cations résultants
1A (1)	Na (11 protons, 11 électrons)	-1	⟶ Na^+ (11 protons, 10 électrons)
2A (2)	Ca (20 protons, 20 électrons)	-2	⟶ Ca^{2+} (20 protons, 18 électrons)
3A (13)	Al (13 protons, 13 électrons)	-3	⟶ Al^{3+} (13 protons, 10 électrons)

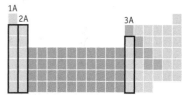

Les métaux M des groupes 1A, 2A et 3A donnent des cations M^{n+}, n = numéro du groupe A.

Les **métaux de transition** [les groupes B (de 3 à 12)] donnent aussi des cations, mais, contrairement aux éléments des groupes précédents, ils peuvent en donner plusieurs et leurs charges ne sont pas aussi évidentes à déterminer. Par exemple, un composé du fer peut contenir soit des cations Fe^{2+}, soit des cations Fe^{3+}. Ces charges +2 et +3 sont d'ailleurs fréquemment rencontrées dans les métaux de transition (tableau 3.4).

TABLEAU 3.4 Les cations de quelques métaux des groupes 7B (7) et 8B (8)

Groupes	Métaux	Variation du nombre d'électrons	Cations résultants
7B (7)	Mn (25 protons, 25 électrons)	-2	⟶ Mn^{2+} (25 protons, 23 électrons)
8B (8)	Fe (26 protons, 26 électrons)	-2	⟶ Fe^{2+} (26 protons, 24 électrons)
8B (8)	Fe (26 protons, 26 électrons)	-3	⟶ Fe^{3+} (26 protons, 23 électrons)

Les non-métaux donnent des anions dont le nombre de charges négatives est égal à 8 moins le numéro de groupe A. L'azote, par exemple, appartenant au groupe 5A forme un anion de charge négative -3: $(8 - 5) = 3$ (tableau 3.5).

TABLEAU 3.5 Les anions de quelques non-métaux des groupes 5A (15), 6A (16) et 7A (17)

Groupes	Non-métaux	Variation du nombre d'électrons	Anions résultants
5A (15)	N (7 protons, 7 électrons)	+3	$\longrightarrow$ N^{3-} (7 protons, 10 électrons)
6A (16)	S (16 protons, 16 électrons)	+2	$\longrightarrow$ S^{2-} (16 protons, 18 électrons)
7A (17)	Br (35 protons, 35 électrons)	+1	$\longrightarrow$ Br^- (35 protons, 36 électrons)

Notez que l'hydrogène apparaît à deux endroits dans le tableau 3.2. Il peut perdre ou gagner un électron selon le composé avec lequel il réagit.

$$H \longrightarrow H^+ + e^-$$
$$H + e^- \longrightarrow H^-$$

Finalement, *les gaz rares ne perdent ou ne gagnent des électrons que dans des circonstances très spéciales,* ce qui reflète leur inertie chimique générale.

3.3.3 La charge des ions et le tableau périodique

Comme on peut le remarquer dans le tableau 3.2 (*voir la page 79*), les métaux des groupes 1A, 2A et 3A forment des ions qui ont des charges respectives de +1, +2 et +3. En perdant un, deux ou trois électrons respectivement, *ces métaux ont le même nombre d'électrons que le gaz rare qui les précède dans le tableau.* Par exemple, Mg^{2+} a le même nombre d'électrons, 10, que le néon.

L'atome d'un non-métal situé vers la droite du tableau devrait perdre trop d'électrons pour en avoir le même nombre que le gaz rare qui le précède (par exemple, Cl devrait en perdre sept pour rejoindre le néon). Par contre, en en gagnant quelques-uns, ils deviennent, en termes de nombre d'électrons, comme le gaz rare de numéro atomique plus élevé. Ainsi, O^{2-} avec ses 10 électrons rejoint le néon. Cela explique pourquoi la charge négative gagnée par un non-métal lorsqu'il forme un anion est donnée par la soustraction (8 − le numéro de son groupe A).

On déduit de toutes ces observations que *la formation des ions qui possèdent le même nombre d'électrons qu'un gaz rare est particulièrement favorisée dans les composés.*

EXERCICE 3.1 **La prévision de la charge des ions**

Prévoyez les formules des ions monoatomiques formés à partir du potassium, du sélénium, du baryum et du césium. Dans chaque cas, mentionnez le nombre d'électrons gagnés ou perdus par l'élément pour donner un ion et indiquez le gaz rare qui possède le même nombre total d'électrons que l'ion formé.

3.3.4 Les ions polyatomiques

Comme leur nom l'indique, les **ions polyatomiques** contiennent plus de un atome. L'ion CO_3^{2-} en est un exemple typique: il renferme un atome de carbone et trois atomes d'oxygène. Cet anion porte 2 charges négatives, car il possède 32 électrons, soit 2 de plus que la somme des protons contenus dans le noyau du carbone (6) et dans le noyau des 3 atomes d'oxygène ($3 \times 8 = 24$).

On rencontre peu de cations polyatomiques en chimie inorganique, hormis l'ion NH_4^+, qui possède un électron de moins que le total de ses protons et porte ainsi une charge de +1 (*voir le tableau 3.6, page 82*) et Hg_2^{2+}.

3.3.5 La nomenclature des ions

Dans cette section, on présente la nomenclature traditionnelle des ions et des composés ioniques. L'Union internationale de chimie pure et appliquée (UICPA) a proposé une nouvelle nomenclature plus systématique, mais encore peu utilisée.

Les cations

À quelques exceptions près, tels l'ammonium (NH_4^+) et le proton (H^+), les cations décrits dans ce manuel proviennent des métaux et portent leur nom : on dit l'ion aluminium (Al^{3+}). Lorsqu'un métal peut donner plusieurs cations, comme c'est le cas de la plupart des métaux de transition, on indique la charge de l'ion correspondant entre parenthèses, en chiffres romains. Par exemple, Co^{2+} est l'ion cobalt (II) et Co^{3+}, l'ion cobalt (III).

Les anions monoatomiques

Pour nommer les anions monoatomiques, on ajoute le suffixe *-ure* au nom ou à la racine du nom du non-métal dont l'anion est dérivé (figure 3.5), sauf pour O^{2-} et O_2^{2-} (oxyde et peroxyde). Ainsi, l'anion H^- de l'hydrogène, que certains tableaux périodiques placent aussi dans le groupe 7A (17), se nomme *hydrure*, les anions des éléments du groupe 7A (17), les halogènes, se nomment *fluorure, chlorure, bromure, iodure*, que l'on regroupe sous le terme générique **halogénures.**

> ◆ *Les terminaisons* -eux *et* -ique
>
> Autrefois, on ajoutait le suffixe *-eux* au nom du métal pour nommer l'ion possédant la charge la plus basse et *-ique* à celui qui avait la charge la plus élevée. Fe^{2+} était l'ion ferreux, tandis qu'on appelait l'« ion ferrique » le cation Fe^{3+}. Ce système n'est plus employé, sauf par quelques manufacturiers de produits chimiques.

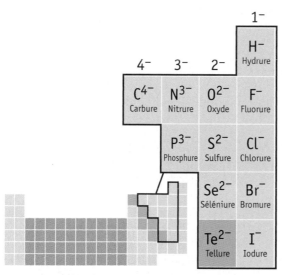

Figure 3.5 Les noms et les charges des anions monoatomiques courants.

Les anions polyatomiques

Les ions polyatomiques négatifs sont nombreux, plus particulièrement ceux contenant de l'oxygène, les **oxanions.** Les noms et les formules des polyanions les plus courants sont donnés dans le tableau 3.6 (*voir la page 82*).

La plupart de ces noms doivent être appris par cœur, tels « hydroxyde » (OH^-) et « cyanure » (CN^-), aussi quelques règles générales peuvent-elles vous aider à les mémoriser. Considérez, par exemple, les deux paires d'anions suivantes.

Ion nitrate (NO_3^-), ion nitrite (NO_2^-).
Ion sulfate (SO_4^{2-}), ion sulfite (SO_3^{2-}).

TABLEAU 3.6 Les noms et les formules de quelques ions polyatomiques

Formules	Noms	Formules	Noms
Cation NH_4^+	ammonium		
Anions			
contenant un élément du groupe 4A (14)		contenant un élément du groupe 7A (17)	
CN^-	cyanure	ClO^-	hypochlorite
CH_3COO^-	acétate	ClO_2^-	chlorite
CO_3^{2-}	carbonate	ClO_3^-	chlorate
HCO_3^-	hydrogénocarbonate	ClO_4^-	perchlorate
contenant un élément du groupe 5A (15)		contenant un élément de transition	
NO_2^-	nitrite	CrO_4^{2-}	chromate
NO_3^-	nitrate	$Cr_2O_7^{2-}$	dichromate
PO_4^{3-}	phosphate	MnO_4^-	permanganate
HPO_4^{2-}	hydrogénophosphate		
$H_2PO_4^-$	dihydrogénophosphate		
contenant un élément du groupe 6A (16)			
OH^-	hydroxyde		
SO_3^{2-}	sulfite		
SO_4^{2-}	sulfate		
HSO_4^-	hydrogénosulfate		
HS^-	hydrogénosulfure		

Quand le non-métal ne forme que deux oxanions, on attribue le suffixe *-ate* à l'anion qui a le plus grand nombre d'atomes d'oxygène et, évidemment, *-ite* à celui qui en possède le moins.

Quand le non-métal donne plus de deux oxanions, celui qui possède le plus d'atomes d'oxygène se voit donner le préfixe *per-* et le suffixe *-ate* ; à l'inverse, celui qui en possède le moins est désigné par *hypo-* non-métal *-ite*. On obtient ainsi pour les polyanions contenant du chlore :

◆ *Nomenclature des oxanions*

Nombre croissant d'atomes d'oxygène ↑

per. . . ate

. . . ate

. . . ite

hypo. . . ite

ClO_4^-	perchlorate
ClO_3^-	chlorate
ClO_2^-	chlorite
ClO^-	hypochlorite

◆ *Le préfixe* **bi-**

Autrefois, on ajoutait le préfixe *bi-* au nom de l'anion pour signifier la présence d'un atome d'hydrogène. C'est ainsi que l'ion HCO_3^- était appelé *bicarbonate,* que HSO_3^- était l'ion *bisulfite*. Ce système n'est plus employé, sauf par quelques manufacturiers de produits chimiques.

Pour nommer les oxanions qui contiennent aussi de l'hydrogène, on fait précéder le nom de l'oxanion de *hydrogéno-* ou de *dihydrogéno-* selon qu'il possède un ou deux atomes de cet élément.

HPO_4^{2-}	hydrogénophosphate
$H_2PO_4^-$	dihydrogénophosphate
HCO_3^-	hydrogénocarbonate
HSO_4^-	hydrogénosulfate
HSO_3^-	hydrogénosulfite

3.3.6 La formule des composés ioniques

Comme les composés ioniques sont électriquement neutres, leurs nombres de charges positives et de charges négatives doivent être égaux. Comme l'ion sodium (Na^+) porte une charge positive et l'ion chlorure (Cl^-), une charge négative, ces ions doivent obligatoirement se trouver dans le rapport 1/1, dans le composé chlorure de sodium (NaCl).

L'alumine contient des ions aluminium (Al^{3+}) et des ions oxyde (O^{2-}) : pour que les charges soient équilibrées, il faut 2 Al^{3+} (six charges +) pour 3 O^{2-} (six charges −) et la formule est Al_2O_3.

L'ion calcium peut se combiner avec une grande variété d'anions portant différentes charges pour donner divers composés (tableau 3.7).

TABLEAU 3.7 Quelques composés ioniques de Ca^{2+}

Combinaisons d'ions	Composés ioniques
$Ca^{2+} + 2\ Cl^-$	$CaCl_2$
$Ca^{2+} + CO_3^{2-}$	$CaCO_3$
$3\ Ca^{2+} + 2\ PO_4^{3-}$	$Ca_3(PO_4)_2$

Par convention, dans la formule d'un composé ionique, on écrit le cation en premier, à l'exception toutefois des composés ioniques dérivés des acides carboxyliques caractérisés par le groupement COOH [acide acétique (CH_3COOH), acétate de sodium (CH_3COONa)].

On utilise des parenthèses quand il y a plus d'un ion polyatomique : $Ca_3(PO_4)_2$, $(NH_4)_2SO_4$.

EXEMPLE 3.1   La formule des composés ioniques

Donnez le symbole et le nombre d'ions présents dans $Fe_2(SO_4)_3$.

SOLUTION

$Fe_2(SO_4)_3$ contient trois ions sulfate (SO_4^{2-}) et deux ions Fe^{3+}. Pour connaître la charge des ions issus du fer, il faut se souvenir que l'ion sulfate porte deux charges négatives. Il y a un total de six charges négatives dans le composé, il doit donc y avoir aussi six charges positives. Comme elles sont partagées entre deux ions identiques, il ne peut s'agir que de Fe^{3+}.

EXEMPLE 3.2   La formule des composés ioniques

Donnez la formule du composé ionique formé entre l'ion aluminium et l'ion sulfure.

SOLUTION

L'aluminium, métal du groupe 3A, donne l'ion Al^{3+}. L'anion du soufre, non-métal du groupe 6A, porte $(8 - 6) = 2$ charges négatives. Pour respecter la neutralité électrique, il faut 2 Al^{3+} pour 3 S^{2-}. La formule est Al_2S_3.

EXERCICE 3.2   La formule des composés ioniques

a) Donnez le nombre et le nom des ions formant les composés ioniques suivants : NaF, $Cu(NO_3)_2$, CH_3COONa.

b) Le fer, métal de transition, peut donner deux ions de charges différentes. Donnez la formule des composés que ces deux ions peuvent former avec les ions chlorure.

c) Trouvez les formules de tous les composés ioniques neutres qui peuvent être formés en combinant les ions Na^+, Ba^{2+}, S^{2-} et PO_4^{3-}.

◆ *L'équilibre des charges dans les composés ioniques*

Dans la formule d'un composé ionique, remarquez que l'indice du cation est égal à la charge de l'anion et vice versa.

$$2\ Al^{3+} + 3\ O^{2-} \longrightarrow Al_2O_3$$

Ce petit truc fonctionne bien, mais attention ! Par exemple, les indices dans $Ti^{4+} + 2\ O^{2-}$ doivent être simplifiés pour aboutir au rapport le plus simple (1 Ti pour 2 O et non pas 2 Ti pour 4 O).

$$Ti^{4+} + 2\ O^{2-} \longrightarrow TiO_2$$

3.3.7   La nomenclature des composés ioniques

Le nom d'un composé ionique reprend le nom des ions qui le composent.

| « nom de l'anion » « de » « nom du cation » |

Le tableau 3.8 en donne quelques exemples.

TABLEAU 3.8 La nomenclature de quelques composés ioniques

Formules	Noms
LiH	hydrure de lithium
$CaBr_2$	bromure de calcium
$NaHSO_4$	hydrogénosulfate de sodium
$(NH_4)_2CO_3$	carbonate d'ammonium
$Mg(OH)_2$	hydroxyde de magnésium
$TiCl_2$	chlorure de titane (II)
Co_2O_3	oxyde de cobalt (III)

EXERCICE 3.3   Le nom des composés ioniques

1) Donnez la formule des composés ioniques suivants :
   a) nitrate d'ammonium ;
   b) sulfate de cobalt (II) ;
   c) cyanure de nickel (II) ;
   d) oxyde de vanadium (III) ;
   e) acétate de baryum ;
   f) hypochlorite de calcium.

2) Nommez les composés ioniques suivants.
   a) $MgBr_2$
   b) Li_2CO_3
   c) $KHSO_3$
   d) $KMnO_4$
   e) $(NH_4)_2S$
   f) $CuCl$ et $CuCl_2$.

3.3.8   Quelques propriétés des composés ioniques

Dans un composé ionique, comment se fait-il que des particules de charges électriques opposées peuvent se maintenir ensemble en un arrangement ordonné d'ions ? Comme on l'a vu dans la section 2.1 de ce manuel (*voir la page 49*), une force d'attraction se manifeste lorsque deux charges de signes opposés s'appro-

trucs et astuces

La formule des ions et des composés ioniques

L'écriture de la formule des composés ioniques requiert la connaissance des formules et de la charge des ions les plus courants et… un peu d'entraînement. La charge des ions monoatomiques se déduit de manière assez évidente de leur position dans le tableau périodique. Il ne vous reste qu'à mémoriser la formule et la charge

de quelque 10 ions polyatomiques les plus fréquents, tels que acétate, nitrate, sulfate, carbonate, etc.

Si vous ne vous souvenez pas de la formule d'un ion polyatomique ou si l'ion vous est totalement inconnu, vous pouvez quand même vous débrouiller en examinant la formule et le nom d'un des composants. Par exemple, on vous dit que le formiate de sodium a pour formule HCOONa. Vous savez que l'ion sodium est Na^+,

l'ion formiate ne peut être que $HCOO^-$.

Finalement, quand vous écrivez les ions sous forme symbolique, n'oubliez pas d'indiquer leurs charges. Écrire Na lorsqu'on a en tête l'ion sodium est totalement incorrect. Na est le symbole de l'élément sodium, dont les propriétés sont totalement différentes de son ion Na^+.

chent l'une de l'autre (figure 3.6). De la même façon, il existe une force de répulsion entre des charges de même signe. L'ampleur de ces **forces électrostatiques** est donnée par la **loi de Coulomb,** dans laquelle n^+ et n^- désignent le nombre de charges portées respectivement par l'ion positif et l'ion négatif, d, la distance qui les sépare, e, la charge de l'électron et k, la constante de proportionnalité.

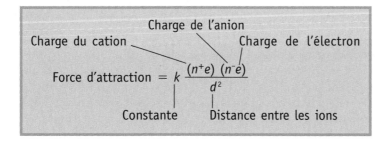

Selon cette loi, la force d'attraction entre des charges de signes opposés augmente (figure 3.6 **b**) :
- quand les nombres de charges n^+ et n^- augmentent. Ainsi, l'attraction entre des ions ayant des charges +2 et -2 est plus grande qu'entre des ions chargés +1 et -1 ;
- quand la distance entre les ions diminue.

Contrairement aux composés moléculaires, les composés ioniques n'existent pas sous forme de paires ou de petits groupements d'ions positifs et d'ions négatifs comme l'indiquent leurs formules. Ils forment plutôt à l'état solide des **réseaux cristallins** tridimensionnels, dans lesquels les ions occupent des places particulières. Des « molécules » individuelles n'existent pas chez les composés ioniques, dont le chlorure de sodium est un exemple typique (*voir la figure 3.7, page 86*).

Le rapport entre le nombre de cations et le nombre d'anions dans un composé ionique est donné par sa formule. Dans le chlorure de sodium, il est égal à 1, tandis qu'il vaut $\frac{1}{2}$ dans le chlorure de calcium ($CaCl_2$).

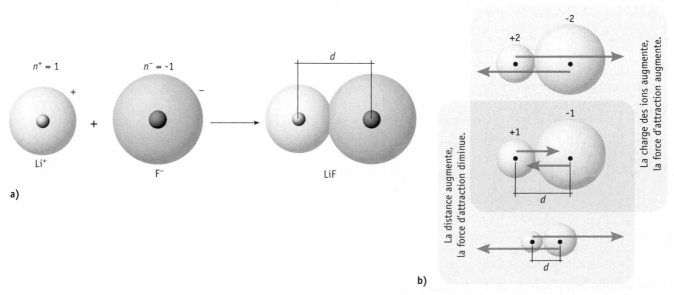

Figure 3.6 La loi de Coulomb et les forces électrostatiques. a) Les ions tels que Li^+ et F^- sont liés par des forces électrostatiques. **b)** Les forces d'attraction entre les ions de charges opposées sont proportionnelles aux charges et inversement proportionnelles au carré de la distance qui les sépare.

Figure 3.7 Le chlorure de sodium.
Un nombre égal d'ions sodium et d'ions chlorure disposés en un réseau tridimensionnel forment un cristal de chlorure de sodium. Charles D. Winters

Les composés ioniques ont des propriétés caractéristiques, que l'on peut comprendre à la lumière de leur structure. Entouré d'ions de charges opposées, chaque ion est maintenu fermement dans un espace assigné. À température ambiante, chaque ion peut juste se déplacer, en fait, vibrer, autour d'une position moyenne. Il faut lui fournir beaucoup d'énergie pour s'en éloigner rapidement et se libérer de l'attraction de ses voisins. Si le cristal reçoit suffisamment de chaleur pour lui permettre de vaincre les forces qui maintiennent les ions en place, il passe à l'état liquide (il fond), détruisant du coup sa structure cristalline bien ordonnée. Plus les forces d'attraction du composé ionique sont élevées, plus il faudra d'énergie thermique pour atteindre la fusion. Ainsi, l'oxyde d'aluminium (Al_2O_3), formé d'ions Al^{3+} et O^{2-} fond à 2072 °C, une température bien plus élevée que celle du chlorure de sodium (801 °C) composé d'ions portant une seule charge électrique.

La grande majorité des composés ioniques sont des solides cassants, ce qui signifie qu'on ne peut ni les plier ni les déformer, à cause, encore une fois, de leur structure en réseau. Dans un cristal, le voisin immédiat d'un cation est un anion et leur force d'attraction rend l'ensemble très rigide. Cependant, un coup de marteau sec et bien placé peut fendre le cristal en deux morceaux possédant une surface bien plane. Le coup déplace les couches d'ions juste assez pour les amener en face d'ions de même charge, leur répulsion mutuelle causant alors leur séparation (figure 3.8).

EXERCICE 3.4 La loi de Coulomb

Expliquez pourquoi le point de fusion de MgO, 2830 °C, est bien plus élevé que celui de NaCl, 801 °C.

3.4 LES COMPOSÉS MOLÉCULAIRES : FORMULES, NOMENCLATURE ET PROPRIÉTÉS

Un bon nombre de composés familiers ne sont pas ioniques : l'eau que l'on boit, le sucre ajouté au café ou au thé, l'aspirine prise pour soulager un mal de tête, etc. Comme la plupart ont des formules complexes, on se limite dans cette section

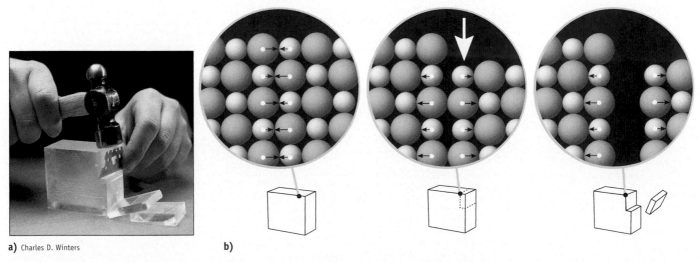

a) Charles D. Winters   b)

Figure 3.8 Les solides ioniques. a) Les forces d'attraction entre les ions de charges opposées rendent rigide un solide ionique. Un coup sec peut cependant le cliver d'une façon très nette. **b)** Quand on frappe sur un cristal, les couches d'ions se déplacent légèrement et il peut arriver que des couches d'ions de même charge se trouvent face à face. La répulsion entre les ions de même charge est telle que le cristal se fend en deux.

trucs et astuces

Ce composé est-il ionique ?

Au vu de sa formule, peut-on savoir si un composé est ionique ou pas ? Il n'existe pas de recette magique pour répondre à cette question de façon sûre, mais deux observations judicieuses peuvent apporter des éléments rapides de réponse.

1. La plupart des composés qui contiennent un métal sont ioniques. Ainsi, dès que vous en repérez un dans une formule, vous pouvez miser de prime abord pour un composé ionique (il y a bien sûr des exceptions, mais on en mentionne rarement dans un cours de chimie générale). Il est donc primordial de se rappeler l'évolution du caractère métallique dans le tableau périodique : tous les éléments situés à la gauche de la diagonale allant du bore au tellure sont métalliques.

2. Un composé dont la formule ne contient pas de métal a de fortes chances de ne pas être ionique. Exceptions : les composés formés d'ions polyatomiques contenant des non-métaux, tels que NH_4Cl et NH_4NO_3. Astuce : connaître par cœur les formules des ions polyatomiques courants et savoir les reconnaître.

à quelques composés courants relativement simples, qu'on doit pouvoir nommer et dont on doit connaître la formule.

On voit en premier lieu les molécules formées de deux non-métaux. Ces **molécules binaires** sont nommées de façon systématique (tableau 3.9) selon les règles suivantes (l'hydrogène, pouvant aussi donner des composés ioniques, est traité à part un peu plus loin) :

1. si le composé est formé de deux éléments n'appartenant pas au même groupe, on écrit en premier l'élément situé le plus à gauche dans le tableau périodique ;
2. si le composé est formé de deux éléments appartenant au même groupe, on écrit en premier l'élément situé le plus bas dans le groupe ;
3. on nomme en premier l'élément qui est à droite auquel on ajoute un préfixe précisant le nombre d'atomes de cet élément dans la formule chimique (*di, tri, tétra*, etc.) et le suffixe *-ure* (sauf l'oxygène, qui devient **oxyde** ou **peroxyde**) ;
4. on fait suivre ce mot de la préposition « de » et du nom de l'autre élément, auquel on ajoute aussi un préfixe précisant le nombre d'atomes si celui-ci est supérieur à 1.

TABLEAU 3.9 La nomenclature de quelques composés binaires moléculaires

Formules des composés binaires	Noms
CCl_4	tétrachlorure de carbone
CO	monoxyde de carbone
CO_2	dioxyde de carbone
NF_3	trifluorure d'azote
NO	monoxyde d'azote
NO_2	dioxyde d'azote
N_2O	monoxyde de diazote
N_2O_4	tétroxyde de diazote*
PCl_3	trichlorure de phosphore
PCl_5	pentachlorure de phosphore
P_2O_5	pentoxyde de diphosphore*
SF_6	hexafluorure de soufre
S_2F_{10}	décafluorure de disoufre

* Avec l'anion oxyde, la terminaison *a* des préfixes disparaît.

La nomenclature des composés binaires de l'hydrogène, qui apparaît à deux endroits dans certains tableaux périodiques [dans les groupes 1A (1) et 7A (17)], possède ses propres règles.

L'hydrogène apparaît en second lorsque les composés sont formés d'éléments des groupes 1A (1) à 5A (15). Les composés binaires qu'il forme avec les métaux des groupes 1A (1), 2A (2) et 3A (13) sont ioniques et nommés « hydrure de » suivi du nom du métal (*voir la section 3.3.5, page 81*). Plusieurs des composés qu'il forme avec les non-métaux et les métalloïdes des groupes 4A (14) et 5A (15) possèdent un nom non systématique sans relation avec la formule chimique; ils sont présentés au tableau 3.10.

L'hydrogène est inscrit en premier lorsque l'autre élément du composé appartient au groupe 6A (16) ou au groupe 7A (17). Leur nom suit la règle systématique [sauf l'eau (H_2O)], mais on omet les préfixes car l'hydrogène ne forme qu'un seul composé avec ces éléments: 2 H pour un élément du groupe 6A (16), 1 H pour un élément du groupe 7A (17). Les solutions aqueuses de ces composés binaires se nomment

« acide » et « nom de l'élément + *hydrique* ».

Par exemple, une solution aqueuse de chlorure d'hydrogène (HCl) est de l'acide chlorhydrique (HCl (aq)) et H_2S (aq) est de l'acide sulfhydrique. Cette gamme de composés s'appelle les **hydracides.**

Méthane (CH_4)

Éthane (C_2H_6)

Propane (C_3H_8)

Butane (C_4H_{10})

◆ *Les hydrocarbures*

Les composés comme le méthane, l'éthane, le propane et le butane appartiennent à une catégorie d'hydrocarbures nommés *alcanes*.

▲ Un modèle moléculaire de l'acide sulfurique.

TABLEAU 3.10   La nomenclature de quelques molécules binaires contenant de l'hydrogène

Formules des molécules binaires contenant de l'hydrogène	Noms
CH_4	méthane
C_2H_6	éthane
C_3H_8	propane
C_4H_{10}	butane
SiH_4	silane
NH_3	ammoniac
N_2H_4	hydrazine
PH_3	phosphine
AsH_3	arsine
H_2O	eau
H_2S	sulfure d'hydrogène
HF	fluorure d'hydrogène
HCl	chlorure d'hydrogène

L'oxygène est lui aussi particulier: il apparaît en second dans tous ses composés binaires, sauf avec le fluor.

Les composés issus de la combinaison d'oxanions avec l'hydrogène appartiennent à la catégorie des **oxacides.** Pour les nommer, on remplace
- la terminaison *-ate* de l'anion par *-ique,*
- la terminaison *-ite* par *-eux,*
- et l'on fait précéder le tout du mot *acide.*

Ainsi, HNO_3 est de l'acide nitrique, $HClO_4$, de l'acide perchlorique, HNO_2, de l'acide nitreux. Il y a cependant une exception pour les ions sulfate et sulfite: H_2SO_4 est de l'acide sulfurique, H_2SO_3, de l'acide sulfureux.

Alors que les composés ioniques sont généralement des solides, on trouve des composés moléculaires sous tous les états à température ambiante (figure 3.9).

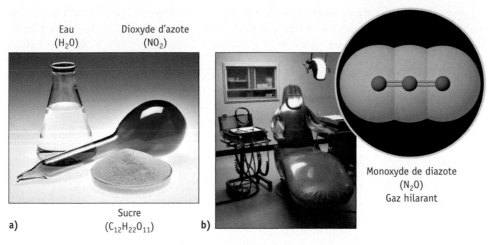

Figure 3.9 Les composés moléculaires. a) À la température de la pièce, le dioxyde d'azote (NO_2) est un gaz de couleur brun-rouge, tandis que l'eau est un liquide et le sucre ordinaire ($C_{12}H_{22}O_{11}$), un solide. **b)** Le monoxyde de diazote (N_2O), communément appelé *gaz hilarant,* est souvent utilisé comme anesthésique.
Charles D. Winters

EXERCICE 3.5 **La nomenclature des composés des non-métaux**

1) Donnez la formule des composés binaires suivants formés de non-métaux :
   a) dioxyde de carbone ;
   b) triiodure de phosphore ;
   c) dichlorure de soufre ;
   d) trifluorure de bore ;
   e) difluorure de dioxygène ;
   f) trioxyde de xénon.

2) Nommez les composés binaires suivants formés de non-métaux.
   a) N_2F_4
   b) HBr
   c) SF_4
   d) BCl_3
   e) P_4O_{10}
   f) ClF_3.

3.5 LES FORMULES, LES COMPOSÉS ET LA MOLE

La formule d'un composé quelconque fournit au moins deux renseignements : le type d'atomes ou d'ions qui le composent et leur nombre relatif. Par exemple, le méthane (CH_4) contient un atome de carbone et quatre atomes d'hydrogène. Considérez maintenant que vous avez le nombre d'Avogadro N d'atomes de carbone (1 mol de C) combinés avec le nombre adéquat d'atomes d'hydrogène : comme la formule nous dit qu'il y a quatre fois plus d'atomes d'hydrogène que d'atomes de carbone, il s'avère que nous avons $4N$ d'atomes d'hydrogène (4 mol de H). Connaissant le nombre de moles d'atomes de carbone et d'hydrogène, et sachant qu'une mole de carbone conduit à une mole de méthane, on peut calculer la masse de chacun d'entre eux dans le composé méthane : la somme de ces deux masses représente la **masse molaire** du méthane. Celle-ci est égale à la masse de 1 mol de carbone, 12,011 g, plus la masse de 4 mol d'hydrogène, $4 \times 1,0079$ g $= 4,0316$ g : 16,043 g (tableau 3.11).

TABLEAU 3.11 La masse molaire du méthane			
C	**+** **4 H**	$\longrightarrow$	**CH_4**
$6,022 \times 10^{23}$ atomes de C	$4 \times (6,022 \times 10^{23})$ atomes de H		$6,022 \times 10^{23}$ molécules de CH_4
1,000 mol de C	4,000 mol de H		1,000 mol de CH_4
12,011 g de C	4,032 g de H		16,04 g de CH_4

Les composés ioniques n'existent pas en tant que molécules. De ce fait, on ne peut leur attribuer une formule moléculaire. On écrit plutôt une formule très simple qu'on appelle la **formule empirique** qui donne le nombre relatif d'atomes dans le composé et dans laquelle les indices menant à un composé électriquement neutre sont les plus petits entiers possible. La formule empirique NaCl signifie qu'un échantillon quelconque de chlorure de sodium contient autant d'ions sodium que d'ions chlorure. Pour bien différencier les composés ioniques des composés moléculaires, on parle de **masse formulaire** NaCl plutôt que de masse molaire.

EXEMPLE 3.3   La mole et la masse molaire

a) Calculez la masse molaire de l'aspirine $C_9H_8O_4$.

b) Calculez la masse d'une molécule d'aspirine.

c) Combien y a-t-il de moles d'aspirine dans un comprimé qui en contient 325 mg?

SOLUTION

a) Dans 1 mol d'aspirine, il y a 9 mol de C, 8 mol de H et 4 mol de O. On calcule la masse molaire en additionnant la masse de C, celle de H et celle de O.

$$\text{Masse de C} = 9 \text{ mol de C} \times \frac{12,001 \text{ g}}{1 \text{ mol de C}} \qquad 108,099 \text{ g}$$

$$\text{masse de H} = 8 \text{ mol de H} \times \frac{1,007\ 9 \text{ g}}{1 \text{ mol de H}} \qquad + \quad 8,063\ 2 \text{ g}$$

$$\text{masse de O} = 4 \text{ mol de O} \times \frac{15,999\ 4 \text{ g}}{1 \text{ mol de O}} \qquad + \quad 63,997\ 6 \text{ g}$$

$$\text{masse de 1 mol de } C_9H_8O_4 \qquad 180,160 \text{ g}$$

Remarque Pour éviter des erreurs dues à l'arrondissement des nombres dans les calculs de masses molaires, on a toujours intérêt à utiliser les masses atomiques les plus précises et à conserver tous les chiffres dans les calculs intermédiaires. Seul le résultat final est arrondi. Cette remarque est valable dans la plupart des calculs nécessitant plusieurs opérations.

b) Sachant que la masse molaire d'une substance est la masse en grammes du nombre d'Avogadro de molécules, il est facile de calculer la masse d'une molécule d'aspirine.

$$\text{Masse d'une molécule d'aspirine} = \frac{180,160 \text{ g}}{1 \text{ mol d'aspirine}} \times \frac{1 \text{ mol d'aspirine}}{6,022 \times 10^{23} \text{ molécules}}$$

$$= 2,992 \times 10^{-22} \text{ g/molécule}$$

c) En convertissant les milligrammes en grammes et en utilisant ensuite le facteur de conversion des moles en grammes (à l'aide de la masse molaire), on obtient le nombre de moles contenues dans une masse donnée d'aspirine.

$$325 \text{ mg} \times \frac{1 \text{ g}}{1000 \text{ mg}} = 0,325 \text{ g}$$

$$0,325 \text{ g d'aspirine} \times \frac{1 \text{ mol d'aspirine}}{180,160 \text{ g d'aspirine}} = 1,80 \times 10^{-3} \text{ mol d'aspirine}$$

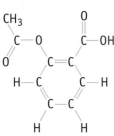

▲ L'aspirine est le nom commercial de l'acide acétylsalicylique.

EXERCICE 3.6   La conversion d'une quantité (mol) en masse

a) Calculez la masse molaire de l'acide citrique ($C_6H_8O_7$) et la masse formulaire de $MgCO_3$.

b) Combien de moles y a-t-il dans 454 g d'acide citrique?

c) Combien doit-on peser de $MgCO_3$ pour en avoir 0,125 mol?

3.6 LA DÉTERMINATION DE LA FORMULE D'UN COMPOSÉ

Comment peut-on déterminer la formule d'un composé chimique? La réponse à cette question vous est donnée par l'analyse chimique, que l'on peut effectuer selon différentes techniques. Le traitement des résultats expérimentaux implique certains calculs exposés dans cette section.

3.6.1 La fraction massique

La composition des composés est donnée par la formule moléculaire ou par la formule empirique dans le cas des composés ioniques. Comme la plupart des résultats expérimentaux ne portent pas sur le nombre d'atomes ou de moles, mais plutôt sur les masses, il est pratique de pouvoir convertir les compositions exprimées par des nombres (les formules) en compositions exprimées par des masses (la fraction massique) et vice versa. La **fraction massique** représente la proportion, en masse, de chacun des éléments dans un composé quelconque. Elle est souvent exprimée en pourcentage. Dans ce manuel, quand on écrit, par exemple, « Un composé contient 73,14 % de carbone », il est implicite qu'il s'agit de la fraction massique : il y a 73,14 g de carbone dans 100 g de ce composé.

EXEMPLE 3.4 **La fraction massique**

Calculez la fraction massique de l'azote et celle de l'hydrogène dans l'ammoniac (NH_3).

SOLUTION

Comme la quantité d'ammoniac n'est pas spécifiée dans la donnée du problème, on suppose arbitrairement que nous en avons une mole.

La première démarche à entreprendre est de calculer sa masse molaire.

$$\text{Masse de N} = 1 \text{ mol de N} \times \frac{14,0067 \text{ g}}{1 \text{ mol de N}} \qquad 14,0067 \text{ g}$$

$$\text{masse de H} = 3 \text{ mol de H} \times \frac{1,0079 \text{ g}}{1 \text{ mol de H}} \qquad +\ 3,0237 \text{ g}$$

$$\text{masse de 1 mol de } NH_3 = \text{masse molaire} \qquad 17,0304 \text{ g}$$

Comme dans 1 mol de NH_3 (donc dans 17,0304 g) il y a 1 mol de N (donc, 14,0067 g), on peut calculer la fraction massique de l'azote dans l'ammoniac :

$$\text{Fraction massique de N dans } NH_3 = \frac{14,0067 \text{ g de N}}{17,0304 \text{ g de } NH_3} = 0,822\ 45$$

(ou 82,245 g de N dans 100 g de NH_3 ou 82,245 %).

Au lieu de refaire le même calcul avec l'hydrogène, il est plus court, sauf à vouloir vérifier la réponse pour l'azote, de soustraire la fraction massique de l'azote de 100 % (cela est possible, car il n'y a que deux éléments dans l'ammoniac).

$$\text{Fraction massique de H dans } NH_3 = 1 - 0,822\ 45 = 0,177\ 55$$

(ou 17,755 g de H dans 100 g de NH_3 ou 17,755 %).

Le nombre de chiffres significatifs que l'on retient pour un usage futur dépend de la précision des autres données.

Dans 100 g de NH_3, il y a 82,25 g d'azote (82,25 %).

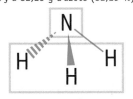

Dans 100 g de NH_3, il y a 17,75 g d'hydrogène (17,75 %).

▲ **Les fractions massiques.**

EXERCICE 3.7   **La fraction massique**

Calculez la proportion, en g/mol et en fraction massique, de chacun des éléments dans les composés suivants :

a) chlorure de sodium (NaCl) ;   c) carbonate d'ammonium $((NH_4)_2CO_3)$.

b) octane (C_8H_{18}) ;

EXERCICE 3.8   **La composition**

Quelle masse de carbone y a-t-il dans 454 g d'octane (C_8H_{18}) ?

3.6.2 Les formules empirique et moléculaire, les fractions massiques et les masses

Supposez que vous connaissez l'identité de chacun des éléments d'un composé et que l'analyse chimique vous a donné la fraction massique de chacun d'eux. Ces données permettent de calculer le nombre de moles de chacun des éléments (leur quantité) dans l'échantillon et, ensuite, le rapport qui existe entre eux : on a alors accès à quelque chose qui s'approche de la formule empirique. Pour un composé binaire des éléments fictifs A et B, la démarche se résume à la séquence de calculs suivante.

Convertissez les données expérimentales en quantités (mol)	Calculez le rapport entre les quantités (mol)	Écrivez la formule empirique
% de A $\longrightarrow$ g de A $\longrightarrow$ x mol de A % de B $\longrightarrow$ g de B $\longrightarrow$ y mol de B	$\dfrac{x \text{ mol A}}{y \text{ mol B}} = \dfrac{a}{b}$	A_aB_b

---

EXEMPLE 3.5   **L'analyse quantitative des composés**

L'analyse d'un échantillon d'un composé binaire d'azote et d'hydrogène a montré qu'il contenait 87,42 % d'azote. Trouvez sa formule empirique.

SOLUTION

1) Convertissez les données expérimentales en quantités (mol).

Dans 100 g de composé, on trouve 87,42 g d'azote et $(100 - 87,42) = 12,58$ g d'hydrogène, puisqu'on sait que le composé est binaire.

$$\text{Quantité de N} = 87,42 \text{ g de N} \times \frac{1 \text{ mol}}{14,0067 \text{ g de N}} = \frac{87,42}{14,0067} \text{ mol}$$

$$\text{Quantité de H} = 12,58 \text{ g de H} \times \frac{1 \text{ mol}}{1,00079 \text{ g de H}} = \frac{12,58}{1,0079} \text{ mol}$$

2) Calculez le rapport entre les quantités (mol).

Pour trouver les rapports entre les nombres de moles, il est toujours préférable de diviser par le plus petit nombre de moles.

$$\frac{\text{quantité de H}}{\text{quantité de N}} = \left(\frac{12,58}{1,0079}\right) \Big/ \left(\frac{87,42}{14,0067}\right) = 1,9998 \approx 2$$

3) Écrivez la formule empirique.

La formule empirique est NH_2.

Tableau récapitulatif de la démarche

Éléments	Fractions massiques	Masses (g) dans 100 g de composé	Quantités (mol) dans 100 g de composé	Division par le plus petit nombre	Formule empirique
N	0,8742	87,42	87,42/14,0067 = 6,2413	6,2413/6,2413 = 1	NH_2
H	1 − 0,8742 = 0,1258	12,58	12,58/1,0079 = 12,481	12,481/6,2413 = 1,9997 ≈ 2	

Les données sont en couleurs.

La composition en masse permet de calculer le rapport entre les nombres d'atomes constituant une molécule, mais ne permet pas à elle seule de déterminer la formule moléculaire. La formule moléculaire donne une indication supplémentaire, à savoir le nombre d'atomes par molécule. Dans l'exemple précédent, tous les composés suivants, dans lesquels il y a deux fois plus d'atomes d'hydrogène que d'atomes d'azote, répondent à la formule empirique NH_2 : NH_2, N_2H_4, N_3H_6, N_4H_8, etc.

Pour trouver la formule moléculaire à partir de la formule empirique, on a besoin de la masse molaire, que l'on doit déterminer à l'aide d'autres expériences. Si l'on sait que la masse molaire du composé de l'exemple 3.5 est égale à (31 ± 2) g/mol, il n'y a aucun doute sur sa formule moléculaire, N_2H_4 ($M = 32{,}045$ g/mol), la seule qui correspond à la masse expérimentale. Ce composé est l'hydrazine, une substance utilisée pour décontaminer les eaux polluées de leurs ions métalliques.

Les deux exemples suivants vont vous permettre d'appliquer la méthode à des situations un peu plus complexes.

◆ *Les rapports de quantités (mol)*

Pour trouver les rapports entre les nombres de moles, il est toujours préférable de les diviser par le plus petit nombre de moles.

EXEMPLE 3.6 L'analyse quantitative des composés

L'eugénol ($M = 164{,}2$ g/mol), le constituant majoritaire de l'huile de clou de girofle, contient du carbone (73,14 %), de l'hydrogène (7,37 %) et de l'oxygène. Trouvez sa formule moléculaire.

SOLUTION

1) Convertissez les données expérimentales en quantités (mol).

La somme des fractions massiques des éléments doit être 100 %. Comme le composé n'en contient que trois, la fraction massique de l'oxygène est forcément égale à $(100 - 73{,}14 - 7{,}37)$ % = 19,49 %.

Dans 100 g de composé, on trouve donc 73,14 g d'azote, 7,37 g d'hydrogène et 19,49 g d'oxygène. On transforme ces masses en quantités (mol).

$$\text{Quantité de C} = 73{,}14 \text{ g de C} \times \frac{1 \text{ mol}}{12{,}011 \text{ g de C}} \quad 6{,}0894 \text{ mol}$$

$$\text{Quantité de H} = 7{,}37 \text{ g de H} \times \frac{1 \text{ mol}}{1{,}0079 \text{ g de H}} \quad \underline{+7{,}312 \text{ mol}}$$

$$\text{Quantité de O} = 19{,}49 \text{ g de O} \times \frac{1 \text{ mol}}{15{,}9994 \text{ g de O}} \quad 1{,}2182 \text{ mol}$$

2) Calculez le rapport entre les quantités (mol).

Une des meilleures méthodes pour trouver ces rapports est de prendre comme base le plus petit nombre de moles, dans ce cas, celui de l'oxygène.

$$\frac{\text{quantité de C}}{\text{quantité de O}} = \frac{6{,}0894 \text{ mol}}{1{,}2182 \text{ mol}} = 4{,}9987 \approx 5$$

$$\frac{\text{quantité de H}}{\text{quantité de O}} = \frac{7{,}312 \text{ mol}}{1{,}2182 \text{ mol}} = 6{,}0022 \approx 6$$

3) Écrivez la formule empirique.

Dans ce composé, il y a cinq moles de carbone et six moles d'hydrogène par mole d'oxygène. La formule empirique est donc C_5H_6O.

4) Trouvez la formule moléculaire.

La masse de la formule empirique C_5H_6O est égale à :

masse de C	$(5 \times 12{,}011\ g)$	$60{,}055\ g$
masse de H	$(6 \times 1{,}0079\ g)$	$+\ 6{,}0474\ g$
masse de O	$(1 \times 15{,}9994\ g)$	$+\ 15{,}9994\ g$
masse de la formule C_5H_6O		$82{,}102\ \ g$

soit la moitié de la masse molaire de l'eugénol, $M = 164{,}2$ g/mol. Sa formule moléculaire est donc $C_{10}H_{12}O_2$.

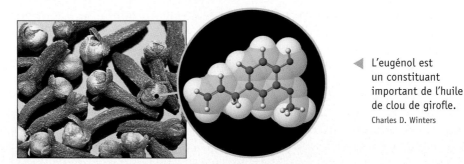

◀ L'eugénol est un constituant important de l'huile de clou de girofle.
Charles D. Winters

Tableau récapitulatif de la démarche

Éléments	Fractions massiques	Masses (g) dans 100 g de composé	Quantités (mol) dans 100 g de composé	Division par le plus petit nombre	Formule empirique et masse formulaire (M_f)	Formule moléculaire
C	0,7314	73,14	73,14/12,011 = 6,0894	6,0894/1,2182 = 4,9987 ≈ 5	C_5H_6O	$M = 164,2$
H	0,0737	7,37	7,37/1,0079 = 7,312	7,312/1,2182 = 6,0022 ≈ 6	$M_f = 82,102$	$M/M_f =$ 164,2/82,102 ≈ 2
O	1 − (0,7314 + 0,0737) = 0,1949	19,49	19,49/15,9994 = 1,2182	1,2182/1,2182 = 1		Formule $C_{10}H_{12}O_{20}$

Les données sont en couleurs.

---

trucs et astuces

Les formules empirique et moléculaire

- Les données expérimentales permettant de trouver les formules sont presque toujours sous la forme de fractions massiques ou de masses de certains éléments combinés avec d'autres éléments. Quelles que soient leurs formes, il faut d'abord les convertir en quantités (mol).
- Dans tous vos calculs, assurez-vous de toujours utiliser au moins un chiffre significatif de plus que n'en comportent les données initiales et n'arrondissez que le résultat final. Un nombre inférieur de chiffres significatifs dans les calculs intermédiaires peut conduire à des résultats erronés.
- Pour trouver les rapports entre les nombres d'atomes ou de moles d'atomes, il est généralement plus pratique de diviser les plus grands nombres de moles par le plus petit.
- Il arrive souvent que les rapports ainsi obtenus ne soient pas proches de nombres entiers. Il faut alors les

multiplier par le même nombre entier (pour ne pas changer les valeurs relatives de ces rapports) pour les transformer en nombres entiers.

- La formule empirique des composés moléculaires est généralement différente de la formule moléculaire.

- Pour passer de la formule empirique à la formule moléculaire, on a besoin de connaître la masse molaire de la substance.

EXEMPLE 3.7 **Les données pondérales et les formules**

L'étain (Sn) et l'iode (I_2) se combinent pour donner de l'iodure d'étain, un composé solide orange, dont on veut connaître la formule empirique. Pour ce faire, on ajoute des quantités connues d'étain et d'iode dans un solvant et on le chauffe. Une fois la réaction terminée, on constate que tout l'étain n'a pas réagi. L'étain en excès est séparé par filtration de la solution, séché convenablement et pesé. L'iodure d'étain en solution précipite lors du refroidissement de la solution. On recueille les données suivantes.

$$\text{Masse initiale d'étain} \quad = 1,056 \text{ g}$$
$$\text{masse initiale d'iode} \quad = 1,947 \text{ g}$$
$$\text{masse d'étain en excès} = 0,601 \text{ g}$$

Trouvez la formule empirique de l'iodure d'étain.

SOLUTION

1) Convertissez les données expérimentales en quantités (mol).

Il faut tout d'abord trouver les masses de composés qui ont réagi ensemble.

Masse initiale d'étain	1,056 g
masse d'étain en excès	− 0,601 g
masse d'étain qui a réagi	0,455 g

$$\text{Masse d'iode qui a réagi} = \text{masse initiale d'iode} = 1,947 \text{ g}$$

On convertit ensuite ces masses en quantités (mol).

$$\text{Quantité de Sn} = 0,455 \text{ g de Sn} \times \frac{1 \text{ mol}}{118,710 \text{ g de Sn}} = 0,003\ 833 \text{ mol}$$

$$\text{Quantité de I} = 1,947 \text{ g de I} \times \frac{1 \text{ mol}}{126,9045 \text{ g de I}} = 0,015\ 342 \text{ mol}$$

2) Calculez le rapport entre les quantités (mol).

$$\frac{\text{quantité de I}}{\text{quantité de Sn}} = \frac{0,015\ 342 \text{ mol}}{0,003\ 833 \text{ mol}} = 4,003 \approx 4$$

3) Écrivez la formule empirique.

Comme il y a quatre fois plus de moles de I que de moles de Sn, la formule empirique est SnI_4, l'iodure d'étain (IV).

EXERCICE 3.9 **Les formules empirique et moléculaire**

a) Quelle est la formule empirique du naphtalène ($C_{10}H_8$) ?

b) Trouvez la formule moléculaire de l'acide acétique, sachant que sa formule empirique est CH_2O et que sa masse molaire est égale à 60,05 g/mol.

EXERCICE 3.10 **La détermination de la formule à partir des fractions massiques et des masses molaires**

L'isoprène, dont les **polymères** entrent dans la composition de nombreux caoutchoucs, contient 88,17 % de carbone et 11,83 % d'hydrogène. Sachant que sa masse molaire est égale à 68,11 g/mol, trouvez sa formule moléculaire.

EXERCICE 3.11   **La détermination de la formule empirique à partir des fractions massiques**

Le camphre, à la senteur particulière dite « des boules à mites », contient 78,90 % de carbone, 10,49 % d'hydrogène. La fraction résiduelle est due à l'oxygène. Quelle est sa formule empirique ?

EXERCICE 3.12   **La détermination de la formule empirique à partir des masses**

Dans une réaction chimique, 0,586 g de potassium se combinent avec 0,480 g d'oxygène (O_2) pour donner un solide blanc de formule K_xO_y. Trouvez la formule empirique de ce composé.

3.6.3   La spectrométrie de masse

La détermination des formules à l'aide de la méthode que nous venons de décrire n'est pas la seule utilisée en chimie. Il en existe d'autres et l'une d'entre elles, la spectrométrie de masse, est certainement l'une des plus importantes, sinon la plus importante. On en a déjà parlé dans la section 2.3.2 du chapitre précédent (*voir la page 56*) à l'occasion de la détermination de l'abondance isotopique des éléments. On l'utilise non seulement pour identifier des composés nouveaux, mais aussi, bien souvent, pour confirmer la composition d'un produit attendu lors d'une réaction chimique. Par exemple, il est connu que la réaction d'un alcène, une catégorie de composés organiques, avec l'eau, dans des conditions particulières, donne un alcool, une autre catégorie de substances organiques. Ainsi, la réaction de l'éthylène (C_2H_4) avec l'eau conduit à l'éthanol (CH_3CH_2OH).

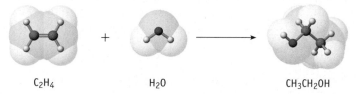

C_2H_4 H_2O CH_3CH_2OH

On peut confirmer que l'on obtient réellement le produit attendu à l'aide du spectromètre de masse. On enregistre son spectre et on le compare à celui de l'éthanol reproduit dans la figure 3.10. Un échantillon d'éthanol de pureté garantie est introduit dans l'appareil, où il est vaporisé. Durant la traversée d'un faisceau d'électrons d'énergie très élevée, les molécules CH_3CH_2OH à l'état gazeux perdent un électron et deviennent des ions moléculaires positifs $CH_3CH_2OH^+$. Cet ion expulse ensuite son hydrogène lié à l'oxygène pour donner $CH_3CH_2O^+$, qui à son tour se fragmente, etc. Le spectromètre de masse détecte et enregistre les rapports masse/charge des différents fragments. Si le spectre du produit issu de la réaction envisagée précédemment est identique à celui de l'éthanol, on peut en conclure qu'il s'agit bien de ce dernier.

3.7   LES COMPOSÉS HYDRATÉS

La précipitation des composés ioniques à partir d'une solution aqueuse refroidie suffisamment donne souvent des cristaux dans lesquels sont piégées des molécules d'eau. La formule de ces **composés hydratés** reflète leur composition. Par exemple, le chlorure de cuivre (II) dihydraté, un solide d'une magnifique

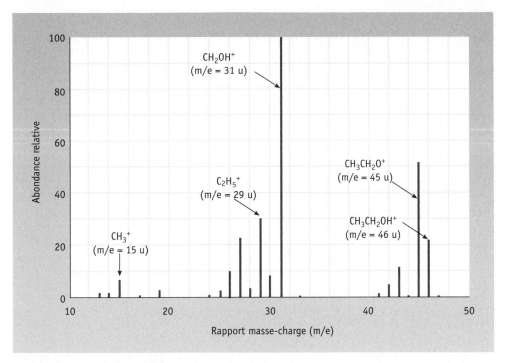

Figure 3.10 Le spectre de masse de l'éthanol (CH₃CH₂OH). La masse molaire de l'éthanol est égale à 46, l'abscisse la plus élevée à laquelle correspond un pic important, celui de l'ion moléculaire CH₃CH₂OH⁺. On reconnaît dans le spectre différents fragments issus de la molécule, ce qui donne des renseignements importants sur sa structure. (L'unité de l'axe des abscisses est la valeur du rapport masse/charge des ions ; comme la plupart des cations observés ne portent qu'une seule charge, la valeur observée pour chacun des pics correspond à leur masse.)

couleur bleue, s'écrit de façon conventionnelle $CuCl_2 \cdot 2\,H_2O$. Cette formule équivaut à $CuCl_2(H_2O)_2$. Son nom, chlorure de cuivre (II) dihydraté, ainsi que le point entre $CuCl_2$ et $2\,H_2O$, indique que deux moles d'eau sont associées à chaque mole de $CuCl_2$. La masse formulaire est égale à la somme de la masse de la formule $CuCl_2$ et de deux fois la masse molaire de l'eau.

Masse de Cu	63,546 g
masse de 2 Cl	+ 70,9054 g
masse de 2 H₂O	+ 36,0304 g
masse formulaire de CuCl₂·2H₂O	170,4818 g, arrondi à 170,482 g.

Les composés hydratés sont courants. Les très populaires panneaux de gypse utilisés dans la plupart des maisons neuves sont constitués de sulfate de calcium ($CaSO_4$) et de sulfate de calcium dihydraté ($CaSO_4 \cdot 2\,H_2O$), communément appelé *gypse*, laminés entre deux feuilles de papier résistant (figure 3.11).

Figure 3.11 Un panneau de gypse.
Le gypse est le nom commun du sulfate de calcium dihydraté ($CaSO_4 \cdot 2\,H_2O$).
Charles D. Winters

Le gypse existe à l'état naturel dans des mines, d'où il pourrait être extrait, mais il provient presque exclusivement de la fabrication de l'acide fluorhydrique et de l'acide phosphorique, dont il est un sous-produit. Le gypse, chauffé entre 120 et 180 °C perd une partie de son eau et donne le plâtre de Paris ($CaSO_4 \cdot \frac{1}{2} H_2O$).

Ce composé sert surtout à faire des moulages, il forme avec l'eau une pâte plus ou moins onctueuse qui se verse facilement dans un moule ou qui s'étend facilement sur des objets en épousant leur forme. En durcissant (on dit que le plâtre « prend »), il donne des moulages blancs de haute qualité, rigides et relativement durs, ce qui en fait un matériau très apprécié des artistes.

Le chlorure de cobalt (II) hydraté est un solide de couleur rouge. Sous l'effet de la chaleur, il se déshydrate (perd son eau) et sa couleur vire au violet puis au bleu foncé, couleur du sel anhydre (sans eau) $CoCl_2$. En présence d'air humide, le sel anhydre se réhydrate et se transforme progressivement en sel hydraté de couleur rouge. Cette propriété de se réhydrater en changeant de couleur fait qu'on utilise le sel anhydre bleu comme indicateur d'humidité. À l'inverse, une solution aqueuse de chlorure de cobalt (II) fait office d'« encre invisible ». La solution est rose légèrement foncé, mais sa couleur est pratiquement invisible sur le papier. Quand on chauffe le papier, le sel de cobalt se déshydrate et l'« encre » bleue devient visible (figure 3.12).

Une solution aqueuse
de chlorure
de cobalt (II) ($CoCl_2 \cdot 6 H_2O$)

L'écriture sur papier

Sous l'effet de
la chaleur, le texte
devient visible en bleu.

Figure 3.12 L'encre invisible.

Il n'existe pas de moyen simple de prévoir la quantité d'eau présente dans un composé hydraté. Seule l'expérience permet de la déterminer. On peut, par exemple, chauffer une masse connue de composé de manière à le déshydrater complètement. La pesée du composé anhydre conduit par le calcul à la formule, comme dans l'exemple 3.8.

EXEMPLE 3.8   **La détermination de la formule d'un composé hydraté**

Vous désirez connaître la valeur de x dans le composé hydraté, de couleur bleue, $CuSO_4 \cdot x H_2O$. Pour ce faire, vous avez pesé dans un creuset de porcelaine 1,023 g de cet hydrate. Après chauffage destiné à éliminer toute l'eau, il vous reste 0,654 g de sulfate de cuivre (II) anhydre. Quelle est la valeur de x ?

SOLUTION

1) Convertissez les données initiales en quantités (mol).

La différence entre la masse initiale de composé hydraté et la masse finale de composé anhydre est égale à la masse d'eau présente initialement.

Masse de composé hydraté	1,023 g
masse de composé anhydre	− 0,654 g
masse d'eau initiale	0,369 g

$$\text{Quantité d'eau} = 0,369 \text{ g d'eau} \times \frac{1 \text{ mol}}{18,0152 \text{ g d'eau}} = 0,020\ 48 \text{ mol}$$

$$\text{Quantité de CuSO}_4 = 0,654 \text{ g de CuSO}_4 \times \frac{1 \text{ mol}}{159,610 \text{ g de CuSO}_4}$$

$$= 0,004\ 097 \text{ mol}$$

2) Calculez le rapport entre les quantités (mol).

$$\frac{\text{quantité d'eau}}{\text{quantité de CuSO}_4} = \frac{0,020\ 48 \text{ mol}}{0,004\ 097 \text{ mol}} = 4,999 \approx 5$$

3) Écrivez la formule empirique.

Le rapport étant égal à 5, la formule empirique est $CuSO_4 \cdot 5 \, H_2O$ [sulfate de cuivre (II) pentahydraté].

— Blanc $CuSO_4$

— Bleu
$CuSO_4 \cdot 5 \, H_2O$

Charles D. Winters

EXERCICE 3.13 **La détermination de la formule d'un composé hydraté**

Le chlorure de nickel (II) hydraté ($NiCl_2 \cdot x \, H_2O$) est un solide cristallin d'une belle couleur verte. Chauffé fortement, un échantillon de 0,235 g de ce composé perd son eau. Sachant qu'il reste 0,128 g de solide, trouvez la valeur de x.

LA MOLÉCULE

Combinaison d'au moins deux atomes de un ou de plusieurs éléments liés entre eux par des forces telles que le groupement entier se comporte comme une seule particule

Nom	Formule moléculaire	Formule empirique	Formule semi-développée	Formule développée
Acide acétique	$C_2H_4O_2$	CH_2O	CH_3COOH	(voir schéma)

$$\begin{array}{c} H \\ | \\ H-C-C=O \\ | \quad | \\ H \quad O-H \end{array}$$

Écriture et nomenclature des composés moléculaires binaires

- L'élément situé le plus à gauche du tableau périodique est inscrit en premier.

  CCl_4, HCl, P_2O_5

- L'élément situé le plus bas dans un groupe est inscrit en premier.

  SO_2

- « élément de droite-*ure* » « de » « nom du second élément », sauf pour l'oxygène : « oxyde » « de » « nom du second élément ».

  CCl_4 : tétrachlorure de carbone
  HCl : chlorure d'hydrogène

- On utilise des préfixes lorsque c'est nécessaire.

  P_2O_5 : pentoxyde de diphosphore

- Ou noms traditionnels.

  H_2O : eau NH_3 : ammoniac
  CH_4 : méthane

Les hydracides : solutions aqueuses de composés binaires de l'hydrogène avec les éléments des groupes 6A et 7A.

  $HCl(aq)$: acide chlorhydrique
  $H_2S\ (aq)$: acide sulfhydrique

- H apparaît en premier.
- « acide » « nom de l'élément-*hydrique* ».

Les oxacides : composés issus de la combinaison de l'hydrogène et d'anions polyatomiques contenant de l'oxygène (oxanions).

  H_3PO_4 : acide phosphorique

- H apparaît en premier.
- « acide » « nom de l'anion, dont le suffixe *-ate* est remplacé par *-ique* et *-ite* par *-eux* », sauf *sulfurique* et *sulfureux*.

  HNO_3 : acide nitrique
  HNO_2 : acide nitreux
  H_2SO_4 : acide sulfurique

La masse molaire (M)
Masse moyenne, en grammes, d'une mole de substance.
Exemple : CH_4.

$$\text{Masse de C} = 1 \text{ mol de C} \times \frac{12,011 \text{ g}}{1 \text{ mol de C}} \qquad 12,011 \text{ g}$$

$$\text{masse de H} = 4 \text{ mol de H} \times \frac{1,007\ 9 \text{ g}}{1 \text{ mol de H}} \qquad + 14,031\ 6 \text{ g}$$

$$\text{masse de 1 mol de } CH_4 = \quad \text{masse molaire} \qquad 16,043 \text{ g}$$

LES IONS ET LES COMPOSÉS IONIQUES

Cation Atome ayant perdu un ou plusieurs électrons et possédant ainsi une ou plusieurs charges électriques positives. Les métaux forment généralement des cations.	$Na \longrightarrow Na^+ + e^-$ ion sodium $Mg \longrightarrow Mg^{2+} + 2\ e^-$ ion magnésium
Anion Atome ou groupement d'atomes ayant gagné un ou plusieurs électrons et possédant ainsi une ou plusieurs charges électriques négatives. Les non-métaux forment généralement des anions.	$Cl + e^- \longrightarrow Cl^-$ ion chlorure $O + 2\ e^- \longrightarrow O^{2-}$ ion oxyde

LES IONS ET LES COMPOSÉS IONIQUES (*SUITE*)

Composé ionique
Substance électriquement neutre composée d'un empilement compact et ordonné de cations et d'anions.

$$2\ Al^{3+} + 3\ O^{2-} \longrightarrow Al_2O_3$$

Écriture
Le cation suivi de l'anion, (sauf $-COO^-$).

Nomenclature
« nom de l'anion » « de » « nom du cation »

Le chlorure de sodium

$NaCl$, (CH_3COONa)

chlorure de sodium
acétate de sodium

LA CHARGE DES IONS MONOATOMIQUES LES PLUS FRÉQUENTS

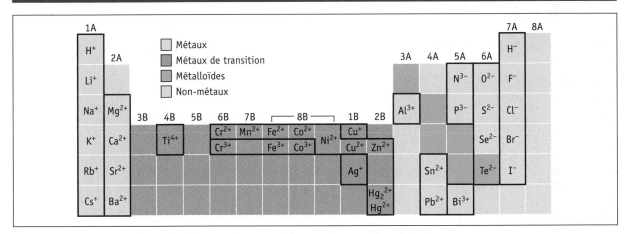

Métaux
Métaux de transition
Métalloïdes
Non-métaux

LES ÉQUATIONS IMPORTANTES

La loi de Coulomb

Charge de l'anion
Charge du cation
Charge de l'électron

$$\text{Force d'attraction} = k\frac{(n^+e)\ (n^-e)}{d^2}$$

Constante   Distance entre les ions

La fraction massique : proportion, en masse, de chacun des éléments dans un composé quelconque.

Exemple :
Fraction massique de N dans NH_3 ($M = 17,0304$ g/mol)

$$\frac{14,0067 \text{ g de N}}{17,0304 \text{ g de } NH_3} = 0,822\ 45 \text{ (ou 82,245 g de N dans 100 g de } NH_3 \text{ ou 82,245 \%).}$$

Revue des concepts importants

1. Combien d'atomes d'azote et d'hydrogène y a-t-il dans la molécule de *cisplatine* modélisée ci-dessous? Combien d'atomes d'hydrogène y a-t-il dans une mole de ce composé? Quelle est sa masse molaire?

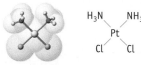

2. En utilisant comme guide la figure 3.3, déterminez quels atomes de la molécule de méthanol illustrée ci-dessous sont dans le plan du papier, lesquels sont au-dessous et lesquels sont au-dessus.

3. Combien d'électrons y a-t-il dans un atome de strontium (Sr)? Combien d'électrons sont gagnés ou perdus par cet atome lorsqu'il forme un ion? Quel gaz rare a le même nombre d'électrons que l'ion strontium?

4. La structure de l'adénine est illustrée ci-dessous.
   a) Montrez que 40 g d'adénine représentent une masse inférieure à celle de $3,0 \times 10^{23}$ molécules de ce composé.
   b) Quelle partie structurale de cette molécule est commune aux bases (*voir l'encadré* Point de mire)?

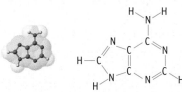

5. Sachant que la formule du borate de sodium est Na_3BO_3, donnez la formule et la charge de l'ion borate. Est-ce un cation ou un anion?

6. Quelle est la différence entre une formule empirique et une formule moléculaire? Utilisez l'éthane (C_2H_6) pour illustrer votre réponse.

7. La fraction massique de l'oxygène dans l'eau est-elle plus élevée que dans le méthanol (CH_3OH)?

Exercices

Les formules moléculaires

8. Écrivez la formule moléculaire de chacun des composés suivants.
   a) L'heptanol, un composé organique, possède 7 atomes de carbone, 16 d'hydrogène et 1 d'oxygène.
   b) La vitamine C, l'acide ascorbique, possède six atomes de carbone, huit d'hydrogène et six d'oxygène.
   c) L'aspartame, un édulcorant artificiel, est composé de 14 atomes de carbone, 18 d'hydrogène, 2 d'azote et 5 d'oxygène.

9. Déterminez le nombre total d'atomes de chaque élément présent dans une unité formulaire de chacun des composés suivants.
   a) CaC_2O_4
   b) C_6H_5CHO
   c) $[Co(NH_3)_5(NO_2)]Cl_2$
   d) $K_4Fe(CN)_6$
   e) $HO_2CCH_2CH_2CO_2H$, acide succinique.

Les modèles moléculaires

10. Quelle est la formule moléculaire de l'acide sulfurique modélisé ci-dessous? Décrivez sa structure. Est-elle plane? (Code de couleurs: S, jaune; O, rouge; H, blanc.)

11. Quelle est la formule moléculaire du toluène modélisé ci-dessous? Décrivez sa structure. La molécule est-elle totalement ou partiellement plane? (Code de couleurs: C, gris; H, blanc.)

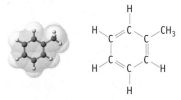

Les ions et leurs charges
(*Voir les tableaux 3.2 et 3.6*)

12. Quelle charge trouve-t-on le plus fréquemment pour les ions monoatomiques des éléments suivants?
   a) Magnésium.   **d)** Gallium.
   b) Zinc.   **e)** Azote.
   c) Nickel.   **f)** Fer.

13. Écrivez la formule et la charge des ions suivants.
   a) Ion baryum.   **e)** Ion sulfure.
   b) Ion titane (IV).   **f)** Ion perchlorate.
   c) Ion phosphate.   **g)** Ion cobalt (II).
   d) Ion hydrogénocarbonate.   **h)** Ion sulfate.

14. Écrivez la formule et la charge des ions suivants.
   a) Ion permanganate.   **d)** Ion ammonium.
   b) Ion nitrite.   **e)** Ion iodate.
   c) Ion dihydrogénophosphate.   **f)** Ion sulfite.

15. Quand l'oxygène et le soufre deviennent des ions monoatomiques, combien d'électrons perdent-ils ou gagnent-ils? Quel gaz rare a le même nombre d'électrons que l'ion provenant de l'oxygène? Et du soufre? Quelle similarité de comportement y a-t-il entre O et S?

Les composés ioniques
(*Voir les exemples 3.1 et 3.2*)

16. Quelles sont les charges des ions du composé ionique formé des ions cobalt (III) et fluorure? Écrivez la formule de ce composé.

17. Pour chacun des composés suivants, donnez la formule, la charge et le nombre de chaque ion présent.
    a) K_2S
    b) $Ti(SO_4)_2$
    c) $KMnO_4$
    d) $(NH_4)_3PO_4$
    e) $Ca(ClO)_2$
    f) $Al(OH)_3$

18. Le platine est un élément de transition, qui forme les ions Pt^{2+} et Pt^{4+}. Écrivez la formule résultant de la combinaison de chacun de ces ions avec :
    a) les ions chlorure ;
    b) les ions sulfure.

19. Identifiez les formules correctes des composés ioniques suivants. Rectifiez les formules erronées.
    a) $AlCl_2$
    b) KF_2
    c) Ga_2O_3
    d) MgS
    e) Fe_2O_5
    f) $SrBr_2$

20. Écrivez les formules des composés pouvant être formés à partir de l'association des cations Mg^{2+} et Al^{3+} avec les anions O^{2-} et PO_4^{3-}.

La nomenclature des composés ioniques

21. Nommez les composés ioniques suivants.
    a) $Ca(CH_3CO_2)_2$
    b) $Ni_3(PO_4)_2$
    c) $Al(OH)_3$
    d) KH_2PO_4
    e) K_2S
    f) $(NH_4)_3PO_4$

22. Donnez la formule des composés ioniques suivants.
    a) Carbonate d'ammonium.
    b) Iodure de calcium.
    c) Bromure de cuivre (II).
    d) Phosphate d'aluminium.
    e) Acétate d'argent (I).

23. Écrivez la formule de chacun des composés suivants.
    a) Hydrogénocarbonate de calcium.
    b) Permanganate de potassium.
    c) Perchlorate de magnésium.
    d) Hydrogénophosphate de potassium.
    e) Sulfite de sodium.

24. Écrivez les formules des composés ioniques pouvant être formés à partir de l'association des cations Mg^{2+} et Fe^{3+} avec les anions PO_4^{3-} et NO_3^-. Nommez-les.

La loi de Coulomb
(*Voir la figure 3.6*)

25. Dans lequel des deux composés ioniques NaF et NaI trouve-t-on l'attraction la plus forte entre le cation et l'anion (rayon de F^- = 119 ppm, rayon de I^- = 206 ppm) ?

26. Dans lequel des deux composés ioniques NaCl et CaO trouve-t-on les attractions cation-anion les plus fortes ? Justifiez votre réponse.

La nomenclature des composés binaires de non-métaux

27. Nommez les composés non ioniques suivants.
    a) N_2O_5
    b) P_4S_3
    c) OF_2
    d) XeF_4
    e) HI

28. Écrivez la formule de chacun des composés moléculaires suivants.
    a) Trifluorure de brome.
    b) Trioxyde de dibore.
    c) Hydrazine.
    d) Tétrafluorure de diphosphore.
    e) Butane.
    f) Dichlorure de soufre.

Les molécules, les composés ioniques et la mole
(*Voir l'exemple 3.3*)

29. Calculez la masse molaire ou formulaire :
    a) de l'oxyde de fer (III) (Fe_2O_3) ;
    b) du trichlorure de bore (BCl_3) ;
    c) de l'acide ascorbique ou vitamine C ($C_6H_8O_6$) ;
    d) du gluconate de fer (II), un supplément alimentaire ($Fe(C_6H_{11}O_7)_2$).

30. Calculez la masse molaire des composés hydratés suivants.
    a) $Ni(NO_3)_2 \cdot 6\,H_2O$
    b) $CuSO_4 \cdot 5\,H_2O$

31. Déterminez la quantité (mol) équivalant à 1,00 g :
    a) d'isopropanol ou alcool à friction (C_3H_7OH) ;
    b) d'hydroxyanisole butylée, un antioxydant en alimentation aussi connu sous le nom de HAB ($C_{11}H_{16}O_2$) ;
    c) d'aspirine ($C_9H_8O_4$).

32. Le trioxyde de soufre (SO_3) est fabriqué industriellement en énorme quantité, en combinant de l'oxygène et du dioxyde de soufre (SO_2). Calculez le nombre de moles de SO_3 présentes dans 1,00 kg de cet oxyde. Combien de molécules y a-t-il ? Combien d'atomes de soufre ? Combien d'atomes d'oxygène ?

La fraction massique
(*Voir l'exemple 3.4*)

33. Calculez la fraction massique de chaque élément des composés suivants.
    a) Sulfure de plomb (II) ou galène (PbS).
    b) Propane (C_3H_8).
    c) Carvone ($C_{10}H_{14}O$), présent dans l'huile de carvi.
    d) $CoCl_2 \cdot 6\,H_2O$.

34. Calculez la masse de plomb contenue dans 10,0 g de PbS.

35. Quelle masse (g) d'ilménite ($FeTiO_3$), un minerai de titane, est requise pour obtenir 750 g de titane ?

Les formules empirique et moléculaire
(*Voir les exemples 3.5 à 3.8*)

36. Complétez le tableau suivant.

	Formule empirique	Masse molaire (g/mol)	Formule moléculaire
a)	CH	26,0	_____
b)	CHO	116,1	_____
c)	_____	_____	C_8H_{16}

37. L'éthyne (ou acétylène), un gaz incolore utilisé entre autres comme combustible dans les chalumeaux, contient 92,26 % de C et 7,74 % de H. Sa masse

molaire est de 26,02 g/mol. Déterminez sa formule empirique et sa formule moléculaire.

38. Une grande quantité de composés bore-hydrogène a pour formule B_xH_y. Un de ces composés contient 88,5 % de bore, le reste étant de l'hydrogène. Déterminez sa formule empirique parmi celles-ci : BH_2, BH_3, B_2H_5, B_5H_7 ou B_5H_{11}.

39. L'azote et l'oxygène forment des oxydes de type N_xO_y. Un de ces oxydes, un solide bleu, contient 36,84 % de N. Quelle est sa formule empirique ?

40. L'acide mandélique est un acide organique constitué de carbone (63,15 %), d'hydrogène (5,30 %) et d'oxygène (31,55 %). Sa masse molaire est de 152,14 g/mol. Déterminez ses formules empirique et moléculaire.

41. Le chauffage à 250 °C de 1,687 g de sel d'Epsom ($MgSO_4 \cdot x\,H_2O$) donne 0,824 g de $MgSO_4$ anhydre. Calculez la valeur de x.

42. L'alun utilisé en cuisine est un sulfate double de potassium et d'aluminium hydraté ($KAl(SO_4)_2 \cdot x\,H_2O$). En chauffant 4,74 g d'alun, 2,16 g d'eau sont évaporés et il ne reste que $KAl(SO_4)_2$. Quelle est la valeur de x ?

43. Un nouveau composé contenant du xénon et du fluor fut formé par l'action des rayons du soleil sur un mélange de Xe (0,526 g) et de fluor (F_2). Quelle est sa formule empirique si vous en isolez 0,678 g ?

44. Vous mélangez 1,25 g de germanium (Ge) avec un excès de chlore (Cl_2). Vous obtenez 3,69 g d'un nouveau produit (Ge_xCl_y). Quelle est sa formule ?

Questions de révision

Les numéros de couleur correspondent à des questions demandant plus de réflexion.

45. Combien de molécules trouve-t-on dans une goutte d'eau, sachant que son volume est d'environ 0,05 mL ? (Masse volumique de l'eau = 1,00 g/cm³.)

46. La capsaïcine, composé responsable de la saveur piquante des piments rouges, a pour formule $C_{18}H_{27}NO_3$.
a) Calculez sa masse molaire.
b) Combien de moles de capsaïcine consommerez-vous si vous en mangez 55 mg ?
c) Calculez la fraction massique de chaque élément du composé.
d) Quelle est la masse de carbone (mg) présente dans 55 mg de capsaïcine ?

47. Considérez le solide bleu $Cu(NH_3)_4SO_4 \cdot H_2O$.
a) Calculez la fraction massique de chaque élément présent dans cet hydrate.
b) Quelle est la masse (g) de cuivre et d'eau dans 10,5 g de ce composé ?

48. Le phosphore est obtenu en chauffant au four électrique du phosphate de calcium avec du carbone et du sable. Quelle masse (kg) de phosphate de calcium doit-on utiliser pour produire 15,0 kg de phosphore ?

49. Quelle est la formule empirique de l'acide malique, un acide organique présent dans les pommes et composé de C, H et O dans les proportions suivantes : $C_1H_{1,50}O_{1,25}$?

50. Votre médecin diagnostique que vous êtes anémique, c'est-à-dire qu'il y a une carence en fer dans votre sang. À la pharmacie, vous trouvez deux bouteilles de suppléments en fer, l'une contenant du sulfate de fer (II) ($FeSO_4$) et l'autre, du gluconate de fer (II) ($Fe(C_6H_{11}O_7)_2$). Lequel de ces deux composés vous fournira le plus d'atomes de fer, si vous en prenez 100 mg de chacun ?

51. Les épinards possèdent une haute teneur en fer (2 mg/portion de 90 g). Cependant, ils sont aussi une source d'ions oxalate ($C_2O_4^{2-}$), qui se combinent avec les ions fer pour former l'oxalate de fer ($Fe_x(C_2O_4)_y$), empêchant ainsi votre corps d'absorber cet élément. L'analyse d'un échantillon d'oxalate de fer de 0,109 g révèle qu'il contient 38,82 % de fer. Déterminez la formule empirique de ce composé.

52. Le *mahuang*, un extrait de l'arbrisseau éphédra, contient de l'éphédrine. Les Chinois l'utilisent depuis plus de 5000 ans pour traiter l'asthme. Plus récemment, cette substance a été incluse dans certains comprimés amaigrissants en vente libre dans les magasins de produits naturels. Toutefois, ces comprimés suscitent un important questionnement en raison de sérieux problèmes cardiaques associés à l'éphédrine.

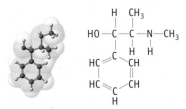

a) Écrivez la formule moléculaire de l'éphédrine et calculez sa masse molaire.
b) Calculez la fraction massique du carbone dans l'éphédrine.
c) Calculez le nombre de moles d'éphédrine dans un échantillon de 0,125 g.
d) Combien de molécules d'éphédrine et d'atomes de carbone trouve-t-on dans ce même échantillon ?

53. Quelle ou quelles paires d'éléments devraient former un composé ionique lorsqu'ils réagissent ensemble ? Donnez la formule et le nom de chacun des composés ioniques possibles.
a) Chlore et brome.   **e)** Sodium et argon.
b) Azote et brome.   **f)** Soufre et brome.
c) Lithium et soufre.   **g)** Calcium et fluor.
d) Indium et oxygène.

54. Nommez chacun des composés suivants et identifiez ceux qui correspondent le mieux à la description des composés ioniques.

a) ClF_3 d) $Ca(NO_3)_2$ g) KI i) OF_2
b) NCl_3 e) I_2O_5 h) Al_2S_3 j) K_3PO_4
c) $Cr_2(SO_4)_3$ f) PCl_3

55. Écrivez la formule de chacun des composés suivants et identifiez ceux qui correspondent le mieux à la description des composés ioniques.
  a) Hypochlorite de sodium.
  b) Triiodure de bore.
  c) Perchlorate d'aluminium.
  d) Acétate de calcium.
  e) Permanganate de potassium.
  f) Sulfite d'ammonium.
  g) Dihydrogénophosphate de potassium.
  h) Dichlorure de disoufre.
  i) Trifluorure de chlore.
  j) Trifluorure de phosphore.

56. Complétez le tableau ci-dessous en remplaçant les espaces libres par des symboles, des formules ou des noms.

Cations	Anions	Noms	Formules
_____	_____	Bromure d'ammonium	_____
Ba^{2+}	_____	_____	BaS
_____	Cl^-	Chlorure de fer (II)	_____
_____	F^-	_____	PbF_2
Al^{3+}	CO_3^{2-}	_____	_____
_____	_____	Oxyde de fer (III)	_____
_____	_____	_____	$LiClO_4$
_____	_____	Phosphate d'aluminium	_____
_____	Br^-	Bromure de lithium	_____
_____	_____	_____	$Ba(NO_3)_2$
Al^{3+}	_____	Oxyde d'aluminium	_____
_____	_____	Carbonate de fer (III)	_____

57. Trouvez les formules empirique et moléculaire de l'azulène, un hydrocarbure d'un bleu magnifique contenant 93,71 % de carbone, et de masse molaire égale à 128,16 g/mol.

58. L'action des bactéries sur la viande et le poisson produit un composé appelé vulgairement *cadavérine*. Comme son nom et son origine l'indiquent, il sent mauvais ! Il est aussi présent dans la mauvaise haleine et amplifie l'odeur de l'urine. Son analyse a donné les résultats suivants : 58,77 % de C, 13,81 % de H, 27,40 % de N. Sachant que sa masse molaire est de 102,2 g/mol, déterminez sa formule moléculaire.

59. 0,678 g d'iode réagit complètement avec le chlore et produit 1,246 g de chlorure d'iode (I_xCl_y), un solide jaune brillant. Quelle est la formule empirique de ce composé ? Une expérience ultérieure a montré que sa masse molaire était de 467 g/mol. Quelle est sa formule moléculaire ?

60. 2,04 g de vanadium et 1,93 g de soufre réagissent complètement ensemble. Trouvez la formule empirique du produit formé.

61. La stibnite (Sb_2S_3) est un composé minéral gris foncé dont on extrait l'antimoine. Quelle masse (g) de Sb_2S_3 est présente dans 1,00 kg de minerai si celui-ci contient 10,6 % d'antimoine ?

62. Les énoncés suivants se rapportant à 57,1 g d'octane (C_8H_{18}) sont-ils vrais ?
  a) 57,1 g équivalent à 0,500 mol d'octane.
  b) La fraction massique du carbone dans l'octane est égale à 0,841.
  c) La formule empirique de l'octane est C_4H_9.
  d) 57,1 g d'octane contiennent 28,0 g d'hydrogène.

63. La formule du molybdate de baryum est $BaMoO_4$. Quelle est la formule du molybdate de sodium ?
  a) Na_4MoO c) Na_2MoO_3 e) Na_4MoO_4
  b) $NaMoO$ d) Na_2MoO_4

64. Le Pepto-Bismol, qui aide à soulager les malaises gastriques, contient 300 mg de sous-salicylate de bismuth ($C_{21}H_{15}Bi_3O_{12}$) par comprimé. Quelle masse (g) de Bi consommez-vous avec deux comprimés ?

65. Un métal M forme un composé dont la formule est MCl_4. Identifiez M, sachant que la fraction massique du chlore dans le composé est égale à 0,7475.

66. Les éléments A et Z forment deux composés différents : A_2Z_3 et AZ_2. Quelles sont les masses atomiques de A et de Z si 0,15 mol de A_2Z_3 a une masse de 15,9 g, et 0,15 mol de AZ_2 pèse 9,3 g ?

67. Une feuille de nickel de 0,550 mm d'épaisseur et de 1,25 cm² de surface réagit totalement avec du fluor (F_2) pour former du fluorure de nickel.
  a) Quelle masse (g) de nickel a été utilisée ? (Masse volumique du nickel = 8,908 g/cm³.)
  b) Vous avez isolé 1,261 g de fluorure de nickel. Quelle est sa formule ?
  c) Donnez son nom exact.

68. a) Un échantillon d'uranium (0,169 g) chauffé à l'air entre 800 °C et 900 °C donne 0,199 g d'un oxyde vert foncé, U_xO_y. Combien de moles d'uranium ont été utilisées ? Quelle est la formule empirique de U_xO_y ? Quel est son nom ?
  b) Les isotopes naturels de l'uranium sont [234]U, [235]U et [238]U. Lequel est le plus abondant ?
  c) Vous avez chauffé doucement 0,865 g de composé hydraté $UO_2(NO_3)_2 \cdot z\,H_2O$ et avez obtenu 0,679 g de $UO_2(NO_3)_2$. Quelle est la valeur de z ?

CHAPITRE 4

Les **électrons** et l'**atome**

Prends six parties de salpêtre, cinq de jeune bois de coudrier et cinq de soufre; et ainsi, tu provoqueras le tonnerre et la lumière.

Roger Bacon, 1252.

Un ciel tout illuminé

La poudre noire, l'ancêtre de la poudre à canon, a été découverte bien avant l'an 1000, probablement en Chine. Cependant, elle n'apparut dans le monde occidental qu'au Moyen Âge. En 1252, l'Anglais Roger Bacon décrivit sa préparation à partir de salpêtre (le nitrate de potassium), de jeune bois de coudrier et de soufre, et son usage à des fins militaires et dans la confection des feux d'artifice se développa en Europe. La formulation et les méthodes de fabrication des pièces pyrotechniques utilisées de nos jours sont des améliorations de ce qui a été mis au point vers la fin du XVIIIᵉ siècle, à l'époque de l'Indépendance américaine et de la Révolution française.

Plusieurs composés chimiques importants sont à la base de toute pièce pyrotechnique moderne. En premier lieu, on y trouve un agent oxydant, habituellement le perchlorate de potassium ($KClO_4$), ou le chlorate de potassium ($KClO_3$), ou le nitrate de potassium (KNO_3). Les sels de potassium sont préférés aux sels de sodium, car ceux-ci ont des propriétés peu « intéressantes » dans les feux d'artifice. Comme la plupart des sels courants de sodium sont hygroscopiques, c'est-à-dire qu'ils absorbent la vapeur d'eau présente dans l'air, il est très difficile de conserver au sec les pièces lors de leur stockage. En plus, ils émet-tent à chaud une lumière jaune si intense qu'elle masque toutes les autres couleurs désirées.

En second lieu, les pièces contiennent des composés qui, sous l'effet de la chaleur, émettent des lumières vives et très brillantes. De la lumière blanche à l'éclat métallique peut être produite par l'oxydation du magnésium ou de l'aluminium à très haute température. On utilise généralement le mélange magnésium-perchlorate de potassium pour obtenir des flashs lors des concerts de rock ou d'autres événements du même style.

La lumière jaune est la plus facile à produire. Elle émane des sels de sodium, qui émettent une lumière jaune intense de longueur d'onde de 589 nm. Dans les mélanges pyrotechniques, les ions sodium proviennent habituellement de sels peu hygroscopiques telle la cryolithe (Na_3AlF_6).

Les sels de strontium produisent une lumière rouge, ceux de baryum, une lumière verte.

La prochaine fois que vous regarderez un feu d'artifice, prêtez une attention particulière à la couleur bleue qui a toujours été la plus difficile à produire. Récemment, les chercheurs spécialisés ont appris que la meilleure façon d'obtenir « une belle bleue » était de décomposer le chlorure de cuivre (I) à basse température. Pour réaliser l'effet désiré, on utilise un mélange de CuCl, de KClO$_4$ et d'hexachloroéthane (Cl$_3$CCCl$_3$).

Pourquoi les chimistes, et bien d'autres personnes, s'intéressent-ils aux feux d'artifice? La raison est simple: la lumière est issue des atomes et des molécules se trouvant dans un état énergétique excité. La couleur de la lumière émise par les atomes donne des indications sur leur structure qui constitue l'objet de ce chapitre.

Schéma d'une bombe pyrotechnique

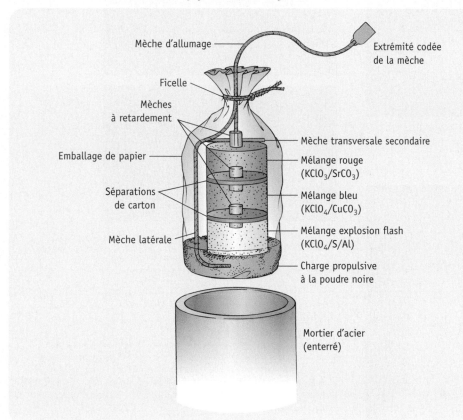

Mèche d'allumage

Extrémité codée de la mèche

Ficelle

Mèches à retardement

Emballage de papier

Séparations de carton

Mèche latérale

Mèche transversale secondaire

Mélange rouge (KClO$_3$/SrCO$_3$)

Mélange bleu (KClO$_4$/CuCO$_3$)

Mélange explosion flash (KClO$_4$/S/Al)

Charge propulsive à la poudre noire

Mortier d'acier (enterré)

▲ Après l'allumage, la mèche brûle rapidement jusqu'à la mèche à retardement (délai d'une à cinq secondes) située au-dessus du mélange produisant la lumière rouge et jusqu'à la chasse, charge propulsive, située à la base de la bombe. La poudre noire explose et propulse la pièce dans les airs. Pendant ce temps, la mèche à retardement se consume. Au bout du temps déterminé, le premier mélange explose en une multitude d'étincelles rouges, suivies d'un deuxième bouquet bleu et finalement, d'une explosion sonore et d'un flash lumineux blanc.

Concours international d'art pyrotechnique de Montréal à La Ronde

« Une belle bleue. » ▶

Feux d'artifice créés par Grucci

On doit la plupart des connaissances de la structure de l'atome aux physiciens du début du XXᵉ siècle. Dans ce chapitre, on décrira les interprétations des expériences qui ont conduit à la vision moderne de l'arrangement des électrons dans l'atome. L'étude de l'émission de lumière par les atomes excités a grandement contribué à l'édification des modèles en vigueur actuellement.

LA LUMIÈRE ÉMISE PAR LES ATOMES EXCITÉS

▲ De gauche à droite: des cristaux blancs de chlorure de sodium (NaCl), de chlorure de strontium ($SrCl_2$) et de l'acide borique en poudre ($B(OH)_3$).

▲ On ajoute du méthanol (CH_3OH) dans les verres de montre contenant les solides précédents. On y met le feu. Les composés sont entraînés dans le liquide qui flambe et l'énergie dégagée par la combustion excite les atomes. Les couleurs jaune, rouge vif et verte sont respectivement caractéristiques du sodium, du strontium et du bore. Charles D. Winters

LA LUMIÈRE ÉMISE PAR LES ATOMES EXCITÉS

Hors tension: les gaz sont incolores.

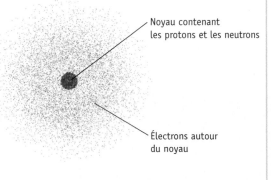

Sous tension: les atomes sont excités.

▲ Les gaz comme le néon sont incolores. Cependant, le passage d'un courant électrique a pour effet d'exciter les atomes, alors le gaz devient lumineux et prend une coloration spécifique. Françoise Lemoyne

LA STRUCTURE DE L'ATOME

On imagine actuellement l'atome comme étant constitué d'un noyau très petit et très dense, contenant des protons et des neutrons, et autour duquel se trouvent des électrons. Comment les électrons sont-ils arrangés dans les atomes, et comment les atomes peuvent-ils absorber et réémettre de l'énergie, sous forme lumineuse en particulier? Ces questions feront l'objet de ce chapitre.

Noyau contenant les protons et les neutrons

Électrons autour du noyau

*L*es éléments qui possèdent des propriétés semblables sont rassemblés dans le même groupe du tableau périodique. Mais pourquoi en est-il ainsi ? Les découvertes des électrons, des protons et des neutrons ont amené les chimistes à chercher les relations qui pouvaient bien exister entre les structures des atomes et leur comportement chimique. Dès 1902, Gilbert N. Lewis (1875-1946) a suggéré que les électrons devaient être arrangés en couches qui se succèdent à partir du noyau. Lewis a expliqué la similitude des propriétés chimiques des éléments d'un même groupe en émettant l'hypothèse qu'ils possédaient tous le même nombre d'électrons dans leur couche périphérique, la plus éloignée du noyau. Cette hypothèse a soulevé plusieurs questions. Où sont localisés les électrons ? Possèdent-ils des énergies différentes ? Comment Lewis en est-il arrivé à ce modèle ? Ces problématiques ont inspiré de nombreuses recherches expérimentales et théoriques depuis le début du XXᵉ siècle. Elles se poursuivent encore de nos jours. Ce chapitre et le suivant aborderont la disposition des électrons dans les atomes.

4.1 LES RADIATIONS ÉLECTROMAGNÉTIQUES

Vous avez certainement entendu parler ou appris que l'on pouvait expliquer certaines propriétés des radiations telle la lumière en les considérant comme des **ondes** semblables aux vagues se propageant à la surface d'un lac. L'attribution d'un mouvement ondulatoire à la lumière a été faite par les physiciens du XIXᵉ siècle, parmi lesquels l'Écossais James Clerk Maxwell (1831-1879) occupe une place importante. En 1864, il publie une théorie mathématique remarquable pour décrire tout type de radiations en termes de champs magnétique et électrique oscillant à la manière des vagues (figure 4.1). C'est pourquoi toutes les radiations, comme la lumière, les micro-ondes, les signaux de radio ou de télévision, les rayons X, etc., sont appelées les **radiations électromagnétiques.**

4.1.1 Les propriétés des ondes

La distance séparant deux sommets ou deux creux successifs est nommée **longueur d'onde** de la radiation (λ, lambda). Elle est exprimée en mètres, en nanomètres ou en toute autre unité qui convient à la radiation.

Une onde est aussi caractérisée par sa **fréquence** (ν, nu), nombre d'ondes complètes passant par un point donné dans l'unité de temps retenue, généralement la seconde, ou, si l'on préfère, le nombre de fois par seconde qu'une

◆ *Heinrich Hertz (1857-1894)*

L'évidence expérimentale de l'existence des ondes électromagnétiques a été fournie par Heinrich Hertz. En son honneur, on a donné son nom à l'unité de fréquence. Hertz a aussi découvert l'effet photoélectrique, en constatant qu'il pouvait faire jaillir une étincelle entre deux électrodes avec une tension plus faible lorsqu'elles étaient soumises à un rayonnement que lorsqu'elles n'étaient pas éclairées.

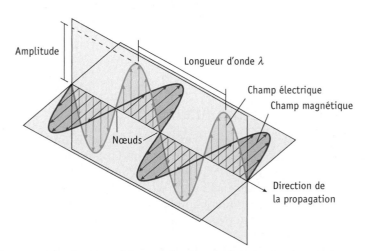

Figure 4.1 La radiation électromagnétique. Dans les années 1860, James Clerk Maxwell développe la théorie voulant que toutes les formes de radiations se propagent à travers l'espace en tant que champs électrique et magnétique oscillant à angle droit l'un de l'autre. De tels champs, décrits par des sinusoïdes, sont créés par des sources vibratoires. Cette théorie est généralement acceptée de nos jours.

onde atteint son sommet en un point donné. D'une façon générale, la fréquence représente le nombre d'événements qui se produisent en une seconde. Son unité, écrite sous la forme s^{-1}, peut se lire « fois par seconde » et s'appelle **hertz** (Hz).

La hauteur maximale d'une onde, mesurée à partir de son axe de propagation, est appelée l'**amplitude.** On trouve des points de hauteur 0 toutes les demi-longueurs d'onde $\left(\dfrac{\lambda}{2}\right)$: ces points sont des **nœuds.**

Une onde est aussi caractérisée par sa **vitesse de propagation.** Pour saisir ce concept, on peut faire une analogie avec la circulation routière. Supposez que les automobiles prises dans un bouchon ont toutes une longueur de 5 m, qu'elles roulent pare-chocs à pare-chocs et qu'il en passe une à un point précis toutes les 4 s (c'est-à-dire à une fréquence de 1 par 4 secondes ou $\dfrac{1}{4}$ par seconde). Dans ces conditions, on peut dire que les voitures se déplacent à la vitesse de 5 m × 0,25 s^{-1} = 1,25 m/s. La vitesse de n'importe quel mouvement périodique, incluant les ondes, est égale au produit de la longueur d'onde multipliée par la fréquence. *La vitesse (c) de la lumière et de toutes les radiations électromagnétiques dans le vide est constante* et vaut exactement 299 792 458 m/s.

◆ *La vitesse de la lumière*

La vitesse de la lumière dépend de la constitution chimique du milieu traversé (air, eau, verre, etc.) et de sa longueur d'onde. Ces légères différences de vitesse de propagation expliquent la dispersion de la lumière blanche par un prisme et l'apparition des arcs-en-ciel.

Vitesse de la lumière dans le vide (m/s)

$$c = \lambda v = 299\ 792\ 458 \text{ m/s}$$

Longueur d'onde (m)   Fréquence (s^{-1})

(Équation 4.1)

Dans ce manuel, on utilisera dans les calculs la valeur arrondie 2,998 × 10^{8} m/s.

EXEMPLE 4.1 **La fréquence et la longueur d'onde**

Calculez la fréquence d'une radiation ayant une longueur d'onde de 625 nm.

SOLUTION

On convertit la longueur d'onde en mètres et l'on isole v de l'équation 4.1.

$$625 \text{ nm} \times \frac{1 \times 10^{-9} \text{ m}}{1 \text{ nm}} = 6,25 \times 10^{-7} \text{ m}$$

$$v = \frac{c}{\lambda} = \frac{2,998 \times 10^{8} \text{ m·s}^{-1}}{6,25 \times 10^{-7} \text{ m}} = 4,80 \times 10^{14} \text{ s}^{-1}$$

4.1.2 Les ondes stationnaires

Le mouvement ondulatoire qu'on vient de décrire est celui des vagues ou du son se propageant dans l'air. Il en existe cependant un autre type appelé les **ondes stationnaires**; elles sont à la base de la théorie atomique moderne. Une corde tendue entre ses extrémités, comme une corde de guitare, vibre lorsqu'on la pince et son mouvement est décrit comme une onde stationnaire (figure 4.2).

Pour notre propos, on retiendra des propriétés des ondes stationnaires les points pertinents suivants :
- une onde stationnaire possède au moins deux nœuds, points où l'on ne décèle aucun mouvement vibratoire. La distance qui sépare deux nœuds est toujours égale à une demi-longueur d'onde $\left(\dfrac{\lambda}{2}\right)$;

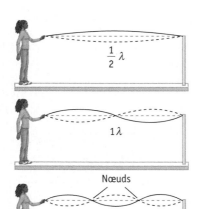

Figure 4.2 Les ondes stationnaires. Dans le premier cas, la longueur d'onde est égale au double de la longueur de la corde, dans le deuxième, à sa longueur, et dans le troisième, aux deux tiers. Dit autrement et dans le même ordre, la longueur de la corde est égale à $1\left(\dfrac{\lambda}{2}\right)$, $2\left(\dfrac{\lambda}{2}\right)$, $3\left(\dfrac{\lambda}{2}\right)$.

• comme les extrémités d'une onde stationnaire de longueur (d) sont obligatoirement des nœuds, les seules vibrations possibles sont celles qui satisfont la relation suivante :

$$d = n \frac{\lambda}{2}$$

(Équation 4.2)

dans laquelle n est un nombre entier (figure 4.2).

EXERCICE 4.1 **Les ondes stationnaires**

À partir de la ligne ci-dessous qui mesure 10 cm de long,

├─────── 10 cm ───────┤

a) dessinez une onde stationnaire présentant un nœud entre ses extrémités et donnez la valeur de sa longueur d'onde ;
b) dessinez une onde stationnaire présentant trois nœuds entre ses extrémités et donnez la valeur de sa longueur d'onde ;
c) combien trouve-t-on d'ondes stationnaires de longueur d'onde égale à 2,5 cm ? Combien y a-t-il de nœuds entre les extrémités ?

◆ *Les ondes stationnaires*

Seules certaines longueurs d'onde donnent lieu à des ondes stationnaires. Elles constituent un exemple de *quantification*, un concept clé développé dans les sections de ce chapitre.

4

4.1.3 Le spectre de la lumière visible

Vous êtes tous entourés de radiations électromagnétiques, incluant les radiations que l'on peut voir, la lumière « visible ». Son **spectre,** c'est-à-dire la suite d'images juxtaposées formant un continuum de couleurs correspondant à sa décomposition par un prisme ou par un réseau, s'étend *grosso modo* de $\lambda = 400$ nm (violet) à $\lambda = 700$ nm (rouge) : violet, indigo, bleu, vert, jaune, orangé, rouge. La lumière visible ne représente qu'une infime portion des radiations électromagnétiques (figure 4.3).

Les radiations ultraviolettes (UV), qui peuvent occasionner des coups de soleil, ont des longueurs d'onde plus courtes que celles du visible ; celles des **rayons X** et

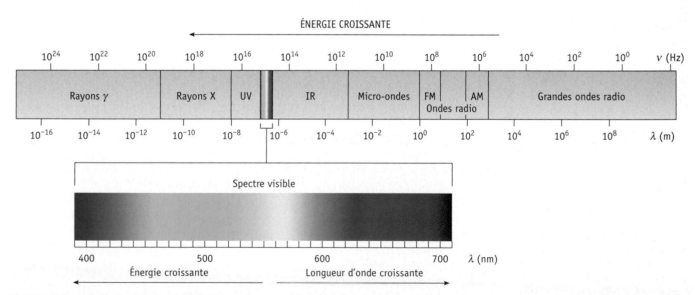

Figure 4.3 Le spectre électromagnétique. La lumière visible (agrandissement du bas) n'est qu'une petite portion du spectre des radiations électromagnétiques. L'énergie croît des ondes radio longues [fréquence (ν) basse, grande longueur d'onde (λ)] aux rayons γ [fréquence (ν) élevée, petite longueur d'onde (λ)].

des **rayons** γ, ceux-ci étant émis lors de la désintégration radioactive de certains atomes, sont encore plus petites. À l'autre extrémité du spectre visible se trouvent en premier lieu les **rayons infrarouges** (IR) que l'on ressent sous forme de chaleur ; ils sont suivis des radiations utilisées dans les fours à micro-ondes, des ondes de radio et de télévision.

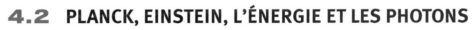

EXERCICE 4.2 **Les radiations, la longueur d'onde et la fréquence**

a) Quelle est la couleur du spectre visible qui possède la plus haute fréquence ? Laquelle a la fréquence la plus basse ?

b) La fréquence de la radiation utilisée dans les fours à micro-ondes est-elle plus élevée que celle sur laquelle diffuse la chaîne culturelle FM de Radio-Canada (100,7 MHz) ?

c) La longueur d'onde des rayons X est-elle plus élevée que celle de la lumière ultraviolette ?

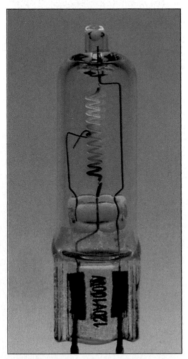

a) Charles D. Winters

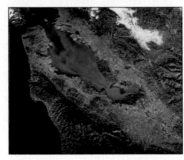

b) Earth Satellite Corp./Photo Researchers, Inc.

Figure 4.4 Les radiations infrarouges. Les longueurs d'onde des radiations infrarouges sont plus longues que celles du spectre visible. **a)** Le filament de cette ampoule à incandescence est chauffé au rouge. Il émet des radiations situées dans les grandes longueurs d'onde de la lumière visible, la partie rouge, et des radiations infrarouges proches du domaine visible. **b)** Une photographie de la baie de San Francisco prise d'un satellite, sur un film sensible aux infrarouges.

4.2 PLANCK, EINSTEIN, L'ÉNERGIE ET LES PHOTONS

4.2.1 L'équation de Planck

Un morceau de métal chauffé émet des radiations électromagnétiques, dont la longueur d'onde dépend de la température. Au début, aux « basses » températures (inférieures à 4000 K), la couleur est rouge assez terne. Au fur et à mesure de l'élévation de température, la couleur rouge devient plus éclatante et se transforme finalement en une lumière blanche très brillante. Par exemple, le filament d'un grille-pain est chauffé « au rouge », tandis que le filament d'une ampoule à incandescence peut être chauffé au rouge (figure 4.4 **a**) ou « à blanc » selon les types.

Nos yeux ne détectent que la partie visible des radiations émises par une pièce métallique incandescente. Beaucoup d'autres radiations sont présentes, aussi bien dans le domaine ultraviolet (λ plus petit) que dans l'infrarouge (λ plus grand), (figure 4.4 **b**). Un spectre de radiations (figure 4.5) est émis par tout corps chauffé, montrant des radiations d'intensité plus forte que d'autres. À mesure que la température du métal monte, le maximum de la courbe représentant l'intensité des radiations en fonction de la longueur d'onde (courbe de distribution qu'on appelle aussi le spectre) se déplace de plus en plus vers la région ultraviolette et la couleur que l'on perçoit vire du rouge au jaune, et finalement au blanc.

Durant la seconde moitié du XIXᵉ siècle, on a tenté d'expliquer la forme du spectre d'émission des corps portés à de très hautes températures. Les théories admises alors prévoyaient que l'intensité des radiations émises devait augmenter continuellement lorsque la longueur d'onde diminuait.

Or, on constatait expérimentalement la présence d'un maximum et la baisse de l'intensité des radiations émises dans l'ultraviolet. La physique classique ne pouvait résoudre cette difficulté, appelée la « catastrophe dans l'ultraviolet ». Il fallait trouver autre chose. Cette « autre chose » fut proposée par Max Planck en 1900 : conformément à la physique classique, il admet que les atomes qui vibrent dans un corps à très haute température émettent des radiations électromagnétiques, mais contrairement à la théorie acceptée il émet l'hypothèse capitale de la **quantification,** selon laquelle seules certaines vibrations sont permises dans l'atome.

Dans le développement de sa théorie, Planck énonce que l'énergie d'un système vibratoire est proportionnelle à la fréquence de la vibration.

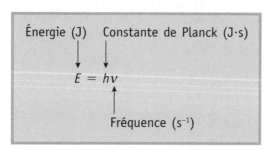

(Équation 4.3)

Max Planck (1858-1947)

La résolution du problème posé par la « catastrophe dans l'ultra-violet » et la démonstration de la loi du corps noir ont été annoncées par Max Planck quelques semaines avant Noël de l'année 1900. Ses travaux lui valurent le prix Nobel de physique de 1918. Einstein a dit plus tard de Planck que son désir le plus ardent de trouver harmonie et ordre dans la nature était la plus grande motivation de sa vie.

Collection E. F. Smith/Van Pelt Library/Université de Pennsylvanie

La constante de proportionnalité (**h**), appelée en son honneur la **constante de Planck,** vaut :

$$h = 6{,}626\ 068\ 76 \times 10^{-34}\ \text{J·s (en unités de base SI : kg·m}^2\text{·s}^{-1})$$

La valeur arrondie $6{,}626 \times 10^{-34}$ J·s sera utilisée dans ce manuel.

L'équation 4.3 est connue sous le nom d'**équation de Planck.**

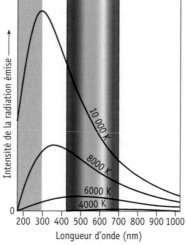

Figure 4.5 Le spectre d'émission continu produit par un corps incandescent. Tout corps incandescent, par exemple un filament dans une ampoule électrique, émet des radiations, qui couvrent une très large plage de longueurs d'onde. Pour une température donnée, la courbe représentant l'intensité de la radiation émise en fonction de la longueur d'onde présente un maximum. À 4000 K, le maximum est situé dans le rouge ou dans le proche infrarouge et peu de lumière visible bleue, indigo ou violette est émise : on perçoit une lumière rouge terne. Plus la température monte, plus l'intensité des radiations augmente et plus le maximum se déplace du rouge vers des longueurs d'onde plus petites, vers le violet. La couleur perçue change. À de très hautes températures, toutes les radiations de la lumière visible sont émises et le maximum se situe dans l'ultraviolet : on arrive au chauffage à blanc. Selon leur stade de développement, les étoiles sont appelées les « géantes rouges » ou les « naines blanches », une référence à leur taille et à leur température (*voir l'introduction du chapitre 2, page 49*).

Maintenant, supposez comme l'a fait Planck que les atomes d'un objet doivent vibrer selon une certaine distribution, quelques-uns à haute fréquence (à l'origine d'une petite partie des radiations), quelques autres à basse fréquence (à l'origine d'une autre petite partie des radiations émises à l'autre extrémité du spectre) et la majorité à des fréquences intermédiaires. Cela veut dire que les radiations présentent un maximum d'intensité à une longueur d'onde correspondant à ces fréquences intermédiaires et que l'intensité ne devrait pas toujours augmenter vers la région ultraviolette. Le problème de la catastrophe était ainsi résolu.

4.2.2 L'effet photoélectrique et Einstein

Comme c'est souvent le cas, l'explication d'un phénomène fondamental conduit à la compréhension d'un autre phénomène. En 1905, donc peu de temps après l'interprétation du spectre d'émission des corps incandescents, Albert Einstein met à profit les idées de quantification de l'énergie émises par Planck et réussit à expliquer l'**effet photoélectrique,** au cours duquel un métal exposé à la lumière éjecte des électrons (figure 4.6).

Lorsque la lumière est dirigée vers la cathode, des électrons quittent cette dernière et se déplacent vers une anode chargée positivement (le dispositif n'est pas illustré sur le schéma). Un courant électrique traverse la cellule dite photo-électrique et le circuit extérieur fermé. Ce système, déclenché par la présence ou l'absence de lumière, est utilisé pour commander l'ouverture ou la fermeture automatiques de certaines portes d'immeubles ou d'ascenseurs.

L'expérience montre que l'utilisation d'une lumière de fréquence inférieure à une certaine valeur appelée le **seuil de fréquence** ne produit aucun effet, quelle que soit son intensité (sa brillance). Par contre, à une fréquence supérieure au seuil, une brillance plus élevée provoque une augmentation du nombre d'électrons expulsés et donc de l'intensité du courant électrique. La théorie classique, qui prévoyait que toute lumière quelle que fut sa fréquence devait provoquer une émission d'électrons si elle était suffisamment intense, ne pouvait expliquer ce comportement.

Einstein trouve la solution en reprenant l'idée de Planck sur la quantification de l'énergie ($E = h\nu$) et avance une nouvelle idée : la lumière, en plus de posséder des propriétés ondulatoires, peut être considérée comme composée de corpuscules, des **photons,** dépourvus de masse, mais possédant une énergie donnée par l'équation de Planck (Équation 4.3).

Il est assez logique de penser qu'une particule possédant une certaine énergie doit entrer en collision avec un atome pour être en mesure de lui arracher un électron. Il est tout aussi logique de supposer qu'un électron ne peut s'échapper de l'atome que si on lui fournit suffisamment d'énergie. Si l'on considère la lumière comme un flux de photons, comme le pense Einstein, plus son intensité est grande,

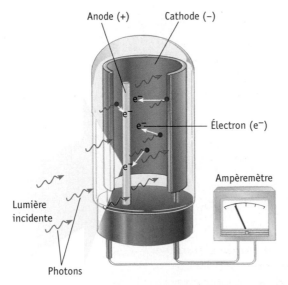

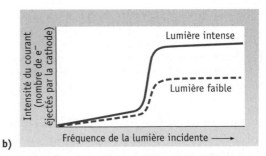

Figure 4.6 L'effet photoélectrique. a) La partie principale d'une cellule photoélectrique est constituée d'une cathode, en général métallique, qui éjecte des électrons lorsqu'elle est exposée à une lumière d'énergie suffisante. Les électrons se déplacent vers l'anode et un courant électrique passe dans le circuit fermé. **b)** Aucun courant ne passe tant que le seuil de fréquence n'est pas atteint. À une fréquence donnée supérieure au seuil, une augmentation de l'intensité lumineuse se traduit par un plus grand nombre d'électrons éjectés, donc par un courant électrique plus intense. À intensité constante de lumière, une augmentation de la fréquence de la lumière incidente (supérieure bien entendu au seuil) a pour effet d'augmenter la vitesse des électrons expulsés.

plus nombreux sont les photons qui atteignent la cathode. Mais, bombarder une cathode de millions de photons ne produit aucun effet si aucun d'entre eux ne possède l'énergie suffisante pour expulser un électron. Au-delà d'un certain seuil énergétique, dans ce cas au-delà d'une certaine fréquence lumineuse, l'énergie contenue dans chacun des photons est suffisante pour éjecter un électron. Plus grand est le nombre de photons possédant cette énergie minimale, plus nombreux sont les électrons expulsés. Ainsi, les liens entre l'intensité lumineuse incidente, la fréquence minimale et le nombre d'électrons éjectés sont expliqués.

4.2.3 L'énergie des photons

Les lasers utilisés pour lire les disques compacts émettent une lumière rouge de longueur d'onde de 685 nm. Quelle est l'énergie d'un photon et celle d'une mole de photons de cette lumière?

L'organigramme suivant représente la séquence de calculs.

$$\lambda \text{ (nm)} \xrightarrow{\times \frac{10^{-9} \text{ m}}{1 \text{ nm}}} \lambda \text{ (m)} \xrightarrow{\nu = \frac{c}{\lambda}} \nu \text{ (s}^{-1}) \xrightarrow{E = h\nu} E \text{ (J/photon)} \xrightarrow{\times N} E \text{ (J/mol)}$$

$$\lambda = 685 \text{ nm} \times \frac{10^{-9} \text{ m}}{1 \text{ nm}} = 6{,}85 \times 10^{-7} \text{ m}$$

$$\nu = \frac{c}{\lambda} = \frac{2{,}998 \times 10^{8} \text{ m·s}^{-1}}{6{,}85 \times 10^{-7} \text{ m}} = \frac{2{,}998 \times 10^{15}}{6{,}85} \text{ s}^{-1}$$

Énergie du photon ($\lambda = 685$ nm).

$$E = h\nu = (6{,}626 \times 10^{-34} \text{ J·s})\left(\frac{2{,}998 \times 10^{15}}{6{,}85} \text{ s}^{-1}\right) = 2{,}90 \times 10^{-19} \text{ J}$$

Énergie d'une mole de photons ($\lambda = 685$ nm).

$$(2{,}8999 \times 10^{-19} \text{ J})(6{,}022 \times 10^{23}) = 1{,}7463 \times 10^{5} \text{ J} = 1{,}75 \times 10^{5} \text{ J} = 175 \text{ kJ}$$

L'énergie d'une mole de photons de cette lumière rouge est égale à 175 kJ. À titre de comparaison, celle des photons de lumière bleue ($\lambda = 400$ nm) est voisine de 300 kJ. Ces énergies étant situées dans une zone capable d'affecter les liens entre les atomes composant les molécules, il n'est donc pas surprenant que des réactions photochimiques puissent se produire. Par exemple, l'action prolongée de la lumière solaire peut altérer les couleurs des peintures, peut dégrader les tissus des vêtements et peut vous incommoder fortement. La combinaison des équations 4.1 ($c = \lambda\nu$) et 4.3 ($E = h\nu$) conduit à l'équation 4.4:

$$E = \frac{hc}{\lambda}$$

(Équation 4.4)

qui montre bien que l'énergie d'une radiation est inversement proportionnelle à sa longueur d'onde. Les photons UV, de longueurs d'onde inférieures à celles de la lumière visible, possèdent plus d'énergie que cette dernière. De ce fait, l'impact des rayons UV sur les réactions chimiques est encore plus grand que celui de la lumière visible. Par contre, les rayons IR possédant moins d'énergie que ceux constituant la lumière visible ne peuvent provoquer de réactions chimiques, mais affectent les vibrations des atomes ou groupements d'atomes dans les molécules. Ces radiations sont ressenties par votre corps comme de la chaleur.

perspectives

Les radiations UV, la peau et les écrans solaires

Vous êtes tous conscients des effets néfastes de l'exposition plus ou moins prolongée au soleil. Le coup de soleil est bien connu, de même que les dommages permanents causés à la peau après une très longue exposition. La plupart de ces problèmes proviennent des rayons UV capables de transformer certaines molécules organiques.

Les rayons UV se divisent en trois catégories, UVA (de 315 à 400 nm), UVB (de 290 à 315 nm) et UVC (de 100 à 290 nm).

Les UVC sont les plus dangereux, mais la plupart sont absorbés par la couche d'ozone entourant la Terre.

Les rayons UVB activent les mélanocytes de la peau, qui se mettent à produire de la mélanine: le bronzage apparaît. Une exposition trop longue provoque les coups de soleil.

Les UVA peuvent causer des dommages aux fibres présentes dans le derme de la peau.

Une mole de photons de longueur d'onde de 300 nm (UVB) possède une énergie d'environ 400 kJ, suffisante pour briser des liaisons dans les protéines.

Les fabricants de crèmes solaires ont mis sur le marché différents mélanges de composés destinés à vous protéger du soleil: ces ingrédients absorbent les rayons UVA et UVB, les empêchant ainsi d'agir sur la peau. Ces écrans sont classés selon leur facteur de protection solaire (FPS): plus cet indice est élevé, plus grande est leur efficacité.

EXERCICE 4.3   **L'énergie des photons**

Comparez l'énergie des photons de lumière bleue ($\lambda = 400$ nm) à celle des photons d'une micro-onde de fréquence égale à 2,45 GHz. Par quel facteur l'une est-elle plus grande que l'autre?

4.3   LE SPECTRE DE RAIES ET NIELS BOHR

L'interprétation de la lumière émise par les atomes après avoir absorbé de l'énergie constitue le dernier facteur primordial ayant contribué à l'édification de la théorie atomique actuelle examinée dans ce manuel.

4.3.1   Le spectre de raies

Le **spectre** de la lumière blanche, comme celui produit par une ampoule à incandescence ou par le soleil, est dit **continu,** parce que les longueurs d'onde forment un tout ininterrompu de couleurs (figure 4.7).

Lorsqu'on applique une tension élevée à des atomes d'un élément à l'état gazeux soumis à une pression très faible, ils absorbent de l'énergie et sont dits **excités.** Les atomes excités peuvent restituer cette énergie supplémentaire sous forme de radiations électromagnétiques, notamment de lumière visible. Cependant, le spectre d'émission est différent du spectre continu vu précédemment: les atomes excités en phase gazeuse n'émettent pas toutes les longueurs d'onde. En effet, la décomposition par un prisme de la lumière émise ne laisse apparaître qu'un nombre limité de raies colorées séparées par des zones sombres où aucune lumière n'est détectée. On a alors affaire à un **spectre de raies,** appelé aussi le spectre d'émission atomique (figure 4.8).

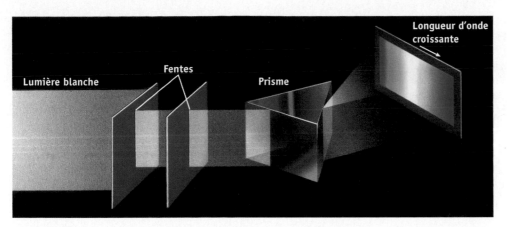

Figure 4.7 Le spectre continu de la lumière blanche. On isole un faisceau de lumière blanche en la faisant traverser une série de fentes verticales étroites. Le faisceau est dirigé sur un prisme (ou sur un réseau de diffraction dans les appareils modernes), qui sépare la lumière selon les longueurs d'onde (*voir aussi la figure 4.3, page 111*).

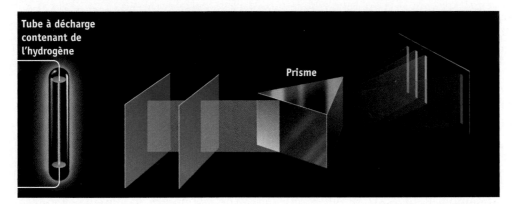

Figure 4.8 Le spectre de raies de l'hydrogène. La lumière émise par le tube à décharge contenant de l'hydrogène sous une pression faible passe à travers une série de fentes. Le faisceau résultant est décomposé par un prisme et les raies correspondant à des longueurs d'onde caractéristiques peuvent être détectées à l'aide d'une cellule photoélectrique ou d'une plaque photographique.

Les spectres d'émission de l'hydrogène, du mercure et du néon sont reproduits dans la figure 4.9 (*voir la page 118*).

Chaque élément produit un spectre qui lui est propre. La présence des raies caractéristiques d'un élément dans un échantillon quelconque de matière permet d'en confirmer la présence et même d'en déterminer la quantité.

Expliquer la présence de lumières de fréquences bien spécifiques d'un élément et trouver une fonction mathématique pouvant les relier entre elles a été une préoccupation majeure des scientifiques de la fin du XIXe siècle. Johann Balmer (1825-1898) et un peu plus tard Johannes Rydberg (1854-1919) ont marqué cette recherche. Ils ont trouvé que les longueurs d'onde des raies rouge, verte et bleue émises par l'hydrogène satisfaisaient à l'**équation** dite maintenant **de Rydberg** :

$$\frac{1}{\lambda} = R\left(\frac{1}{2^2} - \frac{1}{n^2}\right)$$

(Équation 4.5)

dans laquelle n est un entier supérieur à 2 et R, la **constante de Rydberg,** vaut $1{,}097\ 373\ 157 \times 10^7$ m^{-1} (pour les besoins de ce manuel, on adoptera dans les calculs la valeur $1{,}097 \times 10^7$ m^{-1}).

◆ *Les enseignes au néon*

Les enseignes lumineuses fluorescentes, communément appelées les enseignes au néon, ne contiennent pas toutes du néon. Leurs couleurs sont obtenues à partir des différents gaz rares ou de mélanges de gaz rares : néon, bien sûr, (rouge orangé), argon (bleu), hélium (blanc tirant sur le jaune), hélium et argon (orangé), néon et argon (bleu lavande).

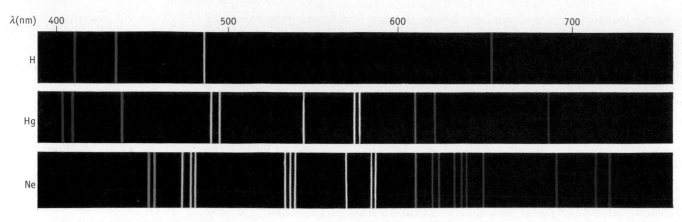

Figure 4.9 Les spectres d'émission de l'hydrogène, du mercure et du néon. Les atomes excités à l'état gazeux donnent des spectres d'émission caractéristiques. La présence de ces raies et leur intensité dans un spectre d'émission d'un échantillon quelconque de matière permettent la détection et même le dosage des éléments responsables de l'émission.

Pour $n = 3$, on trouve la longueur d'onde de la raie rouge (656,3 nm) ; la raie verte correspond à $n = 4$ (486,1 nm) et la première des raies bleues à $n = 5$ (434,1 nm). Ce groupe de raies visibles du spectre de l'hydrogène et les autres correspondant à des valeurs plus élevées de n est appelé la **série de Balmer.**

4.3.2 L'atome d'hydrogène selon le modèle de Bohr

Niels Bohr, physicien danois, a été le premier à faire le lien entre les spectres d'émission atomique et les idées quantiques de Planck et d'Einstein. Les travaux de Rutherford (*voir la section 2.1.6, page 52*) avaient permis à ce dernier de conclure que les électrons étaient situés dans l'espace extérieur au noyau atomique. Pour Bohr, un électron qui tourne sur une orbite circulaire autour du noyau est le modèle le plus simple de l'atome d'hydrogène. En proposant cette idée, Bohr est toutefois en contradiction avec les lois de la physique classique. En effet, selon les théories admises à son époque, un électron chargé d'électricité négative se déplaçant dans le champ électrique du noyau chargé positivement doit perdre de l'énergie et, à la limite, s'écraser sur le noyau, tout comme un satellite terrestre perdant de l'énergie à cause du frottement sur les couches atmosphériques finirait par s'écraser sur la terre. Mais, les électrons ne se comportent pas de cette façon ; s'ils le faisaient, on peut imaginer que la matière s'autodétruirait. Pour concilier son idée de modèle et les lois de la physique classique, Bohr postule que l'électron ne peut circuler que sur certaines orbites correspondant à des niveaux d'énergie définis où il est stable. Autrement dit, il postule que l'énergie de l'électron est quantifiée. En adjoignant son hypothèse à la physique classique, il est en mesure de calculer l'énergie potentielle de l'électron de l'atome d'hydrogène (E_n) sur chacune des orbites permises définies par le **nombre quantique principal** (n).

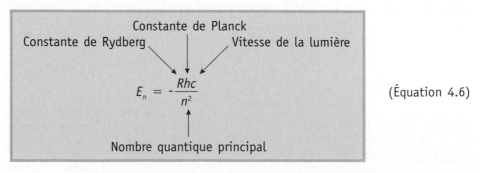

(Équation 4.6)

Dans cette égalité, l'énergie (E_n) est exprimée en joule (par atome) et n est un entier positif pouvant prendre les valeurs 1, 2, 3, etc.

Cette relation appelle quelques commentaires. Tout d'abord, l'énergie potentielle est négative. Cela découle de la loi de Coulomb, qui stipule que l'énergie d'attraction entre des charges électriques de signes opposés est négative et que les valeurs deviennent plus négatives lorsque les charges se rapprochent (*voir la section 3.3.8, page 84*). Ensuite, l'énergie potentielle et, en conséquence, la valeur du rayon de l'orbite circulaire dépendent de la valeur de n. Ces rayons augmentent avec les valeurs de n. L'orbite correspondant à $n = 1$ est la plus proche du noyau et l'énergie de cet électron est la plus faible, c'est-à-dire la plus négative. L'électron de l'atome d'hydrogène est situé normalement sur ce premier niveau énergétique le plus faible, appelé l'**état fondamental.** Lorsque l'électron occupe une orbite plus éloignée du noyau correspondant à $n > 1$, son énergie augmente (elle est moins négative) et l'atome se trouve dans un **état excité.**

EXEMPLE 4.2 **L'énergie de l'état fondamental et du premier état excité de l'atome d'hydrogène**

Calculez l'énergie de l'état fondamental et du premier niveau excité d'une mole d'atomes d'hydrogène (selon le modèle de Bohr).

SOLUTION

On applique l'équation 4.6 multipliée par le nombre d'Avogadro avec $n = 1$ pour l'état fondamental et $n = 2$ pour le premier niveau excité.

$$E_1 = N\left(-R\frac{hc}{1^2}\right) = -NRhc =$$

$$-(6{,}022 \times 10^{23})(1{,}097 \times 10^7 \text{ m}^{-1})(6{,}626 \times 10^{-34} \text{ J·s})(2{,}998 \times 10^8 \text{ m·s}^{-1})$$

$$= -1312 \text{ kJ} \qquad\qquad\qquad (\text{Équation 4.7})$$

$$E_2 = N\left(-R\frac{hc}{2^2}\right) = N\left(-R\frac{hc}{4}\right) = -\frac{NRhc}{4} = \frac{E_1}{4} = -\frac{1312{,}3}{4} = -328{,}1 \text{ kJ}$$

EXERCICE 4.4 **L'énergie des électrons**

Calculez l'énergie du deuxième niveau excité ($n = 3$) de l'atome d'hydrogène (en J/atome et en kJ/mol).

On peut se représenter les niveaux énergétiques du modèle de Bohr de l'atome d'hydrogène comme les barreaux d'une échelle. Chaque niveau d'énergie est quantifié et l'électron ne peut occuper de niveau intermédiaire, tout comme on ne peut s'arrêter entre deux barreaux lorsqu'on grimpe à l'échelle. Une différence cependant: alors que l'espacement des barreaux est constant, les niveaux se rapprochent de plus en plus quand n augmente (*voir la figure 4.10, page 120*).

4.3.3 Le spectre d'émission de l'atome d'hydrogène et la théorie de Bohr

Le modèle atomique de Bohr repose sur l'hypothèse fondamentale qu'un électron reste sur son orbite tant et aussi longtemps qu'il n'est pas perturbé. De l'énergie est échangée lorsque l'électron passe d'une orbite permise à une autre, elle aussi permise.

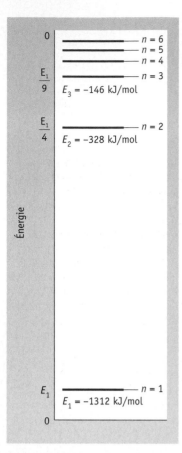

Figure 4.10 Les niveaux d'énergie de l'atome d'hydrogène selon le modèle de Bohr. L'énergie de l'électron de l'atome d'hydrogène dépend de la valeur du nombre quantique principal $n\left(E_n = -\dfrac{Rhc}{n^2}\right)$. Plus n augmente, plus l'énergie augmente (devient moins négative) et plus le rayon de l'orbite permise augmente. Notez que les niveaux énergétiques se rapprochent de plus en plus au fur et à mesure de l'augmentation de n.

On calcule l'énergie requise pour faire passer l'atome d'hydrogène de son état fondamental ($n = 1$) à son état excité de niveau $n = 2$ à l'aide des équations 4.6 et 4.7.

$$\Delta E = E_f - E_i = E_2 - E_1$$
$$= \left(-\frac{NRhc}{2^2}\right) - \left(-\frac{NRhc}{1^2}\right) = \frac{3}{4}\,NRhc$$
$$= -\frac{3}{4}\,E_1 = \frac{3}{4}\,1312 \text{ kJ/mol} = 984 \text{ kJ}$$

Il faut fournir 984 kJ à une mole d'atomes d'hydrogène pour que les électrons passent de l'état fondamental $n = 1$ à l'état excité $n = 2$. À l'inverse, le retour à l'état fondamental se traduit par une émission d'énergie équivalente:

$$\Delta E = E_f - E_i = E_1 - E_2 = {}^-984 \text{ kJ (figure 4.11)}.$$

Pour un seul atome, la quantité d'énergie requise pour faire passer son électron du niveau 1 au niveau 2 est égale à 0,75 *Rhc*, ni plus ni moins. Les niveaux d'énergie sont quantifiés.

Selon la quantité d'énergie reçue par un ensemble d'atomes d'hydrogène, certains d'entre eux verront leur électron excité du niveau 1 aux niveaux 2, 3 ou plus. Ces électrons excités retournent naturellement à leur état fondamental en une ou plusieurs étapes en libérant sous forme de lumière leur énergie initialement absorbée: *ce phénomène est à la source des raies lumineuses observées dans le spectre d'émission de l'hydrogène.* Cette explication est aussi valable pour tous les éléments.

Pour l'hydrogène, les raies émises dans l'ultraviolet (**série de Lyman**) correspondent au retour à l'état fondamental $n = 1$ des électrons excités $n > 1$. La série de Balmer (lumière visible) provient de la transition des électrons excités $n > 2$ vers le niveau $n = 2$ (figure 4.12).

En résumé, on doit retenir que les transitions électroniques entre niveaux d'énergie quantifiés sont à l'origine des raies spectrales émises par les atomes. L'électron promu d'un niveau énergétique donné à un niveau plus élevé absorbe de l'énergie, qu'il réémet lorsqu'il retourne à un niveau énergétique moindre. Si le dégagement d'énergie a lieu sous forme lumineuse, des raies d'émission apparaissent. L'énergie (ΔE) séparant deux niveaux de l'atome d'hydrogène est donnée par la formule générale 4.8 (applicable à une mole d'atomes).

$$\Delta E = E_f - E_i = {}^-NRhc\left(\frac{1}{n_f^2} - \frac{1}{n_i^2}\right) = {}^-1312\left(\frac{1}{n_f^2} - \frac{1}{n_i^2}\right) \text{ kJ} \qquad \text{(Équation 4.8)}$$

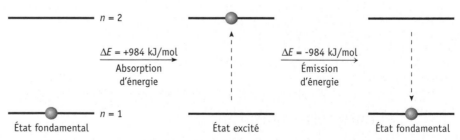

Figure 4.11 L'absorption et l'émission d'énergie selon Bohr. De l'énergie est absorbée par l'atome d'hydrogène lorsque son électron passe de l'état fondamental $n = 1$ à l'état excité $n = 2$ ($\Delta E > 0$). À l'inverse, lorsque l'électron retourne dans son état fondamental $n = 1$ à partir de son état excité $n = 2$, il émet de l'énergie ($\Delta E < 0$).

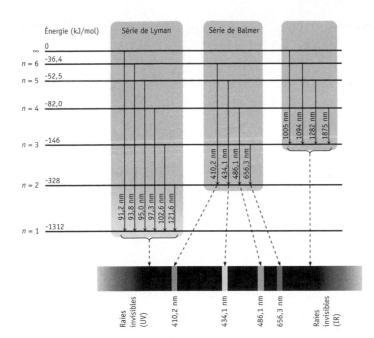

Figure 4.12 Quelques-unes des transitions électroniques de l'atome d'hydrogène. La série de Lyman (UV) correspond au niveau énergétique final de l'électron $n = 1$. Les transitions aboutissant au niveau $n = 2$ donnent des raies visibles (série de Balmer). Les transitions se terminant à $n = 3$ se passent dans l'infrarouge. Les autres séries ne sont pas illustrées (le diagramme n'est pas à l'échelle).

Bohr a élaboré un modèle qui lui a permis de calculer théoriquement les longueurs d'onde des radiations émises par l'hydrogène. Il a réalisé le formidable exploit de relier le monde invisible de l'atome au monde visible, les raies lumineuses. En introduisant le concept de la quantification de l'énergie pour décrire les électrons dans l'atome, il a pavé la voie à d'autres interprétations théoriques plus complètes.

Nous avons déjà mentionné qu'une théorie est considérée comme valide tant que les faits expérimentaux ne la démentent pas. Bien que remarquable à bien des points de vue, la théorie de Bohr n'était applicable qu'aux entités possédant un seul électron, telles que, par exemple, l'atome d'hydrogène et l'ion He⁺. En plus, l'idée que les électrons se déplaçaient sur des orbites circulaires fixes autour du noyau à l'instar des planètes autour du Soleil ne faisait pas l'unanimité des scientifiques.

pour enSavoir+ ...

La validité du modèle de Bohr de l'atome d'hydrogène

Le modèle de Bohr de l'atome d'hydrogène a été accepté parce qu'il permettait d'expliquer son spectre d'émission et de calculer avec une rare concordance les longueurs d'onde des raies observées expérimentalement. Le calcul théorique de l'énergie d'ionisation de cet élément a aussi donné un résultat éclatant, tendant ainsi à renforcer la validité du modèle.

Lorsque l'électron de l'hydrogène passe de son niveau fondamental $n = 1$ à un niveau correspondant à $n = \infty$ (infini), on considère qu'il s'est séparé de son noyau et que l'ion H⁺ (g) a été formé :

$$H\ (g) \longrightarrow H^+\ (g) + e^-$$

On peut calculer l'énergie requise lors de ce processus à l'aide de l'équation 4.8, dans laquelle $n_i = 1$ et $n_f = \infty$.

$$\Delta E = E_f - E_i = -1312 \left(\frac{1}{n_f^2} - \frac{1}{n_i^2} \right) \text{ kJ/mol}$$

$$= -1312 \left(\frac{1}{\infty^2} - \frac{1}{1^2} \right) = 1312 \text{ kJ/mol}$$

Cette valeur de 1312 kJ correspond exactement à la valeur expérimentale de l'énergie d'ionisation de l'atome d'hydrogène.

Histoire et **découvertes**

Louis Victor de Broglie (1892-1987)

Louis de Broglie admit la possibilité que les particules de la taille des atomes pouvaient présenter des propriétés ondulatoires. Il reçut le prix Nobel de physique en 1929. Collection Oesper de l'*Histoire de la chimie*/Université de Cincinnati

EXERCICE 4.5   L'énergie d'une raie d'émission atomique

Les raies de la série de Lyman de l'atome d'hydrogène se situent dans le domaine ultraviolet et correspondent à des transitions électroniques des niveaux excités vers le niveau fondamental. Calculez la fréquence et la longueur d'onde de la raie possédant la plus petite énergie.

4.4   LES PROPRIÉTÉS ONDULATOIRES DE L'ÉLECTRON

Pour expliquer l'effet photoélectrique, Einstein a émis l'hypothèse que la lumière généralement perçue comme une onde peut être considérée comme un corpuscule sans masse. Si elle peut posséder à la fois des propriétés ondulatoires et des propriétés corpusculaires, se pourrait-il qu'il en soit de même pour la matière? Un petit objet comme un électron, considéré normalement comme une particule, possède-t-il dans certaines circonstances des propriétés ondulatoires? En 1924, Louis de Broglie proposa d'associer à un électron libre de masse (m) se déplaçant à une vitesse (v) une onde, de longueur d'onde (λ) définie par la relation:

$$\lambda = \frac{h}{mv}$$

(Équation 4.9)

L'idée est révolutionnaire parce qu'elle fait le lien entre les propriétés corpusculaires de la matière (masse et vitesse) et les propriétés ondulatoires (longueur d'onde). Quelques années plus tard, en 1927, C. J. Davisson (1881-1958, prix Nobel de physique en 1937) et L. H. Germer (1896-1971) observent qu'un faisceau d'électrons est diffracté comme des ondes lumineuses par les atomes d'un cristal métallique (figure 4.13) et que la relation quantitative de De Broglie (équation 4.9) est vérifiée. *Dans certaines circonstances, l'électron montre donc des propriétés ondulatoires.*

L'**équation de De Broglie** suggère qu'à tout objet en mouvement on peut associer une longueur d'onde. Par exemple, la longueur d'onde calculée pour une balle de baseball de masse égale à 114 g se déplaçant à une vitesse de 175 km/h est de $1,2 \times 10^{-34}$ m. Cette longueur d'onde est si petite qu'elle ne peut être mesurée par aucun instrument existant. Cela signifie que l'on n'assignera jamais un comportement ondulatoire à une balle de baseball ou à tout autre objet relativement lourd. Il n'est possible d'observer un comportement ondulatoire que dans les particules ayant une masse extrêmement faible comme les protons, les neutrons et les électrons.

EXEMPLE 4.3   La longueur d'onde associée

Calculez la longueur d'onde associée à un électron de masse (m) égale à $9,109 \times 10^{-28}$ g se déplaçant à 40 % de la vitesse de la lumière.

SOLUTION

Il suffit d'introduire les valeurs connues avec les unités SI dans l'équation 4.9.

$$m = 9,109 \times 10^{-31} \text{ kg} \qquad v = 0,40 \times 2,998 \times 10^8 \text{ m·s}^{-1}$$

$$h = 6,626 \times 10^{-34} \text{ kg·m}^2\text{·s}^{-1} \ (\textit{voir la section 4.2.1, page 112})$$

$$\lambda = \frac{h}{mv} = \frac{(6,626 \times 10^{-34} \text{ kg·m}^2\text{·s}^{-1})}{((9,109 \times 10^{-31} \text{ kg})(0,40 \times 2,998 \times 10^8 \text{ m·s}^{-1}))}$$

$$= 6,1 \times 10^{-12} \text{ m} = 6,1 \times 10^{-3} \text{ nm}$$

Note Cette longueur d'onde est à peu de choses près égale à $\frac{1}{12}$ du diamètre d'un atome d'hydrogène.

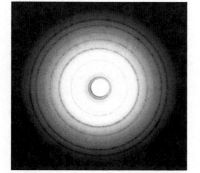

Figure 4.13 Figure de diffraction électronique de l'oxyde de magnésium (MgO). R. K. Bohn, Département de chimie, Université du Connecticut

---

EXERCICE 4.6   **La longueur d'onde associée**

Calculez la longueur d'onde associée à un neutron de masse (m) égale à $1,675 \times 10^{-24}$ g, qui possède une énergie cinétique (E) égale à $6,21 \times 10^{-21}$ J (*Rappel*: $E = \dfrac{1}{2}\, mv^2$).

4.5 L'ATOME SELON LA MÉCANIQUE QUANTIQUE

Après la Première Guerre mondiale, Niels Bohr rassemble autour de lui un groupe de physiciens dans le but de trouver une théorie pouvant expliquer la structure des atomes en considérant les électrons comme des particules. D'un autre côté, l'Autrichien Erwin Schrödinger vise le même objectif, mais en prenant l'approche de De Broglie, à savoir que l'électron dans un atome peut être décrit par une onde. Bien que certains comportements de l'atome puissent être expliqués avec succès par les deux recherches indépendantes, le modèle de Schrödinger donne des réponses à des faits que ne peut expliquer Bohr. Pour cette raison, les théoriciens actuels privilégient le concept du premier. Ces approches théoriques de la structure de l'atome développées par Bohr, Schrödinger et leurs associés mènent à la **mécanique quantique** ou **mécanique ondulatoire.**

4.5.1   Le principe d'incertitude

Les expériences de J. J. Thomson sur les électrons ont conduit à les décrire en tant que particules de matière. D'un autre côté, la suggestion de De Broglie d'associer une onde à un électron a été confirmée par l'expérience. Comment un électron peut-il être à la fois une particule et une onde? Bien qu'aucune expérience n'ait pu révéler *simultanément* un comportement ondulatoire *et* corpusculaire, il n'en reste pas moins que dans certaines circonstances l'électron se comporte comme une particule et que dans d'autres l'aspect ondulatoire prévaut.

Mais, quel lien y a-t-il entre cette **dualité onde–particule** et les électrons dans l'atome? Werner Heisenberg et Max Born (1882-1970, prix Nobel de physique en 1954) donnent la clef de l'énigme. Heisenberg arrive à la conclusion qu'il est impossible de connaître simultanément avec précision la position d'un électron *et* l'énergie qu'il possède s'il est décrit comme une onde: cet énoncé est connu sous le nom de **principe d'incertitude.** Tenter de déterminer avec précision la position de l'électron a pour conséquence automatique une grande incertitude sur sa vitesse; si l'on évalue son énergie précisément, on ne peut connaître avec certitude sa position. Par contre, ce principe ne s'applique pas à l'échelle macroscopique, pour des objets beaucoup plus gros que les atomes.

Admettant le principe d'incertitude de Heisenberg, Max Born propose d'interpréter comme suit la mécanique quantique: si l'on choisit d'évaluer avec une certaine précision l'énergie d'un électron dans un atome, il faut accepter qu'on puisse seulement calculer la possibilité, ou la probabilité, de le trouver dans une région de l'espace déterminée. Dans la section suivante, on verra comment les chercheurs ont traduit mathématiquement ce point de vue.

Werner Heisenberg (1901-1976)

Werner Heisenberg a étudié avec Max Born et plus tard avec Niels Bohr. Il a reçu le prix Nobel de physique en 1932. Il a énoncé le principe d'incertitude qui porte maintenant son nom. Emilio Segré Visual Archives, Institut américain de physique

4.5.2   L'atome d'hydrogène selon le modèle de Schrödinger et les fonctions d'onde

Le modèle de l'atome d'hydrogène développé par Schrödinger repose sur la représentation de l'électron par une onde, non comme une particule. Contrairement

Erwin Schrödinger (1887-1961)
Erwin Schrödinger a succédé à Max Planck comme professeur de physique à l'université de Berlin. Il a partagé avec P. A. M. Dirac d'Angleterre le prix Nobel de physique de l'année 1933. Collection Oesper de l'*Histoire de la chimie*/Université de Cincinnati

Coordonnées *x, y, z*

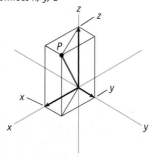

Longitude, latitude et distance

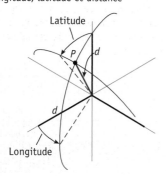

Pour définir la position d'un électron par rapport au noyau, on a besoin de trois coordonnées, qu'elles soient cartésiennes (*x, y* et *z*) ou polaires (deux angles et une distance).

◆ **Les fonctions d'onde et l'énergie**

Dans la théorie de Bohr, l'énergie de l'électron de l'atome d'hydrogène est donnée par la formule $E_n = -\dfrac{Rhc}{n^2}$.

L'équation de Schrödinger conduit au même résultat. L'énergie des électrons présents dans les autres éléments dépend aussi de la valeur de *l*, le nombre quantique secondaire.

à celui de Bohr, le développement mathématique de Schrödinger est complexe et difficile à résoudre même dans des cas très simples. L'exposé de l'équation de Schrödinger déborde le cadre de ce manuel, mais il est nécessaire d'en présenter les solutions, qu'on appelle les **fonctions d'onde** et qu'on symbolise par la lettre grecque Ψ (psi), parce qu'elles sont essentielles à la compréhension de l'atomistique moderne.

De ces fonctions d'onde, on doit retenir :

- Le comportement de l'électron dans l'atome est décrit à l'aide d'une onde stationnaire. Comme c'est le cas des cordes vibrantes (*voir la section 4.1.2, page 110*), seules *certaines fonctions d'onde sont permises* pour un électron dans l'atome.
- À chaque fonction d'onde (Ψ) correspond une énergie (E_n).
- Conséquence des deux premiers points, *l'énergie d'un électron est quantifiée*, c'est-à-dire que l'électron ne peut en posséder que certaines valeurs. Contrairement à Bohr qui l'a émise comme hypothèse de travail, la quantification de l'énergie dans le modèle de Schrödinger découle naturellement des fonctions d'onde.
- Le **carré de la fonction d'onde (Ψ^2)** est lié à la probabilité de trouver l'électron dans une région donnée de l'espace. Les scientifiques parlent alors de **densité électronique.**
- La théorie de Schrödinger définit avec précision l'énergie de l'électron. Selon le principe d'incertitude, il est impossible de le localiser avec précision. On ne peut donc donner que la probabilité de le trouver en un point donné de l'espace dans un état énergétique déterminé et on appelle **orbitale** la région dans laquelle il est le plus susceptible de se trouver.
- La résolution de l'équation de Schrödinger pour un électron situé dans un espace tridimensionnel implique nécessairement trois nombres entiers, les nombres quantiques *n*, *l* et *m*. Ces nombres obéissent à des règles particulières que l'on verra dans les sections suivantes.

4.5.3   Les nombres quantiques

Avant d'aborder leur signification, il est important de se rappeler deux choses concernant les **nombres quantiques** :

- *ce sont tous des nombres entiers* et leurs valeurs ne sont pas sélectionnées au hasard ;
- ce ne sont pas des paramètres issus de l'imagination des scientifiques au gré de leurs désirs, ce sont des *conséquences logiques* issues de la résolution d'équations mathématiques appliquées à un électron considéré comme possédant un caractère ondulatoire.

Le nombre quantique principal, *n* = 1, 2, 3, ...

Le **nombre quantique principal** (*n*) peut prendre toutes les valeurs entières de 1 à l'infini. Sa valeur est le facteur déterminant de l'énergie de l'électron. Dans le cas de l'hydrogène qui n'en possède qu'un seul, l'énergie de ce dernier ne dépend que de *n* et est donnée par la même équation que celle apparaissant dans le modèle de Bohr $E_n = -\dfrac{Rhc}{n^2}$.

Sa valeur détermine aussi la taille de l'orbitale : celle-ci augmente avec *n*.

Dans un atome possédant plus d'un électron, plusieurs d'entre eux peuvent posséder la même valeur de *n* : on dit alors qu'ils appartiennent à la même **couche.**

Le nombre quantique secondaire, *l* = 0, 1, 2, ..., *n* − 1

Les électrons d'une même couche peuvent être regroupés en **sous-couches,** caractérisées par le **nombre quantique secondaire** (*l*). À chacune de ses valeurs allant de 0 à (*n* − 1) correspond une orbitale d'une forme bien spécifique.

La valeur de n limite le nombre de sous-couches possibles, car l ne peut être plus grand que $n - 1$. Quand $n = 1$, l est obligatoirement égal à 0 et une seule sous-couche existe. Quand $n = 2$, l peut prendre les valeurs 0 ou 1, déterminant ainsi deux sous-couches.

On attribue habituellement une lettre à chaque valeur de l (tableau 4.1). Par exemple, une sous-couche p correspond à $l = 1$. Pour identifier une orbitale, on écrit en premier la valeur de n, suivie de la lettre correspondant à la valeur de l : $1s$, par exemple, signifie $n = 1$ et $l = 0$, $2p$, $n = 2$ et $l = 1$.

Le nombre quantique magnétique, $m = 0, -1, +1, -2, +2, ..., -l, +l$

Le **nombre quantique magnétique** (m) est lié à l'orientation des orbitales appartenant à une même sous-couche : celles-ci possèdent la même énergie et ne diffèrent l'une de l'autre que par leur orientation spatiale.

m peut prendre toutes les valeurs entières de $-l$ à $+l$, y compris 0. Quand $l = 2$, m peut ainsi valoir -2, -1, 0, +1 ou +2. Le nombre d'orbitales dans une sous-couche est donné par la formule $(2l + 1)$ et est égal au nombre de valeurs permises de m.

4.5.4 L'information véhiculée par les nombres quantiques

Les trois nombres quantiques précédents identifient un électron, tout comme une adresse. Vous vivez en appartement : n peut identifier l'étage, l, un appartement de cet étage, et m, une pièce de cet appartement. De la même manière, n décrit la couche assignée à un électron dans un atome, l, sa sous-couche, et m spécifie le nombre d'orbitales dans cette sous-couche.

Le tableau 4.2 présente les combinaisons permises pour les trois nombres quantiques.

Il découle de ce tableau 4.2 que :
- n = nombre de sous-couches dans une couche ;
- $2l + 1$ = nombre d'orbitales dans une sous-couche ;
- n^2 = nombre d'orbitales dans une couche.

TABLEAU 4.1
La correspondance entre les valeurs de l et les lettres

Valeurs de l	Lettres utilisées pour identifier la sous-couche
0	s
1	p
2	d
3	f

◆ *Les symboles des orbitales*

Dans les tout premiers débuts de leur étude, les raies émises par les éléments ont été classées en quatre groupes selon leur apparence : (en anglais) *sharp, principal, diffuse, fundamental*. Les lettres désignant actuellement les orbitales viennent de la première lettre de ces adjectifs, *s, p, d* et *f*.

TABLEAU 4.2 Les combinaisons de nombres quantiques permises

Nombres quantiques principaux	Nombres quantiques secondaires	Nombres quantiques magnétiques	Nombre et types d'orbitales
Symbole : n Valeurs : 1, 2, 3, ..., n = nombre de sous-couches	Symbole : l Valeurs : 0, 1, 2, ..., $(n - 1)$	Symbole : m Valeurs : $-l$, ..., 0, ..., $+l$	Nombre d'orbitales dans la couche = n^2 Nombre d'orbitales dans la sous-couche = $2l + 1$
1	0	0	une orbitale $1s$ (une orbitale d'un seul type pour $n = 1$)
2	0 1	0 -1, 0, +1	une orbitale $2s$ trois orbitales $2p$ (quatre orbitales de deux types pour $n = 2$)
3	0 1 2	0 -1, 0, +1 -2, -1, 0, +1, +2	une orbitale $3s$ trois orbitales $3p$ cinq orbitales $3d$ (neuf orbitales de trois types pour $n = 3$)
4	0 1 2 3	0 -1, 0, +1 -2, -1, 0, +1, +2 -3, -2, -1, 0, +1, +2, +3	une orbitale $4s$ trois orbitales $4p$ cinq orbitales $4d$ sept orbitales $4f$ (seize orbitales de quatre types pour $n = 4$)

◆ *Les sous-couches et le nombre d'orbitales*

Sous-couches	Nombre d'orbitales dans la sous-couche
s	1
p	3
d	5
f	7

Première couche : $n = 1$

$n = 1$, $l = 0$, $m = 0$

Dans cette unique couche la plus proche du noyau, une seule orbitale peut exister, $1s$.

Deuxième couche : $n = 2$

Avec $n = 2$, deux valeurs de l sont permises, 0 et 1, et deux types d'orbitales sont présentes, s et p. Une seule orbitale $2s$ peut exister (une seule valeur de m, 0). Parce que trois valeurs de m sont autorisées pour $l = 1$, il existe trois orbitales $2p$, elles ont la même forme, mais sont orientées différemment dans l'espace ($2p_x$, $2p_y$ et $2p_z$).

Troisième couche : $n = 3$

Aux orbitales s et p correspondant aux valeurs 0 (une orbitale $3s$) et 1 (trois orbitales $3p$) de l s'ajoutent cinq orbitales $3d$ associées à $l = 2$.

Quatrième couche : $n = 4$

En plus des orbitales $4s$, $4p$ et $4d$, on trouve sept orbitales $4f$ pour $l = 3$, puisque m peut prendre sept valeurs.

EXERCICE 4.7 **Les nombres quantiques**

Complétez les énoncés suivants.
a) $n = 2$, l peut prendre les valeurs _____.
b) $l = 1$, m peut prendre les valeurs _____ et la sous-couche est identifiée par la lettre _____.
c) $l = 2$, la sous-couche est nommée _____.
d) Pour une sous-couche s, l est égal à _____ et m vaut _____.
e) Dans une sous-couche p, il y a _____ orbitales.
f) Dans une sous-couche f, m peut prendre _____ valeurs et _____ orbitales sont présentes.

4.6   LA FORME DES ORBITALES ATOMIQUES

La chimie d'un élément et de ses composés est déterminée par les électrons des atomes qui les composent, plus particulièrement par ceux qui possèdent la plus grande énergie (la moins négative). Comme le type d'orbitales occupées par ces derniers électrons joue aussi un rôle important, nous commencerons par l'étude de leur forme et de leur orientation.

4.6.1   Les orbitales s

Quand l est égal à 0, les chimistes disent que l'électron est assigné à une orbitale s, occupe une orbitale s ou que l'orbitale contient un électron s. Que signifient ces expressions courantes ? Qu'est-ce qu'une orbitale s ? À quoi ressemble-t-elle ?

Pour répondre à ces questions, on se sert de la fonction d'onde d'un électron définie par $n = 1$ et $l = 0$ (Ψ_{1s}, orbitale $1s$). Supposez maintenant que l'électron est une petite particule, non une onde et que vous pouvez le photographier autour de son noyau toutes les secondes pendant un certain temps. Le résultat ressemblerait à ce qui est schématisé dans la figure 4.14 **a,** vous y verriez une multitude de points répartis autour du noyau. Cette représentation imagée est à l'origine de l'expression **nuage électronique.** La densité élevée de points près du noyau indique que c'est à proximité de celui-ci que la probabilité de trouver l'électron est la plus grande. On dit dans ce cas que la densité électronique est plus élevée ou que le nuage électronique est plus dense dans cette région. Lorsqu'on s'éloigne du centre de l'atome, la densité électronique chute, la présence de l'électron devient moins probable.

L'aspect du nuage électronique de la figure 4.14 **a** peut être illustré d'une façon différente, en reportant sur un graphique les valeurs du carré de la fonction d'onde (Ψ^2_{1s}) en fonction de la distance séparant l'électron du noyau (figure 4.14 **b**). Les valeurs de l'axe vertical représentent la *probabilité* de trouver l'électron dans *chaque unité de volume située à une distance donnée* du noyau d'hydrogène. Pour l'électron 1*s*, la probabilité de présence est très forte tout près du noyau d'hydrogène, elle décroît très rapidement quand la distance augmente, s'approche de la valeur 0 à l'infini sans jamais l'atteindre (mathématiquement parlant).

On peut présenter la même information, mais de manière plus visuelle, en portant non pas Ψ^2_{1s} en fonction de la distance *r* au noyau mais $r^2 \Psi^2_{1s}$ en fonction de la même variable (figure 4.14 **c**). Cette fois, l'axe vertical représente les valeurs de la *probabilité radiale* de présence de l'électron 1*s*, sa *probabilité* de présence à *une distance donnée* du noyau dans une même direction. La courbe présente un maximum à 0,0529 nm, la distance la plus probable de l'électron au noyau ; fait intéressant, cette valeur correspond au rayon de la première orbite de l'atome d'hydrogène selon Bohr.

Les figures 4.14 **a, b** et **c** montrent que l'électron se trouve le plus probablement à l'intérieur d'une sphère centrée sur le noyau en **a)** et que la probabilité de présence de l'électron à une distance fixe du noyau, quelle que soit la direction, est identique en **b)** et **c)** : on dit que *l'orbitale* 1*s* *possède une* **symétrie sphérique**.

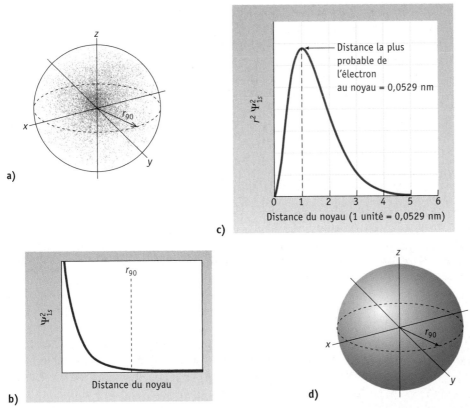

Figure 4.14 Différentes représentations de l'orbitale 1*s* de l'atome d'hydrogène. a) Le nuage électronique de l'électron 1*s* de l'hydrogène. Chaque point représente la position de l'électron à des temps différents. La densité des points augmente lorsqu'on se rapproche du noyau. r_{90} est le rayon de la sphère à l'intérieur de laquelle se trouve l'électron durant 90 % du temps. **b)** Le graphique de la probabilité de présence de l'électron 1*s* de l'hydrogène (Ψ^2_{1s}) en fonction de sa distance au noyau. **c)** Le graphique de la probabilité radiale de présence de l'électron 1*s* de l'hydrogène ($r^2 \Psi^2_{1s}$) en fonction de sa distance au noyau. La courbe présente un maximum correspondant au rayon de la première orbite de l'atome d'hydrogène selon le modèle de Bohr (0,0529 nm). **d)** Le contour de la sphère où la probabilité de présence de l'électron 1*s* de l'hydrogène est de 90 %. Si l'on avait choisi une probabilité de présence égale à 50 % du temps, la sphère aurait été considérablement plus petite.

De ces mêmes figures, on déduit que la probabilité de présence de l'électron autour du noyau n'est jamais nulle et il n'existe pas de frontière marquée au-delà de laquelle on peut considérer que l'électron est « introuvable ». Par contre, on représente pratiquement toujours les orbitales par un volume délimité par une surface extérieure, un contour (*voir la figure 4.14 d, page 127*), essentiellement parce que le dessin en est facilité. La sphère dessinée dans la figure 4.14 **d** délimite la région autour du noyau d'hydrogène où la probabilité de présence de l'électron 1*s* est de 90 %, valeur arbitraire, mais fixe pour toutes les représentations d'orbitales à des fins comparatives. En représentant les orbitales de cette façon, il faut garder à l'esprit certaines considérations :

- le contour définissant l'orbitale n'est pas une frontière infranchissable ; sur la surface même, la probabilité de trouver l'électron n'est pas nulle et il existe toujours 10 % des chances de le trouver à l'extérieur du volume délimité ;
- quand on parle de nuage électronique, de densité électronique ou de distribution électronique, on parle toujours de probabilité de présence de l'électron en un point donné de l'espace entourant le noyau ;
- la probabilité de présence de l'électron à l'intérieur du volume décrivant l'orbitale n'est pas uniforme. Pour l'électron 1*s*, on a plus de chances de le trouver près du noyau que plus éloigné.

Toutes les orbitales *s* sont sphériques. Leur taille augmente avec la valeur de *n*, le nombre quantique principal (figure 4.15).

4.6.2 Les orbitales *p*

Les orbitales atomiques *p* définies par $l = 1$ ont toutes la même forme. Elles sont caractérisées par un plan imaginaire qui passe par le noyau et qui divise l'espace où l'on trouve une probabilité de présence de l'électron de 90 % en deux lobes symétriques, le tout ressemblant vaguement à une haltère (figures 4.15 et 4.16). Ce plan imaginaire correspondant à une probabilité nulle de présence de l'électron est une **surface nodale.** Les régions de forte densité électronique sont situées de part et d'autre du noyau. La courbe représentant la probabilité de présence (Ψ^2) en fonction de la distance au noyau débute à zéro, atteint un maximum et diminue aux plus grandes distances.

Trois valeurs de *m* sont possibles pour $l = 1$, -1, 0 et +1. Les trois orbitales correspondantes sont situées le long des axes de coordonnées cartésiennes, *x*, *y* et *z*, à 90° l'une de l'autre. Elles sont dénommées p_x, p_y et p_z.

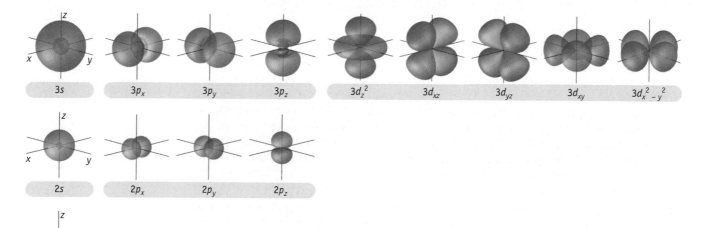

Figure 4.15 Les orbitales atomiques de l'hydrogène. Les formes des orbitales atomiques 1*s*, 2*s*, 2*p*, 3*s*, 3*p* et 3*d* sont illustrées à l'échelle dans cette figure. L'indice assigné à chacune des orbitales *p* définit leur orientation dans l'espace selon chacun des axes de coordonnées cartésiennes, *x*, *y* et *z*. Le plan perpendiculaire à l'axe des orbitales *p* ($l = 1$) et passant par le noyau est une surface nodale. Les orbitales *d* ($l = 2$) possèdent chacune deux plans nodaux.

4.6.3 Les orbitales *d*

Les cinq orbitales *d* ($l = 2$) sont représentées dans la figure 4.15. Chacune d'elles possède deux surfaces nodales, qui divisent l'orbitale en plusieurs zones. Les axes des quatre lobes constituant les orbitales d_{xz}, d_{yz} et d_{xy} sont orientés à 45° des axes correspondants. Les lobes de l'orbitale $d_{x^2 - y^2}$ se développent autour des axes *x* et *y*. L'orbitale d_{z^2} a une forme plus particulière : deux lobes situés de part et d'autre du plan *xy* séparés par une couronne. Contrairement aux quatre premières orbitales, les deux surfaces nodales de l'orbitale d_{z^2} ne sont pas des plans.

EXERCICE 4.8 **Les formes des orbitales**

a) Donnez les valeurs de *n* et de *l* correspondant aux orbitales 6*s*, 4*p*, 5*d* et 4*f*.
b) Combien de plans nodaux trouve-t-on dans les orbitales 4*p* et 6*d* ?

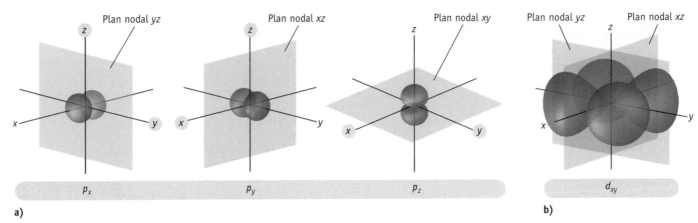

a)   b)

Figure 4.16 **Les plans nodaux des orbitales *p* et *d*. a)** Les trois orbitales *p* possèdent chacune un plan nodal ($l = 1$). **b)** L'orbitale d_{xy}. Les cinq orbitales *d* ont deux plans nodaux ($l = 2$). Le plan contenant les axes *x* et *z* (plan *xz*), et le plan *yz* sont les deux plans nodaux de l'orbitale d_{xy}. Les régions à densité électronique élevée sont situées au-dessus et au-dessous du plan *xy* et à 45° des axes. Modèles orbitaux : Patrick A. Harman et Charles F. Hamper

4.7 LES ORBITALES ATOMIQUES ET LA CHIMIE

Nous terminons ce chapitre avec quelques questions. Un atome dans une molécule possède-t-il les mêmes orbitales que lorsqu'il est libre ? Ses orbitales ont-elles la même forme ? Quel rapport y a-t-il entre la forme et l'orientation des orbitales d'une part et, d'autre part, la chimie des éléments ? Ces questions seront abordées dans les prochains chapitres.

Un point important cependant à ce stade de l'étude : tous les résultats exposés dans ce chapitre ne sont valables que pour l'atome d'hydrogène et pour les ions ne possédant qu'un seul électron (ions hydrogénoïdes). On ne peut poser l'équation de Schrödinger pour tous les autres éléments et la résoudre exactement. Néanmoins, les chimistes émettent l'hypothèse que les orbitales de tous les atomes ressemblent à celles de l'hydrogène, que ces atomes soient libres ou fassent partie d'une molécule. Le modèle est retenu. C'est ce que les chimistes ont trouvé jusqu'à maintenant de plus pratique pour expliquer la géométrie des molécules et les divers résultats expérimentaux liés à leur réactivité.

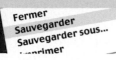

(**SAUVE***garder*)

LES RADIATIONS ÉLECTROMAGNÉTIQUES

Caractéristiques	Symboles	Définitions et relations
Longueur d'onde	λ	Distance entre deux sommets ou deux creux successifs (nm).
Fréquence	v	Nombre de fois par unité de temps qu'une onde atteint son sommet en un point donné (Hz ou s⁻¹).
Amplitude	ψ	Hauteur maximale d'une onde.
Vitesse de propagation	c	$c = 2{,}998 \times 10^8$ m/s dans le vide. $c = \lambda v$

LES SPECTRES

Spectre
Image représentant la distribution de l'intensité des radiations électromagnétiques émises ou absorbées par un objet quelconque en fonction de leurs fréquences ou de leurs longueurs d'onde.

Spectre continu	**Spectre de raies**
Spectre dans lequel toutes les fréquences ou toutes les longueurs d'onde des radiations électro-magnétiques forment un tout ininterrompu.	Spectre sous forme de raies, comportant un nombre limité de fréquences ou de longueurs d'onde de radiations électromagnétiques.
Exemples	**Exemples**
Spectre de la lumière visible. Rayonnement des corps incandescents.	Spectre d'émission atomique de l'hydrogène, du mercure, du néon.

Énergie d'un photon (mécanique quantique)
$E = hv$ $h =$ constante de Planck $= 6{,}626 \times 10^{-34}$ J·s

L'ATOME D'HYDROGÈNE SELON LE MODÈLE DE BOHR

L'électron tourne autour du noyau sur des orbites circulaires.

Seules certaines orbites correspondant à des niveaux d'énergie définis sont permises.

L'énergie de l'électron (E_n) est quantifiée et dépend du nombre quantique principal n: $E_n = -\dfrac{Rhc}{n^2}$

($R =$ constante de Rydberg $= 1{,}097 \times 10^7$ m⁻¹, $h =$ constante de Planck, $c =$ vitesse de la lumière).

$n = 1 \Rightarrow$ état fondamental, énergie la plus basse.
$n > 1 \Rightarrow$ état excité, énergie plus élevée (moins négative).

L'électron promu d'un niveau énergétique donné à un niveau énergétique plus élevé absorbe de l'énergie, qu'il réémet lorsqu'il retourne à un niveau énergétique moindre. Si le dégagement d'énergie a lieu sous forme lumineuse, des raies d'émission apparaissent.

$$\Delta E \text{ (kJ/mol)} = E_f - E_i = -NRhc \left(\frac{1}{n_f^2} - \frac{1}{n_i^2} \right) = -1312 \left(\frac{1}{n_f^2} - \frac{1}{n_i^2} \right)$$

LA MÉCANIQUE QUANTIQUE OU MÉCANIQUE ONDULATOIRE

de Broglie	**Caractère ondulatoire de l'électron** On associe à un électron libre de masse (m) se déplaçant à une vitesse (v) une onde de longueur λ définie par $\lambda = \dfrac{h}{mv}$ (h = constante de Planck).
Heisenberg	**Principe d'incertitude** Il est impossible de connaître simultanément avec précision la position d'un électron et son énergie, s'il est décrit comme une onde.
Born	**Probabilité de présence** On peut seulement calculer la probabilité de trouver un électron possédant une énergie donnée dans une région de l'espace déterminée.
Schrödinger	**Fonctions d'onde (ψ)** Seules certaines fonctions d'onde stationnaire (ψ) sont permises. À chaque fonction d'onde correspond une énergie E_n. Le carré de la fonction d'onde (ψ^2) est lié à la probabilité de présence de l'électron (densité électronique). L'orbitale est la région dans laquelle l'électron possédant une énergie donnée est le plus susceptible de se trouver. Introduction nécessaire de trois nombres quantiques pour déterminer la fonction d'onde d'un électron: n (principal), l (secondaire) et m (magnétique).

LES SIGNIFICATIONS ET LES VALEURS PERMISES DES NOMBRES QUANTIQUES n, l ET m

Nombres quantiques	Valeurs permises	Significations
Principal (n)	1, 2, 3, ...	Énergie de l'électron. Taille de l'orbitale.
Secondaire (l)	0, 1, 2, ..., ($n - 1$).	Forme de l'orbitale.
Magnétique (m)	Toutes les valeurs entières entre $-l$ et $+l$, y compris 0.	Orientation de l'orbitale.

LES NOMBRES ET LES TYPES D'ORBITALES

n	l	m		Orbitales
1	0	0	Une orbitale 1s	Une orbitale de type s
2	0	0	Une orbitale 2s	Quatre orbitales de deux types, s et p
	1	-1, 0, +1	Trois orbitales 2p	
3	0	0	Une orbitale 3s	Neuf orbitales de trois types, s, p et d
	1	-1, 0, +1	Trois orbitales 3p	
	2	-2, -1, 0, +1, +2	Cinq orbitales 3d	
4	0	0	Une orbitale 4s	Seize orbitales de quatre types, s, p, d et f
	1	-1, 0, +1	Trois orbitales 4p	
	2	-2, -1, 0, +1, +2	Cinq orbitales 4d	
	3	-3, -2, -1, 0, +1, +2, +3	Sept orbitales 4f	

L'ATOME D'HYDROGÈNE

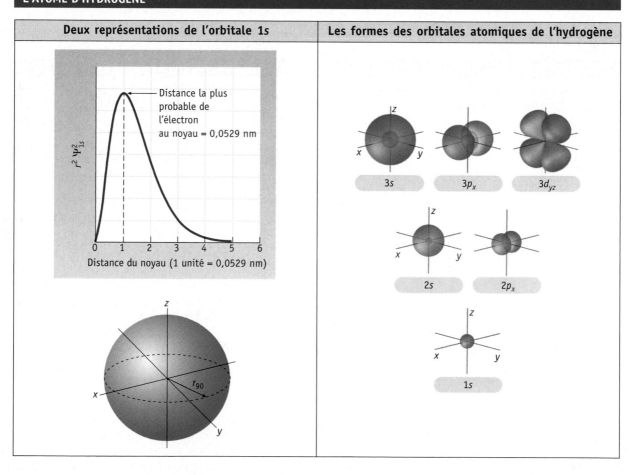

Deux représentations de l'orbitale 1s

Distance la plus probable de l'électron au noyau = 0,0529 nm

$r^2\Psi_{1s}^2$

Distance du noyau (1 unité = 0,0529 nm)

Les formes des orbitales atomiques de l'hydrogène

3s 3p_x 3d_{yz}

2s 2p_x

1s

Revue des concepts importants

1. Donnez l'équation permettant de relier les variables suivantes :
   a) longueur d'onde, fréquence et vitesse de la lumière ;
   b) énergie et fréquence d'une radiation ;
   c) énergie de l'électron de l'atome d'hydrogène et nombre quantique principal.

2. Donnez l'équation de Planck et décrivez-la dans vos mots.

3. Nommez dans l'ordre décroissant d'énergie les couleurs du spectre de la lumière visible.

4. Que signifie l'expression « dualité onde–particule » ? Quelles sont ses implications dans la structure moderne de l'atome ?

5. Pour chaque énoncé, dites s'il s'applique à l'explication de l'effet photoélectrique. Corrigez, s'il y a lieu, les affirmations erronées.
   a) La lumière est une radiation électromagnétique.
   b) L'intensité d'un rayonnement lumineux est liée à sa fréquence.
   c) La lumière peut être considérée comme étant formée de particules sans masse dont l'énergie est donnée par l'équation de Planck : $E = h\nu$.

6. Qu'est-ce qu'un photon ? Expliquez comment l'effet photoélectrique implique leur l'existence.

7. Quelles sont les deux principales hypothèses émises par Bohr dans sa théorie de la structure de l'atome ?

8. Dans quelle région du spectre électromagnétique se situe la série de Lyman ? La série de Balmer ?

9. Des lampadaires au sodium ou au mercure émettent de la lumière lorsque les électrons sont excités. Laquelle des assertions suivantes explique ce phénomène ?
   a) Les électrons se déplacent d'un niveau d'énergie vers un autre plus élevé.
   b) Les électrons sont expulsés de l'atome, créant ainsi un cation métallique.
   c) Les électrons se déplacent d'un niveau d'énergie vers un autre moins élevé.

10. Énoncez le principe d'incertitude d'Heisenberg. Expliquez comment il s'applique à la structure de l'atome moderne.

11. Quels sont les trois nombres quantiques utilisés pour décrire une orbitale ? Quelle propriété de l'orbitale chaque nombre quantique décrit-il ? Quelles sont les règles régissant les valeurs de ces nombres ?

12. Associez chaque valeur de l du tableau ci-dessous à son type d'orbitale (s, p, d ou f).

Valeurs de l	Types d'orbitales
3	_____
0	_____
1	_____
2	_____

13. Dessinez une orbitale s et une orbitale p_x. Montrez sur votre dessin pourquoi l'orbitale p est une orbitale p_x et non pas p_y par exemple.

14. Complétez le tableau ci-dessous.

Types d'orbitales	Nombre d'orbitales dans une sous-couche donnée	Nombre de surfaces nodales
s	_____	_____
p	_____	_____
d	_____	_____
f	_____	_____

Exercices

Les radiations électromagnétiques

(*Voir l'exemple 4.1 et la figure 4.3*)

15. À partir de la figure 4.3,
    a) quelle radiation est la moins énergétique, les rayons X ou les micro-ondes ?
    b) quelle radiation a la plus haute fréquence, le radar ou la lumière rouge ?
    c) quelle radiation a la plus grande longueur d'onde, l'ultraviolet ou l'infrarouge ?

16. Les feux de signalisation comportent souvent des diodes électroluminescentes (LEDs).

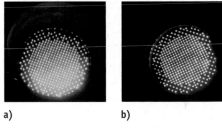

a)   b)

Mike Condren/UW/MRSEC

   a) La longueur d'onde d'une lumière ambre est de 595 nm et celle d'un signal vert est de 500 nm. Quel signal possède la plus haute fréquence ?
   b) Calculez la fréquence de la lumière ambre.

17. Vous vous tenez à 225 m d'un poste transmetteur. Exprimez cette distance en nombre de longueurs d'onde émises par le poste.
    a) 1150 kHz (sur la bande AM de la radio).
    b) 98,1 MHz (sur la bande FM de la radio).

Le spectre électromagnétique et l'équation de Planck

18. La longueur d'onde d'une lumière violette est de 410 nm. Quelle est sa fréquence ? Quelle est l'énergie (J) d'un photon de cette lumière ? Quelle est l'énergie (J) d'une mole de photons de cette même lumière ?

19. La raie la plus importante du spectre d'émission du magnésium a une longueur d'onde de 285,2 nm. D'autres raies se trouvent à 383,8 nm et à 518,4 nm.

a) Dans quelle région du spectre électromagnétique sont situées ces raies?

b) Quelle est la fréquence de la raie la plus importante?

c) Quelle radiation possède l'énergie la plus élevée?

d) Calculez l'énergie d'une mole de photons de cette radiation.

20. Classez les rayonnements suivants par ordre croissant d'énergie par photon.

a) La lumière jaune d'une lampe au sodium.

b) Les rayons X utilisés pour les radiographies dentaires.

c) Les micro-ondes d'un four.

d) Votre station musicale FM préférée à 91,7 MHz.

e) Le rayonnement ultraviolet d'une lampe solaire.

L'effet photoélectrique

21. Il faut fournir 200 kJ/mol pour arracher un électron de la surface métallique du césium. Calculez la plus grande longueur d'onde de lumière pouvant ioniser cet atome. Dans quelle région du spectre électromagnétique trouve-t-on cette radiation?

22. Vous êtes ingénieur et devez concevoir un interrupteur qui fonctionne à partir de l'effet photoélectrique. L'extraction d'un électron du métal que vous désirez utiliser requiert $6,7 \times 10^{-19}$ J/atome. Est-ce que votre interrupteur fonctionnera avec une lumière de longueur d'onde égale ou supérieure à 540 nm? Justifiez votre réponse.

Le spectre atomique et l'atome de Bohr
(*Voir l'exemple 4.2 et les figures 4.9 et 4.12*)

23. Une des raies de la série de Balmer (raies émises par l'atome H excité) possède une longueur d'onde de 410,2 nm (*voir la figure 4.12*).

a) Calculez la fréquence de cette radiation.

b) Quelle est la couleur de la lumière émise lors de cette transition?

c) Chiffrez les niveaux d'énergie n_f et n_i impliqués dans cette émission.

24. L'énergie émise lorsqu'un électron de n'importe quel atome se déplace d'un niveau énergétique donné à un niveau moins élevé peut être observée sous forme d'une radiation électromagnétique.

a) Des deux transitions suivantes dans l'atome d'hydrogène: de $n = 4$ à $n = 2$ et de $n = 3$ à $n = 2$, laquelle émet le moins d'énergie?

b) Des deux transitions suivantes dans l'atome d'hydrogène: de $n = 4$ à $n = 1$ et de $n = 5$ à $n = 2$, laquelle émet le plus d'énergie? Justifiez votre réponse.

25. Calculez la longueur d'onde et la fréquence de la lumière émise par un atome d'hydrogène lorsque son électron passe de $n = 3$ à $n = 1$. Dans quelle région du spectre électromagnétique trouve-t-on cette radiation?

26. Considérez les transitions impliquant seulement les niveaux énergétiques $n = 1$ à $n = 4$ de l'atome d'hydrogène (l'espace entre les lignes est très approximatif).

_____ $n = 4$

_____ $n = 3$

_____ $n = 2$

_____ $n = 1$

a) Déterminez le nombre de raies d'émission possibles.

b) Les photons de plus faible énergie sont émis à la suite d'une transition électronique du niveau $n =$ _____ à $n =$ _____.

c) La raie d'émission possédant la plus courte longueur d'onde correspond à une transition électronique du niveau $n =$ _____ à $n =$ _____.

d) Les photons de plus basse fréquence sont émis à la suite d'une transition électronique du niveau $n =$ _____ à $n =$ _____.

De Broglie et les propriétés ondulatoires
(*Voir l'exemple 4.3*)

27. Quelle est la longueur d'onde associée à un électron se déplaçant à une vitesse de $2,5 \times 10^8$ cm·s^{-1}?

28. Un faisceau d'électrons ($m = 9,11 \times 10^{-31}$ kg/électron) a une vitesse moyenne de $1,3 \times 10^8$ m·s^{-1}. Calculez la longueur d'onde associée à ces électrons.

29. Calculez la longueur d'onde (nm) associée à une balle de golf de $1,0 \times 10^2$ g se déplaçant à 30 m·s^{-1}. À quelle vitesse cette balle doit-elle voyager pour avoir une longueur d'onde de $5,6 \times 10^{-3}$ nm?

La mécanique quantique

30. Quelles sont les valeurs possibles de:

a) l lorsque $n = 4$?

b) m lorsque $l = 2$?

c) n, l et m pour une orbitale 4s?

d) n, l et m pour une orbitale 4f?

31. a) Quelle orbitale est représentée par les nombres quantiques $n = 4$, $l = 2$ et $m = -1$?

b) Quel est le nombre maximal d'orbitales sur le niveau d'énergie $n = 5$?

c) Combien d'orbitales f existe-t-il? Quelles en sont les valeurs de m?

32. Laquelle des combinaisons suivantes est permise? Expliquez brièvement pourquoi les autres ne le sont pas.

a) $n = 2$, $l = 2$ et $m = 0$.

b) $n = 3$, $l = 0$ et $m = -2$.

c) $n = 6$, $l = 5$ et $m = -1$.

d) $n = 6$, $l = 0$ et $m = +1$.

e) $n = 4$, $l = 3$ et $m = -4$.

33. Quel est le nombre maximal d'orbitales pouvant exister pour chacune des combinaisons de nombres quantiques suivantes? Lorsque la réponse est « Aucune », justifiez-la.

a) $n = 3$, $l = 0$ et $m = +1$.

b) $n = 5$, $l = 1$.

c) $n = 7$, $l = 5$.

d) $n = 4$, $l = 2$ et $m = -2$.

34. Quelles orbitales ne peuvent exister parmi $2s$, $2d$, $3p$, $3f$, $4f$ et $5s$? Justifiez brièvement votre réponse.

35. Écrivez les valeurs possibles de n, l et m pour chacune des orbitales suivantes.

a) $2p$ **b)** $3d$ **c)** $4f$

36. Une orbitale est définie par $n = 4$ et $l = 2$. C'est une orbitale:

a) $3p$;   **b)** $4p$;   **c)** $5d$;   **d)** $4d$.

Questions de révision

Ces questions peuvent combiner plusieurs des concepts vus précédemment.

37. Les radiations ultraviolettes, possédant une énergie assez élevée, sont la cause des coups de soleil et de la décoloration des teintures. Quelle quantité d'énergie (kJ/mol de photons) recevez-vous si vous êtes bombardés d'une mole de photons dont la longueur d'onde est de 375 nm?

38. Un téléphone envoie des signaux d'environ 850 MHz.

a) Quelle est la longueur d'onde de ce rayonnement?

b) Calculez l'énergie d'une mole de photons à cette fréquence.

c) Comparez l'énergie en **b)** avec celle d'une mole de photons de lumière bleue (420 nm).

39. Supposez que vos yeux reçoivent un rayonnement de lumière bleue dont la longueur d'onde est de $\lambda = 470$ nm. L'énergie associée à cette lumière est $2,50 \times 10^{-14}$ J. Combien de photons ont atteint vos yeux?

40. L'énergie d'ionisation est l'énergie requise pour qu'un atome à l'état gazeux perde un électron et ainsi forme un ion positif. Dans le cas de l'hydrogène, son électron passe du niveau n = 1 à n = infini. (*Voir l'encadré* Pour en savoir +... La validité du modèle de Bohr de l'atome d'hydrogène, *page 121*) Calculez l'énergie d'ionisation de l'ion He⁺. Est-ce que l'énergie d'ionisation de He⁺ est plus grande ou plus petite que celle de H? De combien de fois? (La théorie de Bohr s'applique à He⁺ parce que, tout comme H, il ne possède qu'un électron. Toutefois, l'énergie de l'électron se calcule à l'aide de l'équation $E = -\dfrac{Z^2 Rhc}{n^2}$, où Z est le numéro atomique de l'hélium.)

41. Combien d'orbitales peuvent être décrites par chacune des notations suivantes?

a) $3p$ **d)** $6d$ **g)** $n = 5$

b) $4p$ **e)** $5d$ **h)** $7s$

c) $4p_x$ **f)** $5f$

42. Lesquels de ces énoncés sont observables avec précision?

a) La position de l'électron dans l'atome d'hydrogène.

b) La fréquence d'un rayonnement émis par les atomes d'hydrogène.

c) La trajectoire d'un électron dans l'atome d'hydrogène.

d) Le mouvement ondulatoire des électrons.

e) Une figure de diffraction produite par des électrons.

f) Une figure de diffraction de la lumière.

g) L'énergie requise pour arracher les électrons des atomes d'hydrogène.

h) Un atome.

i) Une molécule.

j) Une vague.

43. Quand le VTT *Sojourner* a atterri sur Mars en 1997, la planète était à environ $7,8 \times 10^7$ km de la Terre. Déterminez le temps qu'a pris son signal de télévision pour se rendre à la Terre.

44. Complétez les phrases suivantes.

a) Le nombre quantique n décrit _____ d'une orbitale atomique.

b) La forme d'une orbitale atomique est donnée par le nombre quantique _____.

c) Un photon de lumière verte possède _____ (moins ou plus) d'énergie qu'un photon de lumière orange.

d) Le nombre maximal d'orbitales définies par les nombres quantiques $n = 4$ et $l = 3$ est _____.

e) Le nombre maximal d'orbitales définies par les nombres quantiques $n = 3$, $l = 2$ et $m = -2$ est _____.

f) Désignez chaque orbitale par la lettre appropriée, donnez la valeur de l correspondante et spécifiez le nombre de surfaces nodales.

g) Lorsque $n = 5$, les valeurs possibles pour l sont _____.

h) Le nombre maximal d'orbitales dans la couche $n = 4$ est _____.

Les **configurations électroniques** et les **propriétés périodiques** des **éléments**

Ma cuisine est tapissée de tableaux périodiques de toutes les sortes et de toutes les tailles… et sur ma table se trouve mon favori, un tableau en bois que je peux faire tourner comme un moulin à prières.

Oliver Sacks, *New York Times Magazine*, 18 avril 1999, p. 126-130.

Chaque chose à sa place

Selon Oliver Sacks, le tableau périodique des éléments a « mis chaque chose à sa place ». Neurologue réputé et bien connu du milieu médical, Oliver Sacks a écrit de nombreux livres dont *L'homme qui prenait sa femme pour un chapeau* et *L'éveil – 50 ans de sommeil*. Des histoires authentiques rapportées par cet auteur ont été tirés les scénarios des films *L'éveil*, dans lequel le comédien Robin Williams joue le rôle d'Oliver Sacks, et *Rain man*, mettant en vedette Tom Cruise et Dustin Hoffman. Cependant, sa passion pour la chimie est un peu moins connue bien qu'entretenue depuis sa tendre enfance à Londres durant la Seconde Guerre mondiale.

Visitant le Musée de la science de Londres, il a été impressionné par un tableau périodique de la taille d'un mur, qui exposait des échantillons de la plupart des 92 éléments connus à l'époque. Sacks raconte : « La vision du tableau présentant de vrais échantillons des éléments a été une des expériences marquantes de mon enfance et la beauté de la science m'est

▲ Oliver Sacks est né à Londres en 1933 de parents tous deux médecins. Il vit actuellement à New York, où il pratique et enseigne la neurologie. Il est membre de l'Académie américaine des arts et des lettres, auteur de plusieurs livres, dont *Oncle Tungstène* (Alfred Knopf, New York, 2001), dans lequel il décrit sa fascination de toujours pour la chimie. Courtoisie de Chemical and Engineering News

alors apparue comme dans une révélation. Le tableau périodique semblait si simple et si minimal : toute la connaissance de ces 92 éléments réduite à deux axes et cependant, le long de chaque axe, une progression ordonnée des différentes propriétés. »

5

Dmitri Mendeleïev, dont le nom reste associé au tableau périodique, est né le 8 février 1834 à Tobolsk, en Sibérie occidentale. Il est le plus jeune d'une famille de 14 ou 17 enfants, le nombre est incertain. Leur père devient impotent peu après la naissance de Dmitri ; aussi, pour subvenir aux besoins de la famille, leur mère prend la direction de la fabrique de verre créée par son père. Une nouvelle catastrophe frappe la famille en 1848 et 1849 avec la mort du père et l'incendie de la manufacture familiale. Pour que son jeune fils puisse poursuivre des études universitaires, la mère entreprend avec lui un long voyage de plus de 2000 km jusqu'à Moscou… pour se faire dire que les étudiants en provenance de Sibérie ne sont pas admissibles. Finalement, 600 km plus loin, à Saint-Pétersbourg, elle réussit à l'inscrire à l'Institut central de pédagogie. Étudiant en sciences extrêmement doué, Mendeleïev publie un travail original alors qu'il n'a que 20 ans, malgré la tuberculose qui l'assaille et l'oblige la plupart du temps à écrire dans son lit. En 1855, il obtient la médaille d'or récompensant le meilleur étudiant de l'Institut. Peu de temps après, son école l'envoie comme professeur en Crimée, une région très éloignée de Saint-Pétersbourg, non pas à cause de la température clémente de la région plus propice à sa convalescence, mais à cause de son caractère exécrable, que ses anciens professeurs et collègues ne peuvent plus supporter. Mendeleïev retourne cependant à Saint-Pétersbourg quelques années plus tard comme maître de conférences, mais peu après part en France et en Allemagne pour y poursuivre ses études et faire de la recherche. En Allemagne, il travaille quelque temps avec Robert Bunsen, l'inventeur d'un brûleur utilisé en spectroscopie. Là encore, son mauvais caractère lui nuit et il se retrouve confiné dans une petite pièce où il travaille seul.

En 1860, les chimistes de toute l'Europe se réunissent à Karlsruhe (Allemagne) afin de se mettre d'accord sur un système de détermination des « poids atomiques ». Ce système, une fois bien implanté, sera un facteur déterminant de la découverte de la périodicité des propriétés chimiques des éléments et de la publication du premier tableau périodique par Mendeleïev, quelques années plus tard.

En 1861, Mendeleïev retourne à Saint-Pétersbourg comme professeur à l'Institut technique. Son amour de la chimie, ainsi que ses yeux bleu intense, sa barbe fournie et ses cheveux très longs, en font un professeur très populaire. Il réalise que l'enseignement de la chimie est dans un piètre état : pour changer les choses, il rédige un livre de cinq cents pages sur la chimie organique… en seulement deux mois !

À 32 ans, il est nommé professeur de chimie générale à l'université de Saint-Pétersbourg. Vers 1869, il termine la rédaction du premier tome de son livre *Les principes de la chimie*, qui sera traduit dans presque toutes les langues. Il cherche un fil conducteur pour la rédaction du second tome. Pour ce faire, il inscrit sur des fiches, une par élément, les propriétés chimiques et physiques de chacun d'entre eux. Après quatre jours de cogitation profonde sur le problème, il est si exténué qu'il s'endort sur son bureau. Il dira plus tard : « J'ai vu en rêve un tableau où tous les éléments sont situés à la bonne place. À mon réveil, je l'ai immédiatement couché sur le papier. »

C'était le début du tableau périodique que les chimistes utilisent actuellement.

Les propriétés périodiques Dmitri Mendeleïev a imaginé son premier tableau périodique après avoir noté que les propriétés des éléments, classés selon leur masse atomique, se répétaient à intervalles réguliers. Il a rassemblé dans une même colonne les éléments possédant des propriétés similaires.

EXEMPLES DE PÉRIODICITÉ : LES ÉLÉMENTS DES GROUPES 1A (1) ET 7A (17)

MÉTAUX DES GROUPES REPRÉSENTATIFS (A)
MÉTAUX DE TRANSITION (B)
MÉTALLOÏDES
NON-MÉTAUX

Les éléments du groupe 1A, les métaux alcalins, réagissent tous de la même façon avec l'eau.

Les halogènes (groupe 7A) réagissent de façon semblable avec les métaux et les non-métaux.

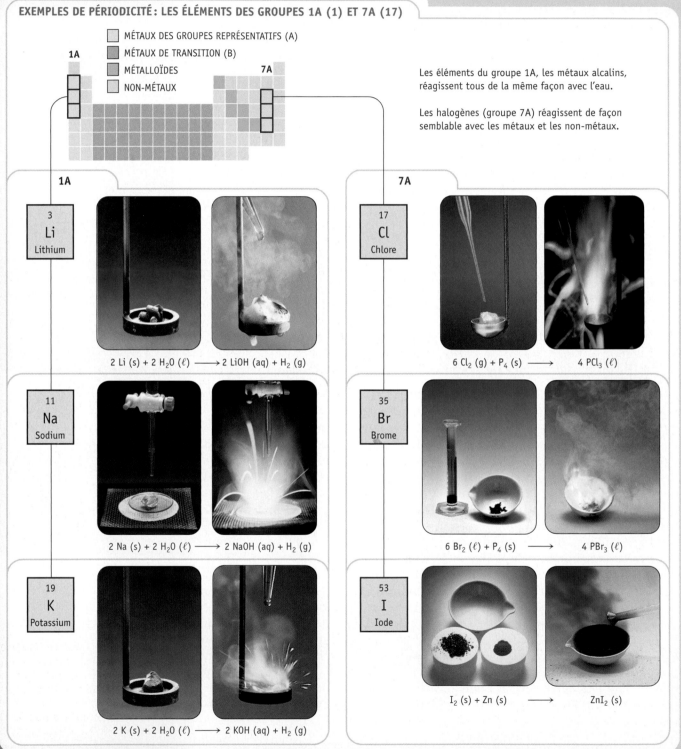

1A

3 Li Lithium

$2 \text{ Li (s)} + 2 \text{ H}_2\text{O (}\ell\text{)} \longrightarrow 2 \text{ LiOH (aq)} + \text{H}_2 \text{ (g)}$

11 Na Sodium

$2 \text{ Na (s)} + 2 \text{ H}_2\text{O (}\ell\text{)} \longrightarrow 2 \text{ NaOH (aq)} + \text{H}_2 \text{ (g)}$

19 K Potassium

$2 \text{ K (s)} + 2 \text{ H}_2\text{O (}\ell\text{)} \longrightarrow 2 \text{ KOH (aq)} + \text{H}_2 \text{ (g)}$

7A

17 Cl Chlore

$6 \text{ Cl}_2 \text{ (g)} + \text{P}_4 \text{ (s)} \longrightarrow 4 \text{ PCl}_3 \text{ (}\ell\text{)}$

35 Br Brome

$6 \text{ Br}_2 \text{ (}\ell\text{)} + \text{P}_4 \text{ (s)} \longrightarrow 4 \text{ PBr}_3 \text{ (}\ell\text{)}$

53 I Iode

$\text{I}_2 \text{ (s)} + \text{Zn (s)} \longrightarrow \text{ZnI}_2 \text{ (s)}$

Charles D. Winters

*L*e modèle atomique issu de la mécanique quantique décrit de façon précise les atomes ou les ions ne possédant qu'un seul électron tels que l'hydrogène H ou He⁺. On s'attend toutefois à ce qu'un modèle digne de ce nom puisse s'appliquer à tous les éléments : ce chapitre exposera ce que les théoriciens ont retenu du modèle initial et comment ils ont pu le transposer à tous les atomes. On explorera aussi quelques propriétés physiques des éléments directement liées à l'arrangement des électrons dans l'atome et dont dépendent leurs propriétés chimiques : leur plus ou moins grande facilité à perdre ou à gagner des électrons pour former des ions, leur taille et celle de leurs ions.*

5.1 LE SPIN DE L'ÉLECTRON

La plupart des **substances** sont légèrement repoussées par un puissant aimant : elles sont **diamagnétiques.** Par contre, un aimant attire certains métaux et composés : de telles substances sont dites **paramagnétiques.** L'ampleur de l'attraction peut être mesurée à l'aide d'un appareil, schématisé dans la figure 5.1 **a).**

Le magnétisme de la plupart des composés paramagnétiques est si faible qu'il n'est observable qu'en présence d'un champ très élevé. La photographie de la figure 5.1 **b)** montre de l'oxygène liquéfié se maintenant entre les pôles d'un puissant aimant : l'oxygène est paramagnétique.

La rotation de l'électron est responsable du paramagnétisme. Un électron dans l'atome possède les propriétés attendues d'une particule chargée tournant sur elle-même (figure 5.2). Comme ce qui importe est le lien qui existe entre cette propriété et l'arrangement des électrons dans l'atome, on ne retiendra dans ce manuel que les conclusions : si un atome possédant un **électron non apparié** est placé dans un champ magnétique, seulement deux orientations sont possibles pour lui : dans le sens du champ ou opposé au sens du champ. Une orientation est associée à la valeur $+\frac{1}{2}$ du **nombre quantique de spin** s et l'autre, à la valeur $-\frac{1}{2}$. *Le spin de l'électron est lui aussi quantifié.*

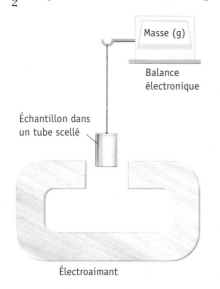

a)　　　　　　　　　　　　　b)

Figure 5.1 L'observation et la mesure du paramagnétisme. a) Les propriétés magnétiques d'une substance sont mesurées à l'aide d'une balance magnétique. Dans un premier temps, on pèse l'échantillon en l'absence de champ magnétique. On effectue ensuite une deuxième pesée en sa présence. Si la substance est paramagnétique, l'échantillon est attiré vers les pôles de l'aimant et son poids apparent augmente. **b)** L'oxygène liquide ($T_{éb}$ = 90,2 K) adhère aux pôles d'un puissant aimant.
Charles D. Winters

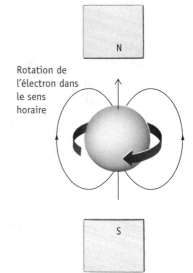

Rotation de l'électron dans le sens horaire

Figure 5.2 La rotation de l'électron et le magnétisme. L'électron est représenté comme une sphère dont la surface est chargée d'électricité négative. Quand il tourne sur lui-même dans un sens ou dans un autre, il induit un champ magnétique dont la direction dépend du sens de la rotation : il se comporte comme un microaimant. Placé dans un champ magnétique externe, son pôle Nord peut être aligné avec les lignes d'induction ou y être opposé.

Quand un électron est assigné à une orbitale d'un atome, son spin peut prendre une des deux valeurs de *s*. On observe expérimentalement que l'hydrogène, qui n'a qu'un seul électron, est paramagnétique : placés dans un champ magnétique, les micro-aimants que sont les électrons s'alignent tous dans la même direction dictée par le champ externe comme le fait l'aiguille d'une boussole et subissent une force d'attraction. Dans l'hélium, deux électrons occupent la même orbitale 1*s* et l'expérience démontre qu'il est diamagnétique. Pour rendre compte de ce fait expérimental, on doit admettre que *les deux électrons occupant la même orbitale ont des spins opposés* (tournent en sens inverse l'un de l'autre). On dit que *leurs spins sont appariés* ou que *ces électrons sont appariés* : cela a pour conséquence que le champ magnétique de l'un est annulé par celui de l'autre, de direction opposée.

En résumé, le paramagnétisme est l'attraction par un champ magnétique externe des substances constituées d'atomes ou d'ions contenant des électrons non appariés. Les substances dans lesquelles sont appariés les électrons sont diamagnétiques. Cette explication ouvre la porte à la compréhension de l'arrangement des électrons dans les atomes en possédant plus d'un.

5.2   LE PRINCIPE D'EXCLUSION DE PAULI

Pour que la théorie quantique puisse interpréter correctement les faits expérimentaux, le physicien autrichien Wolfgang Pauli (1900-1958) a énoncé, en 1925, son **principe d'exclusion.**

> Deux électrons dans un atome ne peuvent avoir les quatre mêmes nombres quantiques *n*, *l*, *m* et *s*.
>
> ⇓
>
> Toute orbitale ne peut contenir plus de deux électrons.

◆ *Les orbitales ne sont pas des cases*

Les orbitales ne sont pas des cases dans lesquelles on range des électrons. Ce sont des fonctions d'ondes qui décrivent des électrons. Il n'est donc pas exact, conceptuellement parlant, de dire que des électrons *occupent* telle ou telle orbitale, mais... c'est tellement plus pratique !

L'orbitale 1*s* de l'atome d'hydrogène est identifiée par $n = 1$, $l = 0$ et $m = 0$. Aucun autre ensemble de nombres n'est possible. Si un électron occupe cette orbitale, on doit préciser la valeur de son spin *s*. On a pris l'habitude de représenter les orbitales par des **cases quantiques,** carrés dans lesquels les électrons sont symbolisés par des flèches (↑ ou ↓). L'électron 1*s* de l'hydrogène est ainsi décrit par le schéma suivant, la flèche pointant vers le haut désignant arbitrairement la valeur $+\dfrac{1}{2}$ de *s*.

Électron dans l'orbitale 1*s*   [↑] $n = 1$, $l = 0$, $m = 0$, $s = +\dfrac{1}{2}$.

On aurait pu aussi bien le représenter par une flèche pointant vers le bas, auquel cas *s* est égal à $-\dfrac{1}{2}$ par convention.

Électron dans l'orbitale 1*s*   [↓] $n = 1$, $l = 0$, $m = 0$, $s = -\dfrac{1}{2}$.

Ces deux représentations sont équivalentes : un électron occupe l'orbitale 1*s*. Les deux électrons de l'atome d'hélium sont eux aussi assignés à son orbitale 1*s*, mais en vertu du principe d'exclusion de Pauli ils doivent posséder un ensemble différent de nombres quantiques. Comme les trois premiers décrivant l'orbitale 1*s* sont fixés ($n = 1$, $l = 0$, $m = 0$) et qu'il n'existe que deux possibilités pour le quatrième *s* $\left(+\dfrac{1}{2} \text{ ou } -\dfrac{1}{2}\right)$, il s'ensuit que *cette orbitale 1s, comme d'ailleurs toutes les orbitales, ne peut contenir plus de deux électrons et que ces deux électrons doivent avoir des spins opposés.*

Deux électrons dans l'orbitale 1*s* $\boxed{\uparrow\downarrow}$ $n = 1,\ l = 0,\ m = 0,\ s = -\dfrac{1}{2}$

$n = 1,\ l = 0,\ m = 0,\ s = +\dfrac{1}{2}.$

Cette configuration électronique est en accord avec son diamagnétisme observé expérimentalement.

Sachant maintenant qu'une orbitale ne peut contenir qu'un maximum de deux électrons, il est facile de calculer le nombre maximal d'électrons que peut contenir une couche ou une sous-couche. La sous-couche *p*, formée de 3 orbitales, peut en contenir 6, on peut en trouver jusqu'à 10 dans la sous-couche *d* (5 orbitales), etc., (tableau 5.1). Le nombre maximal d'électrons par couche est égal à $2n^2$.

TABLEAU 5.1 Le nombre maximal d'électrons dans les couches et les sous-couches

n	Sous-couches	Nombre d'orbitales par sous-couche $(2l + 1)$	Nombre maximal d'électrons par sous-couche $[2(2l + 1)]$	Nombre maximal d'électrons par couche $(2n^2)$
1	*s*	1	2	2
2	*s*	1	2	8
	p	3	6	
3	*s*	1	2	18
	p	3	6	
	d	5	10	
4	*s*	1	2	32
	p	3	6	
	d	5	10	
	f	7	14	

5.3 LES NIVEAUX D'ÉNERGIE DES SOUS-COUCHES ET LE REMPLISSAGE DES ORBITALES

Les théories atomiques ont pour but l'interprétation de la distribution des électrons dans les atomes polyélectroniques. Cette répartition repose sur un principe connu sous le nom de **Aufbau**, mot allemand qui signifie « construction ». Selon ce principe, on assigne les électrons à des orbitales (définies par le nombre quantique n) possédant de plus en plus d'énergie. On fait la même chose à l'intérieur des sous-couches. En agissant ainsi, l'énergie totale de l'atome est la plus basse possible. Mais, question cruciale, dans quel ordre apparaissent les niveaux d'énergie des couches et des sous-couches dans les atomes possédant plusieurs électrons ?

5.3.1 Les diagrammes d'énergie des atomes polyélectroniques

Les modèles de Bohr et de Schrödinger aboutissent à la conclusion que l'énergie de l'atome d'hydrogène, qui ne contient qu'un seul électron, dépend seulement de la valeur du nombre quantique principal n. Dans les atomes plus lourds, la situation est nettement plus complexe, et la succession de leurs niveaux d'énergie n'a pu être déterminée qu'expérimentalement. On constate qu'ils dépendent à la fois de n et de l. Par exemple, les sous-couches correspondant à $n = 3$ n'ont pas toutes la même énergie ; dans un atome donné, celle de l'orbitale 3*s* est inférieure à celle de l'orbitale 3*p*, elle-même inférieure à celle de l'orbitale 3*d* : $3s < 3p < 3d$.

Par expérience, on a trouvé que les niveaux d'énergie des atomes polyélectroniques se succédaient, à quelques exceptions près, dans l'ordre suivant (figure 5.3) :

$$1s < 2s < 2p < 3s < 3p < 4s < 3d < 4p < 5s < 4d < 5p,\text{ etc.,}$$

et que le remplissage des orbitales obéissait à deux règles :
- les électrons sont assignés aux sous-couches par ordre croissant de la valeur de $(n + l)$;
- à valeur égale de $(n + l)$, on remplit en premier la sous-couche ayant la plus faible valeur de n.

Par exemple :
- on assigne les électrons à la sous-couche $2s$ $(n + l = 2 + 0 = 2)$ avant de remplir la sous-couche $2p$ $(n + l = 2 + 1 = 3)$, l'énergie de cette dernière étant plus élevée que celle de la première ;
- on remplit l'orbitale $3s$ $(n + l = 3 + 0 = 3)$ avant $3p$ $(n + l = 3 + 1 = 4)$, cette dernière avant $3d$ $(n + l = 3 + 2 = 5)$;
- on remplit $4s$ $(n + l = 4 + 0 = 4)$ avant $3d$ $(n + l = 3 + 2 = 5)$.

On retient facilement l'ordre de remplissage en suivant les flèches du diagramme explicitant la règle empirique de Klechkowski (figure 5.4).

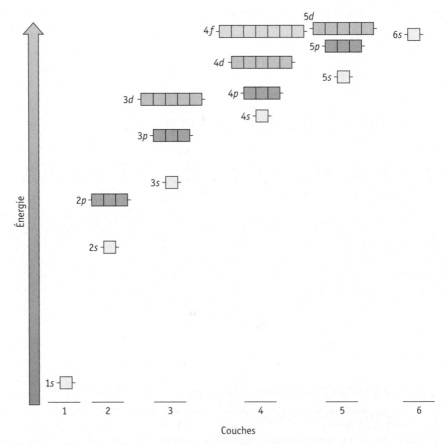

Figure 5.3 Le diagramme d'énergie du magnésium. L'énergie des orbitales $1s$ à $3s$ n'est pas à l'échelle (elles devraient être plus basses). L'espacement entre les énergies des sous-couches supérieures à $3s$ est à l'échelle.

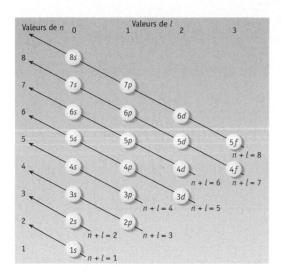

Figure 5.4 Le remplissage des orbitales des atomes polyélectroniques. Le remplissage des orbitales des atomes polyélectroniques s'effectue selon l'ordre croissant des valeurs de $(n + l)$. À valeur égale de $(n + l)$, on remplit en premier la sous-couche ayant la plus faible valeur de n. Pour utiliser ce diagramme, on commence à $1s$ et on suit les flèches correspondant aux valeurs croissantes de $(n + l)$. L'ordre est donc le suivant: $1s \rightarrow 2s \rightarrow 2p \rightarrow 3s \rightarrow 3p \rightarrow 4s \rightarrow 3d$, et ainsi de suite.

EXERCICE 5.1 **Le remplissage des sous-couches**

Dans chacune des paires suivantes d'orbitales appartenant à un atome polyélectronique, quelle orbitale devrait être occupée en premier?

a) $4s$ ou $4p$. b) $5d$ ou $6s$. c) $4f$ ou $5s$.

5.3.2 La charge nucléaire effective (Z_{eff})

L'introduction d'un nouveau concept, la charge nucléaire effective, permet de comprendre l'ordre de remplissage des orbitales atomiques. Sa valeur représente la charge électrique positive nette à laquelle est soumis un électron particulier dans un atome.

Les énergies des orbitales $2s$ et $2p$ de l'atome d'hydrogène sont identiques, parce que l'électron est seul en présence du noyau et ne subit qu'une seule force d'attraction électrostatique. Par contre, dans le lithium par exemple (trois électrons), les énergies de ces mêmes orbitales sont différentes: Se pourrait-il que la présence des électrons $1s$ soit la cause de ce changement? La réponse est positive, comme on peut l'expliquer à l'aide de la figure 5.5.

Ce graphique représente la probabilité radiale de la présence de l'électron $2s$, $r^2 \Psi_{2s}^2$ (*voir la section 4.6.1, page 126*) en fonction de la distance r au noyau et la zone de probabilité maximale de présence des électrons $1s$ du lithium (zone ombrée). On note que la probabilité de présence de l'électron $2s$ n'est pas nulle dans la région occupée la plupart du temps par les électrons $1s$: les chimistes parlent de *pénétration* du nuage électronique $2s$ dans le nuage électronique $1s$. Cette situation modifie l'énergie de l'orbitale $2s$ par rapport à ce qu'elle serait dans l'atome d'hydrogène, où il n'y a pas d'autre électron. Les électrons que l'on ajoute lors du remplissage des orbitales pénètrent dans les régions occupées par les électrons internes, mais, comme les pénétrations sont différentes pour des orbitales ns, np et nd, leurs énergies ne sont pas toutes modifiées de la même quantité.

Trois protons sont présents dans le noyau du lithium. Supposez que l'orbitale $1s$ est déjà remplie et que l'électron $2s$ s'approche du noyau. À une distance assez grande de ce dernier, il subit l'influence cumulée des charges du noyau (+3) et des deux électrons $1s$ (deux fois -1), soit pratiquement +1. On dit que les électrons $1s$ masquent la charge du noyau, agissent comme un écran devant

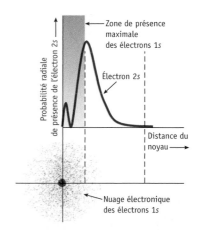

Figure 5.5 La charge nucléaire effective subie par l'électron $2s$ du lithium. La majeure partie du temps, les deux électrons $1s$ du lithium sont présents dans la zone ombrée du graphique. La probabilité de présence de l'électron $2s$ dans cette zone est loin d'être négligeable, comme le montre la courbe approximative de la distribution radiale de présence de cet électron.

cette charge, d'où le nom d'**effet d'écran** donné à ce phénomène. Cet effet varie avec la distance qui sépare l'électron 2s du noyau. Quand il pénètre le nuage électronique 1s, il subit une charge positive de plus en plus élevée, proche de +3 tout près du noyau. Comme il passe en moyenne beaucoup plus de temps en dehors du nuage électronique 1s qu'à l'intérieur, il subit une charge positive moyenne plus proche de +1 que de +3, soit +1,28. Cette charge est nommée la **charge nucléaire effective (Z_{eff}).**

Les valeurs de Z_{eff} subies par les électrons 2s et 2p de la plupart des éléments de la deuxième période sont données dans le tableau 5.2.

Dans chacun des cas, Z_{eff} est plus grande pour les électrons 2s que pour les électrons 2p, ce qui explique pourquoi, en général, leur énergie est plus basse que celle des électrons p d'une même couche (*voir la figure 5.3, page 142*).

On constate aussi que Z_{eff} de ces éléments croît dans la période. Cette variation est une des clés de l'interprétation de l'évolution de leurs propriétés.

En extrapolant cette discussion aux autres sous-couches, on constate que leur pénétration relative varie dans l'ordre $s > p > d > f$ et que, de ce fait, la charge nucléaire effective varie selon $ns > np > nd > nf$. Cela explique pourquoi les orbitales ns sont remplies avant np, avant nd, etc. Comme les pénétrations des orbitales s sont plus grandes que celles des orbitales d et que les niveaux d'énergie sont de plus en plus proches lorsque n augmente, on comprend que le niveau énergétique d'une orbitale ns puisse être plus bas que celui des orbitales $(n - 1)d$: $4s$ a une énergie plus basse que les orbitales $3d$ et est occupée avant cette dernière dans la plupart des éléments.

TABLEAU 5.2 Les valeurs de Z_{eff} subies par les électrons 2s et 2p des éléments de la deuxième période

Atomes	Z	Z_{eff} (2s)	Z_{eff} (2p)
Li	3	1,28	
B	5	2,58	2,42
C	6	3,22	3,14
N	7	3,85	3,83
O	8	4,49	4,45
F	9	5,13	5,10

◆ **Z_{eff} pour les sous-couches s et p**

Z_{eff} est plus grand pour les électrons s que pour les électrons p d'une même couche. La différence s'accentue avec les valeurs croissantes de n.

Atomes	Z_{eff} (ns)	Z_{eff} (np)	Valeurs de n
C	3,22	3,14	2
Si	4,90	4,29	3
Ge	8,04	6,78	4

5.4 LA CONFIGURATION ÉLECTRONIQUE DES ÉLÉMENTS

L'arrangement des électrons dans les éléments, leur **configuration électronique,** est donné dans le tableau 5.3.

Ces éléments sont dans leur état fondamental, l'état dans lequel les électrons occupent les orbitales d'une manière telle que l'énergie résultante est la plus basse. En général, leur remplissage respecte l'ordre croissant des valeurs de $(n + l)$. Dans les sections qui suivent, nous allons faire le lien entre les configurations des éléments et leur emplacement dans le tableau.

5.4.1 La configuration électronique des éléments représentatifs

L'hydrogène, le premier élément de la classification, possède un électron logé dans l'orbitale 1s. À la représentation par case quantique, on préfère souvent la notation ns, np, nd, etc., à laquelle on ajoute en exposant le nombre d'électrons présents dans la sous-couche. Ainsi, la configuration électronique de l'hydrogène en **notation spdf** est $1s^1$ qu'on lit « un s un ».

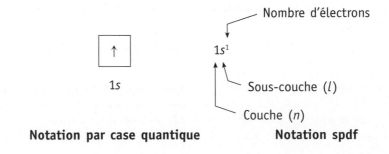

Notation par case quantique   **Notation spdf**

TABLEAU 5.3 La configuration électronique des atomes dans leur état fondamental

Z	Éléments	Configurations	Z	Éléments	Configurations	Z	Éléments	Configurations
1	H	$1s^1$	37	Rb	$[Kr]5s^1$	74	W	$[Xe]4f^{14}5d^46s^2$
2	He	$1s^2$	38	Sr	$[Kr]5s^2$	75	Re	$[Xe]4f^{14}5d^56s^2$
3	Li	$[He]2s^1$	39	Y	$[Kr]4d^15s^2$	76	Os	$[Xe]4f^{14}5d^66s^2$
4	Be	$[He]2s^2$	40	Zr	$[Kr]4d^25s^2$	77	Ir	$[Xe]4f^{14}5d^76s^2$
5	B	$[He]2s^22p^1$	41	Nb	$[Kr]4d^45s^1$	78	Pt	$[Xe]4f^{14}5d^96s^1$
6	C	$[He]2s^22p^2$	42	Mo	$[Kr]4d^55s^1$	79	Au	$[Xe]4f^{14}5d^{10}6s^1$
7	N	$[He]2s^22p^3$	43	Tc	$[Kr]4d^55s^2$	80	Hg	$[Xe]4f^{14}5d^{10}6s^2$
8	O	$[He]2s^22p^4$	44	Ru	$[Kr]4d^75s^1$	81	Tl	$[Xe]4f^{14}5d^{10}6s^26p^1$
9	F	$[He]2s^22p^5$	45	Rh	$[Kr]4d^85s^1$	82	Pb	$[Xe]4f^{14}5d^{10}6s^26p^2$
10	Ne	$[He]2s^22p^6$	46	Pd	$[Kr]4d^{10}$	83	Bi	$[Xe]4f^{14}5d^{10}6s^26p^3$
11	Na	$[Ne]3s^1$	47	Ag	$[Kr]4d^{10}5s^1$	84	Po	$[Xe]4f^{14}5d^{10}6s^26p^4$
12	Mg	$[Ne]3s^2$	48	Cd	$[Kr]4d^{10}5s^2$	85	At	$[Xe]4f^{14}5d^{10}6s^26p^5$
13	Al	$[Ne]3s^23p^1$	49	In	$[Kr]4d^{10}5s^25p^1$	86	Rn	$[Xe]4f^{14}5d^{10}6s^26p^6$
14	Si	$[Ne]3s^23p^2$	50	Sn	$[Kr]4d^{10}5s^25p^2$	87	Fr	$[Rn]7s^1$
15	P	$[Ne]3s^23p^3$	51	Sb	$[Kr]4d^{10}5s^25p^3$	88	Ra	$[Rn]7s^2$
16	S	$[Ne]3s^23p^4$	52	Te	$[Kr]4d^{10}5s^25p^4$	89	Ac	$[Rn]6d^17s^2$
17	Cl	$[Ne]3s^23p^5$	53	I	$[Kr]4d^{10}5s^25p^5$	90	Th	$[Rn]6d^27s^2$
18	Ar	$[Ne]3s^23p^6$	54	Xe	$[Kr]4d^{10}5s^25p^6$	91	Pa	$[Rn]5f^26d^17s^2$
19	K	$[Ar]4s^1$	55	Cs	$[Xe]6s^1$	92	U	$[Rn]5f^36d^17s^2$
20	Ca	$[Ar]4s^2$	56	Ba	$[Xe]6s^2$	93	Np	$[Rn]5f^46d^17s^2$
21	Sc	$[Ar]3d^14s^2$	57	La	$[Xe]5d^16s^2$	94	Pu	$[Rn]5f^67s^2$
22	Ti	$[Ar]3d^24s^2$	58	Ce	$[Xe]4f^15d^16s^2$	95	Am	$[Rn]5f^77s^2$
23	V	$[Ar]3d^34s^2$	59	Pr	$[Xe]4f^36s^2$	96	Cm	$[Rn]5f^76d^17s^2$
24	Cr	$[Ar]3d^54s^1$	60	Nd	$[Xe]4f^46s^2$	97	Bk	$[Rn]5f^97s^2$
25	Mn	$[Ar]3d^54s^2$	61	Pm	$[Xe]4f^56s^2$	98	Cf	$[Rn]5f^{10}7s^2$
26	Fe	$[Ar]3d^64s^2$	62	Sm	$[Xe]4f^66s^2$	99	Es	$[Rn]5f^{11}7s^2$
27	Co	$[Ar]3d^74s^2$	63	Eu	$[Xe]4f^76s^2$	100	Fm	$[Rn]5f^{12}7s^2$
28	Ni	$[Ar]3d^84s^2$	64	Gd	$[Xe]4f^75d^16s^2$	101	Md	$[Rn]5f^{13}7s^2$
29	Cu	$[Ar]3d^{10}4s^1$	65	Tb	$[Xe]4f^96s^2$	102	No	$[Rn]5f^{14}7s^2$
30	Zn	$[Ar]3d^{10}4s^2$	66	Dy	$[Xe]4f^{10}6s^2$	103	Lr	$[Rn]5f^{14}6d^17s^2$
31	Ga	$[Ar]3d^{10}4s^24p^1$	67	Ho	$[Xe]4f^{11}6s^2$	104	Rf	$[Rn]5f^{14}6d^27s^2$
32	Ge	$[Ar]3d^{10}4s^24p^2$	68	Er	$[Xe]4f^{12}6s^2$	105	Db	$[Rn]5f^{14}6d^37s^2$
33	As	$[Ar]3d^{10}4s^24p^3$	69	Tm	$[Xe]4f^{13}6s^2$	106	Sg	$[Rn]5f^{14}6d^47s^2$
34	Se	$[Ar]3d^{10}4s^24p^4$	70	Yb	$[Xe]4f^{14}6s^2$	107	Bh	$[Rn]5f^{14}6d^57s^2$
35	Br	$[Ar]3d^{10}4s^24p^5$	71	Lu	$[Xe]4f^{14}5d^16s^2$	108	Hs	$[Rn]5f^{14}6d^67s^2$
36	Kr	$[Ar]3d^{10}4s^24p^6$	72	Hf	$[Xe]4f^{14}5d^26s^2$	109	Mt	$[Rn]5f^{14}6d^77s^2$
			73	Ta	$[Xe]4f^{14}5d^36s^2$			

Le lithium (Li) et les autres éléments du groupe 1A (1)

Avec ses trois électrons, le lithium est le premier élément de la seconde période. Deux électrons occupent l'orbitale $1s$, le troisième se trouve d'après l'ordre de remplissage dans l'orbitale $2s$.

Lithium : Notation spdf $1s^22s^1$ (un s deux deux s un)

Cases quantiques   [↑↓] [↑] [ ][ ][ ]

$1s$ $2s$ $2p$

Pour encore simplifier l'écriture symbolique, on a coutume de remplacer dans la notation spdf la configuration électronique correspondant au gaz rare par son symbole mis entre crochets. Ainsi, la configuration électronique de l'hélium étant $1s^2$, celle du lithium devient en **notation abrégée** :

$$\text{Lithium :} \quad [\text{He}]2s^1.$$

Ce symbolisme présente non seulement l'avantage indéniable d'être moins long à écrire, mais aussi de séparer les électrons en deux catégories bien distinctes. Les électrons du gaz rare font partie des **électrons internes** de l'atome et ne sont généralement pas impliqués dans les réactions chimiques. Par contre, les **électrons périphériques,** désignés par la notation spdf, déterminent les propriétés chimiques de l'élément.

La position du lithium dans le tableau périodique indique immédiatement sa configuration. Tous les éléments du groupe 1A (1) sont caractérisés par la présence d'un électron s dans la n^e couche, n étant aussi le numéro de la période où se trouve l'élément (figure 5.6). Par exemple, le potassium, premier élément de la quatrième période, possède la configuration du gaz rare qui le précède dans le tableau (l'argon) et un électron assigné à l'orbitale $4s$:

$$\text{Potassium :} \quad [\text{Ar}]4s^1.$$

Le béryllium (Be) et les autres éléments du groupe 2A (2)

Le béryllium, du groupe 2A, possède deux électrons attribués à l'orbitale $1s$ et deux autres logés dans $2s$:

Béryllium : Notation spdf $1s^2 2s^2$ ou $[\text{He}]2s^2$

Cases quantiques   ⟨↑↓⟩ ⟨↑↓⟩ ⟨ ⟩
                    $1s$ $2s$ $2p$

Tous les éléments du groupe 2A (2) ont la configuration [gaz rare précédent] ns^2, n étant le numéro de leur période.

Tous les éléments des groupes 1A (1) et 2A (2) ayant des configurations périphériques s^1 ou s^2 constituent le **bloc s** du tableau périodique.

Le bore (B) et les autres éléments du groupe 3A (13)

Le bore (groupe 3A) est le premier élément du bloc qui occupe la partie droite du tableau. Ses orbitales $1s$ et $2s$ étant remplies, le cinquième électron est assigné à une orbitale $2p$.

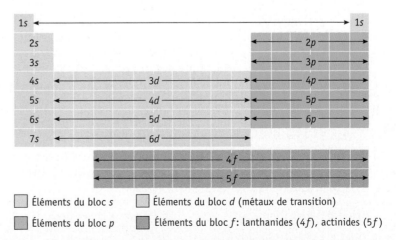

Figure 5.6 Les configurations électroniques et le tableau périodique. Les derniers électrons assignés à un élément occupent les orbitales indiquées dans le schéma (*voir le tableau 5.3, page 145*).

Bore : Notation spdf $1s^2 2s^2 2p^1$ ou $[He]2s^2 2p^1$

Cases quantiques   ⊡ ⊡ ⊡

        1s   2s   2p

En fait, on ajoute des électrons p pour aboutir à tous les éléments des groupes 3A à 8A : ces éléments forment le **bloc p** du tableau. Leurs électrons périphériques répondent à la configuration ns^2np^x, où x varie de 1 à 6 (et est égal au numéro du groupe A moins 2).

Le carbone (C) et les autres éléments du groupe 4A (14)

Le carbone (groupe 4A) est le deuxième élément du bloc p. Il comporte ainsi un deuxième électron qu'on doit attribuer à une orbitale p. Pour que son énergie soit minimale, on doit assigner cet électron à n'importe laquelle des orbitales p à condition que son spin soit identique à celui du premier occupant.

Carbone : Notation spdf $1s^2 2s^2 2p^2$ ou $[He]2s^2 2p^2$

Cases quantiques   ⊡ ⊡ ⊡

        1s   2s   2p

En général, les électrons sont attribués successivement à chacune des orbitales p, d ou f et ils possèdent la même valeur de spin s. Le remplissage se poursuit jusqu'à ce que toutes ces orbitales contiennent un électron, jusqu'à ce que la sous-couche soit à moitié remplie. Cette manière de procéder est connue sous le nom de **règle de Hund**, qui stipule que *l'arrangement le plus stable est celui qui possède le maximum d'électrons non appariés, tous possédant le même spin*.

Il est assez facile d'écrire la configuration électronique du carbone en se référant au tableau périodique. Second élément du bloc p dans la seconde période, sa configuration externe est $2p^2$. Comme toutes ses orbitales de niveau d'énergie inférieur sont déjà remplies, sa notation est $1s^2 2s^2 2p^2$.

L'azote (N), l'oxygène (O) et les éléments des groupes 5A (15) et 6A (16)

L'azote (groupe 5A) possède un électron de même spin dans chacune des trois orbitales $2p$.

Azote : Notation spdf $1s^2 2s^2 2p^3$ ou $[He]2s^2 2p^3$

Cases quantiques   ⊡ ⊡ ⊡

        1s   2s   2p

L'oxygène a un électron de plus que l'azote. Comme dans ce dernier, chacune des orbitales $2p$ est déjà à moitié occupée, l'électron supplémentaire de l'oxygène doit s'apparier. On peut choisir n'importe laquelle des orbitales $2p$ (elles ont toutes la même énergie, ce qui est reflété par la juxtaposition des trois cases).

Oxygène : Notation spdf $1s^2 2s^2 2p^4$ ou $[He]2s^2 2p^4$

Cases quantiques   ⊡ ⊡ ⊡

        1s   2s   2p

Le fluor (F), le néon (Ne) et les éléments des groupes 7A (17) et 8A (18)

Le fluor (groupe 7A) a sept électrons dans sa couche $n = 2$, deux dans l'orbitale $2s$ et cinq dans les trois orbitales $2p$. Tous les atomes d'halogène ont la configuration ns^2np^5, où n est le numéro de leur période.

Fluor : Notation spdf $1s^22s^22p^5$ ou $[He]2s^22p^5$

Cases quantiques   ⬆⬇ | ⬆⬇ | ⬆⬇⬆⬇⬆
1s   2s   2p

Comme tous les éléments du groupe 8A (18), le néon est un gaz rare. Tous ces gaz, sauf l'hélium, ont la configuration périphérique ns^2np^6. Leurs sous-couches ns et np sont remplies : comme vous le verrez un peu plus loin, cette configuration explique leur quasi-inertie chimique.

Néon : Notation spdf $1s^22s^22p^6$ ou $[He]2s^22p^6$

Cases quantiques   ⬆⬇ | ⬆⬇ | ⬆⬇⬆⬇⬆⬇
1s   2s   2p

Éléments de la troisième période et des périodes subséquentes

Le sodium suit le néon dans le tableau périodique. En tant que premier élément de la troisième période, sa configuration électronique externe est $3s^1$ (conforme à celle du groupe 1A).

Sodium : Notation spdf $1s^22s^22p^63s^1$ ou $[Ne]3s^1$

Cases quantiques   ⬆⬇ | ⬆⬇ | ⬆⬇⬆⬇⬆⬇ | ⬆
1s   2s   2p   3s

En continuant dans la troisième période, on finit par rencontrer le silicium. Appartenant au groupe 4A, il possède quatre électrons de plus que le néon. Parce qu'il est le second du bloc p, il a deux électrons dans ses orbitales $3p$. Sa configuration est donc :

Silicium : Notation spdf $1s^22s^22p^63s^23p^2$ ou $[Ne]3s^23p^2$

Cases quantiques   ⬆⬇ | ⬆⬇ | ⬆⬇⬆⬇⬆⬇ | ⬆⬇ | ⬆⬆
1s   2s   2p   3s   3p

Du silicium à la fin de la troisième période, on ajoute les électrons aux orbitales $3p$ de la même manière que pour les éléments de la seconde période. Finalement, la sous-couche $3p$ est complète dans l'argon.

EXEMPLE 5.1 **Les configurations électroniques**

Donnez la configuration électronique du soufre dans les trois notations habituelles.

SOLUTION

Le soufre, dont le numéro atomique est égal à 16, est le sixième élément de la troisième période ($n = 3$) et fait partie du bloc p du tableau. Les six derniers électrons assignés à l'atome sont donc $3s^23p^4$. Les précédents remplissent complètement les niveaux correspondant à $n = 1$ et $n = 2$, la configuration du néon, gaz rare précédant le soufre dans le tableau.

Soufre : Notation spdf $1s^22s^22p^63s^23p^4$ ou $[Ne]3s^23p^4$

Cases quantiques   [Ne] ⬆⬇ | ⬆⬇⬆⬆
3s   3p

EXERCICE 5.2 **La notation spdf, les cases quantiques et les nombres quantiques**

a) À quel élément correspond la configuration suivante : $1s^2 2s^2 2p^6 3s^2 3p^5$?

b) Donnez la configuration électronique du phosphore en notation spdf et dessinez les cases quantiques.

c) Déterminez les nombres quantiques des électrons périphériques du calcium.

5.4.2 Les configurations électroniques des éléments de transition

Pour pouvoir loger tous leurs électrons, les éléments situés dans les périodes 4 à 7 ont obligatoirement recours aux orbitales d ou f (*voir la figure 5.6, page 146*). Ceux qui n'utilisent que leurs orbitales d sont appelés les **éléments de transition.** Les **lanthanides,** dont les orbitales $4f$ se remplissent, et les **actinides** (orbitales $5f$), sont parfois aussi appelés les *éléments de transition interne.*

Les éléments de transition

Dans une période donnée, les éléments de transition sont toujours précédés par les deux éléments du bloc s. Ainsi, le scandium (Sc) possède la configuration $[Ar]3d^1 4s^2$, le titane (Ti), $[Ar]3d^2 4s^2$.

On s'attendrait à ce que la configuration du chrome (Cr) soit $[Ar]3d^4 4s^2$. En réalité, on trouve dans l'état fondamental un électron dans chacune des orbitales d et s : $[Ar]3d^5 4s^1$. Cette exception à la règle peut s'expliquer, à ce stade du remplissage, par la proximité des niveaux d'énergie des orbitales $3d$ et $4s$, se traduisant par pratiquement six orbitales d'énergies équivalentes. Chacun des six électrons périphériques occupe une orbitale différente. Cette configuration montre que des différences mineures peuvent se produire entre ce qui est prévu théoriquement et la « réalité » incontournable issue de l'expérimentation. Cependant, ces différences n'ont que très peu de répercussions sur les propriétés chimiques des éléments. À la suite du chrome, les configurations du manganèse (Mn), du fer (Fe), du cobalt (Co) et du nickel (Ni) obéissent à la règle. L'élément suivant, le cuivre (Cu), ne possède qu'un électron dans son orbitale $4s$, justifiant la dénomination de son groupe, 1B, les 10 autres remplissant en totalité les 5 orbitales d. Les orbitales $4s$ et $3d$ du zinc (Zn), dernier élément de transition de la quatrième période, sont complètement remplies.

La migration d'un électron $4s$ vers le niveau $3d$ a pour conséquence une sous-couche d à demi remplie pour le chrome et totalement remplie pour le cuivre.

◆ *L'écriture conventionnelle des configurations électroniques*

Bien qu'elle ne reflète pas toujours l'ordre de remplissage des orbitales, on retient la convention d'écrire les configurations électroniques des éléments en respectant l'ordre croissant de n. Ainsi, on écrit pour le scandium $[Ar]3d^1 4s^2$, et non pas $[Ar]4s^2 3d^1$ qui respecte l'ordre des niveaux d'énergie et de remplissage des orbitales.

Chrome :	Notation spdf	$[Ar]3d^5 4s^1$
	Cases quantiques	$[Ar]$ ↑↑↑↑↑ ↑
		$3d$ $\quad 4s$

Cuivre :	Notation spdf	$[Ar]3d^{10} 4s^1$
	Cases quantiques	$[Ar]$ ↑↓↑↓↑↓↑↓↑↓ ↑
		$3d$ $\quad 4s$

Ces deux éléments possèdent ainsi une symétrie sphérique (propriétés identiques dans toutes les directions et qui ne dépendent que de la distance au centre) qui, selon certains auteurs, leur confère une plus grande stabilité.

À quelques exceptions près, les éléments de la cinquième période suivent le modèle de la quatrième. La sixième, par contre, inclut la série des lanthanides, qui commence bien évidemment par le lanthane.

Les lanthanides et les actinides

En tant que premier élément du **bloc d** de sa période, le lanthane (La) a la configuration $[Xe]5d^16s^2$. L'élément suivant, le cérium (Ce), est sorti du bloc et débute une rangée séparée située en bas du tableau. Avec lui, démarre le remplissage des orbitales $4f$: $[Xe]4f^15d^16s^2$. Le remplissage des orbitales $4f$ se poursuit dans la rangée, avec quelques variations mineures, pour arriver au lutécium (Lu), $[Xe]4f^{14}5d^16s^2$.

La septième période comprend elle aussi une série étendue d'éléments comblant leurs orbitales f. L'actinium (Ac), $[Rn]6d^17s^2$, est suivi dans le bas du tableau des actinides représentés en premier par le thorium (Th), $[Rn]6d^27s^2$. L'uranium (U) a la configuration $[Rn]5f^36d^17s^2$.

EXEMPLE 5.2   **La configuration électronique des éléments de transition**

Donnez la configuration électronique en notation spdf abrégée du technétium.

SOLUTION

Le gaz rare précédant le technétium (Tc, $Z = 43$) dans le tableau est le krypton (Kr, $Z = 36$). À celui-ci, il faut donc ajouter $43 - 36 = 7$ électrons. Selon le tableau périodique, deux de ces électrons occupent l'orbitale $5s$ (le technétium fait partie de la cinquième période) et les cinq autres, les orbitales $4d$: $[Kr]4d^55s^2$.

EXERCICE 5.3   **Les configurations électroniques**

À l'aide uniquement du tableau périodique, donnez en notation spdf et spdf abrégée les configurations électroniques des éléments suivants :

a) P ;   b) Zn ;   c) Zr ;   d) In ;   e) Pb ;   f) U.

5.5   LA CONFIGURATION ÉLECTRONIQUE DES IONS

La chimie des éléments se résume souvent à la chimie de leurs ions. Pour former un cation, on extrait un ou plusieurs électrons périphériques des atomes neutres, c'est-à-dire des électrons appartenant à la couche électronique décrite par la valeur la plus élevée de n. À valeur identique de n, ce sont les électrons des sous-couches correspondant à la valeur la plus élevée de l qui sont extraits en premier.

Ainsi, le cation Na^+ se forme à la suite de la perte de l'électron $3s^1$ du sodium (la valeur la plus élevée de n : 3) :

$$Na : [1s^22s^22p^63s^1] \rightarrow Na^+ : [1s^22s^22p^6] + e^-$$

et le fer perd ses deux électrons $4s$ avant ses électrons $3d$ pour former l'ion Fe^{2+} (valeur la plus élevée de n en premier).

$$Fe : [Ar]3d^64s^2 \rightarrow Fe^{2+} : [Ar]3d^6 + 2\ e^-$$

La perte subséquente d'un des électrons $3d$ conduit à l'ion Fe^{3+}.

$$Fe^{2+} : [Ar]3d^6 \rightarrow Fe^{3+} : [Ar]3d^5 + e^-$$

▲ Le fer réagit avec le chlore (Cl_2) pour donner le chlorure de fer (III). Dans cette réaction, chaque atome de fer perd trois électrons et se transforme en cation paramagnétique Fe^{3+} de configuration $[Ar]3d^5$.

Charles D. Winters

La configuration de tous les cations des métaux de transition les plus communs est du type [gaz rare] $(n-1)d^x$. On a vu auparavant que les atomes et les ions possédant des électrons non appariés étaient paramagnétiques. Cette notion de paramagnétisme prend toute son importance dans la compréhension de la structure des ions, car elle fournit expérimentalement la preuve que les métaux de transition porteurs de deux charges positives ou plus ne possèdent pas d'électron s. Par exemple, l'amplitude du paramagnétisme de l'ion Fe^{2+} correspond à quatre électrons non appariés, celle de Fe^{3+}, à cinq. Ôter les électrons $3d$ en premier, en laissant les électrons $4s$ appariés aurait conduit à un ion Fe^{2+} paramagnétique d'amplitude 4 (en accord avec le fait expérimental) et à un ion Fe^{3+} paramagnétique d'amplitude 3 (en désaccord avec le fait expérimental). La façon logique de rendre compte du paramagnétisme de ces ions est d'accepter la perte initiale des deux électrons s.

Un anion est formé par l'addition d'électrons à un atome. L'ordre habituel de remplissage s'applique comme dans les atomes.

$$F: [1s^2 2s^2 2p^5] + e^- \rightarrow F^-: [1s^2 2s^2 2p^6]$$

EXERCICE 5.4 **La configuration des ions métalliques**

Donnez en notation spdf abrégée et en notation par cases quantiques les configurations électroniques des ions V^{2+}, V^{3+} et Co^{3+}. Ces ions sont-ils paramagnétiques? Si oui, donnez leur nombre d'électrons non appariés.

5.6 LES PROPRIÉTÉS PÉRIODIQUES DES ÉLÉMENTS

Une fois élucidée la structure électronique des atomes, les chimistes ont vite compris que *les propriétés similaires des éléments découlaient de leurs configurations électroniques périphériques semblables.* Dans cette section, on décrit les relations entre ces dernières et quelques-unes de leurs propriétés chimiques et physiques, et on analyse le pourquoi des variations à l'intérieur des groupes et des périodes.

5.6.1 La taille des atomes

On a vu auparavant (*voir la section 4.6, page 126*) qu'une orbitale atomique ne possédait pas de frontière précise au-delà de laquelle l'électron ne pouvait s'éloigner. Comment dans ces conditions peut-on définir la taille d'un atome? En réalité, plusieurs approches sont possibles, donnant des résultats légèrement différents les uns des autres.

Une des méthodes les plus simples et les plus utiles consiste à mesurer les distances séparant les atomes dans un échantillon de l'élément. Prenez l'exemple de la molécule diatomique de chlore (figure 5.7).

On admet comme rayon atomique du chlore (r_{Cl}) la moitié de la distance (d) séparant le centre des deux atomes: $d = 198$ pm, $r_{Cl} = \dfrac{d}{2} = 99$ pm. De la même manière, à partir du diamant, on détermine une valeur de 77 pm pour le rayon du carbone. Pour tester cette méthode, on peut additionner ces deux valeurs pour estimer la distance séparant le chlore et le carbone dans une molécule de CCl_4. L'addition donne 176 pm, exactement la distance déterminée expérimentalement.

Cette approche de détermination des **rayons atomiques** n'est évidemment applicable qu'aux éléments se trouvant sous forme moléculaire. Pour les métaux,

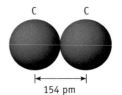
154 pm

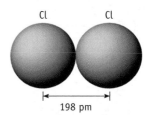
198 pm

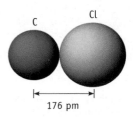
176 pm

Figure 5.7 Les rayons atomiques. La somme des rayons atomiques du chlore et du carbone donne une très bonne indication de la distance C–Cl dans une molécule possédant une telle liaison.

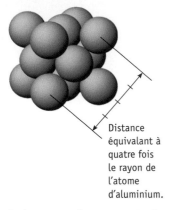

◆ La mesure des rayons atomiques

Chaque sphère représente schématiquement un atome d'aluminium. Les distances séparant leur centre permettent d'estimer le rayon des atomes. On a finalement réussi à obtenir des valeurs de rayons atomiques pour une grande quantité d'éléments (figure 5.8) et immédiatement on remarque des tendances périodiques intéressantes.

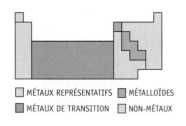

☐ MÉTAUX REPRÉSENTATIFS   ■ MÉTALLOÏDES
☐ MÉTAUX DE TRANSITION   ☐ NON-MÉTAUX

◆ Les conventions utilisées

Dans un groupe = de haut en bas.
Dans une période = de gauche à droite.

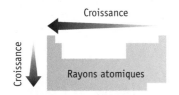

◆ L'évolution des rayons atomiques

◆ Les valeurs des rayons atomiques

Attention ! Il existe de nombreuses compilations des rayons atomiques et leurs valeurs diffèrent sensiblement selon les auteurs. Les différences proviennent essentiellement de la méthode de mesure utilisée.

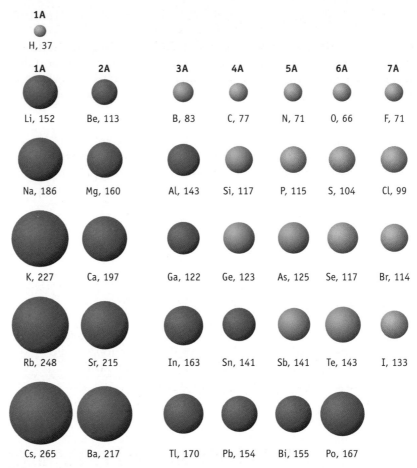

Figure 5.8 Les rayons atomiques des éléments représentatifs. $1 \text{ pm} = 10^{-12} \text{ m} = 10^{-3} \text{ nm}$
Source : J. Emsley : *The Elements*, 3ᵉ édition, Oxford, Clarendon Press, 1998.

on estime généralement les rayons à partir de la mesure des distances entre les atomes d'un cristal de l'élément.

Dans l'exposé suivant, on compare les propriétés des éléments à l'intérieur d'un même groupe et dans une même période. Comme l'expression « de haut en bas » risquerait de revenir souvent dans le texte, on adopte la convention suivante : l'expression « dans un groupe » signifie de *haut en bas*. De la même manière, il est sous-entendu que l'expression « dans une période » signifie la lecture normale *de gauche à droite*.

Les rayons atomiques des éléments représentatifs augmentent dans un groupe et diminuent dans une période. Cette tendance reflète deux effets importants :
• la taille d'un atome est déterminée par ses électrons périphériques. Dans un groupe, les valeurs du nombre quantique principal *n* augmentent, les orbitales sont de plus en plus volumineuses, les électrons internes occupent de plus en plus d'espace et les électrons périphériques doivent de plus en plus s'éloigner du noyau : la taille des atomes augmente ;
• dans une période donnée, le nombre quantique principal *n* des électrons périphériques est identique pour chaque élément. D'un élément à un autre, un proton s'ajoute au noyau à mesure que l'on ajoute un électron périphérique. À chaque étape, la charge nucléaire effective (Z_{eff}) (*voir la section 5.3.2, page 143*) augmente un peu parce que l'effet du proton supplémentaire est plus important que l'effet dû à l'électron ajouté. Comme la charge positive subie par tous les électrons augmente, les forces d'attraction entre le noyau et les électrons augmentent elles aussi (loi de Coulomb) : les nuages électroniques se contractent et le rayon des atomes diminue.

EXERCICE 5.5 **Les rayons atomiques**

Sans vous référer à la figure 5.8, classez les éléments Al, C et Si dans l'ordre croissant de leur rayon atomique.

5.6.2 L'énergie d'ionisation

L'**énergie d'ionisation** est l'énergie requise pour arracher un électron à un atome, à l'état gazeux, dans son état fondamental.

$$\text{Atome (g, état fondamental)} \rightarrow \text{Atome}^+ \text{ (g)} + e^-$$
$$\Delta E = \text{énergie d'ionisation} = E_i$$

Elle est toujours positive parce qu'il faut fournir de l'énergie pour ôter un électron de son atome, c'est-à-dire pour vaincre les forces d'attraction entre le noyau et l'électron.

Il existe une série d'énergies d'ionisation pour tous les atomes sauf l'hydrogène, car plus d'un électron peut être enlevé à un atome (ou à un ion).

Énergie de première ionisation

$$\text{Mg (g)} \rightarrow \text{Mg}^+ \text{ (g)} + e^- \qquad E_{i,1} = 738 \text{ kJ/mol}$$
$$1s^2 2s^2 2p^6 3s^2 \qquad \qquad 1s^2 2s^2 2p^6 3s^1$$

Énergie de deuxième ionisation

$$\text{Mg}^+ \text{ (g)} \rightarrow \text{Mg}^{2+} \text{ (g)} + e^- \qquad E_{i,2} = 1451 \text{ kJ/mol}$$
$$1s^2 2s^2 2p^6 3s^1 \qquad \qquad 1s^2 2s^2 2p^6$$

Énergie de troisième ionisation

$$\text{Mg}^{2+} \text{ (g)} \rightarrow \text{Mg}^{3+} \text{ (g)} + e^- \qquad E_{i,3} = 7733 \text{ kJ/mol}$$
$$1s^2 2s^2 2p^6 \qquad \qquad 1s^2 2s^2 2p^5$$

Notez qu'enlever un deuxième électron requiert plus d'énergie que pour arracher le premier, parce qu'il faut l'expulser non pas d'un atome neutre, mais d'un ion chargé positivement. Cette remarque s'applique à tous les électrons subséquents que l'on désire extraire ensuite, la charge du cation augmentant au fur et à mesure des extractions. Plus important encore, il existe un très grand écart entre les deuxième et troisième énergies d'ionisation : il est très difficile d'aller chercher le troisième électron du magnésium. Ce fait expérimental confirme sa configuration électronique. Lors des deux premières ionisations, ce sont les électrons périphériques $3s$ qui sont touchés. Le troisième appartient à la sous-couche interne $2p$, dont le niveau énergétique est nettement moindre que celui de la sous-couche externe $3s$ (*voir la figure 5.3, page 142*).

Les énergies de première ionisation des éléments représentatifs (blocs s et p du tableau) diminuent dans un groupe et augmentent généralement dans une période (voir la figure 5.9, page 154).

Dans un groupe, l'énergie d'ionisation diminue, car l'électron est de plus en plus éloigné du noyau, la force d'attraction noyau–électron s'affaiblissant de ce fait. La tendance dans une période s'explique par l'accroissement de la charge nucléaire effective (Z_{eff}), responsable aussi, comme on l'a noté dans la section précédente, de la diminution de la taille des atomes.

Cependant, la tendance à l'augmentation de la première énergie d'ionisation dans une période n'est pas régulière, particulièrement dans la deuxième période. Il y a une diminution légère quand on passe du béryllium au bore : cela est dû au fait que l'électron extrait du bore est situé dans une orbitale $2p$ dont l'énergie est légèrement supérieure à celle de l'orbitale $2s$ dans laquelle était logé l'électron expulsé du béryllium. Du bore à l'azote, l'énergie d'ionisation augmente, suivant

◆ *Les électrons internes et les électrons périphériques*

Extraire un électron interne requiert beaucoup plus d'énergie que l'extraction d'un électron périphérique. La perte d'un électron interne ne se produit jamais dans les réactions habituelles.

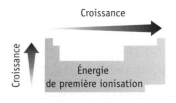

◆ *Les variations de l'énergie d'ionisation*

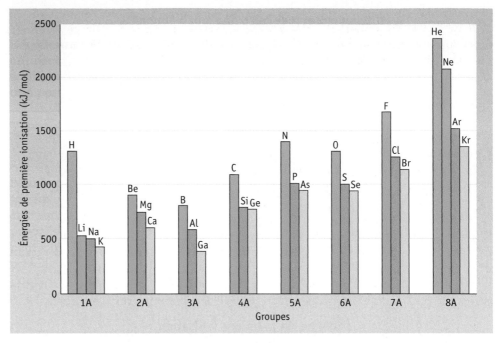

Figure 5.9 **Les énergies de première ionisation des éléments représentatifs des quatre premières périodes.**

en cela l'augmentation de la charge nucléaire effective. Une autre chute apparaît dans le groupe 6A, celui de l'oxygène, bien qu'il n'y ait pas de changement de valeurs de *n* ou de *l*. Dans les groupes 3A à 5A, les électrons sont assignés à des orbitales *p* différentes. À partir du groupe 6A, un quatrième électron s'ajoute et une paire se forme dans une des orbitales *p*.

$$\text{O (g)} \quad\quad \rightarrow \quad\quad \text{O}^+\text{ (g)} + \text{e}^- \quad\quad E_{i,1} = 1314 \text{ kJ/mol}$$

[He] $\boxed{\uparrow\downarrow}$ $\boxed{\uparrow\downarrow\,|\,\uparrow\,|\,\uparrow}$ [He] $\boxed{\uparrow\downarrow}$ $\boxed{\uparrow\,|\,\uparrow\,|\,\uparrow}$

   2*s*   2*p*   2*s*   2*p*

◆ *Les facteurs influençant l'énergie d'ionisation*

L'énergie d'ionisation d'un atome dépend de l'attraction noyau–électron, qui dépend de Z_{eff}, et de la répulsion électron–électron.

Ce quatrième électron subit une répulsion électron–électron plus forte que s'il était seul dans une orbitale *p*. Cette répulsion plus importante le rend plus facile à expulser. La tendance normale à l'augmentation des énergies d'ionisation reprend ensuite jusqu'au néon, l'augmentation de Z_{eff} reprenant le dessus sur l'effet de l'appariement des électrons dans la sous-couche 2*p*.

5.6.3 L'affinité électronique

On appelle l'**affinité électronique** d'un élément la variation d'énergie qui accompagne l'ajout d'un électron, à l'état gazeux.

$$\text{Atome (g, état fondamental)} + \text{e}^- \rightarrow \text{Atome}^- \text{ (g)}$$
$$\Delta E = \text{affinité électronique} = E_{\text{aé}}$$

Plus un élément a de la facilité à capter un électron, plus son affinité électronique est négative. Par exemple, celle du fluor est égale à -328 kJ/mol: cette valeur élevée (en valeur absolue) indique un processus fortement exothermique qui facilite la réaction de formation d'un anion pour cet élément. Le bore, avec une affinité électronique de -26,7 kJ/mol, a nettement moins tendance à former un anion que le fluor.

L'affinité électronique et l'énergie d'ionisation représentent respectivement l'énergie mise en jeu lors du gain ou de la perte d'un électron par un atome. Il n'est donc pas surprenant que les tendances de l'une soient liées à celles de l'autre. La charge nucléaire effective augmente dans une période (*voir le tableau 5.2, page 144*), rendant plus difficile la perte d'un électron, mais accroissant l'attraction pour un électron supplémentaire. Ainsi, *un élément possédant une forte énergie d'ionisation accepte facilement des électrons.* Comme l'indique la figure 5.10, les valeurs de l'affinité électronique des éléments deviennent plus négatives dans une période, ce qui veut dire qu'il est de plus en plus facile d'obtenir des anions à la droite du tableau (les non-métaux) qu'à sa gauche (les métaux).

La variation de l'affinité électronique dans une période n'est pas régulière. Par exemple, le béryllium n'a pas d'affinité pour un électron supplémentaire. L'ion Be⁻ n'est pas stable parce que l'électron acquis devrait se placer dans l'orbitale $2p$ de niveau énergétique nettement supérieur au niveau $2s$ totalement occupé. L'affinité électronique de l'azote est quasi nulle. Dans son cas, l'électron supplémentaire conduisant à N⁻ devrait s'apparier avec un des électrons occupant une orbitale p: les répulsions électron–électron de la même orbitale contrecarrent l'augmentation de l'effet attractif dû à l'augmentation de Z_{eff} quand on passe du carbone à l'azote et rendent l'anion N⁻ beaucoup moins stable.

Les gaz rares sont exclus de la discussion. Ils n'ont aucune affinité pour les électrons, parce que tout ajout doit se faire dans une orbitale s appartenant à une valeur plus élevée de n, donc d'un niveau énergétique nettement plus élevé. L'accroissement de Z_{eff} ne peut compenser ce saut énergétique.

L'affinité électronique diminue dans un groupe. Comme les électrons gagnés sont de plus en plus éloignés du noyau, la force d'attraction s'estompe de plus en plus. C'est le cas du chlore au brome ou du soufre au sélénium. Par contre, cette explication ne semble pas s'appliquer aux éléments des groupes 3A à 7A de la seconde période: c'est ainsi, par exemple, que l'affinité du fluor pour un électron est moins grande que celle du chlore situé plus bas dans son groupe (énergie moins négative). Une des explications les plus courantes met en jeu des répulsions électron–électron relativement plus élevées dans l'ion F⁻ que dans l'ion Cl⁻. L'addition d'un électron aux sept déjà présents au niveau $n = 2$ du petit atome de fluor occasionnerait plus de répulsion que la même addition au niveau $n = 3$ du chlore, un atome plus volumineux.

◆ *L'affinité électronique nulle*

L'affinité électronique de Be n'est pas mesurable parce que l'anion Be⁻ n'existe pas. Aussi, la plupart des tables d'affinité électronique lui attribuent la valeur zéro, de même qu'aux éléments de son groupe 2A (2) et de même qu'à l'azote.

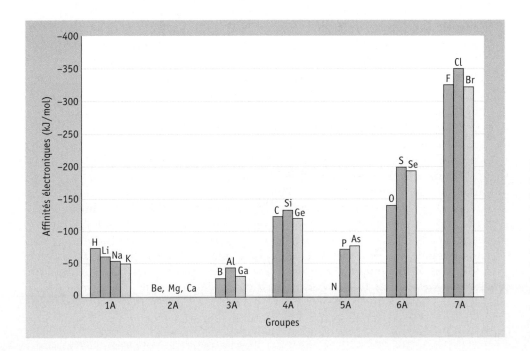

Figure 5.10 L'affinité électronique. La facilité de donner des anions se traduit par des valeurs plus négatives de l'affinité électronique. Pour rendre ce concept plus évident, on a inversé le sens de l'axe des ordonnées. Le chlore, dont l'affinité électronique est la plus négative, a de tous les éléments la plus forte tendance à former un anion. Source: H. Hotop et W. C. Lineberger: « Binding energies of atomic negative ions », *Journal of Physical Chemistry,* Reference Data, vol. 14, 1985, p. 731.

Tendances générales de l'affinité électronique des éléments représentatifs (il y a des exceptions dans les groupes 2A et 5A).

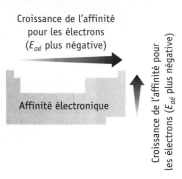

Croissance de l'affinité pour les électrons ($E_{aé}$ plus négative)

Affinité électronique

Croissance de l'affinité pour les électrons ($E_{aé}$ plus négative)

◆ *Les variations de l'affinité électronique*

Ajouter un autre électron à un ion déjà chargé négativement est toujours un processus endothermique, à cause des répulsions entre charges de même signe. Mais alors, comment expliquer l'existence d'ions tels que O^{2-} présents dans une multitude de composés naturels? La réponse réside dans la stabilisation de ces ions doublement chargés par ses voisins chargés positivement, présents dans un réseau cristallin. Cet aspect sera abordé dans le chapitre suivant.

EXEMPLE 5.3   Les tendances périodiques

Soit les trois éléments C, O et Si. Sans vous référer aux figures 5.8 et 5.9,

a) classez-les par ordre croissant de rayon atomique.

b) lequel possède l'énergie d'ionisation la plus élevée?

c) qui de O ou de C est le plus avide d'électrons?

SOLUTION

a) Le rayon atomique diminue dans une période : le rayon de l'oxygène est donc plus petit que celui du carbone. Dans un groupe, il augmente : le rayon du silicium est donc plus grand que celui du carbone. O < C < Si.

b) L'énergie d'ionisation augmente généralement dans une période et décroît dans un groupe. La baisse est élevée entre la deuxième et la troisième période. La tendance devrait être Si < C < O.

c) L'affinité électronique est de plus en plus négative dans une période : O est donc plus avide d'électrons que C.

EXERCICE 5.6   Les tendances périodiques

Soit les trois éléments B, Al et C. Sans vous référer aux figures 5.8 et 5.9,

a) classez-les par ordre croissant de rayon atomique;

b) classez-les par ordre croissant d'énergie d'ionisation.

c) lequel des trois possède l'affinité électronique la plus négative?

5.6.4   La taille des ions

Après avoir considéré les énergies mises en jeu dans la formation des ions positifs et des ions négatifs, on passe maintenant à l'étude de leur taille (figure 5.11).

On constate que la taille des ions d'un même groupe suit la même tendance que celle de leur élément à l'état neutre : que ces ions soient négatifs ou positifs, leur taille augmente dans le groupe. Mais, sont-ils plus gros ou plus petits que leur atome initial?

Quand un électron est enlevé d'un atome pour former un cation, la taille diminue considérablement (*voir les figures 5.8, p. 152, et 5.11*) : *le rayon des cations est toujours inférieur à celui de son atome.* Par exemple, le rayon du lithium est de 152 pm, alors que celui de Li^+ n'est que de 78 pm. À valeur identique du nombre de protons dans leur noyau, les répulsions électron–électron sont moins élevées dans le cation (un électron de moins que dans l'atome) et les nuages électroniques se contractent. La diminution est d'autant plus significative que l'électron expulsé est le dernier de sa couche électronique. La perte du seul électron de la couche 2s, de niveau énergétique nettement plus élevé que la couche 1s, laisse l'orbitale 2s totalement libre dans Li^+.

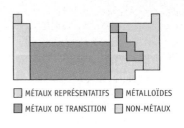

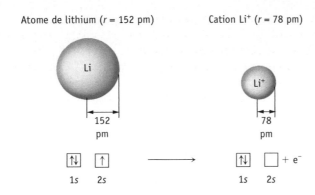

Atome de lithium (*r* = 152 pm)   Cation Li⁺ (*r* = 78 pm)

La réduction de taille est d'autant plus grande que le nombre d'électrons expulsés est plus élevé. Ainsi, le rayon de l'aluminium tombe de 143 pm à 57 pm dans Al^{3+} à la suite de l'élimination de ses électrons $3p$ et $3s$, une diminution de 60 %.

Atome d'aluminium (*r* = 143 pm)   Cation Al^{3+} (*r* = 57 pm)

[Ne] ⊞ ⊞ ⟶ [Ne] ☐ ☐ + 3 e⁻
       $3s$ $3p$ $3s$ $3p$

Li⁺, 78   Be²⁺, 34

N³⁻, 146   O²⁻, 140   F⁻, 133

Na⁺, 98   Mg²⁺, 79   Al³⁺, 57

S²⁻, 184   Cl⁻, 181

K⁺, 133   Ca²⁺, 106   Ga³⁺, 62

Se²⁻, 191   Br⁻, 196

Rb⁺, 149   Sr²⁺, 127   In³⁺, 92

Te²⁻, 211   I⁻, 220

Cs⁺, 165   Ba²⁺, 143   Tl³⁺, 105

Figure 5.11 Les tailles relatives de quelques ions courants. Les rayons sont donnés en pm (1 pm = 10^{-12} m). Source: J. Emsley: *The Elements*, 3ᵉ édition, Oxford, Clarendon Press, 1998.

À l'opposé, *les anions sont toujours plus gros que leur atome.* L'explication est l'inverse de celle exposée dans le cas des cations. Le fluor a neuf protons et neuf électrons. En formant F⁻, la charge du noyau reste la même, mais il y a maintenant un électron de plus. La taille de l'ion augmente par rapport à celle de l'atome à cause des répulsions plus fortes entre électrons plus nombreux.

TABLEAU 5.4 La variation de la taille dans une série isoélectronique

Ions	O²⁻	F⁻	Na⁺	Mg²⁺
Nombre d'électrons	10	10	10	10
Nombre de protons	8	9	11	12
Rayon (pm)	140	133	98	79

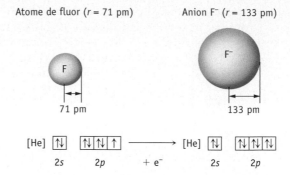

Finalement, il peut être intéressant de comparer la taille des ions possédant le même nombre d'électrons, les **ions isoélectroniques.** Le tableau 5.4 (*voir la page 157*) regroupe les données de la série isoélectronique O^{2-}, F^-, Na^+ et Mg^{2+}.

Tous ces ions possèdent 10 électrons. Seul le nombre de protons est différent : 8 pour O^{2-}, 9 pour F^-, 11 pour Na^+ et 12 pour Mg^{2+}. Les forces d'attraction augmentent avec le nombre de protons, si bien que les électrons sont de plus en plus attirés vers le centre de l'ion : le rayon décroît de O^{2-} à Mg^{2+}. Comme on peut s'en rendre compte dans la figure 5.11 (*voir la page 157*), cette tendance est suivie par toutes les séries d'ions isoélectroniques.

EXERCICE 5.7   **La taille des ions**

Classez les ions N^{3-}, O^{2-} et F^- par ordre croissant de rayon. Justifiez brièvement votre réponse.

5.6.5 Les tendances périodiques et les propriétés chimiques

On peut s'attendre à ce que les propriétés périodiques que vous venez de voir, rayon, énergie d'ionisation et affinité électronique, toutes associées à la configuration électronique des éléments, permettent d'expliquer certaines de leurs propriétés chimiques. Pour s'en assurer, on va considérer à ce stade un seul exemple significatif, la formation des composés ioniques.

On a déjà noté (*voir la section 2.6, page 60*) que le tableau périodique a été élaboré à partir du regroupement des éléments possédant les mêmes propriétés chimiques. Dans leurs composés, les métaux alcalins se retrouvent toujours sous la forme de cation +1, Li^+, Na^+, K^+. C'est une de leurs caractéristiques fondamentales. Le sodium, par exemple, donne avec le chlore le composé NaCl formé d'ions Na^+ et Cl^- (*voir la figure 1.2, page 14*) et le potassium réagit avec l'eau (*voir l'encadré* Point de mire, *page 138*) pour donner une solution aqueuse d'hydroxyde de potassium [KOH (aq) ; K^+ (aq) et OH^- (aq)].

$$2 \text{ Na (s)} + Cl_2 \text{ (g)} \rightarrow 2 \text{ NaCl (s)}$$
$$2 \text{ K (s)} + 2 H_2O \text{ (l)} \rightarrow 2 K^+ \text{ (aq)} + 2 OH^- \text{ (aq)} + H_2 \text{ (g)}$$

Ces deux faits expérimentaux s'expliquent théoriquement par la configuration électronique commune [gaz rare]ns^1 des alcalins et par leur faible énergie d'ionisation.

Mais, pourquoi ces métaux alcalins ne formeraient-ils pas aussi $NaCl_2$ ou $K(OH)_2$? La réponse vous est donnée par l'énergie d'ionisation. Les réactions conduisent généralement aux produits les plus stables et de toute évidence, la formation de Na^{2+} ou de K^{2+} n'est pas favorisée. Contrairement à l'énergie de première ionisation qui est faible, il faut beaucoup d'énergie pour enlever un autre électron au sodium ou au potassium, car celui-ci fait partie de leurs électrons internes. En fait, extraire un électron interne de n'importe quel atome est toujours extrêmement difficile et ce processus est très peu favorisé d'un point de vue énergétique. Cela fait dire que *les métaux des groupes représentatifs ont tendance à former des cations ayant la configuration électronique du gaz rare le plus proche dans le tableau.*

D'un autre côté, pourquoi la réaction du sodium et du chlore n'aboutit-elle jamais à un composé tel que Na_2Cl formé d'ions Na^+ et Cl^{2-}? Le chlore accepte facilement un électron supplémentaire (affinité électronique très négative), mais un autre électron devrait occuper l'orbitale suivante correspondant à une valeur plus élevée de n et possédant ainsi une énergie nettement plus grande. Tout simplement, un anion tel que Cl^{2-} n'est pas stable. Cette explication est valable pour tous les éléments qui, pour former des anions, doivent utiliser une nouvelle orbitale appartenant à une autre couche située à un niveau énergétique nettement plus élevé. On traduit cette constatation en disant que *les non-métaux acceptent généralement suffisamment d'électrons pour former un anion ayant la configuration du gaz rare terminant sa période.*

On peut utiliser un raisonnement similaire pour expliquer la formation des produits d'un grand nombre d'autres réactions. L'énergie d'ionisation relativement faible des métaux des groupes 1A et 2A leur permet de former facilement des cations; cette énergie croît dans la période, si bien que la tendance à former des cations diminue rapidement. On ne s'attend donc pas à ce que le carbone, par exemple, forme un cation; on verra dans le chapitre suivant qu'il a plutôt tendance à partager ses électrons avec d'autres éléments pour former des composés moléculaires comme CO_2 ou CCl_4. Les éléments des groupes 6A et 7A ont une plus grande tendance à gagner des électrons qu'à en perdre, et forment donc des anions, non des cations quand ils réagissent avec certains composés.

Finalement, que veut-on dire quand on parle de la tendance d'un atome à atteindre la configuration d'un gaz rare ou à s'entourer d'un octet d'électrons? Tous les gaz rares (sauf l'hélium) ont la configuration périphérique suivante ns^2np^6 [plus $(n-1)d^{10}$ et $(n-2)f^{14}$ dans le bas du groupe] et possèdent huit électrons s et p qu'on appelle un octet. Le lien entre la configuration des gaz rares et la réactivité chimique devrait être maintenant apparent.

- L'énergie d'ionisation des gaz rares est très élevée et leur affinité électronique pratiquement nulle. Ils sont considérés à de rares exceptions comme chimiquement inertes.
- L'électron que l'on voudrait ajouter à un anion possédant la configuration d'un gaz rare devrait se trouver dans la couche d'énergie supérieure. Ce processus n'est pas énergétiquement favorisé.
- La plupart des réactions chimiques fournissent l'énergie nécessaire à la formation de cations atteignant la configuration des gaz rares. Enlever un autre électron à un tel cation signifie enlever un électron interne et l'énergie requise est généralement plus grande que celle disponible dans les conditions ordinaires.

EXERCICE 5.8 **L'énergie et la formation des composés**

Donnez une explication plausible au fait que la réaction du magnésium et du chlore conduit à $MgCl_2$ et non pas à $MgCl_3$.

(**SAUVE**garder)

LES QUATRE NOMBRES QUANTIQUES

Nombres quantiques	Valeurs permises	Significations
Principal (n)	1, 2, 3, ...	Énergie de l'électron. Taille de l'orbitale.
Secondaire (l)	0, 1, 2, ..., $(n - 1)$.	Forme de l'orbitale.
Magnétique (m)	Toutes les valeurs entières entre $-l$ et $+l$, y compris 0.	Orientation de l'orbitale.
Spin (s)	$+\dfrac{1}{2}$ ou $-\dfrac{1}{2}$.	Rotation de l'électron sur lui-même.

L'ASSIGNATION DES ÉLECTRONS DANS LES ORBITALES ATOMIQUES

Règles	Conséquences
Principe d'exclusion de Pauli Deux électrons dans un atome ne peuvent avoir les quatre mêmes nombres quantiques n, l, m et s.	Une orbitale ne peut contenir plus de deux électrons. Deux électrons d'une même orbitale doivent posséder des spins opposés (électrons appariés).
La charge nucléaire effective (Z_{eff}) La charge positive nette à laquelle un électron est soumis dans un atome, compte tenu de la charge du noyau et de la présence des autres électrons.	Les sous-couches d'une même couche d'un atome polyélectronique ne possèdent plus la même énergie. $2s < 2p$ $3s < 3p < 3d$
Principe du *Aufbau* On ajoute un par un les électrons dans l'atome, en plaçant chacun d'entre eux dans l'orbitale disponible de moindre énergie. Les électrons sont assignés aux sous-couches par ordre croissant de la valeur de $(n + l)$. À valeur égale de $(n + l)$, on remplit en premier la sous-couche ayant la plus faible valeur de n.	Règle empirique de Klechkowski *(diagramme de Klechkowski montrant le remplissage des orbitales : 1s; 2s, 2p; 3s, 3p, 3d; 4s, 4p, 4d, 4f; 5s, 5p, 5d, 5f; 6s, 6p, 6d; 7s, 7p; 8s — avec les valeurs de n et l et les diagonales $n + l = 1$ à $n + l = 8$)*
Règle de Hund L'arrangement le plus stable des électrons dans un atome est celui qui possède le maximum d'électrons non appariés, tous possédant le même spin.	**Exemple du carbone ($Z = 6$)** Notation spdf $1s^2 2s^2 2p^2$ Notation spdf abrégée $[He]2s^2 2p^2$ Cases quantiques $[He]$ ⇅ ↑ ↑ $2s$ $2p$

LES ÉLECTRONS INTERNES ET LES ÉLECTRONS PÉRIPHÉRIQUES

Soufre

Cases quantiques   [Ne] $\boxed{\uparrow\downarrow}$ $\boxed{\uparrow\downarrow \,|\, \uparrow \,|\, \uparrow}$

　　　　　　　　　　　　　3s　　　3p

Électrons internes   Six électrons périphériques.

Déterminent les propriétés chimiques.

Les électrons non appariés sont responsables du paramagnétisme.

TENDANCES GÉNÉRALES DES PROPRIÉTÉS PÉRIODIQUES

Propriétés périodiques	Tendances	Facteurs
Rayon des atomes La moitié de la distance séparant le centre de deux atomes identiques d'une molécule. La moitié de la distance entre les atomes d'un cristal métallique.	Croissance ← Croissance ↓ Rayons atomiques	**Dans un groupe** n augmente, orbitales plus volumineuses, les électrons internes occupent plus d'espace, les électrons périphériques s'éloignent de plus en plus du noyau. **Dans une période** n des électrons périphériques identique, la charge nucléaire effective Z_{eff} augmente, les nuages électroniques se contractent.
Énergie d'ionisation L'énergie requise pour arracher un électron à un atome à l'état gazeux, dans son état fondamental. Atome (g, état fondamental) $\rightarrow$ Atome$^+$ (g) + e$^-$	Croissance → Croissance ↑ Énergie de première ionisation	**Dans un groupe** n augmente, électrons périphériques plus éloignés du noyau, la force d'attraction noyau–électron diminue. **Dans une période** n des électrons périphériques identique, la charge nucléaire effective (Z_{eff}) augmente, mais quelques inversions.
Affinité électronique Dégagement d'énergie qui accompagne l'ajout d'un électron à l'état gazeux. Atome (g, état fondamental) + e$^-$ $\rightarrow$ Atome$^-$ (g)	Croissance de l'affinité pour les électrons ($E_{aé}$ plus négative) → Affinité électronique Croissance de l'affinité pour les électrons ($E_{aé}$ plus négative) ↑	**Dans un groupe** n augmente, électron gagné plus éloigné du noyau, la force d'attraction due au noyau s'estompe de plus en plus (quelques exceptions). **Dans une période** n des électrons périphériques identique, la charge nucléaire effective augmente l'attraction pour un électron supplémentaire (quelques exceptions).

TENDANCES GÉNÉRALES DES PROPRIÉTÉS PÉRIODIQUES (*SUITE*)

Propriétés périodiques	Tendances	Facteurs
Taille des ions	La taille des ions de même charge augmente dans un groupe. Li^+, 78 Be^{2+}, 34 Na^+, 98 Mg^{2+}, 79 K^+, 133 Ca^{2+}, 106 Rb^+, 149 Sr^{2+}, 127 Cs^+, 165 Ba^{2+}, 143	n augmente, orbitales plus volumineuses, les électrons internes occupent plus d'espace, les électrons périphériques s'éloignent de plus en plus du noyau.
	Le rayon du cation est plus petit que celui de l'atome dont il est issu. Li Li$^+$ 152 pm 78 pm	Même nombre de protons dans le noyau, répulsions électron–électron moins élevées dans le cation (moins d'électrons que dans l'atome), les nuages électroniques se contractent.
	Le rayon de l'anion est plus grand que celui de l'atome dont il est issu. F F$^-$ 71 pm 133 pm	Même nombre de protons dans le noyau, répulsions électron–électron plus élevées dans l'anion (plus d'électrons que dans l'atome), les nuages électroniques se dilatent.

Revue des concepts importants

1. Énumérez les quatre nombres quantiques, leurs valeurs permises et la propriété de l'électron à laquelle ils se rapportent.

2. Énoncez le principe d'exclusion de Pauli.

3. Illustrez à l'aide du lithium les deux méthodes de représentation de la configuration électronique des éléments (la notation spdf et les cases quantiques).

4. Que signifie la règle de Hund? Donnez un exemple.

5. Qu'est-ce que la notation abrégée? Utilisez cette notation pour représenter une configuration électronique.

6. Nommez un élément du groupe 3A (13). Quelle information relative à la configuration électronique de cet élément le numéro de groupe vous donne-t-il?

7. Comment varient la taille, l'énergie d'ionisation et l'affinité électronique d'un élément dans une période et dans un groupe?

Exercices

L'écriture de la configuration électronique des atomes

(*Voir les exemples 5.1 et 5.2, les tableaux 5.1 et 5.3*)

8. Écrivez les configurations électroniques de P et de Cl à l'aide de la notation spdf et des cases quantiques. Décrivez la relation entre la configuration électronique de l'atome et sa position dans le tableau périodique.

9. Donnez en notation spdf la configuration électronique des atomes de chrome et de fer, deux des composants principaux de l'acier inoxydable.

10. Écrivez la configuration électronique des éléments suivants en utilisant la notation spdf abrégée.
    a) Arsenic (As). Une carence d'arsenic peut ralentir le développement des animaux même si une quantité plus élevée est toxique.
    b) Krypton (Kr). C'est le septième gaz en importance dans l'atmosphère terrestre.

11. Donnez en notation spdf abrégée la configuration électronique des éléments suivants et vérifiez vos réponses au tableau 5.3.
    a) Strontium (Sr). Son nom vient d'une ville d'Écosse.
    b) Zirconium (Zr). Ce métal, résistant de façon exceptionnelle à la corrosion, a d'importantes applications industrielles. De plus, les roches lunaires contiennent étonnamment plus de zirconium que celles sur la Terre.
    c) Rhodium (Rh). Ce métal est utilisé en joaillerie et dans les procédés catalytiques industriels.
    d) Étain (Sn). Ce métal était déjà utilisé dans l'Antiquité. Les alliages d'étain, parmi lesquels figure le bronze, sont importants.

12. Utilisez la notation spdf abrégée pour décrire la configuration électronique des métaux suivants faisant partie de la troisième série des métaux de transition.

a) Tantale (Ta). Ce métal et ses alliages résistent à la corrosion, et sont souvent utilisés dans les instruments dentaires et chirurgicaux.
b) Platine (Pt). Ce métal était utilisé par les Indiens précolombiens en joaillerie. De nos jours, il est employé en joaillerie, dans certains médicaments anticancéreux et dans les catalyseurs industriels.

13. Les lanthanides, parfois appelés les terres rares, ne sont vraiment que « moyennement rares ». En utilisant la notation spdf abrégée, prévoyez une configuration électronique plausible pour les éléments suivants.
    a) Samarium (Sm). On trouve ce lanthanide dans certains matériaux magnétiques.
    b) Ytterbium (Yb). Cet élément fut nommé ainsi en l'honneur du village d'Ytterby en Suède où un gisement de cet élément fut découvert.

14. L'actinide américium (Am) est un élément radioactif utilisé dans les détecteurs de fumée. Représentez sa configuration électronique en notation spdf abrégée.

Les configurations électroniques des atomes et des ions, et le comportement magnétique

15. Représentez par des cases quantiques la configuration électronique des ions suivants.
    a) Mg^{2+} b) K^+ c) Cl^- d) O^{2-} e) Al^{3+}

16. Donnez la configuration électronique en notation [gaz rare] cases quantiques de:
    a) V;   b) V^{2+};   c) V^{5+}.
    Spécifiez si chaque espèce est diamagnétique ou paramagnétique.

17. Le manganèse se retrouve sous forme de MnO_2 dans les dépôts océaniques profonds.
    a) Décrivez la configuration électronique de cet élément en notation [gaz rare] cases quantiques.
    b) Donnez la configuration électronique de l'ion Mn^{2+}.
    c) Combien l'ion Mn^{2+} possède-t-il d'électrons non appariés?
    d) Est-ce que l'ion Mn^{2+} est paramagnétique?

18. Le cuivre joue un important rôle biochimique particulièrement au niveau des transferts d'électrons. Il existe sous forme d'ions Cu^+ et Cu^{2+}. Écrivez leurs configurations électroniques en notation [gaz rare] cases quantiques. Ces ions sont-ils paramagnétiques?

Les nombres quantiques et les configurations électroniques

19. Expliquez brièvement pourquoi chacune des séries suivantes n'est pas une combinaison permise de nombres quantiques pour un électron dans un atome. Dans chaque cas, corrigez ce qui est erroné.
    a) $n = 4$, $l = 2$, $m = 0$ et $s = 0$.
    b) $n = 3$, $l = 1$, $m = -3$ et $s = -\frac{1}{2}$.
    c) $n = 3$, $l = 3$, $m = -1$ et $s = +\frac{1}{2}$.

20. Déterminez le nombre maximal d'électrons pouvant être identifiés à chacune des combinaisons de nombres quantiques suivantes. Dans le cas où la réponse serait « Aucun », justifiez.

   a) $n = 4$, $l = 3$.

   b) $n = 6$, $l = 1$ et $m = -1$.

   c) $n = 3$, $l = 3$ et $m = -3$.

   d) $n = 4$, $l = 1$, $m = -1$ et $s = -\dfrac{1}{2}$.

21. Représentez la configuration électronique du phosphore à l'aide de la notation [gaz rare] cases quantiques. Donnez une combinaison possible de quatre nombres quantiques pour chacun des électrons périphériques.

Les propriétés périodiques

(*Voir l'exemple 5.3*)

22. En ne vous référant qu'au tableau périodique, classez les éléments suivants par ordre croissant de leur taille : Al, B, C, K et Na.

23. À partir du tableau périodique, classez les éléments suivants par ordre croissant de leur taille : Ca, Rb, P, Ge et Sr.

24. Pour chacune des paires suivantes, identifiez l'espèce qui a le plus grand rayon.

   a) Cl ou Cl⁻.

   b) Al ou O.

   c) In ou I.

   d) Cs ou Rb.

25. Lequel des groupes d'éléments suivants respecte l'ordre croissant d'énergie de première ionisation ?

   a) C < Si < Li < Ne

   b) Ne < Si < C < Li

   c) Li < Si < C < Ne

   d) Ne < C < Si < Li

26. Classez les atomes Li, K, C et N par ordre croissant d'énergie de première ionisation.

27. Soit les quatre éléments Na, Mg, O et P.

   a) Lequel a le plus grand rayon atomique ?

   b) Lequel a l'affinité électronique la plus négative ?

   c) Classez ces éléments par ordre croissant d'énergie de première ionisation.

28. Justifiez brièvement chacune de vos réponses aux questions suivantes.

   a) Classez les éléments F, O et S par ordre croissant d'énergie de première ionisation.

   b) Lequel des éléments O, S et Se possède l'énergie de première ionisation la plus élevée ?

   c) Lequel des éléments Se, Cl et Br possède l'affinité électronique la plus négative ?

   d) Laquelle des espèces O^{2-}, F^- et F a le plus grand rayon ?

Questions de révision

Ces questions peuvent combiner plusieurs des concepts vus précédemment. Les numéros de couleur correspondent à des questions demandant plus de réflexion.

29. Le nom « rutherfordium » (Rf) a été donné à l'élément 104 en l'honneur du physicien Ernest Rutherford. Écrivez sa configuration électronique à l'aide de la notation spdf abrégée.

30. Représentez la configuration électronique de l'uranium et de l'ion uranium (IV) au moyen de la notation [gaz rare] cases quantiques. Est-ce que ces deux espèces sont paramagnétiques ?

31. Les lanthanides existent communément sous forme d'ions +3. Donnez la configuration électronique en notation [gaz rare] cases quantiques des éléments suivants et de leurs ions.

   a) Ce et Ce^{3+} (cérium).

   b) Ho et Ho^{3+} (holmium).

32. Un atome à l'état fondamental possède deux électrons dans la couche $n = 1$, huit électrons dans la couche $n = 2$ et $n = 3$, et deux électrons dans la couche $n = 4$. Répondez aux questions suivantes.

   a) Quel est son numéro atomique ?

   b) Quel est son nombre total d'électrons s ?

   c) Quel est son nombre total d'électrons p ?

   d) Quel est son nombre total d'électrons d ?

   e) Est-ce que cet élément est un métal, un métalloïde ou un non-métal ?

33. Combien y a-t-il de couches remplies dans :

   a) l'élément de numéro atomique $Z = 71$?

   b) le cuivre ?

34. Pour chacun des énoncés suivants, identifiez l'élément correspondant.

   a) L'élément qui a la configuration électronique $1s^2 2s^2 2p^6 3s^2 3p^3$.

   b) Le métal alcalino-terreux au rayon atomique le plus petit.

   c) L'élément du groupe 5A (15) dont l'énergie d'ionisation est la plus élevée.

   d) L'élément dont l'ion +2 a la configuration électronique $[Kr]4d^5$.

   e) L'élément du groupe 7A (17) qui a l'affinité électronique la plus négative.

   f) L'élément dont la configuration électronique est $[Ar]3d^{10}4s^2$.

35. Classez les espèces suivantes par ordre croissant d'énergie d'ionisation : Cl, Ca^{2+} et Cl^-. Expliquez brièvement votre réponse.

36. $A = [Ar]4s^2$ $B = [Ar]3d^{10}4s^2 4p^5$

   a) Est-ce que l'élément A est un métal, un métalloïde ou un non-métal ?

b) Est-ce que l'élément B est un métal, un métalloïde ou un non-métal?

c) Quel élément a la plus grande énergie d'ionisation?

d) Quel élément a le plus petit rayon atomique?

37. Lesquels des ions suivants ne devrait-on pas trouver dans un composé chimique: Cs^+, In^{4+}, Fe^{6+}, Te^{2-}, Sn^{5+} et I^-? Expliquez brièvement vos choix.

38. Placez les ions suivants par ordre décroissant de leur taille: K^+, Cl^-, S^{2-} et Ca^{2+}.

39. a) Lequel des éléments S, Se et Cl a le plus grand rayon atomique?

b) Qui de Br et de Br^- a le plus grand rayon?

c) Qui de Si, Na, P et Mg devrait présenter la plus grande différence entre les énergies de la première et de la deuxième ionisation?

d) Qui de N, P et As possède la plus grande énergie d'ionisation?

e) Laquelle des espèces suivantes, O^{2-}, N^{3-} et F^-, a le plus grand rayon?

40. Les ions Cl^-, K^+ et Ca^{2+} sont isoélectroniques. Classez-les par ordre croissant

a) de taille;

b) d'énergie d'ionisation;

c) d'affinité électronique.

41. Les ions +3 de deux métaux de transition de la quatrième période possèdent quatre électrons non appariés. Identifiez ces deux éléments.

42. Expliquez de quelle manière et pourquoi l'énergie d'ionisation varie dans un groupe.

43. La configuration électronique d'un élément est donnée ci-dessous.

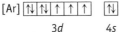

a) Identifiez cet élément.

b) Cet élément est-il diamagnétique ou paramagnétique?

c) Combien d'électrons non appariés l'ion +3 de cet élément possède-t-il?

44. Expliquez pourquoi la taille des atomes varie dans une période.

45. Qui de C, Li, N et Be présente la plus grande différence entre les énergies de la première et de la deuxième ionisation? Justifiez votre réponse.

46. En général, l'affinité des éléments pour un électron augmente dans une période (affinité électronique plus négative). Une exception toutefois est l'importante diminution (en valeur absolue) de l'affinité électronique entre le groupe 4A (14) et le groupe 5A (15). Expliquez cette diminution.

47. Expliquez pourquoi la réaction du calcium avec le fluor ne forme pas CaF_3.

48. Expliquez brièvement pourquoi la masse volumique des éléments augmente de K à V.

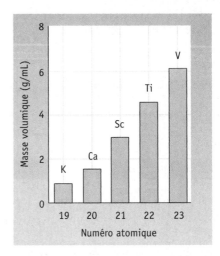

49. La charge nucléaire effective augmente dans une période (*voir le tableau 5.2*). L'énergie d'ionisation des quatre premiers éléments de la deuxième période varie selon Li < Be > B < C. Expliquez cette observation.

50. On trouve dans le tableau ci-dessous les énergies nécessaires pour expulser le premier électron des atomes Si, P, S et Cl. Expliquez brièvement cette variation.

Énergie de première ionisation

Éléments	(kJ/mol)
Si	780
P	1060
S	1005
Cl	1255

51. Le chlorure de thionyle ($SOCl_2$) est un important agent de chloration et oxydant en chimie organique. Industriellement, on le prépare en faisant réagir SO_3 et SCl_2.

$$SO_3 \text{ (g)} + SCl_2 \text{ (g)} \rightarrow SO_2 \text{ (g)} + SOCl_2 \text{ (g)}$$

a) À l'aide des cases quantiques, donnez la configuration électronique d'un atome de soufre.

b) À partir de la configuration écrite en **a)**, écrivez une combinaison de nombres quantiques décrivant l'électron qui possède le plus d'énergie.

c) Quel élément faisant partie de cette réaction (O, S, Cl) devrait avoir l'énergie d'ionisation la plus faible? Le plus petit rayon?

d) Qui de l'ion sulfure (S^{2-}) et de l'atome de soufre S est le plus petit?

CHAPITRE 6

La liaison chimique et la structure des molécules : les concepts fondamentaux

La découverte de sucre dans un nuage précurseur d'étoiles signifie qu'il y a de fortes chances que les molécules à l'origine de la vie aient été formées dans de tels nuages bien avant que les planètes ne se forment autour des étoiles.

Jan M. Hollis, NASA Goddard Space Flight Center à Greenbelt.

ÉLÉMENTS DE COMPÉTENCE :

appliquer le modèle probabiliste de l'atome à l'analyse des propriétés des éléments ; résoudre des problèmes touchant la structure de la matière et les états de la matière à l'aide des théories modernes de la chimie.

PRÉCISIONS :

formation des liaisons : aspect énergétique. Liaisons intramoléculaires. Prédiction des structures moléculaires.

OBJECTIFS D'APPRENTISSAGE :

▶ distinguer la liaison ionique de la liaison covalente, polaire ou non polaire ;

▶ dessiner les structures de Lewis des petites molécules et des ions ;

▶ prévoir la polarité des liaisons à l'aide de la notion d'électro-négativité ;

▶ utiliser les propriétés de la liaison covalente pour expliquer certaines propriétés des molécules ;

▶ prévoir la forme des molécules et des ions à l'aide de la théorie RPE.

Le sucre dans l'espace

La vie repose sur de petites molécules toutes simples comme l'eau et l'ammoniac, sur d'autres un peu plus complexes comme les sucres ou très complexes comme l'ADN et l'hémoglobine. D'où viennent-elles ? Comment se sont-elles formées ? À quoi ressemblent-elles ? Est-ce que leurs propriétés sont liées à ce qu'elles paraissent être, c'est-à-dire à leur structure ?

La recherche de leur provenance constitue l'un des domaines de spécialisation des astronomes. Vers les années 1960, quelques scientifiques ont émis l'hypothèse que les comètes laissaient sur leur passage divers composés plus ou moins complexes pouvant rejoindre la Terre : on recevrait ainsi chaque jour en provenance de l'espace lointain une moyenne de 30 tonnes de substances organiques. Les radioastronomes en ont identifié plus de 120 aux confins de notre galaxie, parmi lesquelles figurent à côté des petites molécules H_2, CO, H_2O, NH_3 et HCl des molécules plus grosses comme le glycolaldéhyde, un sucre découvert en 2001 dans un nuage de gaz et de poussières situé à quelque 26 000 années-lumière de la Terre. Ce composé fait partie des glucides ou hydrates de carbone de formule générale $C_n(H_2O)_n$. Son squelette est constitué de deux atomes de carbone : sur l'un d'eux sont liés un atome d'hydrogène et un d'oxygène ; sur l'autre, on trouve deux atomes de H et un groupement -OH.

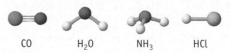

CO H_2O NH_3 HCl

▲ Quelques molécules détectées dans l'espace lointain.

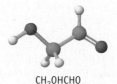

CH_2OHCHO

▲ La molécule de glycolaldéhyde.

La structure et la forme de cette molécule sont de nos jours facilement prévisibles. On peut expliquer, par exemple, les facteurs déterminant les angles des liaisons et pourquoi il

La nébuleuse de l'Aigle. Ces longs nuages opaques surnommés les « Piliers de la création » sont d'immenses colonnes de gaz et de poussières dans lesquelles se sont formées récemment de nouvelles étoiles et de nouvelles molécules. Le pilier le plus haut mesure environ une année-lumière ! La nébuleuse, berceau des étoiles, se trouve dans la constellation du Serpent, en bordure des constellations de l'Écu et du Sagittaire de notre galaxie, à environ 7000 années-lumière. J. Hester et P. Scowan, université de l'État de l'Arizona et NASA

existe différents types de liaisons carbone-oxygène. On aimerait aussi savoir comment la structure influe sur les propriétés chimiques et physiques des composés, pour prévoir leur comportement vis-à-vis d'autres substances.

Comment de tels composés se forment-ils dans l'espace lointain ? Dans ces régions, la température avoisine le 0 K et les astronomes croient que des petites molécules comme CO, CO_2, H_2O et CH_3OH (le méthanol) gèlent à la surface d'infimes particules

de poussières interstellaires. Ces particules soumises à des radiations très intenses provenant des étoiles les plus proches se fragmentent, comme dans un spectromètre de masse (*voir la figure 3.10, page 97*). Les fragments se réarrangent et se combinent en donnant des molécules plus grosses comme le glycolaldéhyde.

On trouve aussi dans l'espace des hydrocarbures, composés ne contenant que du carbone et de l'hydrogène, tel l'anthracène, qui fait partie de la grande famille des composés aromatiques polycycliques. On ne peut les ignorer, car ce sont des polluants cancérigènes. Vous en produisez d'ailleurs (en quantités infimes malgré tout) lors de la cuisson des hamburgers au charbon de bois.

Comment explique-t-on que la molécule d'anthracène soit plane ? C'est là une des nombreuses questions auxquelles on tentera de répondre dans ce chapitre et dans le suivant.

L'anthracène, une molécule aromatique polycyclique.

La comète Hale-Bopp photographiée en 1997. Les comètes déversent sur la Terre de nombreuses molécules complexes.
©1997 Fred Espenak

Ce radiotélescope, d'un diamètre de 12 m, de l'Observatoire national de radioastronomie (États-Unis), est utilisé pour la détection de molécules dans l'espace lointain. Observatoire national de radioastronomie

6

L'étude des relations existant entre la structure des molécules et leur fonction occupe une grande place dans la chimie moderne. On débute ce chapitre par l'étude des liens qui permettent aux atomes de se maintenir ensemble pour former des molécules. La structure de ces dernières ainsi que quelques-unes de leurs propriétés seront abordées par la suite.

LES INSECTES SE DÉFENDENT.

Beaucoup d'insectes ont développé de merveilleux moyens de défense chimiques. On trouve parmi eux le scorpion à fouet, qui asperge son agresseur d'une brume contenant environ 85 % d'acide acétique lorsqu'il se sent menacé. On retrouve ce composé dans le vinaigre, mais à une concentration de l'ordre de 3 à 5 %. Cette particularité lui a valu le surnom de « vinaigrier ».

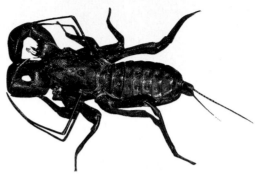

▲ On trouve aussi dans le fluide éjecté une seconde arme efficace: l'acide *n*-octanoïque. Brian Kenney

LES STRUCTURES MOLÉCULAIRES

L'acide acétique (CH_3COOH)

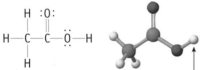

La molécule, qui peut perdre cet atome d'hydrogène sous la forme H^+, est un acide.

Dans l'eau, l'acide acétique est faible: moins de 5 % de ses molécules s'ionisent en perdant l'atome d'hydrogène (sous forme d'ions H^+) lié à l'atome d'oxygène.

L'acide *n*-octanoïque [$CH_3(CH_2)_6COOH$]

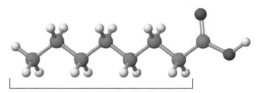

Cette partie non polaire permet à l'acide *n*-octanoïque de pénétrer dans la carapace des prédateurs du scorpion à fouet ou... de ses proies.

LE FONCTIONNEMENT

Le vinaigrier

La proie aspergée

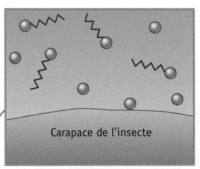

La structure de l'acide acétique ne lui permet pas de pénétrer dans la carapace cireuse d'un autre insecte.

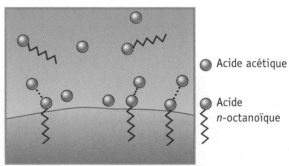

● Acide acétique

● Acide *n*-octanoïque

Cependant, la longue chaîne carbonée non polaire de l'acide *n*-octanoïque possède la propriété d'interagir avec la carapace de l'ennemi (ou de la proie), et la molécule est absorbée. Elle entraîne avec elle une molécule d'acide acétique avec laquelle elle peut se lier et... les deux entrent dans le corps du prédateur (ou de la proie).

Les scientifiques savent depuis longtemps que la clef permettant d'interpréter les propriétés chimiques des substances réside dans la connaissance et la compréhension de leur structure et des liaisons. On entend par **structure** la manière dont les atomes sont arrangés dans l'espace et par **liaisons** les forces qui les maintiennent ensemble. En introduction à ce manuel, nous avons conté l'histoire de la découverte de la structure de l'ADN. Cette structure soulève d'autres questions dignes d'intérêt, par exemple : Pourquoi la molécule d'ADN adopte-t-elle une forme hélicoïdale ? La géométrie des liaisons chimiques reliant un atome à ses voisins et la nature des liens entre atomes font certainement partie de la réponse.

Maintenant, on explore l'arrangement des atomes dans les composés, les liens qui les unissent et, concurremment, on débute l'étude des relations entre, d'une part, les structures et les liaisons et, d'autre part, les propriétés chimiques et physiques des substances. Pour commencer, on se penche sur de petites molécules et sur des ions ; ensuite, on élargira le propos à des molécules plus complexes.

6.1 LA NOTATION DE LEWIS

Rappelez-vous la classification des électrons présents dans un atome décrite précédemment dans la section 5.4.1 (*voir la page 144*).

Les électrons périphériques des éléments représentatifs, ceux rassemblés dans les groupes A du tableau périodique, sont logés dans les sous-couches s et p de leur dernière couche (n le plus élevé), les plus « éloignées » du noyau, celles qui possèdent le plus d'énergie (les moins négatives). Tous leurs autres électrons, y compris éventuellement ceux des sous-couches d complètement remplies, sont des électrons internes, n'intervenant jamais directement dans les réactions chimiques. On remarque que *le nombre d'électrons périphériques des éléments des groupes A est égal au numéro de groupe* (tableau 6.1). Le fait que les éléments d'un même groupe A renferment le même nombre d'électrons périphériques joue un rôle important dans la similitude de leurs propriétés chimiques.

Les électrons périphériques des métaux de transition sont logés dans la couche ns et dans la sous-couche $(n - 1)d$ partiellement remplie. Comme dans les éléments représentatifs, ce sont eux qui déterminent les propriétés chimiques.

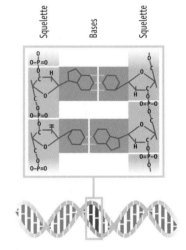

▲ Une représentation de l'ADN.

TABLEAU 6.1 Électrons périphériques et internes de quelques éléments courants				
Éléments	**Groupes**	**Électrons internes**	**Électrons périphériques**	**Configurations électroniques**
Éléments représentatifs				
Na	1A (1)	$1s^2 2s^2 2p^6 = [Ne]$	$3s^1$	$[Ne]3s^1$
Si	4A (14)	$1s^2 2s^2 2p^6 = [Ne]$	$3s^2 3p^2$	$[Ne]3s^2 3p^2$
As	5A (15)	$1s^2 2s^2 2p^6 3s^2 3p^6 3d^{10} = [Ar]3d^{10}$	$4s^2 4p^3$	$[Ar]3d^{10}4s^2 4p^3$
Éléments de transition				
Ti	4B (4)	$1s^2 2s^2 2p^6 3s^2 3p^6 = [Ar]$	$3d^2 4s^2$	$[Ar]3d^2 4s^2$
Co	8B (9)	$[Ar]$	$3d^7 4s^2$	$[Ar]3d^7 4s^2$
Mo	6B (6)	$[Kr]$	$4d^5 5s^1$	$[Kr]4d^5 5s^1$

G. N. Lewis (1875-1946) a imaginé une méthode très pratique pour décrire les atomes : des points représentant chacun un électron périphérique entourent le symbole chimique de l'élément, qui figure alors le noyau et les électrons internes. Les quatre premiers points sont répartis un à un autour du symbole de manière à former en définitive un carré ; les autres, s'il en reste, sont placés un par un à côté des précédents et forment des doublets (*voir le tableau 6.2, page 170*).

◆ *L'atome d'hydrogène*

Un atome d'hydrogène, qui possède un seul électron périphérique $1s$, ne peut être entouré que d'une seule paire d'électrons.

TABLEAU 6.2   **La symbolisation des éléments représentatifs des deuxième et troisième périodes selon la notation de Lewis**

1A (1)	2A (2)	3A (13)	4A (14)	5A (15)	6A (16)	7A (17)	8A (18)
ns^1	ns^2	ns^2np^1	ns^2np^2	ns^2np^3	ns^2np^4	ns^2np^5	ns^2np^6
Li·	·Be·	·B·	·C·	·N·	:O·	:F:	:Ne:
Na·	·Mg·	·Al·	·Si·	·P·	:S·	:Cl·	:Ar:

Cet assemblage d'électrons en quatre groupes implique un maximum de quatre paires d'électrons périphériques par atome représentatif, d'où le nom d'*octet* (huit) donné à cet ensemble. Cette configuration est réputée stable : les gaz rares, à l'exception de l'hélium, possèdent en effet huit électrons périphériques et exhibent une absence évidente de réactivité. L'hélium, le néon et l'argon ne se combinent à aucun élément, les autres éléments du groupe ont une réactivité plus que limitée. Comme les réactions chimiques mettent en jeu des changements dans la distribution de ces électrons, leur réactivité très faible est considérée comme une évidence de la stabilité de la configuration électronique ns^2np^6. L'hydrogène, qui atteint dans ses composés la configuration de l'hélium, obéit à l'esprit de la règle.

6.2   LA FORMATION DE LA LIAISON CHIMIQUE

Quand une réaction chimique a lieu entre deux atomes, leurs électrons périphériques se réarrangent de telle sorte qu'une force d'attraction, une liaison chimique, prend place entre eux (*voir le chapitre 3, page 76*). Les liaisons se divisent en deux grandes catégories, ionique et covalente, décrites facilement avec la **notation de Lewis**.

Une **liaison ionique** se forme quand *un ou plusieurs électrons périphériques sont transférés d'un atome à l'autre*, créant de ce fait un cation et un anion. Lors de la réaction entre le sodium et le chlore (figure 6.1 **a**), un électron est cédé par un atome de sodium à un atome de chlore et les ions Na^+ et Cl^- sont formés.

$$Na· \; + \; ·\ddot{\underset{..}{Cl}}: \; \longrightarrow \; \left[Na· \;\; \overset{\frown}{} \;\; ·\ddot{\underset{..}{Cl}}: \right] \; \longrightarrow \; \left[Na^+ \;\;\;\;\; :\ddot{\underset{..}{Cl}}:^- \right]$$

Métal   Non-métal   Transfert d'un électron   Composé ionique (les ions possèdent la configuration du gaz rare le plus proche).

La « liaison » entre les deux ions est en fait une force d'attraction électrostatique s'exerçant entre deux charges électriques de signes opposés.

Dans la **liaison covalente**, il y a *partage d'électrons périphériques*. Deux atomes de chlore, par exemple, partagent une paire d'électrons, chaque atome en fournissant un, pour former une liaison covalente.

$$:\ddot{Cl}· \; + \; ·\ddot{\underset{..}{Cl}}: \; \longrightarrow \; :\ddot{\underset{..}{Cl}}:\ddot{\underset{..}{Cl}}:$$

Dans ces deux procédés conduisant à la formation d'une liaison entre deux atomes, des électrons non appariés forment une paire et les deux atomes s'entourent de huit électrons. La position de la paire d'électrons nouvellement formée distingue essentiellement les deux types de liaisons. Dans la molécule de chlore (Cl$_2$), elle est partagée également entre les deux atomes ; par contre, elle est portée en totalité par l'atome de chlore dans le chlorure de sodium.

6.3 LA LIAISON DANS LES COMPOSÉS IONIQUES

Le sodium et le chlore réagissent violemment pour former du chlorure de sodium et le calcium réagissant avec l'oxygène se transforme en oxyde de calcium (figure 6.1).

Il se forme dans les deux cas un composé ionique : NaCl qui contient des ions Na$^+$ et Cl$^-$, tandis que CaO est composé de Ca^{2+} et O^{2-}.

$$Na\ (s)\ +\ \frac{1}{2}\ Cl_2\ (g)\ \longrightarrow\ NaCl\ (s)\qquad \Delta H_f^0 = \text{-}411{,}1\ kJ/mol$$

$$Ca\ (s)\ +\ \frac{1}{2}\ O_2\ (g)\ \longrightarrow\ CaO\ (s)\qquad \Delta H_f^0 = \text{-}635{,}1\ kJ/mol$$

Puisque l'énergie d'ionisation des métaux alcalins et des métaux alcalino-terreux est très faible, il faut leur fournir relativement peu d'énergie pour qu'ils acquièrent la configuration d'un gaz rare en perdant leurs électrons périphériques ns, se transformant de ce fait en cations. À l'opposé, les éléments des groupes précédant immédiatement les gaz rares (6A et 7A) ont beaucoup d'affinités pour les électrons. Ils forment facilement des anions et atteignent de cette façon la configuration du gaz rare les suivant dans le tableau périodique.

La tendance à évoluer vers la configuration d'un gaz rare par perte ou par gain d'électrons est importante dans la chimie des éléments représentatifs. Peut-être encore plus importante est la grandeur de l'énergie mise en jeu, qui favorise nettement la formation de leurs composés ioniques. Généralement,

- dans toute réaction chimique évoluant favorablement vers les produits, ceux-ci ont une plus petite énergie potentielle que les réactifs[1] ;

◆ *La configuration des électrons périphériques et la formation des composés ioniques*

Dans la formation de NaCl, la configuration électronique de Na passe de $1s^2 2s^2 2p^6 3s^1$ à $1s^2 2s^2 2p^6$ dans Na$^+$, tandis que celle de Cl évolue de [Ne]$3s^2 3p^5$ à [Ne]$3s^2 3p^6$ dans Cl$^-$.

a) La réaction du chlore et du sodium

$$Na\ (s)\ +\ \frac{1}{2}\ Cl_2\ (g)\ \longrightarrow\ NaCl\ (s)$$

$$\Delta H_f^0\ [NaCl\ (s)] = \text{-}411{,}1\ kJ/mol$$

b) La réaction du calcium et de l'oxygène

$$Ca\ (s)\ +\ \frac{1}{2}\ O_2\ (g)\ \longrightarrow\ CaO\ (s)$$

$$\Delta H_f^0\ [CaO\ (s)] = \text{-}635{,}1\ kJ/mol$$

Charles D. Winters

Figure 6.1 La formation des composés ioniques. Les deux réactions sont fortement exothermiques, comme le montrent les valeurs élevées (en valeurs absolues) des enthalpies standards de formation des produits.

---

1. Ce n'est pas toujours le cas. Les facteurs énergétiques liés au déroulement des réactions chimiques (enthalpie, entropie, énergie de Gibbs) sont vus en détail dans le cours de *Chimie des solutions*.

- la structure adoptée par un composé, qu'il soit ionique ou covalent, est celle qui possède l'énergie potentielle la plus basse, celle qui correspond à sa plus grande stabilité thermodynamique.

L'analyse plus fine de l'énergie mise en jeu dans la formation des composés ioniques va permettre d'expliciter ce qui assure la cohésion des ions. On va d'abord considérer les variations énergétiques accompagnant la formation d'une paire d'ions à l'état gazeux et ensuite passer à la formation d'une mole de composé solide.

pour en savoir +...

La variation d'enthalpie (ΔH), la loi de Hess, les enthalpies standards de formation

La **variation d'enthalpie** d'une réaction (ΔH) représente la chaleur échangée avec l'environnement, à pression constante :

- des valeurs négatives de ΔH signifient que la réaction a cédé de la chaleur à l'extérieur : **réaction exothermique** ;
- des valeurs positives signifient que de l'énergie a été transférée du milieu ambiant à la réaction : **réaction endothermique.**

Les fonctions qui ne dépendent que de l'état initial et de l'état final du système sont dites **fonctions d'état** : elles sont indépendantes de la façon dont le changement se produit. Beaucoup de quantités mesurées, comme la pression d'un gaz, le volume d'un gaz ou d'un liquide, la température d'une substance ou... le solde de votre compte en banque sont des fonctions d'état. L'enthalpie est une fonction d'état : sa variation lors du chauffage, par exemple, d'un gramme d'eau de 20 °C à 50 °C ou lors de l'évaporation d'un gramme d'eau à 100 °C est indépendante du moyen utilisé.

Pour différentes raisons, il n'est pas toujours possible de mesurer par calorimétrie les ΔH de réaction. Fort heureusement, on peut y arriver de façon détournée en utilisant les ΔH d'autres réactions déjà connues ou facilement mesurables directement. Le calcul met à profit la qualité de l'enthalpie d'être une fonction d'état. La **loi de Hess** stipule que, *si une réaction peut être décomposée en plusieurs étapes, sa variation d'enthalpie (ΔH) est égale à la somme des ΔH de ces dernières.*

Les ΔH ont été mesurées (calorimétrie) ou calculées (loi de Hess) pour des milliers de réactions. Très vite est apparu le besoin de réduire cet ensemble de données à quelque chose de plus opérationnel. Pour ce faire, on a introduit la notion d'**enthalpie standard de formation** (ΔH_f^0) exprimée

généralement en kJ/mol. Cette grandeur représente la variation d'enthalpie se produisant lors de la formation d'une mole de substance à partir de ses éléments considérés dans leur **état standard,** défini comme leur forme la plus stable qui existe à la pression de 1 bar[2] (exactement 100 kPa) et à la température spécifiée (généralement 25 °C). Dans leur état standard, on a posé arbitrairement que l'enthalpie des éléments était égale à zéro.

La connaissance des enthalpies standards de formation, par exemple de $CaCO_3$ (-1207,6 kJ), CaO (-635,0 kJ) et CO_2 (g) (-393,5 kJ), permet de calculer la variation d'enthalpie standard de la réaction :

$$CaCO_3 \text{ (s)} \longrightarrow CaO \text{ (s)} + CO_2 \text{ (g)}$$

Pour ce faire, on suppose que la réaction a lieu en deux temps :

- décomposition des réactifs en leurs éléments, soit la réaction inverse de leur formation dans les conditions standards ;
- recombinaison des éléments pour former cette fois les produits et l'on applique ensuite la loi de Hess.

$$CaCO_3 \text{ (s)} \longrightarrow Ca \text{ (s)} + C \text{ (s)} + \frac{3}{2}O_2 \text{ (g)} \quad -\Delta H_f^0(CaCO_3) = 1207,6 \text{ kJ}$$

$$Ca \text{ (s)} + \frac{1}{2}O_2 \longrightarrow CaO \text{ (s)} \qquad \Delta H_f^0(CaO) = -635,0 \text{ kJ}$$

$$C \text{ (s)} + O_2 \longrightarrow CO_2 \text{ (g)} \qquad \Delta H_f^0(CO_2) = -393,5 \text{ kJ}$$

$$CaCO_3 \text{ (s)} \longrightarrow CaO \text{ (s)} + CO_2 \text{ (g)} \qquad \Delta H^0 = 179,1 \text{ kJ}$$

La variation standard d'enthalpie de la réaction est égale à :

$$\Delta H^0 = [\Delta H_f^0 (CaO) + \Delta H_f^0 (CO_2)] - \Delta H_f^0 (CaCO_3),$$

expression que l'on peut généraliser en :

$$\Delta H^0 = \Sigma[\Delta H_f^0 \text{ (produits)}] - \Sigma[\Delta H_f^0 \text{ (réactifs)}].$$

---

2. Cette valeur a été recommandée par l'Union internationale de chimie pure et appliquée (UICPA, ou IUPAC en anglais) en 1982 et reconfirmée en 1997 dans le *Compendium of chemical terminology.* Cependant, la plupart des données publiées font référence à une pression standard de 1 atm valant 101,325 kPa.

6.3.1 La formation des paires d'ions à l'état gazeux et l'énergie

Considérez la formation à partir des atomes à l'état gazeux de la paire d'ions $[Na^+, Cl^-]$ (g). Selon la loi de Hess, on peut la décomposer en plusieurs étapes :

1. Na (g) $\longrightarrow$ Na^+ (g) $+ e^-$ $\qquad\qquad$ $E_i = +496$ kJ/mol
2. Cl (g) $+ e^- \longrightarrow Cl^-$ (g) $\qquad\qquad$ $E_{af} = -349$ kJ/mol
3. Na^+ (g) $+ Cl^-$ (g) $\longrightarrow [Na^+, Cl^-]$ (g) $\qquad$ $E_{paire} = -498$ kJ/mol

Na (g) $+ Cl$ (g) $\longrightarrow [Na^+, Cl^-]$ (g) $\qquad\qquad$ $\Delta E = -351$ kJ/mol

On remarque que la formation des deux ions libres est *endothermique*, la somme de l'énergie d'ionisation du sodium (E_i) et de l'affinité électronique du chlore ($E_{aé}$) est en effet égale à +147 kJ/mol. Toutefois, l'appariement des deux ions est si exothermique ($E_{paire} = -498$ kJ/mol) que l'énergie globale du système diminue de 351 kJ/mol (figures 6.2 et 6.3).

On ne peut mesurer directement l'énergie associée à l'appariement de deux ions à l'état gazeux (E_{paire}), mais on peut la calculer à partir d'une équation déduite de la loi de Coulomb (*voir la section 3.3.7, page 84*)

$$E_{paire} = \frac{C(n^+e)(n^-e)}{d}$$

dans laquelle C est une constante, n^+ et n^- les charges portées respectivement par le cation et l'anion, e, la charge de l'électron, et d, la distance séparant les centres des ions. Comme les ions portent des charges de signes opposés, l'énergie, négative, correspond à une attraction. Elle dépend de deux facteurs :

- *le nombre de charges.* Plus les ions sont chargés, plus fortes sont les attractions. Par exemple, l'énergie entre les ions Ca^{2+} et O^{2-} sera *a priori* [$(+2)(-2) = -4$] quatre fois plus forte qu'entre Na^+ et Cl^- [$(+1)(-1) = -1$] ;
- *la distance entre les ions.* L'énergie est inversement proportionnelle à la distance entre les ions. Lorsque leur taille augmente, la distance séparant leurs centres augmente, la force d'attraction diminue : l'énergie devient moins négative.

L'influence de la distance est évidente si l'on se réfère à la figure 6.3, où l'on a porté les valeurs de E_{paire} de différents halogénures de métaux alcalins. Toutes les charges portées par les ions sont identiques, +1 pour les cations et -1 pour les anions, si bien que seule la distance influe sur l'énergie. Celle-ci suit la variation des rayons des ions. Par exemple, l'énergie des chlorures devient moins

Histoire et découvertes

Germain Henri Hess (1802-1850)
Né à Genève (Suisse), il suivit très jeune sa famille en Russie, où il vécut le reste de sa vie. Diplômé de médecine en 1825, il se tourna vers la chimie après avoir rencontré le grand chimiste suédois Berzelius. Ses travaux portèrent essentiellement sur les chaleurs de réaction et, en 1840, il énonça la loi sur l'additivité des variations d'enthalpies. Il enseigna la chimie à l'université de Saint-Pétersbourg, ville où il mourut en 1850.

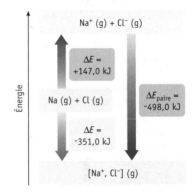

Figure 6.2 Le diagramme des niveaux d'énergie de la formation de la paire d'ions [Na^+, Cl^-] (g).

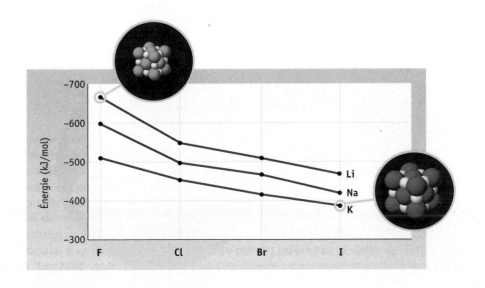

Figure 6.3 L'énergie de formation des paires d'ions. E_{paire} de formation des halogénures des métaux alcalins à partir de leurs ions :
M^+ (g) $+ X^-$ (g) $\longrightarrow [M^+, X^-]$ (g)

négative du lithium au potassium, parce que les rayons de ces ions augmentent dans le même ordre : $r_{Li^+} < r_{Na^+} < r_{K^+}$. De la même façon, pour un même cation, l'énergie devient moins négative lorsque la taille de l'anion augmente.

6.3.2 L'énergie réticulaire

Dans les conditions habituelles, les composés ioniques sont des solides. Ils sont formés d'ions positifs et d'ions négatifs disposés selon des arrangements ordonnés appelés les réseaux cristallins. Par exemple, dans le chlorure de sodium, chaque cation Na^+ est entouré de six anions Cl^- et, réciproquement, chaque anion est entouré de six cations (figure 6.4).

L'énergie de formation d'une mole de composé ionique à l'état solide à partir de ses ions considérés à l'état gazeux, appelée l'**énergie réticulaire** ($\Delta E_{rét}$), représente son **énergie de liaison** (*voir l'encadré* Pour en savoir +... Le calcul des énergies réticulaires à l'aide du cycle de Born-Haber).

$$Na^+ (g) + Cl^- (g) \longrightarrow NaCl (s) \qquad \Delta E_{rét} = -786 \text{ kJ/mol}$$

Elle est la résultante de toutes les forces d'attraction et de répulsion entre ions *dans un cristal*. On ne peut la mesurer directement, car il est impossible d'effectuer en laboratoire la réaction décrite par l'équation de sa définition. On peut par contre la calculer. L'approche mathématique tient compte de toutes les interactions possibles entre les cations et les anions dans le cristal, les plus fortes étant les forces d'attraction entre des ions voisins portant des charges opposées. On ne néglige pas pour autant les forces d'attraction avec les ions de charges opposées plus éloignés, ni les forces de répulsion entre ions de même charge.

De ce qui précède, il est important de retenir que la force de la liaison ionique, telle qu'évaluée par l'énergie réticulaire, dépend de la charge et de la taille des ions. Les valeurs de $\Delta E_{rét}$ sont liées de très près à celles de E_{paire} et les deux varient de façon prévisible avec la charge. La valeur de $\Delta E_{rét}$ de MgO (-4050 kJ/mol) est environ quatre fois plus négative que celle de NaF (-926 kJ/mol) parce que chaque ion de MgO porte une charge deux fois plus élevée que chaque ion de NaF. L'influence de la taille est aussi prévisible. Un réseau constitué de petits ions a généralement une énergie réticulaire plus négative (tableau 6.3).

L'énergie réticulaire des halogénures de lithium est plus négative que leurs homologues formés à partir des ions potassium plus gros que les ions lithium ; pour un même cation, celle des fluorures est toujours plus négative que celle des iodures. Comme on le verra plus tard, ces valeurs de $\Delta E_{rét}$ influent sur les points de fusion des composés ioniques et leur solubilité dans l'eau (*Chimie des solutions*).

Figure 6.4 Deux modèles du réseau cristallin du chlorure de sodium. Les deux modèles représentent seulement une toute petite portion du réseau, qui se déploie dans les trois dimensions. Les petites sphères de couleur argent symbolisent les ions sodium, les boules jaunes, les ions chlorure. L'armature métallique du modèle très aéré permet de localiser facilement les ions. Charles D. Winters

TABLEAU 6.3 L'énergie réticulaire des halogénures de métaux alcalins

Composés	$\Delta E_{\text{rét}}$ (kJ/mol)	Composés	$\Delta E_{\text{rét}}$ (kJ/mol)	Composés	$\Delta E_{\text{rét}}$ (kJ/mol)
LiF	-1037	NaF	-926	KF	-821
LiCl	-852	NaCl	-786	KCl	-717
LiBr	-815	NaBr	-752	KBr	-689
LiI	-761	NaI	-702	KI	-649

EXERCICE 6.1 **L'énergie réticulaire**

À l'aide des données suivantes et en appliquant le cycle de Born-Haber, calculez l'enthalpie standard de formation de l'iodure de sodium (s) : enthalpie de formation de I (g) = 106,8 kJ/mol, affinité électronique de I (g) = -295,2 kJ/mol, enthalpie de formation de Na (g) = 107,3 kJ/mol, énergie d'ionisation de Na (g) = 496 kJ/mol, énergie réticulaire de NaI (s) = -702 kJ/mol.

6.3.3 Le pourquoi quantitatif de la non-existence de NaCl$_2$ ou de NaNe

Revenez maintenant sur la question de la non-existence d'un composé tel que NaCl$_2$, évoquée précédemment dans la section 5.6.5 (*voir la page 158*). La formation de Na^{2+} (configuration $1s^22s^22p^5$) à partir de l'atome exigerait l'expulsion de deux électrons. Le second devrait quitter une orbitale $2p$, dont le niveau énergétique est bien inférieur au niveau $3s$. L'énergie totale requise pour extirper les deux électrons avoisinerait la somme des énergies de première et de deuxième ionisation du sodium (496 + 4562), environ 5000 kJ/mol. Si l'on

pour en savoir+ ...

Le calcul des énergies réticulaires à l'aide du cycle de Born-Haber

Dans la section 6.3.2, il a été mentionné que l'on pouvait calculer les valeurs de $\Delta E_{\text{rét}}$ à partir de la structure du réseau ionique, de la taille et de la charge des ions. Une valeur peut aussi être obtenue à partir de données thermochimiques mesurables. Cette approche applique la loi de Hess à une série de transformations connues sous le nom de cycle de Born-Haber, ainsi nommé en l'honneur de Max Born (1882-1970, Prix Nobel de physique 1954) et de Fritz Haber (1868-1934, Prix Nobel de chimie 1918). Les calculs sont effectués à partir des enthalpies et le résultat final est en réalité $\Delta H_{\text{rét}}$. La différence entre $\Delta E_{\text{rét}}$ et $\Delta H_{\text{rét}}$ n'est généralement pas significative ; au besoin, on peut toujours corriger la seconde pour aboutir à la première.

Prenez comme exemple le chlorure de sodium.

1. $\frac{1}{2}$ Cl$_2$ (g) $\longrightarrow$ Cl (g)   +121,68 kJ/mol
2. Cl (g) + e$^-$ $\longrightarrow$ Cl$^-$ (g)   -349 kJ/mol
3. Na (s) $\longrightarrow$ Na (g)   +107,3 kJ/mol
4. Na (g) $\longrightarrow$ Na$^+$ (g) + e$^-$ +496 kJ/mol
5. Na$^+$ (g) + Cl$^-$ (g) $\longrightarrow$ NaCl (s) $\Delta H_{\text{rét}}$

$\frac{1}{2}$ Cl$_2$ (g) + Na (s) $\longrightarrow$ NaCl (s)   -411,12 kJ/mol

$\Delta H_{\text{rét}} = -411,12 - (121,68 - 349 + 107,3 + 496) = -411,12 - (+375,98) = -787$ kJ/mol

Dans ce cycle, les étapes 1, 3 et 4 sont endothermiques : il faut fournir de l'énergie pour briser le lien unissant les deux atomes de chlore, pour faire passer un solide à l'état vapeur et pour arracher un électron à un atome. Par contre, le gain d'un électron pour former un anion (étape 2) et la formation de NaCl (s) à partir de ses éléments (mesurée par calorimétrie) sont des processus exothermiques.

suppose que l'énergie réticulaire de $NaCl_2$ est au moins le double de celle de $NaCl$ (la charge du cation a doublé et le rayon de Na^{2+} est plus petit que celui de Na^+), on peut l'estimer à -1600 kJ/mol. La somme des énergies des étapes du cycle de Born-Haber pour $NaCl_2$ conduirait à une énergie de formation voisine de 3000 kJ/mol. Le processus de formation de $NaCl_2$ à partir de Na et de Cl_2 est tellement endothermique que sa formation n'est pas du tout favorisée. Dans ce cas, l'énergie réticulaire n'est pas suffisante pour compenser l'énergie requise pour ioniser doublement le sodium.

Le sodium perd facilement un électron. Pourquoi cet électron ne peut-il pas être capté par le néon pour former le composé ionique NaNe ? Examinez de nouveau les étapes du cycle de Born-Haber, où le néon remplace le chlore. L'étape 1 n'est pas nécessaire, puisque le néon existe déjà sous forme mono-atomique. Comme le néon n'a aucune affinité pour un électron supplémentaire, il est fort probable que la formation de Ne^- nécessiterait beaucoup d'énergie, l'électron supplémentaire devant se loger dans la couche correspondant à $n = 3$ d'énergie bien supérieure au niveau $n = 2$. On ne s'attend donc pas à ce que l'énergie dégagée lors de la formation du réseau cristallin de NaNe, son énergie réticulaire, soit suffisante pour compenser l'énergie nécessaire à la formation de l'anion et du cation. L'énergie de formation de NaNe serait donc positive (pro-cessus endothermique) et, de ce fait, sa formation n'est donc pas favorisée.

Aspirine

Zingerone

▲ **Les liaisons et les structures**
Dans ce chapitre, on discute de A (aspirine) à Z (zingerone, un antioxydant présent dans le gingembre) de la formation des liaisons et des structures moléculaires.

6.4   LA LIAISON COVALENTE ET LES STRUCTURES DE LEWIS

Le reste de ce chapitre est consacré presque intégralement à la liaison covalente. On développe le sujet à partir de quelques petites molécules typiques, le principe pouvant s'extrapoler aux molécules plus complexes. On doit attirer l'attention sur un point particulier : *les liaisons dans les molécules ou les ions qui ne contiennent que des non-métaux sont covalentes.* À l'inverse, la présence d'un métal dans une formule signale que la liaison peut être ionique.

6.4.1   Les structures de Lewis

Une liaison covalente est le résultat du partage entre deux atomes d'une ou de plusieurs paires d'électrons. On la représente par deux points ou, plus géné-ralement, par un tiret.

$$H : H \text{ ou } H—H$$

Une telle représentation est appelée la **structure de Lewis.**

Dans le cas des molécules très simples, on peut dessiner leur structure de Lewis en partant des atomes et en appariant les électrons périphériques pour former des liaisons. Par exemple, pour représenter le fluor (F_2), on écrit l'atome selon la notation de Lewis. Dans F_2, les deux électrons non appariés, un par atome, forment une liaison covalente.

$$:\overset{..}{F}· + ·\overset{..}{F}: \longrightarrow :\overset{..}{F}:\overset{..}{F}: \text{ ou } :\overset{..}{F}—\overset{..}{F}:$$

La paire d'électrons située entre les deux atomes est un **doublet de liaison** (ou doublet liant) : il constitue la liaison covalente. Les autres paires, situées sur les atomes et leur appartenant, sont des **doublets libres.**

Dans le dioxyde de carbone (CO_2) et dans l'azote (N_2), les atomes liés entre eux partagent plus d'un doublet.

$$\ddot{O}=C=\ddot{O} \qquad :N\!\equiv\!N:$$

Les atomes de carbone et d'oxygène sont réunis par une **double liaison.** On trouve une **liaison triple** dans l'azote.

6.4.2 La règle de l'octet

La tendance des molécules et des ions polyatomiques à former des structures dans lesquelles huit électrons entourent chaque atome, sauf l'hydrogène, est connue sous le nom de **règle de l'octet.**

Un octet autour de l'oxygène (quatre électrons dans la double liaison et deux doublets libres).

$$:N\!\equiv\!N:$$

$$\ddot{O}=C=\ddot{O}$$

Un octet autour de l'azote (six électrons dans la **triple liaison** et deux dans le doublet libre).

Un octet autour du carbone (quatre électrons dans chacune des deux doubles liaisons).

On va se servir du méthanal (CH_2O), plus connu sous le nom de formaldéhyde, pour expliquer les étapes à suivre systématiquement pour déterminer la structure de Lewis des molécules.

1. *Sélectionnez l'atome central.* C'est habituellement celui qui possède la plus faible affinité pour les électrons (valeur absolue de l'affinité électronique la plus petite). Pour les molécules simples, il apparaît généralement en premier dans la formule chimique, sauf dans l'eau et dans les acides où l'hydrogène s'écrit au début. Les molécules se construisent souvent autour des atomes C, N, P et S. Les halogènes se retrouvent souvent comme atomes terminaux et forment une liaison simple avec un autre atome, mais ils constituent l'atome central quand ils se combinent avec l'oxygène pour donner des oxacides (comme $HClO_4$). L'oxygène est central dans l'eau, mais combiné avec le carbone, l'azote, le phosphore, le soufre et les halogènes il n'occupe pas cette position. L'hydrogène est toujours un atome terminal, puisqu'il ne peut se combiner qu'à un seul autre élément. On déduit de ce qui précède que l'atome de carbone occupe la position centrale dans le méthanal.

2. *Calculez le nombre total d'électrons périphériques.* Dans une molécule, ce nombre est égal à la somme des électrons périphériques de chacun des atomes. Pour un anion, on ajoute sa charge négative. Pour un cation, on retranche le nombre de charges positives. Dans le méthanal, on décompte 12 électrons périphériques : 4 proviennent du carbone, 6 de l'oxygène et 2 des deux atomes d'hydrogène. Le nombre de paires d'électrons à répartir est ainsi égal à six.

3. *Placez une paire d'électrons entre chaque paire d'atomes pour former une liaison simple.*

$$\begin{array}{c} H \\ | \\ H\!-\!C\!-\!O \end{array} \qquad \text{Liaison simple}$$

Il reste maintenant trois paires d'électrons à répartir.

◆ *L'importance des doublets libres*

Présents dans la même couche électronique que celle logeant les électrons de liaison, les doublets libres d'électrons influent sur la structure des molécules (*voir la section 6.9, page 201*).

◆ *Les exceptions à la règle de l'octet*

Comme dans toute règle digne de ce nom, il existe des exceptions à la règle de l'octet. Heureusement, la plupart d'entre elles sont assez évidentes. Les composés à atome central formant plus de quatre liaisons et les composés à nombre impair d'électrons se repèrent facilement.

6

4. *Placez les paires d'électrons restantes comme doublets libres autour des atomes terminaux, sauf l'hydrogène, jusqu'à ce que chacun d'eux soit entouré de huit électrons.*

$$\begin{array}{c} H \\ | \\ H - C - \ddot{\underset{\cdot\cdot}{O}} : \end{array}$$

Une fois cette opération achevée, s'il reste des électrons à placer, on les assigne à l'atome central. Si celui-ci appartient à la troisième période ou à une période subséquente, il peut en recevoir plus de huit. Dans l'exemple, toutes les paires ont été placées et cette dernière étape n'est pas nécessaire.

5. *Si l'atome central n'est pas entouré d'un octet, on transforme un ou plusieurs doublets libres des atomes terminaux en doublets de liaison avec l'atome central pour former des liaisons multiples.*

$$\begin{array}{c} H \\ | \\ H - C - \ddot{\underset{\cdot\cdot}{O}} : \end{array} \longrightarrow \begin{array}{c} H \\ | \\ H - C = \ddot{\underset{\cdot\cdot}{O}} : \end{array}$$

En règle générale, on peut former des doubles liaisons entre deux atomes appartenant à la liste C, N, O ou S. Ainsi, on rencontre relativement fréquemment dans les molécules des liaisons $C=C$, $C=N$, $C=O$ et $S=O$. Le carbone et l'azote peuvent donner aussi des liaisons triples $C\equiv C$, $C\equiv N$.

EXEMPLE 6.1   **Les structures de Lewis**

Représentez en structure de Lewis l'ammoniac (NH_3) et l'ion nitronium (NO_2^+).

SOLUTION

Il s'agit tout simplement d'appliquer dans l'ordre les étapes mentionnées précédemment.

L'ammoniac (NH_3)

1. *L'atome central.* Ce ne peut être que l'azote, l'hydrogène étant toujours terminal.
2. *Le nombre d'électrons périphériques.* 5 (pour N) + 3 (1 par H) = 8, soit quatre paires.
3. *Les liaisons simples.*

$$\begin{array}{c} H - N - H \\ | \\ H \end{array}$$

Il reste une paire à placer.

4. *Les doublets libres sur les atomes terminaux, sauf l'hydrogène, et, s'il reste des électrons à placer, sur l'atome central.* Chaque atome d'hydrogène ne pouvant s'entourer de doublet libre, on le place sur l'azote.

$$\begin{array}{c} \ddot{} \\ H - N - H \\ | \\ H \end{array}$$

Comme tous les doublets sont répartis et que l'atome d'azote est entouré d'un octet d'électrons, la structure précédente est bien celle de l'ammoniac.

L'ion nitronium (NO_2^+)

1. *L'atome central.* L'azote, écrit en premier (et moins avide d'électrons que l'oxygène) est situé au centre de l'ion : O N O.
2. *Le nombre d'électrons périphériques.* 5 (pour N) + 12 (6 par O) − 1 (pour la charge positive de l'ion) = 16, soit 8 paires d'électrons.
3. *Les liaisons simples.*

$$[O - N - O]^+$$

Il reste six paires d'électrons disponibles.

4. *Les doublets libres sur les atomes terminaux, sauf l'hydrogène, et, s'il reste des électrons à placer, sur l'atome central.*

$$\left[:\ddot{O}-N-\ddot{O}:\right]^{+}$$

Les six doublets sont disposés autour des deux atomes d'oxygène terminaux.

5. *Les liaisons multiples.* Il manque deux paires d'électrons sur l'azote, l'atome central. On convertit alors un doublet libre de chaque atome d'oxygène en doublet de liaison avec l'azote (on verra ultérieurement pourquoi on n'enlève pas deux paires libres sur le même atome d'oxygène).

$$\left[:\ddot{O}\curvearrowright N \curvearrowleft \ddot{O}:\right]^{+} \longrightarrow \left[\ddot{O}=N=\ddot{O}\right]^{+}$$

EXERCICE 6.2 **Les structures de Lewis**

Représentez en structure de Lewis NH_4^+, CO, NO^+ et SO_4^{2-}.

6.4.3 La prévision des structures de Lewis

Les structures de Lewis enrichissent la vision que l'on peut avoir des molécules ou des ions polyatomiques. Les règles énoncées précédemment, très utiles à l'écriture des molécules simples, ont amené les chimistes à dégager des motifs structuraux qui se retrouvent fréquemment dans des molécules plus imposantes.

Les composés de l'hydrogène

Le tableau 6.4 rassemble quelques composés courants formés d'hydrogène et de non-métaux de la deuxième période.

Leur structure de Lewis constitue un très bon guide pour déterminer le nombre de liaisons formées par un élément donné. Par exemple, l'azote possède cinq électrons périphériques. Deux d'entre eux forment un doublet libre, les trois autres sont non appariés. Pour s'entourer d'un octet, il doit apparier chacun de ces trois derniers avec un électron provenant d'un autre atome. On imagine

---

TABLEAU 6.4 Quelques composés courants formés d'hydrogène et de non-métaux de la deuxième période

Groupe 4A	Groupe 5A	Groupe 6A	Groupe 7A
Méthane (CH_4)	Ammoniac (NH_3)	Eau (H_2O)	Fluorure d'hydrogène (HF)
Éthane (C_2H_6)	Hydrazine (N_2H_4)	Peroxyde d'hydrogène (H_2O_2)	
Éthylène (C_2H_4)	Ion ammonium (NH_4^+)	Ion oxonium (H_3O^+)	
Acétylène (C_2H_2)	Ion amidure (NH_2^-)	Ion hydroxyde (OH^-)	

donc que l'azote doit former trois liaisons dans une molécule, ce que l'on constate effectivement. En raisonnant de la même manière, on s'attend à ce que le carbone forme quatre liaisons simples, l'oxygène, deux, et le fluor, une.

Groupe 4A   Groupe 5A   Groupe 6A   Groupe 7A

$$-\overset{|}{\underset{|}{C}}-\qquad\qquad-\overset{..}{\underset{|}{N}}-\qquad\qquad-\overset{..}{\underset{..}{O}}-\qquad\qquad:\overset{..}{\underset{..}{F}}-$$

Les hydrocarbures sont uniquement formés de carbone et d'hydrogène. Les deux premiers de la série des *alcanes* sont le méthane (CH_4) et l'éthane (C_2H_6), dont les structures de Lewis sont données dans le tableau 6.4 (*voir la page 179*). Il est facile de trouver la structure de Lewis du troisième composé de la série, le propane (C_3H_8), en se rappelant que le carbone forme quatre liaisons et que l'hydrogène n'en donne qu'une. Le seul arrangement possible qui satisfait à ces critères comporte une séquence de trois atomes de carbone réunis l'un à l'autre par une liaison simple, les autres positions étant occupées par des atomes d'hydrogène.

$$\begin{array}{ccc} H & H & H \\ | & | & | \\ H-C-C-C-H \\ | & | & | \\ H & H & H \end{array}\qquad \text{Le propane } (C_3H_8 \text{ ou } CH_3CH_2CH_3).$$

EXEMPLE 6.2   **Les structures de Lewis**

Représentez en structure de Lewis CCl_4 et NF_3.

SOLUTION

Les formules de ces deux composés sont respectivement similaires à celles de CH_4 et NH_3, dans lesquelles l'hydrogène est remplacé par un halogène. Pour s'entourer d'un octet d'électrons, le carbone forme habituellement quatre liaisons simples et l'azote, trois. Les halogènes possèdent sept électrons périphériques: ils peuvent s'entourer d'un octet d'électrons en formant une liaison covalente simple.

$$\begin{array}{ccc} & :\overset{..}{Cl}: & \\ & | & \\ :\overset{..}{Cl}-\underset{|}{C}-\overset{..}{Cl}: & & :\overset{..}{F}-\underset{|}{N}-\overset{..}{F}: \\ & :\overset{..}{Cl}: & :\overset{..}{F}: \end{array}$$

La molécule de CCl_4 contient 32 électrons: 28 (pour les 4 Cl) + 4 (pour le C) = 32. Tous sont placés et chaque atome est entouré d'un octet: la structure est correcte.

NF_3 renferme 6 électrons dans ses 3 liaisons covalentes et 20 dans les paires libres. Tous les électrons périphériques sont placés et chaque atome est entouré d'un octet: la structure est correcte.

EXERCICE 6.3   **Les structures de Lewis**

Représentez en structure de Lewis le méthanol (CH_3OH) et l'hydroxylamine (NH_2OH).

Pour tenir compte de l'existence des liaisons multiples, on peut généraliser le raisonnement précédent en remplaçant le nombre de liaisons simples formées par le carbone (4), l'azote (3) et l'oxygène (2) par le même nombre de doublets de liaison dont ils tendent à s'entourer. Dans des molécules renfermant ces atomes, on s'attend ainsi à trouver une ou plusieurs des possibilités de liaisons suivantes :

$$—\overset{|}{\underset{|}{C}}— \qquad —\overset{..}{\underset{|}{N}}— \qquad —\overset{..}{\underset{..}{O}}—$$

$$—\overset{|}{C}= \qquad —\overset{..}{N}= \qquad \overset{..}{\underset{..}{O}}=$$

$$=\overset{|}{C}= \qquad N≡$$

$$—C≡$$

Les oxacides et leurs anions

Les structures de Lewis de quelques oxacides courants et de leurs anions sont rassemblées dans le tableau 6.5.

En suivant systématiquement les étapes d'écriture, on arrive à une structure de l'ion nitrate (NO_3^-) qui comporte deux liaisons simples N—O et une liaison double N=O. La transformation d'un doublet libre d'un atome d'oxygène lié simplement à l'azote en un doublet de liaison avec un ion H^+ (aucun électron) conduit à la structure de l'acide nitrique (HNO_3).

$$\left[:\overset{..}{\underset{..}{O}}—\overset{|}{\underset{\underset{..}{\overset{..}{O}}:}{N}}=\overset{..}{\underset{..}{O}} \right]^- \quad \underset{-H^+}{\overset{+H^+}{\rightleftharpoons}} \quad H—\overset{..}{\underset{..}{O}}—\overset{|}{\underset{\underset{..}{\overset{..}{O}}:}{N}}=\overset{..}{\underset{..}{O}}$$

EXERCICE 6.4 | **Les structures de Lewis des anions**

Représentez en structure de Lewis l'anion dihydrogénophosphate ($H_2PO_4^-$).

TABLEAU 6.5 Les structures de Lewis de quelques oxacides et de leurs anions

Acide nitrique (HNO_3)	$H—\overset{..}{\underset{..}{O}}—\overset{|}{\underset{\underset{..}{\overset{..}{O}}:}{N}}=\overset{..}{O}:$	Acide phosphorique (H_3PO_4)	$:\overset{..}{\underset{..}{O}}—\overset{\overset{..}{O}—H}{\underset{H—\overset{..}{O}:\ H}{P}}—\overset{..}{\underset{..}{O}}:$	Acide sulfurique (H_2SO_4)	$:\overset{..}{\underset{..}{O}}—\overset{\overset{..}{O}—H}{\underset{:\overset{..}{O}—H}{S}}—\overset{..}{\underset{..}{O}}:$
Ion nitrate (NO_3^-)	$\left[:\overset{..}{\underset{..}{O}}—\overset{|}{\underset{\underset{..}{\overset{..}{O}}:}{N}}=\overset{..}{O}: \right]^-$	Ion phosphate (PO_4^{3-})	$\left[:\overset{..}{\underset{..}{O}}—\overset{\overset{..}{\overset{..}{O}}:}{\underset{:\overset{..}{O}:}{P}}—\overset{..}{\underset{..}{O}}: \right]^{3-}$	Ion hydrogénosulfate (HSO_4^-)	$\left[:\overset{..}{\underset{..}{O}}—\overset{\overset{..}{O}—H}{\underset{:\overset{..}{O}:}{S}}—\overset{..}{\underset{..}{O}}: \right]^-$
Acide perchlorique ($HClO_4$)	$:\overset{..}{\underset{..}{O}}—\overset{\overset{..}{O}—H}{\underset{:\overset{..}{O}:}{Cl}}—\overset{..}{\underset{..}{O}}:$	Acide hypochloreux ($HClO$)	$H—\overset{..}{\underset{..}{O}}—\overset{..}{\underset{..}{Cl}}:$	Ion sulfate (SO_4^{2-})	$\left[:\overset{..}{\underset{..}{O}}—\overset{\overset{..}{\overset{..}{O}}:}{\underset{:\overset{..}{O}:}{S}}—\overset{..}{\underset{..}{O}}: \right]^{2-}$
Ion perchlorate (ClO_4^-)	$\left[:\overset{..}{\underset{..}{O}}—\overset{\overset{..}{\overset{..}{O}}:}{\underset{:\overset{..}{O}:}{Cl}}—\overset{..}{\underset{..}{O}}: \right]^-$	Ion hypochlorite (ClO^-)	$\left[:\overset{..}{\underset{..}{O}}—\overset{..}{\underset{..}{Cl}}: \right]^-$		

Les espèces isoélectroniques

Qu'ont en commun les entités NO^+, N_2, CO et CN^-? Elles ne comportent que deux atomes et, en plus, elles recèlent toutes 10 électrons. Leurs structures de Lewis sont donc semblables: les deux atomes sont reliés par une triple liaison et chacun possède un doublet libre.

$$\left[:N\equiv O:\right]^+ \qquad :N\equiv N: \qquad :C\equiv O: \qquad \left[:C\equiv N:\right]^-$$

Les molécules et les ions qui possèdent le même nombre d'électrons sont dits **isoélectroniques** (tableau 6.6).

TABLEAU 6.6   Quelques molécules et ions isoélectroniques

Formules	Structures de Lewis typiques	Formules	Structures de Lewis typiques
BH_4^-, CH_4, NH_4^+	$\begin{bmatrix} H \\ H-N-H \\ H \end{bmatrix}^+$	CO_3^{2-}, NO_3^-	$\begin{bmatrix} :\overset{..}{\underset{..}{O}}-N=\overset{..}{\underset{..}{O}}: \\ :\overset{..}{\underset{..}{O}}: \end{bmatrix}^-$
NH_3, H_3O^+	$H-\overset{..}{N}-H \atop H$	PO_4^{3-}, SO_4^{2-}, ClO_4^-	$\begin{bmatrix} :\overset{..}{\underset{..}{O}}: \\ :\overset{..}{\underset{..}{O}}-P-\overset{..}{\underset{..}{O}}: \\ :\overset{..}{\underset{..}{O}}: \end{bmatrix}^{3-}$
CO_2, OCN^-, SCN^-, N_2O, NO_2^+, COS, CS_2	$\overset{..}{\underset{..}{O}}=C=\overset{..}{\underset{..}{O}}$		

EXERCICE 6.5   L'identification des espèces isoélectroniques

a) L'anion acétylénure (C_2^{2-}) est-il isoélectronique avec la molécule N_2?

b) Trouvez un composé moléculaire isoélectronique avec l'anion nitrite (NO_2^-).

c) Trouvez un ion usuel isoélectronique avec HF.

6.5   LA RÉSONANCE

L'ozone (O_3) est un gaz instable, bleuté, diamagnétique, irritant, d'une odeur assez âcre, qui protège la Terre et ses habitants des radiations ultraviolettes de haute énergie provenant du Soleil. On constate expérimentalement que les deux liaisons O—O ont la même longueur, ce qui incite à penser qu'elles sont équivalentes. Cette équivalence implique un nombre égal de doublets de liaison

trucs et astuces

Comment dessiner les structures de Lewis

- Les structures de Lewis respectent généralement la règle de l'octet.
- Le carbone s'entoure généralement de quatre doublets liants (quatre liaisons simples; deux simples et une double; une simple et une triple; deux doubles). Dans les molécules, l'azote s'entoure de trois doublets liants (trois liaisons simples; une simple et une double; une triple) et l'oxygène de deux (deux liaisons simples; une double). L'hydrogène ne forme qu'une seule liaison simple avec les autres atomes.
- Les atomes qui forment des liaisons multiples sont généralement C, N, O et S.
- Avant de former des liaisons multiples, il faut dessiner les liaisons simples et placer les paires d'électrons libres.

dans chacun des liens O—O. On pourrait cependant tirer une conclusion différente à partir des structures de Lewis telles que décrites auparavant. La cinquième étape peut théoriquement s'effectuer de deux manières :

$$:\ddot{O}—\ddot{O}{\overset{\frown}{—}}\ddot{O}: \longrightarrow :\ddot{O}—\ddot{O}{=}\ddot{O}: \qquad \text{Double liaison à droite}$$

$$:\ddot{O}{\overset{\frown}{—}}\ddot{O}—\ddot{O}: \longrightarrow :\ddot{O}{=}\ddot{O}—\ddot{O}: \qquad \text{Double liaison à gauche}$$

Ces deux représentations sont équivalentes, en ce sens qu'elles possèdent toutes deux une double liaison d'un côté et une liaison simple de l'autre (il suffit pour s'en rendre compte d'effectuer une rotation de 180° autour de l'oxygène central, dans le plan de la feuille). Si l'une ou l'autre était correcte, il existerait deux longueurs de liaison différentes. Comme ce n'est pas le cas, il faut admettre que la structure de Lewis ne représente pas adéquatement la molécule d'ozone.

La théorie de la **résonance** proposée par Linus Pauling (1901-1994) résout la difficulté. Des **formes limites** de résonance représentent les liaisons dans une molécule ou un ion lorsqu'une seule structure de Lewis n'est pas en mesure de représenter adéquatement la structure électronique réelle. Les formes limites ne diffèrent entre elles que par la répartition des électrons, le squelette de base, c'est-à-dire la répartition relative des atomes dans l'espace, restant inchangé. Pour montrer qu'il s'agit de formes limites, on les relie entre elles par une double flèche et des petites flèches incurvées illustrent (symboliquement) le passage de l'une à l'autre.

$$:\ddot{O}{\overset{\frown}{—}}\ddot{O}{=}\ddot{O}: \longleftrightarrow :\ddot{O}{=}\ddot{O}{\overset{\frown}{—}}\ddot{O}:$$

La véritable structure de l'ozone est un mélange, une moyenne entre les formes limites, un **hybride de résonance.** Cela est plausible, puisque la longueur réelle de la liaison entre les atomes d'oxygène dans l'ozone, 127,8 pm, se situe entre la valeur moyenne d'une double liaison O=O (121 pm) et d'une liaison simple O—O (132 pm).

Les électrons dans l'ozone sont *délocalisés* entre les deux liaisons, représentées parfois dans l'hybride par une ligne en pointillé reliant les trois atomes d'oxygène : les paires d'électrons ne se déplacent pas d'un endroit à un autre, la molécule ne passe pas alternativement d'une forme limite à une autre.

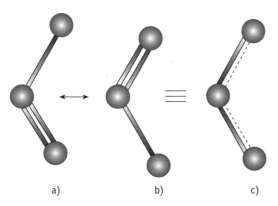

a)   b)   c)

Le benzène est un autre exemple typique de l'utilisation de la résonance. Ses six atomes de carbone forment un cycle à six côtés égaux, chaque atome étant en plus lié à un hydrogène. Toutes les liaisons carbone-carbone ont la même longueur, 144 pm, intermédiaire entre les longueurs moyennes d'une liaison double C=C (134 pm) et d'une liaison simple C—C (154 pm). Deux formes limites de résonance découlent facilement des règles d'écriture des structures de Lewis, qui ne diffèrent que par la position des doubles liaisons. L'hybride de résonance est habituellement représenté par un cercle en pointillé à l'intérieur du cycle formé par les six atomes de carbone reliés par un seul trait : les six électrons sont délocalisés sur ces derniers. Cette structure résonante est dénommée noyau benzénique.

La représentation de l'ion carbonate (CO_3^{2-}) fait aussi appel à la résonance. Trois formes limites équivalentes sont possibles, différenciées uniquement par l'emplacement de la double liaison.

Forme limite 1   Forme limite 2   Hybride de résonance

Nous avons là encore une situation classique de résonance, aussi est-il approprié de conclure qu'aucune de ces formes ne représente adéquatement l'ion carbonate. La structure réelle est une moyenne de ces trois formes, les liaisons carbone-oxygène étant de longueur identique égale à 129 pm, intermédiaire entre une liaison double $C{=}O$ (122 pm) et une liaison simple $C{-}O$ (143 pm). En solution aqueuse, H^+ peut se lier à cet ion et donner ainsi l'ion hydrogénocarbonate, qui est aussi un hybride de résonance entre, cette fois, deux formes limites.

EXEMPLE 6.3   **Les formes limites de résonance**

Proposez deux formes limites de résonance pour l'ion nitrite (NO_2^-). Les liaisons azote-oxygène sont-elles simples ou doubles ?

trucs et astuces

Les formes limites

• La résonance est un moyen de représenter les liaisons dans une substance quand une seule structure de Lewis n'est pas en mesure de décrire adéquatement la structure électronique réelle.

• Les atomes conservent la même disposition spatiale dans toutes les formes limites.
• Les formes limites ne diffèrent que par la position des doublets d'électrons et des liaisons multiples.
• Il ne faut pas voir dans la résonance un déplacement d'électrons d'une structure à une autre : le passage

d'une forme limite à une autre par déplacement de liaisons n'est qu'une écriture pratique.
• La structure réelle est un hybride de résonance.
• Il y a toujours au moins une liaison multiple (double ou triple) dans chaque forme limite de résonance.

SOLUTION

On commence par appliquer les règles habituelles de représentation des structures de Lewis. S'il est nécessaire d'avoir recours à des liaisons multiples, il est possible que des formes limites de résonance existent.

1. *L'atome central.* L'azote, écrit en premier (et moins avide d'électrons que l'oxygène) est situé au centre de l'ion.

$$\left[\text{O} \quad \text{N} \quad \text{O}\right]^{-}$$

2. *Le nombre d'électrons périphériques.* 5 (pour N) + 12 (pour les 2 O) + 1 (pour la charge négative de l'ion) = 18, soit 9 paires d'électrons.

3. *Les liaisons simples.*

$$\left[\text{O}-\text{N}-\text{O}\right]^{-}$$

Il reste sept paires d'électrons disponibles.

4. *Les doublets libres sur les atomes terminaux, sauf l'hydrogène, et, s'il reste des électrons à placer, sur l'atome central.*

$$\left[:\ddot{\text{O}}-\ddot{\text{N}}-\ddot{\text{O}}:\right]^{-}$$

5. *Les liaisons multiples.* Comme il y a deux manières d'effectuer cette opération, on arrive à deux formes limites de résonance.

$$\left[:\ddot{\text{O}}=\ddot{\text{N}}-\ddot{\text{O}}:\right]^{-} \longleftrightarrow \left[:\ddot{\text{O}}-\ddot{\text{N}}=\ddot{\text{O}}:\right]^{-}$$

EXERCICE 6.6 | **Les formes limites de résonance**

Proposez des formes limites de résonance pour l'ion nitrate (NO_3^-). Dessinez une structure de Lewis plausible de l'acide nitrique (HNO_3).

6.6 LES EXCEPTIONS À LA RÈGLE DE L'OCTET

Bien que la très grande majorité des substances moléculaires ou ioniques suivent la règle de l'octet, il en existe néanmoins quelques-unes qui s'en écartent.

6.6.1 Atome central entouré de moins de huit électrons

On s'attend à ce que le bore, un métalloïde du groupe 3A (13), qui ne possède que trois électrons périphériques, ne puisse former que trois liaisons avec d'autres non-métaux. C'est effectivement le cas dans la plupart de ses composés courants, où il n'est entouré que de trois paires d'électrons, une de moins que dans un octet: acide borique [$B(OH)_3$], borax [$Na_2B_4O_5(OH)_4 \cdot 8\ H_2O$] et trihalogénures de bore (BF_3, BCl_3, BBr_3 et BI_3).

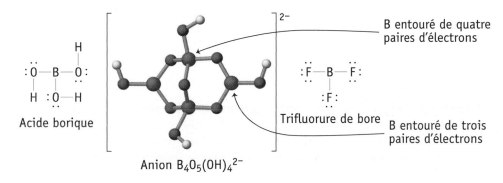

Acide borique

Anion $B_4O_5(OH)_4^{2-}$

Trifluorure de bore

B entouré de quatre paires d'électrons

B entouré de trois paires d'électrons

Les composés du bore tel BF_3, à qui il manque une paire d'électrons, sont très réactifs. Il peut en effet recevoir une quatrième paire d'électrons fournie par un autre atome. Des molécules ou des ions possédant au moins un doublet libre peuvent remplir ce rôle donneur. C'est ainsi que l'ammoniac réagit avec BF_3 pour former $H_3N \longrightarrow BF_3$, la flèche indiquant que les électrons de liaison sont fournis intégralement par l'azote de l'ammoniac. Une telle liaison est appelée la **liaison de coordinence.** De la même façon, l'ion F^- partage un de ses doublets avec BF_3 pour donner l'anion BF_4^-.

6.6.2 Atome central entouré de plus de huit électrons

À partir de la troisième période, les éléments forment souvent des molécules ou des ions dans lesquels ils sont entourés de plus de huit électrons (tableau 6.7).

TABLEAU 6.7 Quelques structures de Lewis possédant un atome central entouré de plus de huit électrons				
Groupe 4A (14)	**Groupe 5A (15)**	**Groupe 6A (16)**	**Groupe 7A (17)**	**Groupe 8A (18)**
SiF_5^-	PF_5	SF_4	ClF_3	XeF_2
SiF_6^{2-}	PF_6^-	SF_6	BrF_5	XeF_4

Dans la plupart de ces composés, l'atome central est lié à un petit atome tel que le fluor, le chlore ou l'oxygène.

On peut déduire assez facilement qu'un atome d'un composé s'entoure de plus d'un octet d'après sa formule. Considérez, par exemple, l'hexafluorure de soufre (SF_6), un gaz formé par la réaction du soufre élémentaire avec un excès de fluor. L'atome de soufre occupe la position centrale et chaque atome de fluor ne peut former qu'une seule liaison simple, comme dans HF ou CF_4. Le soufre forme donc 6 liaisons simples S—F et est entouré de 12 électrons.

La présence de plus de quatre groupements liés à un atome est un signe infaillible qu'il est entouré de plus de huit électrons. Attention ! L'atome central peut être entouré de plus de huit électrons, même s'il n'est lié qu'à quatre entités au plus, à cause de la présence possible de doublets libres. Dans des composés comme

SF_4, ClF_3 et XeF_4, cinq paires d'électrons enveloppent l'atome central, bien que le nombre d'entités auxquelles il est lié ne dépasse pas quatre (tableau 6.7).

Seuls les éléments appartenant à la troisième période et aux périodes subséquentes forment des composés dans lesquels on trouve plus de huit électrons autour de l'atome central. Ainsi, l'azote forme des composés tels que NH_3, NH_4^+ et NF_3, mais NF_5 est inconnu. Par contre, le phosphore, placé juste en dessous de lui dans le tableau périodique, forme des composés similaires (PH_3, PH_4^+, PF_3), mais aussi PF_5 et PF_6^- dans lesquels il est entouré respectivement de cinq et de six paires d'électrons. L'explication classique de cette différence de comportement repose sur le nombre d'orbitales périphériques. Les éléments de la deuxième période ne disposent que des orbitales s et p, pouvant loger un maximum de huit électrons. Par contre, à partir de la troisième période, les orbitales d d'un niveau énergétique peu supérieur à celui des orbitales p font partie des orbitales périphériques et peuvent recevoir des électrons.

EXEMPLE 6.4 **Les structures de Lewis**

Représentez en structure de Lewis l'ion ClF_4^-.

SOLUTION
1. Le chlore occupe la position centrale.
2. On doit répartir 36 électrons, soit 18 doublets : 28 (pour les 4 F) + 7 (pour le Cl) + 1 (pour la charge négative de l'ion).
3. On forme les liaisons simples.

4. Il reste 14 paires à placer. On commence par les atomes terminaux, et les deux paires restantes sont attribuées au chlore.

EXERCICE 6.7 **Les structures de Lewis ne respectant pas la règle de l'octet**

Représentez les ions ClF_2^+ et ClF_2^- en structure de Lewis. Combien de paires d'électrons libres et de liaisons entourent l'atome de chlore dans chacun de ces ions ?

6.6.3 Molécules possédant un nombre impair d'électrons

Les deux oxydes d'azote, NO avec 11 électrons périphériques et NO_2 avec 17, font partie d'un petit groupe de molécules stables contenant un nombre impair d'électrons. Elles ne peuvent suivre la règle de l'octet, un électron au moins restant non apparié.

Deux formes limites représentent l'équivalence expérimentale des liaisons azote-oxygène.

Ces deux composés, NO et NO_2, qui contiennent un électron non apparié, sont ce qu'on appelle des **radicaux libres.** Cette particularité influe grandement sur leur réactivité : on s'attend à ce qu'ils soient plus réactifs que des molécules possédant uniquement des paires d'électrons. La plupart le sont effectivement.

NO et NO_2 sont assez uniques en ce sens qu'on peut les isoler et qu'ils ne présentent pas l'extrême réactivité de la plupart des radicaux libres. À basse température cependant, deux molécules de NO_2 s'assemblent pour donner le gaz incolore N_2O_4 : une liaison simple azote-azote se forme par mise en commun des deux électrons non appariés (figure 6.5).

Figure 6.5 La chimie des radicaux libres. À basse température, le gaz brun rougeâtre NO_2, un radical libre, forme le gaz incolore N_2O_4, dont les deux atomes d'azote sont réunis par une liaison simple. Le couplage de deux radicaux libres est souvent utilisé comme un exemple typique de réactivité chimique.

Un flacon de NO_2 plongé dans de l'eau. Charles D. Winters

Deux radicaux libres NO_2 s'assemblent pour former N_2O_4.

Le même flacon dans de l'eau glacée. Charles D. Winters

6.7 LA DISTRIBUTION DES CHARGES DANS LES LIAISONS COVALENTES ET DANS LES MOLÉCULES

Vous venez de voir que les structures de Lewis fournissent généralement une bonne description des liaisons dans les molécules ou les ions polyatomiques. On peut encore aller plus loin dans la connaissance de ces composés et, par ricochet, dans l'explication de leurs propriétés chimiques et physiques, en raffinant un peu plus la distribution des électrons entre les atomes.

Une analyse plus en profondeur des molécules révèle que les électrons ne sont pas distribués d'une manière égale entre les atomes comme le laissent supposer les structures de Lewis. Certains atomes portent une légère charge négative, alors que d'autres deviennent sensiblement positifs, la molécule entière restant évidemment électriquement neutre. Cela arrive quand un des deux atomes liés attire plus vers lui la paire d'électrons de liaison. On appelle *distribution de charge* la manière dont les électrons sont répartis dans les liaisons.

L'emplacement des charges partielles négative et positive dans une molécule détermine, entre autres choses, les sites de réaction. Un ion positif H^+ va-t-il se lier à l'oxygène ou au chlore de l'ion ClO^-, donnant $HClO$ ou $ClOH$? On s'attend évidemment à ce qu'il se lie à l'élément le plus chargé négativement, mais quel est-il ? On peut obtenir une partie de la réponse en considérant les charges formelles issues des structures de Lewis.

6.7.1 Les charges formelles des atomes

La **charge formelle** d'un atome présent dans une molécule ou un ion polyatomique est calculée à partir de la structure de Lewis :

◆ *Le calcul des charges formelles*

Dans ce manuel, on se limite au calcul des charges formelles portées uniquement par les éléments représentatifs.

> Charge formelle = nombre d'électrons périphériques de l'atome −
> [nombre d'électrons présents dans les doublets libres
> $+ \frac{1}{2}$ (nombre d'électrons présents dans les doublets de liaison)]

perspectives

NO: un grand rôle biologique pour une petite molécule

Il est notoirement connu que des petites molécules comme H_2, O_2, H_2O, CO et CO_2 comptent parmi les plus importantes dans l'industrie, l'environnement et la vie. Imaginez la surprise des chimistes et des biologistes lorsqu'ils ont découvert il y a quelques années que le monoxyde d'azote (NO), considéré comme toxique, jouait aussi un rôle important en biologie et s'ajoutait à la liste.

Le monoxyde d'azote est un gaz incolore, paramagnétique, modérément soluble dans l'eau. On peut l'obtenir en laboratoire, en faisant réagir l'ion NO_2^- avec l'ion I^-.

$$KNO_2 \text{ (aq)} + KI \text{ (aq)} + H_2SO_4 \text{ (aq)}$$
$$\longrightarrow NO \text{ (g)} + K_2SO_4 \text{ (aq)} + H_2O \text{ (l)}$$
$$+ \frac{1}{2} I_2 \text{ (aq)}$$

La formation de NO à partir de ses éléments n'est pas favorisée (réaction endothermique, $\Delta H_f^\circ = 90{,}2$ kJ/mol). Néanmoins, de petites quantités de ce composé se forment à haute température à partir de l'azote et de l'oxygène: on retrouve cette condition dans les moteurs à combustion des automobiles. Le monoxyde d'azote réagit ensuite rapidement avec O_2 et donne du NO_2, un gaz brun rougeâtre.

$$2 \text{ NO (g)} + O_2 \text{ (g)} \longrightarrow 2 \text{ NO}_2 \text{ (g)}$$
$$\text{incolore} \qquad \text{brun rougeâtre}$$

La formation de NO dans les moteurs à combustion conduit finalement par réaction avec l'oxygène et l'eau à des composés comme NO_2 et HNO_3, qui figurent ainsi parmi les polluants atmosphériques engendrés par l'automobile.

On a découvert aussi que le gaz NO est synthétisé au cours de processus biologiques chez des espèces animales aussi différentes que les bernaches, les mouches à fruits, les poulets, les truites et... les humains. Récemment, on a montré que NO joue un rôle important dans certains processus physiologiques chez les humains et chez d'autres animaux, tels que la transmission de l'influx nerveux, la formation des caillots sanguins, la régulation de la pression sanguine et la capacité du système immunitaire de détruire les cellules tumorales.

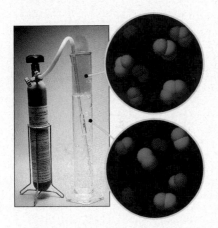

▲ On fait barboter NO dans l'eau. Lorsqu'il entre en contact avec l'air, il réagit rapidement avec O_2 et donne NO_2, un gaz brun rougeâtre. Charles D. Winters

---

Ce calcul repose sur deux hypothèses importantes:
- les doublets libres appartiennent totalement à l'atome qui les porte;
- les doublets de liaison sont *également* partagés entre les deux atomes liés.

On tient compte de cette deuxième hypothèse en divisant le nombre d'électrons présents dans les doublets de liaison par deux. La charge formelle définie ainsi est la différence entre le nombre d'électrons périphériques de l'atome isolé, donc neutre, et le nombre qu'il « possède » dans la structure de Lewis de l'espèce.

La somme de toutes les charges formelles des atomes dans une molécule ou un ion polyatomique est égale à la charge nette portée par la substance. Prenez, par exemple, la structure de Lewis de l'ion hydroxyde OH^-.

$$\left[:\overset{..}{\underset{..}{O}}\!-\!H \right]^-$$

L'oxygène possède six électrons périphériques. Dans l'ion hydroxyde, l'atome en « revendique » six issus des trois doublets libres et un du doublet de liaison avec l'hydrogène, soit un total de sept. Sa charge formelle est égale à $6 - 7 = -1$.

De son côté, celle de l'hydrogène est nulle : un électron périphérique moins la moitié des deux électrons de la liaison avec l'oxygène conduit à la valeur zéro. La somme des charges formelles des deux atomes composant l'ion hydroxyde est égale à -1 + 0 = -1, la charge de l'ion.

$$\left[:\overset{..}{\underset{..}{O}}-H \right]^{-}$$
$$\quad\; \text{-1} \quad\; \text{0}$$

On peut déduire qu'un ion H^+ s'approchant d'un ion OH^- va se lier à l'atome d'oxygène « formellement » négatif. Le résultat est évidemment une molécule d'eau, dans laquelle, effectivement, les deux atomes d'hydrogène sont liés à l'oxygène.

On peut calculer les charges formelles d'espèces plus compliquées comme l'ion nitrate (NO_3^-) en utilisant une des formes limites.

$$\text{Charge formelle de O doublement lié} = 6 - \left[4 + \left(\frac{1}{2} \times 4 \right) \right] = 0$$

$$\left[:\overset{..}{\underset{..}{O}}-N-\overset{..}{\underset{..}{O}}: \right]^{-}$$

Charge formelle de N $= 5 - \left[0 + \left(\frac{1}{2} \times 8 \right) \right] = +1$

$$\text{Charge formelle de O simplement lié} = 6 - \left[6 + \left(\frac{1}{2} \times 2 \right) \right] = -1$$

La somme de toutes les charges formelles, $+1 + 2(-1) + 0 = -1$, est égale à la charge de l'ion.

Cette représentation de la distribution des charges dans l'ion nitrate est-elle la plus vraisemblable possible ? La réponse est négative parce que la structure de cet ion est un hybride de résonance et que les trois atomes d'oxygène dans cet ion sont équivalents. On peut cependant contourner cette difficulté en assignant à chaque atome la moyenne de leurs charges formelles, soit $-\frac{2}{3}$. On peut procéder de la sorte dans l'ion nitrate, comme dans O_3, CO_3^{2-}, parce que toutes les formes limites de résonance sont semblables. De ce fait, la distribution des électrons est identique dans toutes les liaisons impliquant les mêmes éléments et la molécule ou l'ion polyatomique présente une certaine symétrie de distribution électronique. Dans ce cas, on dit que les formes limites ont la même pondération ou qu'elles contribuent de façon égale à l'hybride de résonance.

EXEMPLE 6.5   Le calcul des charges formelles

Calculez les charges formelles des atomes dans :
a) NH_4^+ ;   b) une forme limite de résonance de CO_3^{2-}..

SOLUTION

Ce n'est qu'après avoir représenté l'entité en structure de Lewis que l'on peut calculer les charges formelles de chacun de ses atomes.

a)

$$\left[\begin{array}{c} H \\ | \\ H-N-H \\ | \\ H \end{array} \right]^{+}$$

Charge formelle de H $= 1 - \left[0 + \left(\frac{1}{2} \times 2 \right) \right] = 0$

Charge formelle de N $= 5 - \left[0 + \left(\frac{1}{2} \times 8 \right) \right] = +1$

b)

Charge formelle de O
$= 6 - \left[4 + \left(\frac{1}{2} \times 4 \right) \right] = 0$

Charge formelle de C
$= 4 - \left[0 + \left(\frac{1}{2} \times 8 \right) \right] = 0$

$$\left[:\overset{..}{\underset{}{O}}: \atop :\overset{..}{\underset{..}{O}}-C-\overset{..}{\underset{..}{O}}: \right]^{2-}$$

Charge formelle de O
$= 6 - \left[6 + \left(\frac{1}{2} \times 2 \right) \right] = -1$

Dans chaque exemple, la somme des charges formelles est égale à la charge de l'ion. Dans l'ion carbonate, dont on peut dessiner trois formes limites équivalentes, la charge formelle de l'oxygène est en moyenne égale à $-\frac{2}{3}$.

EXERCICE 6.8 | **Le calcul des charges formelles**

Calculez les charges formelles des atomes dans:
a) CN^-;   b) SO_3.

6.7.2 La polarité des liaisons covalentes et l'électronégativité

Les modèles de liaisons ionique et covalente que nous avons présentés jusqu'ici ne sont en réalité que des cas limites. Une liaison purement covalente, dans laquelle le doublet est partagé également, ne peut s'établir qu'entre deux atomes identiques situés dans le même environnement. Dès que les atomes liés sont différents, il y a de fortes chances que le partage du doublet ne soit pas égal. Il en résulte une liaison covalente polaire, dans laquelle les deux atomes possèdent une charge électrique partielle (figure 6.6).

Pourquoi en est-il ainsi? Parce que tous les atomes ne retiennent pas avec la même force leurs électrons périphériques. Rappelez-vous la discussion sur les énergies d'ionisation et sur l'affinité électronique des éléments (*voir les sections 5.6.2 et 5.6.3, pages 153 et 154*). Ces propriétés des atomes libres se répercutent dans les molécules qu'ils forment.

Lorsqu'une paire d'électrons n'est pas également partagée, elle est inévitablement plus proche d'un atome que de l'autre. Celui vers lequel la paire se déplace reçoit une plus grande part de la charge électrique du doublet et acquiert une charge partielle négative, la charge partielle positive étant portée par l'autre atome. La liaison a donc un pôle négatif et un pôle positif: elle est dite **polaire.** Lorsque le doublet est également partagé et qu'il n'apparaît pas de charge partielle, la liaison est dite **non polaire.**

Lorsqu'on peut considérer que le doublet est totalement accaparé par un atome, la liaison est déclarée ionique et l'on assigne les signes + et − aux atomes (qu'on appelle alors les ions) pour indiquer leurs charges totales. La polarité d'une liaison covalente est indiquée par les symboles δ^+ (delta plus) et δ^- (delta moins) assignés aux atomes, qui signifient **charge partielle** positive ou négative (évidemment inférieure à l'unité) (figure 6.7).

Avec tant d'atomes pouvant former des liaisons, il n'est pas surprenant qu'elles puissent se situer n'importe où dans le continuum allant de la liaison ionique à la liaison covalente non polaire.

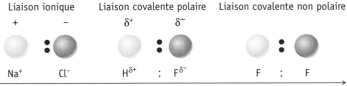

Doublet électronique partagé de plus en plus également.
Liaison devenant moins ionique et plus covalente.

Dans les années 1930, Linus Pauling propose un paramètre appelé l'**électronégativité** (X) qui mesure *la faculté d'un atome d'attirer le doublet de liaison covalente établie entre lui et un autre atome.*

Figure 6.6 Une liaison covalente polaire. L'élément **A** reçoit une plus grande part du doublet de liaison que l'élément **B**. De ce fait, **A** acquiert une charge partielle négative (δ^-) et **B,** une charge partielle positive (δ^+).

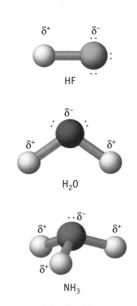

Figure 6.7 Trois petites molécules possédant des liaisons covalentes polaires. Dans les trois cas, F, O et N sont plus électronégatifs que H.

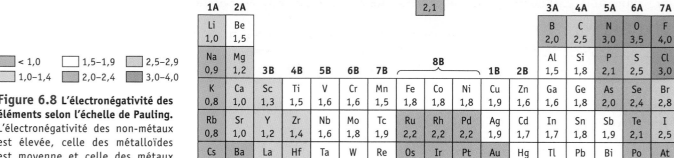

Figure 6.8 L'électronégativité des éléments selon l'échelle de Pauling. L'électronégativité des non-métaux est élevée, celle des métalloïdes est moyenne et celle des métaux est faible.

Les valeurs de l'électronégativité selon Pauling sont données dans la figure 6.8.

Le fluor est l'élément le plus électronégatif, $\chi = 4{,}0$; celui dont l'électronégativité est la plus faible est le métal alcalin francium. L'électronégativité augmente généralement dans une période et diminue dans un groupe : elle varie dans le sens inverse du caractère métallique des éléments. L'électronégativité des métaux est faible, allant d'un peu moins que 1 à environ 2, celle des métalloïdes se situe aux alentours de 2, tandis que celle des non-métaux est supérieure à 2. On n'a assigné aucune valeur aux gaz rares à cause de leur quasi-inertie chimique.

Comme l'électronégativité des éléments situés à droite dans le tableau est nettement plus élevée que celle des éléments à gauche, les composés qu'ils forment sont ioniques. Dans le fluorure de césium par exemple, la différence est égale à 3,3 (4,0 pour le fluor et 0,7 pour le césium) : la liaison est ionique, Cs est positif (Cs^+) et F négatif (F^-). Par contre, $\Delta\chi$ est seulement de 0,9 dans HCl (3,0 pour Cl et 2,1 pour H) : la liaison doit être plus covalente qu'ionique, comme on s'y attend pour un composé formé de deux non-métaux. Cependant, la liaison entre H et Cl est polaire, l'hydrogène portant une charge partielle positive (l'hydrogène est moins électronégatif que le chlore).

On peut anticiper les variations qualitatives de la polarité d'une liaison covalente dans un groupe à l'aide de l'électronégativité. Dans la série des halogénures d'hydrogène, la polarité de la liaison diminue du fluor à l'iode :
HF ($\Delta\chi = 1{,}9$) > HCl ($\Delta\chi = 0{,}9$) > HBr ($\Delta\chi = 0{,}7$) > HI ($\Delta\chi = 0{,}4$).

◆ **L'électronégativité et le caractère ionique de la liaison**

Plus la différence d'électronégativité entre deux éléments est grande, plus fort est le caractère ionique de la liaison.

◆ **L'affinité électronique**

L'électronégativité et l'affinité électronique peuvent apparaître à première vue très semblables. Ce n'est pas le cas. L'électronégativité est un paramètre qui s'applique seulement aux atomes dans une espèce, tandis que l'affinité électronique est une quantité d'énergie mesurable impliquant des atomes isolés.

◆ **Les structures de Lewis**

L'atome le moins électronégatif occupe généralement la position centrale dans une molécule ou un ion polyatomique.

EXEMPLE 6.6   L'estimation de la polarité des liaisons

Dans les paires suivantes, déterminez quelle liaison est la plus polaire et indiquez le sens de la polarité.

a) B—F, B—Cl   b) Si—O, P—P   c) C=O, C=S

SOLUTION

Il s'agit de localiser les éléments dans le tableau périodique et de se rappeler les tendances de l'électronégativité dans les groupes et les périodes.

a) B et F font partie de la même période : F, un non-métal situé plus à droite, est plus électronégatif que B, un métalloïde. La liaison est polaire.

Cl, situé plus bas que F dans le même groupe, est moins électronégatif que F. $\Delta\chi$ entre Cl et B est donc moins élevé qu'entre F et B : la liaison entre B et Cl est moins polaire que celle entre B et F. Dans les deux cas, la charge partielle positive est portée par le bore.

b) La liaison P—P est non polaire puisqu'elle relie deux atomes identiques. Le silicium (groupe 4A, troisième période) est moins électronégatif que l'oxygène (groupe 6A, plus à droite dans le tableau; deuxième période, plus haut dans le tableau). La liaison est très polaire et l'oxygène porte la charge partielle négative.

c) C et O font partie de la même période. O, situé plus à droite, est plus électronégatif que C. La liaison est polaire et la charge partielle négative est portée par l'oxygène.

S, situé en dessous de O dans le même groupe 6A, est moins électronégatif que ce dernier. La liaison $C=S$ est donc moins polaire que la liaison $C=O$, mais on ne peut prévoir le sens de sa polarité, à moins de connaître les valeurs des électronégativités de C et de S.

EXERCICE 6.9 | **La polarité des liaisons**

Dans les paires suivantes, déterminez quelle liaison est la plus polaire et indiquez le sens de la polarité. Dans un premier temps, raisonnez à partir de la position relative des atomes dans le tableau périodique; vérifiez ensuite votre prévision en calculant les $\Delta\chi$.

a) H—F, H—I   b) B—C, B—F   c) C—Si, C—S

6.7.3 Les charges formelles et la polarité des liaisons

Employer uniquement des charges formelles pour localiser le site de la charge dans un ion peut parfois conduire à des aberrations. On illustre ce point avec BF_4^-. Dans cet ion représenté par sa structure de Lewis, le bore possède une charge formelle de -1, tandis que celle du fluor est 0. Ce résultat n'est pas logique, le fluor, plus électronégatif que le bore, devrait porter une charge négative.

Pour tenter de résoudre cette difficulté, Linus Pauling a émis le **principe d'électroneutralité,** qui s'applique non seulement à BF_4^-, mais aussi à tous les ions et les molécules. Pauling postule que *les électrons dans une espèce sont distribués de telle sorte que les charges sur les atomes soient les plus proches possible de zéro. En outre, si une charge négative se crée, elle doit être placée sur l'atome le plus électronégatif.* De la même façon, une charge positive se trouve sur l'atome le moins électronégatif. Pour BF_4^-, ce principe signifie que la charge négative ne doit pas être placée sur le seul atome de bore, mais répartie sur tous les atomes de fluor plus électronégatifs.

Considérer en même temps les deux concepts d'électronégativité et de charges formelles permet de décider parmi plusieurs formes limites de résonance laquelle contribue le plus à l'hybride. Par exemple, la forme limite A de CO_2 est *a priori* la plus logique à dessiner, mais la forme B satisfait aussi aux règles d'écriture mentionnées jusqu'ici.

$$\overset{0}{\underset{\cdot\cdot}{\overset{\cdot\cdot}{O}}}=\overset{0}{\underset{\cdot\cdot}{\overset{\cdot\cdot}{C}}}=\overset{0}{\underset{\cdot\cdot}{\overset{\cdot\cdot}{O}}} \qquad :\overset{+1}{O}\equiv\overset{0}{C}-\overset{-1}{\underset{\cdot\cdot}{\overset{\cdot\cdot}{O}}}:$$

A   B

Dans la forme A, chaque atome se voit attribuer une charge formelle de zéro, une situation favorable, tandis que dans B, un atome d'oxygène a une charge de +1 et l'autre, une charge de -1, situation qui s'éloigne du principe d'électroneutralité. En plus, dans B, on place une charge de +1 sur un atome très électronégatif. De cela, on conclut que la forme limite B est moins satisfaisante que la structure A.

Appliquez maintenant à l'ion OCN^- ce que la molécule de CO_2 vous a appris pour déterminer parmi les trois formes limites suivantes laquelle est la plus vraisemblable.

$$
\begin{array}{ccc}
\overset{\ominus}{}\ \overset{0}{}\ \overset{0}{} & \overset{0}{}\ \overset{0}{}\ \overset{\ominus}{} & \overset{\oplus}{}\ \overset{0}{}\ \overset{\ominus 2}{} \\
\left[: \overset{..}{\underset{..}{O}} - C \equiv N :\right]^{-} & \left[: \overset{..}{\underset{..}{O}} - C = \overset{..}{N} :\right]^{-} & \left[: O \equiv C - \overset{..}{\underset{..}{N}} :\right]^{-} \\
A & B & C
\end{array}
$$

La forme C ne contribue pas beaucoup à l'hybride, car il existe une charge de -2 sur l'azote et une charge de $+1$ sur l'oxygène plus électronégatif. La structure A a plus de poids que la structure B parce que la charge négative est placée sur l'oxygène plutôt que sur l'azote. On déduit de toute cette discussion que la liaison entre l'azote et le carbone ressemble beaucoup à une triple liaison et que la protonation (addition du proton H^+) conduira à HOCN et non pas à OCNH.

EXEMPLE 6.7   **Le calcul des charges formelles**

Dans un bon nombre de ses composés, le bore forme trois liaisons et ne possède pas de doublet libre. Pourquoi ne forme-t-il pas une double liaison, s'entourant ainsi d'un octet d'électrons ? Discutez-en à partir de BF_3.

SOLUTION

Pour répondre à cette question, il faut considérer les structures de Lewis possibles de BF_3, calculer les charges formelles et considérer les plus plausibles compte tenu du principe édicté par Pauling. La structure de Lewis de BF_3 la plus simple à dessiner selon les premières règles est la suivante :

$$
\begin{array}{c}
: \overset{..}{F} : \\
| \\
: \overset{..}{\underset{..}{F}} - B - \overset{..}{\underset{..}{F}} :
\end{array}
$$

Dans cette forme, aucune charge formelle n'apparaît.

On pourrait convertir un doublet libre du fluor en double liaison.

$$
\begin{array}{c}
: \overset{..}{F} : \\
\overset{\oplus}{} \quad | \\
: \overset{..}{F} = B - \overset{..}{\underset{..}{F}} : \\
\quad \overset{\ominus}{}
\end{array}
$$

Une charge formelle négative apparaît sur le bore, tandis que l'atome de fluor lié doublement au bore se voit attribuer une charge de $+1$. Cette structure est nettement défavorisée par rapport à la première (apparition de deux charges formelles dans la molécule et une charge de $+1$ sur le fluor, l'élément le plus électronégatif).

Les trois liaisons $B-F$ sont polaires, parce que le fluor est plus électronégatif que le bore (4,0 *vs* 2,0) ; la charge partielle négative est distribuée sur les atomes de fluor, tandis que le bore acquiert une charge partielle positive.

EXERCICE 6.10   **Les charges formelles, la polarité des liaisons et l'électronégativité**

Calculez les charges formelles des atomes dans les formes limites de résonance de SO_2. Déterminez le sens de la polarité des liaisons. Y a-t-il accord entre les charges formelles et la polarité des liaisons ?

6.7.4   Les états d'oxydation et l'électronégativité

L'électronégativité des éléments explique le partage inégal de la paire d'électrons d'une liaison désignée, de ce fait, covalente polaire. Elle est aussi à la base de la détermination de l'état d'oxydation (ou nombre d'oxydation ou degré d'oxydation) des éléments dans leurs composés. Ce concept théorique est utilisé pour identifier les réactions d'oxydoréduction et, parfois, pour les équilibrer.

Dans la réaction d'oxydoréduction suivante, le magnésium perd des électrons et se transforme en ions Mg^{2+} : il est oxydé par l'oxygène, l'agent oxydant.

$$2\ Mg\ (s)\ +\ O_2\ (g)\ \longrightarrow\ 2\ MgO\ (s)$$

L'oxygène a gagné des électrons pour donner un ion O^{2-} : il a été réduit par le magnésium, l'agent réducteur.

Dans une réaction d'oxydoréduction conduisant à des produits ioniques facilement identifiables, il est relativement aisé de repérer les transferts d'électrons et d'identifier les agents oxydants et les agents réducteurs. Toutefois, tel n'est pas le cas des réactions qui se produisent entre des composés covalents. Pour résoudre cette difficulté, les chimistes ont développé le concept des états d'oxydation. L'**état d'oxydation** d'un élément dans une molécule ou un ion polyatomique représente *la charge électrique hypothétique qu'il posséderait si chacun des doublets de liaison qu'il partage avec les atomes voisins était complètement transféré à l'élément le plus électronégatif*. La formation du chlorure d'hydrogène (HCl) à partir de l'hydrogène et du chlore illustre cette notion.

$$H_2\ (g)\ +\ Cl_2\ (g)\ \longrightarrow\ 2\ HCl\ (g)$$

Le chlore, plus électronégatif que l'hydrogène, se voit attribuer le doublet de la liaison H—Cl et acquiert ainsi une charge électrique hypothétique de -1 : son état d'oxydation dans HCl est égal à -1. Dans la molécule de chlore, le doublet de liaison est partagé également entre les deux atomes : l'état d'oxydation de chacun des atomes est donc égal à 0 (ni gain ni perte d'électron). Le chlore est passé de l'état d'oxydation 0 à -1 : il a été réduit (il a gagné théoriquement un électron). En suivant le même raisonnement, on conclut que l'hydrogène passe de l'état 0 dans H_2 à +1 dans HCl : il a été oxydé (perte théorique d'un électron). Lorsque le transfert d'électrons d'un atome à un autre est complet et qu'on aboutit à des ions monoatomiques, l'état d'oxydation des ions se confond avec leur charge réelle : dans Mg^{2+}, le magnésium est dans un état +2, dans Fe_2O_3, le Fe est dans un état +3, ce qui se reflète dans son nom : oxyde de fer (III).

Les règles d'assignation des états d'oxydation ainsi que des exemples et des exercices sont présentés dans la section 10.5.5 portant sur une introduction aux réactions d'oxydoréduction.

À ce stade de la présentation, l'application de ces règles suscite quelques commentaires.

- L'état d'oxydation positif d'un élément ne peut dépasser le nombre d'électrons périphériques dont la perte hypothétique totale le conduit à la configuration du gaz rare qui le précède dans le tableau périodique. C'est ainsi que l'état d'oxydation du soufre $[Ne]3s^23p^4$ ne peut être supérieur à +6.

- Le nombre d'électrons, qu'un élément peut théoriquement gagner pour atteindre la configuration du gaz rare qui le suit dans la classification périodique, détermine la valeur absolue maximale de son état d'oxydation négatif : l'état d'oxydation de l'oxygène et du soufre ne peut être inférieur à -2.

- La somme des états d'oxydation des atomes d'une espèce est égale à la charge électrique de cette dernière. En effet, le fait de déplacer les électrons à l'intérieur d'une espèce n'en change pas leur nombre.

- L'état d'oxydation d'un atome dans une molécule ou un ion polyatomique dépend de son environnement. L'exemple du carbone est intéressant : il présente toute la gamme des états d'oxydation que lui permet sa configuration électronique $[He]2s^22p^2$.

$$\underset{\text{Méthane}}{\underset{\ominus}{\text{H}-\overset{\text{H}}{\underset{\text{H}}{\text{C}}}-\text{H}}} \qquad \underset{\text{Éthane}}{\underset{\ominus}{\underset{\ominus}{\text{H}-\overset{\text{H}}{\underset{\text{H}}{\text{C}}}-\overset{\text{H}}{\underset{\text{H}}{\text{C}}}-\text{H}}}} \qquad \underset{\text{Méthanol}}{\underset{\ominus}{\text{H}-\overset{\text{H}}{\underset{\text{H}}{\text{C}}}-\text{O}-\text{H}}} \qquad \underset{\text{Éthanol}}{\underset{\ominus}{\underset{\ominus}{\text{H}-\overset{\text{H}}{\underset{\text{H}}{\text{C}}}-\overset{\text{H}}{\underset{\text{H}}{\text{C}}}-\text{O}-\text{H}}}} \qquad \underset{\text{Formaldéhyde}}{\underset{\ominus}{\overset{\text{H}}{\underset{\text{H}}{\text{C}}}=\text{O}}}$$

Méthane · -4   Éthane · -3 -3   Méthanol · -2   Éthanol · -3 -1   Formaldéhyde · 0

Acétaldéhyde · -3 +1   Tétrachloroéthène · +2 +2   Acide acétique · -3 +3   Tétrachlorure de carbone · +4

En quoi les charges formelles et les états d'oxydation sont-ils différents ? Il est facile de répondre à cette question en se référant à un exemple, l'ion OH⁻.

$$\left[:\overset{..}{\underset{..}{\text{O}}}-\text{H} \right]^{-}$$

La charge formelle de l'oxygène est de -1, tandis que celle de l'hydrogène est zéro. Rappelez-vous que ces charges sont calculées en présumant que le doublet de liaison est partagé également.

Par contre, l'état d'oxydation de l'oxygène est -2, celui de l'hydrogène, +1. Les états d'oxydation sont calculés en considérant la liaison entre les deux atomes comme ionique : la paire d'électrons est attribuée totalement à l'oxygène, l'hydrogène « perdant » son électron.

Le calcul des charges formelles et des états d'oxydation repose ainsi sur deux hypothèses différentes. Les deux concepts sont utiles, mais dans des situations spécifiques. Les états d'oxydation permettent de détecter les espèces qui ont perdu ou gagné des électrons dans les réactions d'oxydoréduction (*voir la section 10.5.5, page 348*). Les charges formelles se rapprochent des charges portées par les atomes dans les molécules et les ions.

Ni les charges formelles ni les états d'oxydation ne représentent exactement la charge réelle portée par les atomes dans une molécule. Par exemple, dans l'eau, l'hydrogène n'est pas sous la forme d'un ion H⁺ et l'oxygène ne se présente pas comme O²⁻ ; les charges formelles laisseraient à penser que les atomes d'oxygène et d'hydrogène ne portent aucune charge. La « réalité » est entre les deux. Dans l'eau, on calcule que l'oxygène a une charge de -0,4 (40 % de la charge d'un électron) et que chaque atome d'hydrogène porte une charge de +0,2.

6.8 LES PROPRIÉTÉS DES LIAISONS

6.8.1 L'indice de liaison

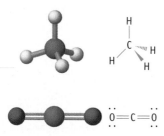

Figure 6.9 L'indice de liaison. L'indice de chacune des quatre liaisons carbone-hydrogène dans le méthane est 1. Dans CO_2, celui des deux liaisons carbone-oxygène est égal à 2, tandis qu'il est de 3 dans la liaison entre les atomes d'azote dans N_2.

Le nombre de doublets liants partagés par deux atomes dans une molécule définit l'**indice de liaison** entre ces deux atomes (figure 6.9).

L'indice de toutes les liaisons simples est 1, comme dans les molécules H_2, NH_3 et CH_4. Il est égal à 2 lorsque deux doublets liants sont partagés entre deux atomes : C=O dans CO_2 et C=C dans l'éthylène (H_2C=CH_2). Dans l'azote, la liaison N≡N a un indice 3.

Des indices fractionnaires peuvent se présenter dans des espèces représentées par des formes limites de résonance. Reprenez l'exemple de l'ozone. Chaque forme limite montre une liaison O—O simple et une liaison O=O double, soit trois doublets liants partagés entre deux liaisons oxygène-oxygène. Si l'on définit l'indice de liaison par la relation:

$$\text{Indice de liaison} = \frac{\text{nombre de doublets liants entre X et Y}}{\text{nombre de liaisons entre X et Y dans la molécule}}$$

on trouve que la liaison dans l'ozone a un indice 1,5.

Les dimensions relatives de quelques atomes des groupes 4A (14), 5A (15) et 6A (16).

6.8.2 La longueur de liaison

La **longueur de liaison** est la distance qui sépare les noyaux de deux atomes liés dans une molécule ou un ion. Les longueurs des liaisons simples sont largement déterminées par la taille des atomes et, pour une paire donnée d'éléments, l'indice de liaison détermine la valeur de la distance.

On a regroupé dans le tableau 6.8 quelques longueurs de liaisons moyennes rencontrées fréquemment dans les composés chimiques.

TABLEAU 6.8 Les longueurs approximatives de quelques liaisons simples et multiples

Longueurs (approximatives) des liaisons simples (pm)										
Groupes										
1A (1)	4A (14)	5A (15)	6A (16)	7A (17)	4A (14)	5A (15)	6A (16)	7A (17)	7A (17)	7A (17)
H	C	N	O	F	Si	P	S	Cl	Br	I
H	74	110	98	94	92	145	138	132	127	142	161
C		154	147	143	141	194	187	181	176	191	210
N			140	136	134	187	180	174	169	184	203
O				132	130	183	176	170	165	180	199
F					128	181	174	168	163	178	197
Si						234	227	221	216	231	250
P							220	214	209	224	243
S								208	203	218	237
Cl									200	213	232
Br										228	247
I											266

Longueurs (approximatives) des liaisons multiples (pm)										
		C=C	134		C≡C	121				
		C=N	127		C≡N	115				
		C=O	122		C≡O	113				
		N=O	115		N≡O	108				

Il est important de noter que ces valeurs sont approximatives, car l'environnement de la liaison influence sa longueur. Par exemple, on lit que la longueur de la liaison simple carbone-hydrogène est de 110 pm: dans le méthane (CH_4), elle

Liaisons	C—O	C=O	C≡O
Indices de liaison	1	2	3
Longueurs de liaisons (pm)	143	122	113

est en réalité de 109,4, tandis qu'elle vaut 105,9 dans l'acétylène (H—C≡C—H). Il est possible que certaines longueurs diffèrent de 10 % de la valeur indiquée dans le tableau.

Il est assez facile de prévoir l'évolution des longueurs de liaisons entre atomes, puisque la taille de ceux-ci varie régulièrement selon leur position dans le tableau périodique (*voir la figure 5.9, page 154*). Par exemple, la distance H—X croît dans l'ordre prévu par la taille de l'halogène, H—F < H—Cl < H—Br < H—I. De la même façon, la longueur de liaison entre le carbone et un autre élément décroît à l'intérieur d'une période : C—C > C—N > C—O > C—F. Les tendances sont identiques dans les liaisons multiples : C=O < C=S et C=N < C=C.

L'influence de l'indice de liaison est évidente quand on compare les liaisons entre deux atomes identiques. C'est ainsi que la longueur diminue quand on passe de C—O (indice = 1) à C≡O (indice = 3).

L'ajout d'un doublet à une liaison simple C—O a pour effet une diminution de 21 pm de la longueur. Un troisième doublet la raccourcit encore de 9 pm.

Il existe trois formes limites équivalentes de l'ion carbonate (CO_3^{2-}). L'indice de liaison est $\frac{4}{3}$, parce que quatre paires d'électrons lient l'atome central de carbone à trois atomes d'oxygène. La longueur de liaison dans cet ion, 129 pm, intermédiaire entre une simple et une double, confirme sa structure hybride.

$$\begin{bmatrix} :\!O\!: \\ \| \\ C \\ :\!O \quad O\!: \end{bmatrix}^{2-} \begin{array}{l} \rightarrow \text{Indice} = 2 \\ \rightarrow \text{Indice} = 1 \end{array}$$

Indice = 1

$\left.\begin{array}{l} \\ \\ \end{array}\right\}$ Indice moyen de liaison $= \dfrac{4}{3} = 1,33$

Longueur de liaison = 129 pm

EXERCICE 6.11   **L'indice et la longueur de liaison**

a) Déterminez l'indice de liaison entre les atomes suivants : C=N, C≡N et C—N. Classez ces liaisons par ordre décroissant de longueur.

b) Déterminez l'indice de liaison entre les atomes d'azote et d'oxygène dans l'ion NO_2^- (à partir des formes limites de résonance). Comparez les longueurs des liaisons N—O et N=O répertoriées dans le tableau 6.8 (*voir la page 197*) avec celle de la liaison azote-oxygène dans NO_2^- (124 pm). Expliquez votre réponse.

◆ *L'énergie de liaison et l'électronégativité*

Linus Pauling a pu construire son échelle d'électronégativité des atomes en considérant les énergies de liaison. Il a remarqué qu'elles étaient souvent plus grandes que ce à quoi on pouvait s'attendre d'un partage égal du doublet liant entre deux atomes différents. Il a postulé que l'énergie « excédentaire » provenait d'une mise en commun inégale du doublet, rendant un atome légèrement positif et l'autre légèrement négatif. Une petite force d'attraction électrostatique venait ainsi s'ajouter à la force découlant d'un partage égal du doublet.

6.8.3   L'énergie de liaison

On appelle l'**énergie de liaison** (*D*) la variation d'enthalpie accompagnant le bris d'une liaison particulière dans une mole de molécules, à l'état gazeux, à une température de 273,15 K et à une pression de 101,325 kPa.

Énergie fournie = *D*

Molécule (g) ⇌ Deux fragments moléculaires (g)

Énergie libérée = -*D*

Supposez que l'on veuille briser les liens carbone-carbone dans l'éthane (CH_3—CH_3), l'éthène ou éthylène (CH_2=CH_2) et l'éthyne ou acétylène (HC≡CH), hydrocarbures dans lesquels les indices de liaison sont respectivement égaux à 1, 2 et 3.

$$CH_3-CH_3 \ (g) \longrightarrow CH_3 \ (g) + CH_3 \ (g) \qquad \Delta H = D = +346 \ kJ$$
$$CH_2=CH_2 \ (g) \longrightarrow CH_2 \ (g) + CH_2 \ (g) \qquad \Delta H = D = +610 \ kJ$$
$$HC\equiv CH \ (g) \longrightarrow CH \ (g) + CH \ (g) \qquad \Delta H = D = +835 \ kJ$$

L'énergie de liaison (D) a une valeur positive : *briser des liens* requiert toujours de l'énergie, c'est toujours un *processus endothermique*.

Il faut moins d'énergie pour briser un lien simple que pour rompre un lien triple : une liaison simple est moins forte (et plus longue) qu'une liaison triple.

L'énergie nécessaire pour briser des liens est égale en même valeur absolue à celle libérée lors du processus inverse. La *formation de liens* à partir d'atomes ou de radicaux en phase gazeuse est toujours *exothermique*.

$$CH_3 \cdot (g) + CH_3 \cdot (g) \longrightarrow CH_3-CH_3 \ (g) \qquad \Delta H = -D = -346 \ kJ$$

D'une façon générale, l'énergie de liaison entre deux atomes donnés varie quelque peu selon son environnement, tout comme la longueur peut varier d'une molécule à l'autre. Elles sont cependant suffisamment proches pour que l'on puisse en dresser une liste de valeurs moyennes très représentatives (tableau 6.9).

TABLEAU 6.9 Les énergies (approximatives) de quelques liaisons simples et multiples

Énergies (approximatives) des liaisons simples (kJ/mol)										
Groupes										
1A (1)	4A (14)	5A (15)	6A (16)	7A (17)	4A (14)	5A (15)	6A (16)	7A (17)	7A (17)	7A (17)
H	C	N	O	F	Si	P	S	Cl	Br	I

	H	C	N	O	F	Si	P	S	Cl	Br	I
H	436	413	391	463	565	328	322	347	432	366	299
C		346	305	358	485			272	339	285	213
N			163	201	283				192		
O				146		452	335		218	201	201
F					155	565	490	284	253	249	278
Si						222		293	381	310	234
P							201		326		184
S								226	255		
Cl									242	216	208
Br										193	175
I											151

Énergies (approximatives) des liaisons multiples (kJ/mol)					
N=N	418		C=C	610	
N≡N	945		C≡C	835	
C=N	615		C=O	745	
C≡N	887		C≡O	1046	
O=O 498 (dans O_2)					

Sources : I. Klotz et R. M. Rosenberg, *Chemical Thermodynamics*, 5e édition, p. 55, New York, John Wiley, 1994 et J. E. Huheey, E. A. Keiter et R. L. Keiter, *Inorganic Chemistry*, 4e édition, New York, Harper Collins, 1993, tableau E.1.

◆ *Les réactions d'hydrogénation*

On appelle l'hydrogénation l'addition d'hydrogène à une double ou à une triple liaison. Cette réaction est utilisée pour convertir des huiles végétales dites insaturées (c'est-à-dire des huiles qui contiennent des doubles liaisons carbone-carbone) en gras saturés.

On peut utiliser ces valeurs pour estimer les enthalpies des réactions. Prenez l'exemple de l'hydrogénation du propène en propane.

$$H-\underset{\underset{H}{|}}{\overset{\overset{H}{|}}{C}}-\overset{\overset{H}{|}}{C}=\overset{\overset{H}{|}}{C}-H \ (g) + H-H \ (g) \longrightarrow H-\underset{\underset{H}{|}}{\overset{\overset{H}{|}}{C}}-\underset{\underset{H}{|}}{\overset{\overset{H}{|}}{C}}-\underset{\underset{H}{|}}{\overset{\overset{H}{|}}{C}}-H \ (g)$$

La première étape consiste à repérer les liaisons qui ont été rompues et celles qui ont été formées par la suite. Les liaisons C=C du propène et H—H de l'hydrogène ont été brisées, une liaison C—C et deux liaisons C—H ont été créées pour aboutir au propane.

Liens brisés : 1 mol de C=C et 1 mol de H—H

$$H-\underset{\underset{H}{|}}{\overset{\overset{H}{|}}{C}}-\overset{\overset{H}{|}}{C}=\overset{\overset{H}{|}}{C}-H \ (g) + H-H \ (g)$$

L'énergie requise pour briser les liens = 610 kJ (pour C=C) + 436 kJ (pour H—H) = 1046 kJ.

Liens formés : 1 mol de C—C et 2 mol de C—H

$$H-\underset{\underset{H}{|}}{\overset{\overset{H}{|}}{C}}-\underset{\underset{H}{|}}{\overset{\overset{H}{|}}{C}}-\underset{\underset{H}{|}}{\overset{\overset{H}{|}}{C}}-H \ (g)$$

L'énergie libérée lors de la formation des liens = 346 kJ (pour C—C) + (2×413) kJ (pour C—H) = 1172 kJ.

La combinaison de ces deux énergies conduit à une estimation de l'enthalpie de la réaction d'hydrogénation (figure 6.10).

$$\Delta H^0 = 1046 \ kJ - 1172 \ kJ = -126 \ kJ$$
$$(\text{endothermique} : > 0)(\text{exothermique} : < 0)$$

La réaction est exothermique ($\Delta H < 0$). Cette valeur est très proche de celle calculée à partir des enthalpies standards de formation du propène et du propane, -123,8 kJ.

Le calcul effectué précédemment peut se généraliser à toute réaction en utilisant l'équation :

$$\Delta H^0 = \sum D \text{ (liaisons rompues)} - \sum D \text{ (liaisons formées)}$$

EXERCICE 6.12   L'énergie de liaison

À partir des données du tableau 6.9 (*voir la page 199*), estimez la chaleur de combustion du méthane gazeux (CH_4), c'est-à-dire l'enthalpie standard de réaction (ΔH^0) du méthane avec l'oxygène pour donner de la vapeur d'eau et du dioxyde de carbone.

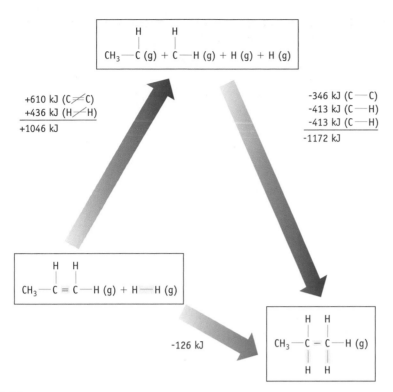

Figure 6.10 Diagramme des niveaux d'énergie illustrant la réaction d'hydrogénation du propène à partir des énergies de liaison. La réaction d'hydrogénation est exothermique, l'énergie dégagée par la formation des nouvelles liaisons étant en valeur absolue plus élevée que l'énergie requise pour briser les liens initiaux.

6.9 LA GÉOMÉTRIE DES MOLÉCULES : LA THÉORIE RPE

L'utilité et l'importance des structures de Lewis deviennent évidentes, si l'on sait qu'elles constituent la base de la prévision de la géométrie des molécules et des ions polyatomiques. Comme les propriétés physiques et chimiques sont tributaires de celle-ci, on ne peut sous-estimer ce sujet.

La **théorie de la répulsion des paires d'électrons** (RPE), élaborée par le chimiste canadien Ronald J. Gillespie, s'avère une méthode fiable de prévision de la forme des molécules et des ions polyatomiques covalents. Elle repose sur l'idée que les doublets liants ou libres entourant un atome, tels qu'ils apparaissent dans les structures de Lewis, ont une tendance naturelle à se repousser mutuellement et cherchent à se situer le plus loin possible les uns des autres. Les positions occupées par ces doublets définissent ainsi les angles que feront les liaisons entre elles. La théorie fonctionne très bien avec les composés formés d'éléments représentatifs. Elle est cependant moins bien adaptée aux composés des métaux de transition et, de ce fait, n'est pratiquement jamais utilisée dans cette catégorie de substances.

Pour se faire une idée de la manière dont les paires d'électrons se repoussent et se placent dans l'espace, il suffit d'attacher ensemble deux, trois, quatre, cinq ou six ballons d'enfants : ils adoptent naturellement les formes reproduites dans la figure 6.11, qui minimisent les interactions entre eux.

Ronald J. Gillespie
Ronald J. Gillespie a obtenu son doctorat en chimie, en Angleterre où il est né. Établi au Canada en 1958, il y poursuivit ses recherches (Université McMaster à Hamilton, Ontario) sur les superacides, comme l'acide fluorosulfonique (HFSO$_3$), qu'on utilise maintenant couramment en chimie organique et inorganique. Fasciné aussi par la forme des molécules, il a développé, en 1957 avec R. S. Nyholm, les règles de la théorie de la répulsion des paires d'électrons, considérée comme le prolongement, dans le domaine stéréochimique, de la description de la liaison chimique élaborée par Lewis.

| Linéaire | Trigonale plane | Tétraédrique | Bipyramidale trigonale | Octaédrique |

Figure 6.11 Les positions occupées par des ballons représentant des paires d'électrons (de deux à six). De deux à six ballons de taille et de forme identiques attachés ensemble vont se répartir naturellement dans l'espace selon les figures ci-dessus. Ces photographies illustrent les prévisions de la théorie de la répulsion des paires d'électrons. Charles D. Winters

6.9.1 Atome central entouré uniquement de liaisons simples

La théorie RPE est réduite à sa plus simple expression lorsqu'on l'applique à un atome central entouré uniquement de liaisons simples. La figure 6.12 illustre les formes prévues pour des molécules ou des ions répondant à la formule générale AB_n, où A est l'atome central entouré uniquement de n atomes de B liés simplement.

Les formes **linéaire** pour deux liaisons et **trigonale plane** (angle de 120°) pour trois liaisons ne peuvent se retrouver que chez des atomes centraux entourés de moins de huit électrons (*voir la section 6.6.1, page 185*). L'atome central d'une molécule **tétraédrique** respecte la règle de l'octet avec ses quatre doublets de liaison (angle de 109,5°). Les structures **bipyramidale trigonale** (ou bipyramidale à base triangulaire ; angles de 90° et de 120°) et **octaédrique** (ou bipyramidale à base carrée ; angle de 90°) comprenant respectivement cinq et six doublets liants ne peuvent être présentes qu'avec des atomes centraux appartenant à la troisième période ou aux périodes subséquentes (*voir la section 6.6.2, page 186*).

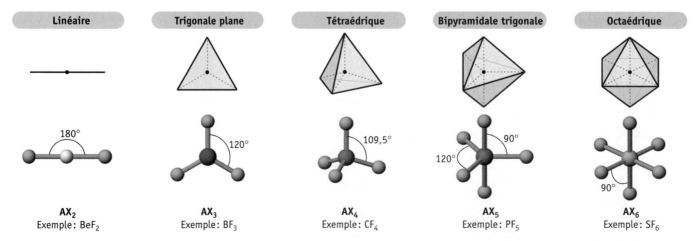

| Linéaire | Trigonale plane | Tétraédrique | Bipyramidale trigonale | Octaédrique |

180°   120°   109,5°   90° / 120°   90°

| AX_2 | AX_3 | AX_4 | AX_5 | AX_6 |
| Exemple : BeF_2 | Exemple : BF_3 | Exemple : CF_4 | Exemple : PF_5 | Exemple : SF_6 |

Figure 6.12 Les diverses formes prévues par la théorie RPE. Formes géométriques prévues par la théorie RPE pour des molécules ne contenant que des liaisons simples autour de l'atome central.

EXEMPLE 6.8 **La prévision de la forme des molécules**

Prévoyez la forme du tétrachlorure de silicium ($SiCl_4$).

SOLUTION

Structure de Lewis de $SiCl_4$

La structure de Lewis de $SiCl_4$ montre que l'atome central est entouré de quatre liaisons simples. On prévoit donc une structure tétraédrique pour ce composé, avec des angles de liaison de 109,5°. La valeur de cet angle est confirmée expérimentalement.

Structure de Lewis   Géométrie de la molécule

EXERCICE 6.13 **La prévision de la forme des molécules**

Prévoyez la forme du dichlorométhane (CH_2Cl_2). Évaluez l'angle de la liaison $Cl-C-Cl$.

6.9.2 Atome central entouré de liaisons simples et de doublets libres

Pour visualiser comment des doublets libres peuvent affecter la forme des molécules ou des ions polyatomiques, revenez aux ballons d'enfants de la figure 6.11. Rappelez-vous qu'ils représentent *toutes* les paires d'électrons : ils donnent ainsi l'image de la **géométrie de toutes les paires d'électrons,** liantes et libres, entourant l'atome central. Par contre, on entend par **géométrie des molécules** l'arrangement dans l'espace de l'atome central et des seuls atomes ou groupements d'atomes qui lui sont liés.

Dans l'ammoniac (NH_3), l'atome central d'azote est lié simplement à trois atomes d'hydrogène et possède un doublet libre. Il est ainsi entouré de quatre paires d'électrons, dont la géométrie prévue est tétraédrique. L'azote est situé au centre du tétraèdre, trois liaisons $N-H$ pointent vers trois sommets et la paire libre est orientée vers le quatrième. La molécule a une forme pyramidale trigonale (ou pyramidale à base triangulaire).

Structure de Lewis   Géométrie des paires d'électrons : tétraédrique   Angle réel = 107,5°

Géométrie de la molécule : pyramidale trigonale

6.9.3 L'influence des doublets libres sur les angles de liaison

On s'attendrait à ce que les angles de liaison dans l'ammoniac soient de 109,5° puisque la géométrie des paires d'électrons entourant l'atome central est tétraédrique. Or, l'angle mesuré expérimentalement est légèrement inférieur, soit 107,5°. Dans l'eau, à la géométrie des paires d'électrons identiques, l'angle est même encore plus petit, 104,5°. De petits écarts par rapport à la valeur théorique arrivent souvent: il semblerait que les doublets libres occupent un volume plus grand que les paires liantes et, en faisant cela, forcent ces dernières à se rapprocher. On estime que les forces de répulsion entre les doublets varient dans l'ordre:

$$\text{libre-libre} > \text{libre-liant} > \text{liant-liant}$$

Sur cette base, on peut prévoir qualitativement l'évolution des angles de liaison dans la série de molécules CH_4, NH_3 et H_2O à géométrie électronique tétraédrique. L'angle s'éloigne de plus en plus de la valeur prévue, que l'on retrouve dans le méthane (pas de doublet libre et une distribution électronique symétrique) à mesure que le nombre de paires libres augmente (figure 6.13).

Géométrie de quatre paires d'électrons : tétraédrique

Tétraédrique	**Pyramidale trigonale**	**Coudée**
109,5°	107,5°	105°
Méthane, CH$_4$	**Ammoniac, NH$_3$**	**Eau, H$_2$O**
a) Quatre doublets liants	b) Trois doublets liants / Un doublet libre	c) Deux doublets liants / Deux doublets libres

Figure 6.13 La géométrie des molécules de méthane, d'ammoniac et d'eau. L'atome central des trois molécules est entouré de quatre paires d'électrons, à la géométrie tétraédrique. **a)** Les quatre paires sont liantes et identiques dans le méthane, si bien que la molécule est parfaitement tétraédrique. **b)** L'ammoniac a une forme pyramidale trigonale, à cause de la présence d'un doublet libre sur l'azote. La répulsion libre-liant étant plus forte que liant-liant, les trois liaisons N—H ont tendance à s'éloigner légèrement du doublet libre et à se rapprocher : l'angle de liaison diminue par rapport à la valeur observée dans le tétraèdre régulier. **c)** La présence de deux doublets libres sur l'oxygène de la molécule d'eau force encore plus les deux liaisons O—H à se rapprocher : l'angle de liaison est encore plus petit que dans l'ammoniac.

EXEMPLE 6.9 **La prévision de la forme des ions polyatomiques**

Trouvez la forme des ions H_3O^+ et ClF_2^+.

SOLUTION

a) L'atome d'oxygène central de l'ion oxonium est entouré de quatre paires d'électrons. Ces doublets sont disposés selon les axes d'un tétraèdre. L'ion est pyramidal trigonal, comme NH_3.

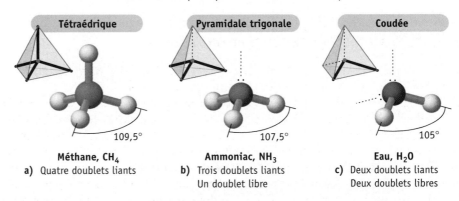

Structure de Lewis → Géométrie des paires d'électrons : tétraédrique → Géométrie de l'ion : pyramidale trigonale

b) Les quatre paires d'électrons du chlore, l'atome central de ClF_2^+, s'alignent sur les axes d'un tétraèdre. Ne formant que deux liaisons, l'ion ClF_2^+ a la forme d'un coude, avec un angle légèrement inférieur à 109°.

Structure de Lewis   Géométrie des paires d'électrons : tétraédrique   Géométrie de l'ion : coudée

---

EXERCICE 6.14   **La théorie RPE et la forme des molécules**

Trouvez la géométrie des paires d'électrons dans BF_3 et BF_4^-, et en déduire la géométrie de ces entités. Quel est l'effet de l'addition de F^- à BF_3 sur la géométrie ?

6.9.4 Atome central entouré de plus de quatre paires d'électrons

La situation se complique lorsque l'atome central est entouré de cinq ou six paires d'électrons, parmi lesquelles se trouvent des paires libres.

Une bipyramide trigonale présente deux ensembles de sites différents (*voir la figure 6.12, page 202*). Trois directions à 120° l'une de l'autre déterminent un plan équatorial d'une sphère fictive dont le centre est occupé par l'atome « central » : les atomes terminaux sont dits *équatoriaux* ou en position *équatoriale*. Sur l'axe perpendiculaire à ce plan et passant par le centre de la sphère se trouvent les atomes en position *axiale*, dont les voisins les plus proches sont les trois atomes équatoriaux situés à 90°. Chaque atome équatorial n'a que deux voisins proches, situés eux aussi à 90°.

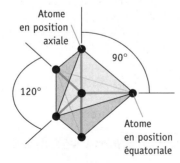

Atome en position axiale

90°

120°

Atome en position équatoriale

▲ **Une bipyramide trigonale.**
L'angle formé par deux directions équatoriales est de 120°. Les directions équatoriale et axiale sont situées à 90° l'une de l'autre.

Lorsqu'un doublet libre est présent sur l'atome central, il aura donc tendance à occuper une position équatoriale, là où il a le plus d'espace à sa disposition (deux proches voisins au lieu de trois en position axiale).

La première rangée de la figure 6.14 (*voir la page 206*) illustre les formes géométriques prises par des composés à atome central entouré de cinq paires d'électrons. Avec cinq paires liantes, la molécule de PF_5 se présente sous la forme d'une

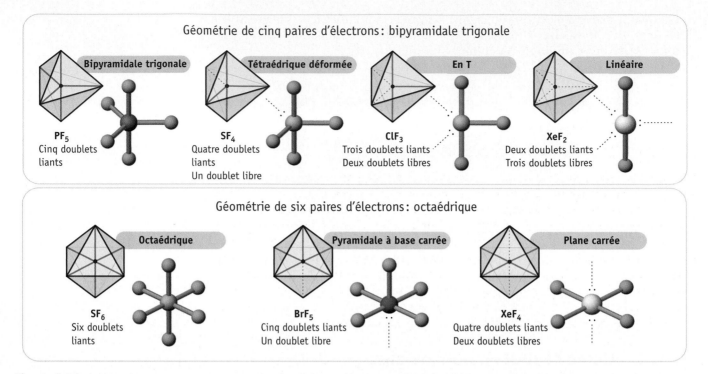

Figure 6.14 La géométrie des paires d'électrons et des molécules à atome central entouré de cinq ou six doublets électroniques.

bipyramide trigonale. La molécule de SF_4, avec un doublet libre en position équatoriale, ressemble à un tétraède déformé.

Avec deux doublets libres en position équatoriale sur le chlore, la molécule de ClF_3 a la forme d'un T. Finalement, XeF_2 est linéaire, les trois doublets libres sur le xénon occupant les trois positions équatoriales.

Dans un octaèdre, figure géométrique adoptée par six paires d'électrons autour d'un atome central, toutes les positions sont identiques et toutes les directions à partir du centre sont situées à 90° l'une de l'autre (figure 6.14). Une paire libre sur un atome central comme dans BrF_5 peut donc occuper n'importe quelle position ; on se retrouve toujours avec une molécule en forme de pyramide à base carrée. Deux doublets libres, dont les répulsions mutuelles sont les plus fortes, auront tendance à être le plus éloigné possible l'un de l'autre : la molécule est plane carrée.

EXEMPLE 6.10   La prévision de la forme des molécules

Trouvez la forme de l'ion ICl_4^-.

SOLUTION

Six paires d'électrons entourent l'iode, l'atome central. La base de la distribution électronique est donc octaédrique. Comme les deux doublets libres vont se situer le plus loin possible l'un de l'autre, on se retrouve avec un ion plan et des angles de liaison de 90°.

EXERCICE 6.15 **La prévision de la forme des ions**

Prévoyez la forme de l'ion ICl_2^-.

6.9.5 Les liaisons multiples et la géométrie des molécules

Les liaisons doubles et triples mettent en jeu plus d'électrons que les liaisons simples, mais cela n'affecte pas la forme globale des molécules ou des ions. Les paires d'électrons présentes dans une liaison multiple sont toutes partagées par les deux mêmes atomes et occupent de ce fait la même région de l'espace. Parce qu'elles sont confinées à cette région, deux paires d'électrons d'une double liaison (ou trois dans une triple) se comportent comme un seul ballon, non deux (ou trois) (*voir la figure 6.11, page 202*). Par exemple, l'atome de carbone dans CO_2 ne possède pas de doublet libre et forme une liaison double avec chacun des atomes d'oxygène. Chaque double liaison se comporte comme une seule au chapitre de la géométrie et la molécule de CO_2 est linéaire.

Le dioxyde de carbone

Quand des formes limites de résonance sont possibles, on peut prévoir la structure à partir de n'importe laquelle d'entre elles ou à partir de l'hybride. L'atome de carbone de l'ion carbonate est entouré de trois ensembles d'électrons liants et ne possède pas de doublet libre : l'ion CO_3^{2-} est trigonal plan. Comme toutes les liaisons sont identiques dans l'hybride, les angles de liaison sont égaux et valent 120°.

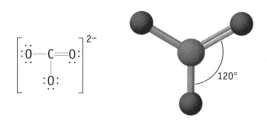

Une forme limite de résonance de l'ion carbonate

La géométrie des paires d'électrons de l'ion NO_2^- est aussi trigonale plane, mais comme l'azote possède un doublet libre, l'ion a la forme d'un coude. Puisque la répulsion libre-liant est plus forte que liant-liant, on s'attend à ce que l'angle de liaison soit inférieur à 120° (115° en réalité).

L'ion NO_2^-

Jusqu'ici, nous ne nous sommes préoccupés que des molécules ou des ions ne possédant qu'un atome central. La même technique s'applique toutefois à toutes les molécules, même les plus complexes. Considérez, par exemple, la cystéine, un aminoacide naturel.

La cystéine

Quatre paires d'électrons se trouvent autour du soufre, des atomes de carbone 1 et 2, de l'azote et de l'oxygène 2 : l'arrangement électronique autour de ces atomes est tétraédrique et les angles de liaison doivent être voisins de 109°. Le carbone 3 entouré de trois groupes d'électrons adopte une géométrie trigonale plane, si bien que ses liaisons sont orientées à environ 120° l'une de l'autre, dans un même plan.

EXEMPLE 6.11 **La prévision de la forme des molécules et des ions**

Trouvez la forme de l'ion nitrate (NO_3^-) et de $XeOF_4$.

SOLUTION

a) Les ions NO_3^- et CO_3^{2-} sont isoélectroniques. Comme dans l'ion carbonate, les paires d'électrons entourant l'atome central d'azote et l'ion nitrate adoptent une géométrie trigonale plane.

b) Le xénon, atome central de $XeOF_4$, est entouré de six paires d'électrons : une paire libre et cinq doublets liants. Les paires d'électrons sont orientées selon les axes d'un octaèdre et la molécule prend la forme d'une pyramide à base carrée. (Deux structures sont *a priori* possibles, différant l'une de l'autre par la place occupée par l'atome d'oxygène : la théorie RPE ne fournit aucun moyen de privilégier l'une ou l'autre. On a représenté la structure réelle, dans laquelle la liaison xénon-oxygène est perpendiculaire au plan formé par les quatre atomes de fluor.)

EXERCICE 6.16 **La prévision de la forme des ions et des molécules**

Prévoyez la géométrie des entités suivantes :

a) ion phosphate (PO_4^{3-}) ;   b) ion sulfite (SO_3^{2-}) ;   c) IF_5.

6.10 LA POLARITÉ DES MOLÉCULES

Puisque les liaisons de la plupart des molécules sont polaires (*voir la section 6.7.2, page 191*), on peut s'attendre à ce que les molécules puissent elles-mêmes être polaires. Quand elles le sont, la densité électronique s'accumule d'un côté, leur conférant une charge négative (δ^-) et, de l'autre côté, apparaît une charge positive égale en valeur absolue (δ^+) (figure 6.15).

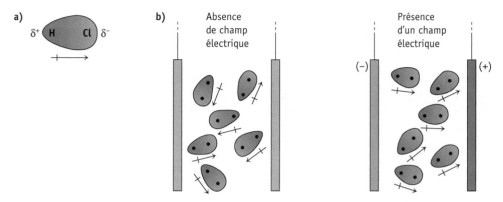

Figure 6.15 Les molécules polaires dans un champ électrique. a) Une représentation imagée de la molécule polaire de chlorure d'hydrogène. La flèche pointant vers l'extrémité négative de la molécule (vers Cl, plus électronégatif que H) indique la direction de la polarité : le signe + rappelle son point d'origine positif (H). **b)** Placées dans un champ électrique, les molécules polaires subissent une force qui les contraint à s'aligner avec le champ. L'extrémité négative s'oriente vers la plaque chargée d'électricité positive et vice-versa. Cette propriété affecte la capacitance des plaques (leur capacité à retenir les charges) et procure un moyen de mesurer l'ampleur des dipôles des molécules.

Dans un champ électrique, l'extrémité positive de chaque molécule est attirée par la plaque chargée d'électricité négative et vice-versa, et les molécules subissent une force qui les contraint à s'aligner avec le champ. L'ampleur de l'alignement dépend de leur **moment dipolaire** (μ, mu), produit de la multiplication de la charge δ par la distance d qui les sépare.

$$\mu = \delta d$$

L'unité SI de moment dipolaire est le coulomb-mètre, mais on lui préfère par tradition le debye (D), qui vaut $3{,}34 \times 10^{-30}$ C·m. Les moments dipolaires de quelques molécules ont été regroupés dans le tableau 6.10 (*voir la page 210*).

L'existence d'un moment dipolaire d'une molécule dépend de la présence de liaisons polaires et de leur localisation relative.

Les molécules composées de deux atomes ayant des électronégativités différentes sont toujours polaires (*voir le tableau 6.10, page 210*) ; l'unique liaison possède une extrémité positive et une autre négative.

La situation est un peu plus complexe dans les molécules polyatomiques possédant plusieurs liaisons polaires. Considérez tout d'abord la molécule linéaire triatomique CO_2 (*voir la figure 6.16, page 210*). Ses deux liaisons sont polaires et équivalentes, si bien que les longueurs des flèches représentant leurs dipôles sont égales. Situées sur l'axe de la molécule, mais dans des directions opposées (elles pointent toutes deux vers leur atome d'oxygène respectif), leur somme vectorielle est nulle. Ainsi, même si elle possède deux liaisons polaires, la molécule de dioxyde de carbone n'est pas polaire.

Par contre, l'eau, une autre molécule triatomique, a la forme d'un coude. Les moments dipolaires des liaisons O—H équivalentes ont la même amplitude, mais leur somme vectorielle n'est pas nulle. L'eau possède un moment dipolaire ($\mu = 1{,}85$ D), axé sur la bissectrice de l'angle formé par les deux liaisons.

TABLEAU 6.10 Les moments dipolaires de quelques molécules sélectionnées

Molécules (AB)	Moments dipolaires (D)	Géométries	Molécules (AB$_2$)	Moments dipolaires (D)	Géométries
HF	1,78	linéaire	H$_2$O	1,85	coudée
HCl	1,07	linéaire	H$_2$S	0,95	coudée
HBr	0,79	linéaire	SO$_2$	1,62	coudée
HI	0,38	linéaire	CO$_2$	0	linéaire
H$_2$	0	linéaire			

Molécules (AB$_3$)	Moments dipolaires (D)	Géométries	Molécules (AB$_4$)	Moments dipolaires (D)	Géométries
NH$_3$	1,47	pyramidale trigonale	CH$_4$	0	tétraédrique
NF$_3$	0,23	pyramidale trigonale	CH$_3$Cl	1,92	tétraédrique
BF$_3$	0	trigonale plane	CH$_2$Cl$_2$	1,60	tétraédrique
			CHCl$_3$	1,04	tétraédrique
			CCl$_4$	0	tétraédrique

Molécule non polaire

Molécule polaire $\mu = 1,85$ D

δ^- δ^+ δ^-

CO$_2$

δ^+ δ^+

H$_2$O

a)   b)

Figure 6.16 La polarité des molécules triatomiques AB$_2$.

La molécule trigonale plane de BF$_3$ possède trois liaisons très polaires, mais ne possède pas de moment dipolaire. En effet, la somme vectorielle des trois flèches de longueur égale (les trois liaisons sont identiques), situées à 120° l'une de l'autre (et donc dans le même plan) est nulle (figure 6.17).

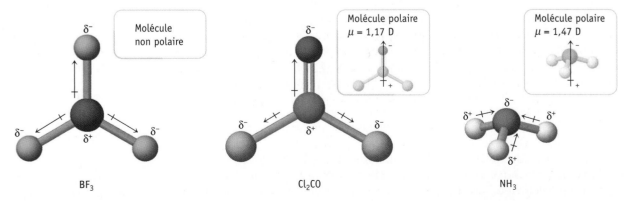

Molécule non polaire

Molécule polaire $\mu = 1,17$ D

Molécule polaire $\mu = 1,47$ D

BF$_3$ Cl$_2$CO   NH$_3$

Figure 6.17 La polarité des molécules AB$_3$.

Par contre, le phosgène (Cl$_2$CO), qui a la même géométrie que le trifluorure de bore, possède un moment dipolaire (μ = 1,17 D), car la résultante des trois flèches est un vecteur situé sur l'axe de la liaison carbone-oxygène (figure 6.17). Le moment dipolaire est orienté du carbone vers l'oxygène, car celui-ci est le plus électronégatif des atomes considérés.

L'ammoniac (NH$_3$) possède trois liaisons polaires identiques (figure 6.17). Contrairement à BF$_3$, molécule plane, NH$_3$ a la forme d'une pyramide trigonale : cette géométrie lui confère un moment dipolaire (μ = 1,47 D). Le vecteur résultant est situé sur l'axe de symétrie de la molécule et est orienté des atomes d'hydrogène vers l'atome d'azote (l'azote est plus électronégatif que l'hydrogène).

Les molécules tétraédriques de méthane (CH$_4$) et de tétrachlorure de carbone (CCl$_4$), à cause de leur symétrie (même charge partielle sur les quatre atomes liés au carbone, même distance du centre, angles de liaison identiques), ne possèdent pas de moment dipolaire. Par contre, les molécules de chlorométhane (CH$_3$Cl), de dichlorométhane (CH$_2$Cl$_2$) et de chloroforme (CHCl$_3$), possédant à la fois des atomes d'hydrogène et de chlore, sont polaires. Parce que l'électronégativité du chlore est plus élevée que celle de l'hydrogène, la charge négative est située du côté des atomes de chlore, alors que la charge positive est, évidemment, du côté des atomes d'hydrogène.

Pour résumer la discussion sur la polarité des molécules, retournez à la figure 6.12 (*voir la page 202*), dans laquelle sont représentées des molécules du type AB$_n$. On peut sans hésitation conclure, d'une part, que toutes ces molécules sont non polaires, que les liaisons A—B soient polaires ou non, parce que :

- tous les atomes (ou groupes) terminaux B sont identiques *et*
- tous les atomes (ou groupes) terminaux B sont placés symétriquement par rapport à l'atome central A,

et, d'autre part, que si l'on remplace un des atomes (ou des groupes) B par un autre atome ou par un doublet libre, la nouvelle molécule sera généralement polaire.

EXEMPLE 6.12 | **La polarité des molécules**

Le trifluorure d'azote (NF$_3$), le dichlorométhane (CH$_2$Cl$_2$) et le tétrafluorure de soufre (SF$_4$) sont-ils polaires ? Si oui, indiquez le sens de leur polarité.

SOLUTION

a) NF$_3$ forme une pyramide trigonale (comme NH$_3$). Comme F est plus électronégatif que N, chaque liaison est polaire. La géométrie fait que la molécule est polaire, que le moment dipolaire est situé sur l'axe de symétrie et que la charge négative est située du côté des atomes de fluor.

b) CH$_2$Cl$_2$. L'électronégativité décroît du chlore au carbone et à l'hydrogène. Toutes les liaisons sont polaires, le déplacement des charges négatives se produisant de l'hydrogène vers le chlore. La molécule est polaire.

c) SF$_4$. La géométrie des paires d'électrons est bipyramidale à base triangulaire. Toutes les liaisons sont polaires. La présence d'un doublet libre sur le soufre détruit la symétrie des liaisons S—F et la molécule est polaire. Les dipôles des liaisons S—F axiales se neutralisent, parce qu'ils pointent dans des directions opposées. Ceux des deux liaisons équatoriales s'additionnent vectoriellement et la charge négative est située du côté des deux atomes de fluor, dans le plan équatorial.

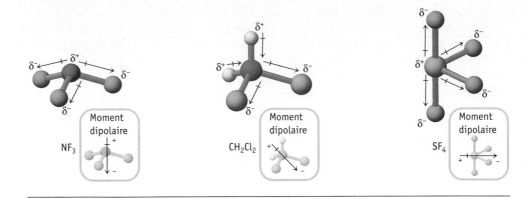

EXERCICE 6.17 **La polarité des molécules**

$BFCl_2$, NH_2Cl et SCl_2 sont-ils polaires ? Si oui, indiquez le sens de leur polarité.

6.11 LA STRUCTURE DE L'ADN : UNE NOUVELLE INCURSION

Au fur et à mesure de l'avancement dans la connaissance de l'atome et des molécules, on a approfondi la compréhension de la structure fine de la molécule d'ADN, notre fil conducteur.

Chaque chaîne de la double hélice est composée de trois unités (figure 6.18) : un phosphate, une molécule de désoxyribose (un sucre comprenant un cycle à cinq côtés) et une base azotée. Cette base peut être de l'adénine (choisie dans la représentation agrandie), de la guanine, de la cytosine ou de la thymine. La séquence des atomes constituant le squelette des chaînes est illustrée dans la figure 6.19, dans laquelle la base est uniquement représentée par une sphère.

Le cycle à cinq côtés subit quelques tensions à cause de la géométrie tétraédrique des paires d'électrons entourant les atomes de carbone et d'oxygène.

Les angles de ce cycle à six côtés sont voisins de 120°, car chaque atome est lié à trois voisins (donc trois directions pour les doublets électroniques) ou est entouré de deux atomes et d'un doublet libre (trois directions à nouveau).

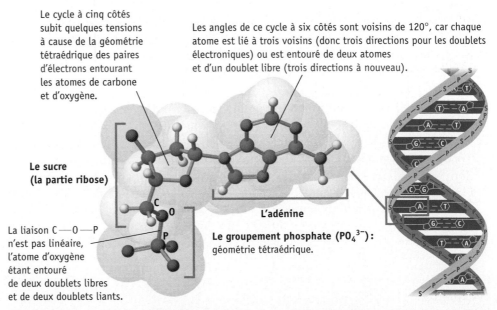

Le sucre (la partie ribose)

La liaison C—O—P n'est pas linéaire, l'atome d'oxygène étant entouré de deux doublets libres et de deux doublets liants.

L'adénine

Le groupement phosphate (PO_4^{3-}) : géométrie tétraédrique.

Figure 6.18 Une partie de la molécule d'ADN. Cette portion agrandie explicite le groupement phosphate, le désoxyribose (sucre qui contient un cycle à cinq côtés) et la base adénine.

À ce stade de l'exposé, on veut attirer l'attention sur la répétition de la séquence d'atomes —O—P—O—C—C—C— dans chacune des chaînes de la double hélice. Les paires d'électrons entourant chacun de ces atomes se répartissent selon un tétraèdre. De ce fait, la chaîne ne peut pas être linéaire. On constate expérimentalement qu'elle tourne sur elle-même, ce qui lui confère sa forme hélicoïdale.

On peut se demander pourquoi les bases sont localisées entre les deux chaînes externes contenant les séquences —O—P—O—C—C—C—. Cela s'explique par la polarité des liaisons des bases liées au squelette. Par exemple, les atomes d'hydrogène liés à l'azote de la base adénine possèdent une charge partielle positive assez appréciable et donnent lieu à des liaisons d'un type spécial, la liaison hydrogène, avec la base de l'autre chaîne. On explicitera cet aspect dans le chapitre suivant qui traitera des liaisons intermoléculaires.

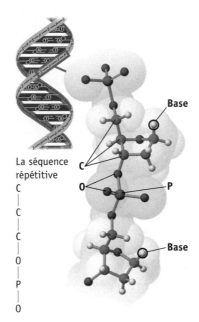

Figure 6.19 Le squelette de la molécule d'ADN.

LA FORMATION DES LIAISONS IONIQUE ET COVALENTE : LA REPRÉSENTATION DE LEWIS

Liaison ionique

Transfert d'un ou de plusieurs électrons périphériques d'un atome à un autre, créant de ce fait un cation et un anion.

$$Na\cdot \ + \ \cdot\ddot{C}l: \longrightarrow \left[Na \overset{\frown}{\ } \ddot{C}l: \right] \longrightarrow \left[Na^+ \qquad :\ddot{C}l:^-\right]$$

Métal   Non-   Transfert   Composé ionique
         métal   d'un électron   (les ions possèdent
                                      la configuration du gaz
                                      rare le plus proche).

Énergie réticulaire ($\Delta E_{\text{rét}}$)

Énergie dégagée lors de la formation d'une mole de composé ionique à l'état solide à partir de ses ions considérés à l'état gazeux. Dépend de la taille et de la charge des ions.

$$Na^+ \ (g) + Cl^- \ (g) \longrightarrow NaCl \ (s) \qquad \Delta E_{\text{rét}} = {}^-786 \text{ kJ/mol}$$

Liaison covalente

Partage d'électrons périphériques entre deux atomes.

$$:\ddot{F}\cdot \ + \ \cdot\ddot{F}: \longrightarrow \ :\ddot{F}:\ddot{F}: \ \text{ou} \ :\ddot{F}\!-\!\ddot{F}:$$

LES STRUCTURES DE LEWIS

Représentation de la liaison covalente

Doublets libres

$$:\ddot{F}\!-\!\ddot{F}: \qquad \ddot{O}\!=\!C\!=\!\ddot{O} \qquad :N\!\equiv\!N:$$

Liaison simple   Deux liaisons doubles   Liaison triple

Règle de l'octet

Les molécules et les ions polyatomiques ont tendance à former des structures dans lesquelles huit électrons entourent chaque atome (sauf l'hydrogène, deux électrons).

Détermination des structures de Lewis	Exemple de NO_2^+
Atome central	O N O
Nombre total d'électrons périphériques	5 (pour N) + 12 (6 par O) − 1 (pour la charge positive de l'ion) = 16, soit 8 paires d'électrons.
Liaisons simples	$\left[O\!-\!N\!-\!O\right]^+$
Les doublets libres sur les atomes terminaux, sauf H, et, s'il en reste, sur l'atome central.	$\left[:\ddot{O}\!-\!N\!-\!\ddot{O}:\right]^+$

LES STRUCTURES DE LEWIS (*SUITE*)

Les liaisons multiples	$\left[\ddot{O} = N = \ddot{O} \right]^{+}$
	Exemple de O_3 $:\ddot{O} - \ddot{O} - \ddot{O}: \longrightarrow :\ddot{O} - \ddot{O} = \ddot{O}:$ $:\ddot{O} - \ddot{O} - \ddot{O}: \longrightarrow :\ddot{O} = \ddot{O} - \ddot{O}:$ **Deux formes limites de résonance :** $:\ddot{O} - \ddot{O} = \ddot{O}: \longleftrightarrow :\ddot{O} = \ddot{O} - \ddot{O}:$
La forme limite qui contribue le plus à l'hybride de résonance est celle où les charges formelles sur les atomes sont les plus proches possible de zéro. Si une charge formelle négative est présente, on privilégie la forme limite dont la charge négative est portée par l'atome le plus électronégatif.	**Charge formelle** Nombre d'électrons périphériques de l'atome $-$ [nombre d'électrons présents dans les doublets libres $+ \frac{1}{2}$ (nombre d'électrons présents dans les doublets de liaison)]. $\underset{A}{\overset{(0)\ (0)\ (0)}{\ddot{O} = C = \ddot{O}}}$ $\qquad$ $\underset{B}{\overset{(+1)\ (0)\ (-1)}{:O \equiv C - \ddot{O}:}}$ La forme limite A, où toutes les charges formelles sont égales à 0, est prédominante dans l'hybride de résonance.

LES EXCEPTIONS À LA RÈGLE DE L'OCTET

Atome central entouré de moins de huit électrons.	**Exemple** Trifluorure de bore (BF_3) $\qquad :\ddot{F} - B - \ddot{F}:$ $\qquad\qquad\qquad\qquad\qquad\qquad :\ddot{F}:$
Atome central entouré de plus de huit électrons (à partir de la troisième période).	**Exemple** Hexafluorure de soufre (SF_6)
Molécule possédant un nombre impair d'électrons : les radicaux libres.	**Exemple** Dioxyde d'azote (NO_2)

LES LIAISONS COVALENTES FRÉQUEMMENT RENCONTRÉES

Carbone	Azote	Oxygène	Halogène	Hydrogène
$-\overset{\displaystyle |}{\underset{\displaystyle |}{C}}-$	$-\overset{\displaystyle ..}{N}-$	$-\overset{..}{\underset{..}{O}}-$	$:\overset{..}{\underset{..}{X}}-$	$H-$
$-\overset{\displaystyle |}{C}=$	$-\overset{..}{N}=$	$\overset{..}{\underset{..}{O}}=$		
$=C=$				
$-C\equiv$	$:N\equiv$			

LE CONTINUUM DES LIAISONS

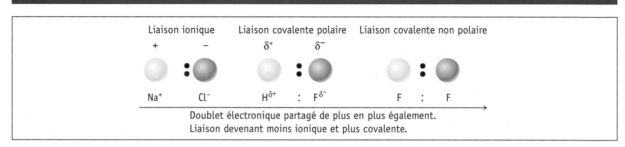

Liaison ionique   Liaison covalente polaire   Liaison covalente non polaire

+   − δ^+ δ^-

Na⁺   Cl⁻ $H^{\delta+}$: $F^{\delta-}$ F : F

Doublet électronique partagé de plus en plus également.
Liaison devenant moins ionique et plus covalente.

LA POLARITÉ DES LIAISONS COVALENTES

Électronégativité des éléments ($\mathcal{X}$)

Faculté d'un atome d'attirer le doublet de la liaison covalente établie entre lui et un autre atome.

												H 2,1						
1A	**2A**													**3A**	**4A**	**5A**	**6A**	**7A**
Li 1,0	Be 1,5													B 2,0	C 2,5	N 3,0	O 3,5	F 4,0
Na 0,9	Mg 1,2	**3B**	**4B**	**5B**	**6B**	**7B**		**8B**		**1B**	**2B**			Al 1,5	Si 1,8	P 2,1	S 2,5	Cl 3,0
K 0,8	Ca 1,0	Sc 1,3	Ti 1,5	V 1,6	Cr 1,6	Mn 1,5	Fe 1,8	Co 1,8	Ni 1,8	Cu 1,9	Zn 1,6			Ga 1,6	Ge 1,8	As 2,0	Se 2,4	Br 2,8
Rb 0,8	Sr 1,0	Y 1,2	Zr 1,4	Nb 1,6	Mo 1,8	Tc 1,9	Ru 2,2	Rh 2,2	Pd 2,2	Ag 1,9	Cd 1,7			In 1,7	Sn 1,8	Sb 1,9	Te 2,1	I 2,5
Cs 0,7	Ba 0,9	La 1,1	Hf 1,3	Ta 1,5	W 1,7	Re 1,9	Os 2,2	Ir 2,2	Pt 2,2	Au 2,4	Hg 1,9			Tl 1,8	Pb 1,8	Bi 1,9	Po 2,0	At 2,2

■ < 1,0   □ 1,5–1,9   ■ 2,5–2,9
■ 1,0–1,4   ■ 2,0–2,4   ■ 3,0–4,0

Augmente généralement dans une période et diminue dans un groupe.
Éléments les plus électronégatifs : F > O > Cl = N > Br

LA POLARITÉ DES LIAISONS COVALENTES (*SUITE*)

Liaison covalente polaire	**Exemples**
Partage inégal d'un ou de plusieurs doublets d'électrons formant la liaison covalente entre deux atomes.	 HF
Charge partielle	 H_2O
L'atome le plus électronégatif d'une liaison covalente polaire acquiert une charge partielle négative (δ^-), l'autre atome porte une charge partielle positive (δ^+).	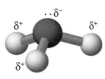 NH_3

6

LES PROPRIÉTÉS DES LIAISONS COVALENTES

Indice de liaison entre les atomes X et Y $$\dfrac{\text{nombre de doublets liants entre X et Y}}{\text{nombre de liaisons entre X et Y dans la molécule}}$$	**Exemple** $\ddot{O}$ $:\ddot{O}\,.\qquad.\ddot{O}:$ $\dfrac{3 \text{ doublets liants}}{2 \text{ liaisons}} = 1,5$
Longueur de liaison Distance qui sépare les noyaux de deux atomes liés dans une molécule ou un ion. Longueurs des liaisons simples: largement déterminées par la taille des atomes. Pour une paire donnée d'éléments, l'indice de liaison détermine la valeur de la distance.	**Exemples** C—H 110 pm C—F 141 pm C—O 143 pm C—N 147 pm C—C 154 pm C═C 134 pm C≡C 121 pm
Énergie de liaison (*D*) Variation d'enthalpie accompagnant le bris d'une liaison dans une molécule, les réactifs et les produits se trouvant à l'état gazeux, dans les conditions normales de température et de pression ($T = 273{,}15$ K, $P = 101{,}325$ kPa). **ΔH^0 d'une réaction** $\Delta H^0 = \sum D$ (liaisons rompues) $- \sum D$ (liaisons formées)	**Exemples** C—C +346 kJ/mol C═C +610 kJ/mol C≡C +835 kJ/mol

LA GÉOMÉTRIE ET LA POLARITÉ DES MOLÉCULES

Théorie de la répulsion des paires d'électrons (RPE)

Repose sur l'idée que les doublets liants ou libres entourant un atome dans une molécule ou un ion ont une tendance naturelle à se repousser et cherchent à se situer le plus loin possible les uns des autres.

Le moment dipolaire d'une molécule

L'existence d'un moment dipolaire d'une molécule dépend de la présence de liaisons polaires et de leur localisation relative.

Nombre de paires d'électrons	Géométrie des paires d'électrons	Nombre de doublets liants	Nombre de doublets libres	Géométrie des molécules	μ (AB_n)	Exemples
2	linéaire	2	0	linéaire	non	$BeCl_2$
3	trigonale plane	3	0	trigonale plane	non	BF_3, BCl_3
		2	1	coudée	oui	SO_2
4	tétraédrique	4	0	tétraédrique	non	CH_4, BF_4^-
		3	1	pyramidale trigonale	oui	NH_3, PF_3
		2	2	coudée	oui	H_2O, SCl_2
5	bipyramidale trigonale	5	0	bipyramidale trigonale	non	PF_5
		4	1	tétraédrique déformée	oui	SF_4
		3	2	en T	oui	ClF_3
		2	3	linéaire	non	XeF_2
6	octaédrique	6	0	octaédrique	non	SF_6
		5	1	pyramide à base carrée	oui	ClF_5
		4	2	plane carrée	non	XeF_4

Revue des concepts importants

1. Spécifiez le nombre d'électrons périphériques des atomes suivants : Li, Ti, Zn, Si et Cl.

2. Décrivez à l'aide de la notation de Lewis la formation de KF à partir de ses atomes. La liaison est-elle ionique ou covalente ?

3. Les composés suivants sont-ils ioniques ou covalents ?
   a) KI   **b)** MgS   **c)** CS_2 **d)** P_4O_{10}

4. Définissez l'énergie réticulaire. Quel composé devrait avoir l'énergie réticulaire la plus négative, LiF ou CsF ? Expliquez votre réponse.

5. Il arrive souvent dans les composés du bore que celui-ci ne soit pas entouré de quatre paires d'électrons périphériques. Illustrez cet énoncé avec BCl_3. Montrez comment cette molécule peut atteindre l'octet en formant une liaison de coordinence avec l'ammoniac (NH_3).

6. Déterminez lesquels des composés suivants ont un atome central obéissant à la règle de l'octet : NO_2, SF_4, NH_3, SO_3 ou O_2. Parmi ces espèces, y en a-t-il qui possèdent un nombre impair d'électrons ?

7. Pourquoi la structure de Lewis du benzène ne représente-t-elle pas adéquatement sa structure électronique réelle ?

8. Considérez les deux formes limites de résonance de l'ion formiate (HCO_2^-). Quel est l'indice de la liaison C—O dans cet ion ?

9. Classez les liaisons suivantes par ordre croissant de longueur : C—O, C—F, C—N, C—C et C—B.

10. Définissez l'énergie de liaison. La variation d'enthalpie associée à un bris de liaison, par exemple : C—H (g) ⟶ C (g) + H (g) est-elle :
    a) toujours positive ?
    b) toujours négative ?
    c) parfois positive, parfois négative ?
    Justifiez brièvement votre réponse.

11. Quelle relation peut-il exister entre l'indice, la longueur et l'énergie de liaison entre deux atomes non identiques, par exemple le carbone et l'azote ?

12. Quelle est la différence entre l'électronégativité et l'affinité électronique ?

13. Décrivez la variation de l'électronégativité dans le tableau périodique.

14. Définissez le principe d'électroneutralité. Utilisez cette règle pour exclure une forme limite possible de CO_2.

15. Qu'entend-on par « théorie RPE » ? Sur quelle base physique repose-t-elle ?

16. À l'aide de la molécule d'eau, expliquez la différence entre la géométrie des paires d'électrons et la géométrie des molécules.

Exercices

Les électrons périphériques et la règle de l'octet

17. Donnez le numéro de groupe et le nombre d'électrons périphériques de :
a) Si ;   **c)** Na ;   **e)** F ;
b) B ;   **d)** Mg ;   **f)** Se.

18. Lesquels des éléments suivants peuvent s'entourer, dans des composés, de plus de quatre paires d'électrons périphériques ?
a) C   **c)** O   **e)** Cl   **g)** Se
b) P   **d)** F   **f)** B   **h)** Sn

Les composés ioniques

19. Lequel des composés suivants possède l'énergie de formation de paires d'ions la plus négative ? Lequel a la valeur la moins négative ?
a) NaCl   **b)** MgS   **c)** MgF_2

20. Classez les composés LiI, LiF, CaO et RbI par ordre croissant d'énergie réticulaire (de la moins négative à la plus négative).

21. Pour faire fondre un solide ionique, on doit fournir de l'énergie afin de rompre les forces entre les ions. Ainsi, l'arrangement régulier des ions se détruit et le composé devient liquide. Si la distance entre un anion et un cation dans un solide cristallin diminue, les charges des ions restant identiques, le point de fusion augmente-t-il ou diminue-t-il ? Expliquez votre réponse.

Les structures de Lewis
(*Voir les exemples 6.1 à 6.4*)

22. Représentez en structure de Lewis les molécules ou les ions suivants.
a) NF_3 **b)** HOBr   **c)** ClO_3^- **d)** SO_3^{2-}

23. Dessinez les structures de Lewis des molécules suivantes :
a) le chlorodifluorométhane ($CHClF_2$) ;
b) l'acide acétique (CH_3COOH) ;
c) l'acétonitrile (CH_3CN) ;
d) le tétrafluoroéthylène ($F_2C = CF_2$).

24. Proposez quelques formes limites de résonance possibles pour chacune des espèces suivantes.
a) SO_2 **b)** HNO_3 **c)** SCN^-

25. Représentez en structure de Lewis les molécules et les ions suivants.
a) BrF_3 **b)** I_3^- **c)** XeO_2F_2 **d)** XeF_3^+

La charge formelle
(*Voir l'exemple 6.5*)

26. Déterminez la charge formelle de chaque atome dans :
a) N_2H_4 ;   **b)** PO_4^{3-} ;   **c)** BH_4^- ;   **d)** NH_2OH.

27. Calculez la charge formelle des atomes dans :
a) NO_2^+ ;   **b)** NO_2^- ;   **c)** NF_3 ;   **d)** HNO_3.

La polarité des liaisons et l'électronégativité
(*Voir l'exemple 6.6*)

28. Pour chaque paire de liaisons, attribuez les charges partielles (δ^+ et δ^-) à chacun des atomes, représentez par une flèche le sens de la polarité et déterminez quelle liaison est la plus polaire.
a) C—O et C—N.   **c)** B—O et B—S.
b) P—Br et P—Cl.   **d)** B—F et B—I.

29. L'acroléine (C_3H_4O) est un précurseur pour la synthèse de certains plastiques.

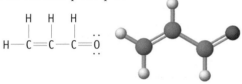

a) Indiquez les liaisons polaires et les liaisons non polaires de cette molécule.
b) Désignez la liaison la plus polaire. Déterminez l'atome le plus électronégatif de cette liaison.

La polarité des liaisons et la charge formelle
(*Voir l'exemple 6.7*)

30. En considérant la polarité des liaisons et la charge formelle, prévoyez sur quel ou quels atomes se retrouvera la charge négative dans :
a) BF_4^- ;   **b)** BH_4^- ;   **c)** OH^- ;   **d)** CH_3COO^-.

31. Trois formes limites de résonance sont possibles pour l'oxyde de diazote (N_2O).
a) Dessinez ces trois formes limites.
b) Pour chacune d'entre elles, calculez la charge formelle de chaque atome.
c) En vous référant aux charges formelles et à l'électronégativité, déterminez la forme limite prépondérante.

32. Utilisez les structures de Lewis pour représenter les ions carbonate (CO_3^{2-}) et borate (BO_3^{3-}).
a) Ces ions sont-ils isoélectroniques ?
b) Combien y a-t-il, *a priori*, de formes limites possibles pour chaque ion ?
c) Quelles sont les charges formelles des atomes de chacun des ions ?

d) Si un ion H^+ se lie à CO_3^{2-} pour former l'ion hydrogénocarbonate (HCO_3^-), se lie-t-il à un atome d'oxygène ou à l'atome de carbone ?

33. Dessinez les formes limites de résonance de l'ion formiate ($HCOO^-$) et calculez la charge formelle de chaque atome. Si un ion H^+ se lie à $HCOO^-$ pour former l'acide formique, à quel atome se lie-t-il ?

L'indice de liaison et la longueur de liaison

34. Pour chacune des espèces suivantes, spécifiez le nombre de chaque type de liaison et calculez leur indice.
   a) H_2CO **c)** NO_2^+
   b) SO_3^{2-} **d)** $NOCl$

35. Déterminez, pour chacune des paires suivantes, la liaison la plus courte.
   a) $B—Cl$ ou $Ga—Cl$.   **c)** $P—S$ ou $P—O$.
   b) $Sn—O$ ou $C—O$.   **d)** $C=O$ ou $C=N$.

36. Considérez la longueur de la liaison azote-oxygène dans NO_2^+, NO_2^- et NO_3^-. Quel ion possède la liaison la plus longue ? La plus courte ? Justifiez brièvement votre réponse.

L'énergie de liaison
(*Voir le tableau 6.9 et l'exemple 6.8*)

37. Considérez le formaldéhyde (CH_2O) et le monoxyde de carbone (CO). Dans quelle molécule la liaison carbone-oxygène est-elle la plus courte ? La plus forte ?

38. Le phosgène (Cl_2CO) est un gaz très toxique qui a été utilisé comme arme chimique lors de la Première Guerre mondiale. À l'aide des énergies de liaisons du tableau 6.9, estimez la variation d'enthalpie de la réaction du monoxyde de carbone avec du chlore pour produire du phosgène.

$$CO\ (g) + Cl_2\ (g) \longrightarrow Cl_2CO\ (g)$$

39. Les atomes d'oxygène peuvent se combiner avec l'ozone pour former de l'oxygène.

$$O_3\ (g) + O\ (g) \longrightarrow 2\ O_2\ (g) \qquad \Delta H^0 = -394\ kJ$$

Estimez l'énergie de la liaison oxygène-oxygène dans la molécule d'ozone. Comment se situe cette valeur par rapport aux énergies d'une liaison simple $O—O$ et d'une liaison double $O=O$? L'énergie de la liaison oxygène-oxygène dans l'ozone concorde-t-elle avec son indice de liaison ?

La géométrie des molécules
(*Voir les exemples 6.9 à 6.11*)

40. À l'aide des structures de Lewis, prévoyez la géométrie des paires d'électrons et la géométrie des espèces suivantes.
   a) NH_2Cl **b)** Cl_2O **c)** SCN^- **d)** HOF

41. Déterminez la géométrie des paires d'électrons et la forme des espèces suivantes.
   a) ClO_2^- **b)** $SnCl_3^-$ **c)** PO_4^{3-} **d)** CS_2

42. Les espèces suivantes ont toutes trois atomes d'oxygène liés à l'atome central. Dessinez leur structure de Lewis et déterminez leur géométrie des paires d'électrons et leur forme. Commentez les similitudes et les différences.
   a) CO_3^{2-} **b)** NO_3^- **c)** SO_3^{2-} **d)** ClO_3^-

43. Déterminez la géométrie des paires d'électrons et la forme de :
   a) ClF_2^- ;   **b)** ClF_3 ;   **c)** ClF_4^- ;   **d)** ClF_5.

44. Estimez l'angle de la liaison :
   a) $O—S—O$ dans SO_2 ;
   b) $F—B—F$ dans BF_3 ;
   c) $Cl—C—Cl$ dans Cl_2CO ;
   d) $H—C—H$ (angle 1) et $C—C\equiv N$ (angle 2) dans l'acétonitrile.

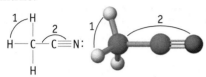

45. La phénylalanine, un des acides aminés naturels, est un produit de décomposition de l'aspartame.
   a) Estimez les cinq angles de liaison indiqués dans sa structure de Lewis.
   b) Expliquez pourquoi la chaîne $—CH_2—CH(NH_2)—COOH$ n'est pas linéaire.

La polarité des molécules
(*Voir l'exemple 6.12*)

46. Considérez les molécules H_2O, CS_2, CCl_4, PCl_3 et ClF.
   a) Quel composé possède les liaisons les plus polaires ?
   b) Quels composés sont non polaires ?
   c) Quel est l'atome le plus négatif de la molécule ClF ?

47. Repérez les molécules polaires de l'ensemble suivant : $BeCl_2$, HBF_2, CH_3Cl et SO_3. Représentez le sens de leur polarité en distinguant les régions négatives et les régions positives de la molécule.

Questions de révision

Ces questions peuvent combiner plusieurs des concepts vus précédemment. Les numéros de couleur correspondent à des questions demandant plus de réflexion.

48. Représentez les espèces suivantes à l'aide des structures de Lewis (au besoin, dessinez également les formes limites). Quelles similitudes trouve-t-on dans cette série ?
   a) CO_2 **b)** N_3^- **c)** OCN^-

49. Déterminez l'indice de la liaison $N—O$ dans NO_2^- et NO_2^+. Associez à chaque ion sa longueur de liaison azote-oxygène : 110 pm ou 124 pm. Justifiez votre réponse.

50. Représentez en structure de Lewis ClF_2^+ et ClF_2^-, et évaluez l'angle de la liaison F—Cl—F dans chacun de ces ions. Quel ion a le plus grand angle de liaison ? Expliquez votre raisonnement.

51. L'équation

$$2\ CH_3OH\ (g)\ +\ 3\ O_2\ (g)\ \longrightarrow\ 2\ CO_2\ (g)\ +\ 4\ H_2O\ (g)$$

représente la réaction de combustion du méthanol. À l'aide des énergies de liaisons du tableau 6.9, estimez la variation d'enthalpie de cette réaction. Quelle est la chaleur molaire de combustion du méthanol ?

52. L'ion cyanate (NCO^-) a son atome le moins électronégatif, C, au centre. L'ion fulminate (CNO^-), un ion très instable, a la même formule, mais c'est l'azote qui occupe la position centrale.
a) Dessinez trois formes limites possibles de CNO^-.
b) Indiquez celle qui est prépondérante à l'aide du concept de charge formelle.
c) Le fulminate de mercure est tellement instable qu'il est utilisé dans les capsules explosives. Qu'est-ce qui expliquerait cette instabilité ? (Indice : Les charges formelles dans les formes limites respectent-elles l'électronégativité des atomes ?)

53. La fibre synthétique Orlon est fabriquée à partir du monomère acrylonitrile (C_3H_3N).

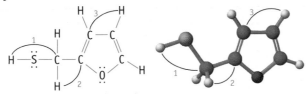

a) Estimez les valeurs des angles 1, 2 et 3.
b) Quel est le lien carbone-carbone le plus court ?
c) Quel est le lien carbone-carbone le plus fort ?
d) Quelle est la liaison la plus polaire ?

54. Expliquez pourquoi :
a) XeF_2 est une molécule linéaire ;
b) ClF_3 a la forme d'un T.

55. La molécule ci-dessous, le 2-furylméthanethiol, est responsable de l'odeur du café.

a) Assignez une charge formelle aux atomes S et O.
b) Estimez les angles 1, 2 et 3.
c) Quelle liaison est la plus polaire ?
d) Est-ce que la molécule est polaire ?

e) Le modèle moléculaire montre clairement que les quatre atomes de carbone du cycle sont tous dans un même plan. Où se situe l'atome d'oxygène par rapport à ce plan ?

56. La dihydroxyacétone est un constituant des lotions auto-bronzantes. Elle réagit avec les acides aminés de l'épiderme de la peau en le colorant en brun dans une réaction similaire à celle qui se produit lorsque la nourriture devient brune en cuisant.
a) Supposons que vous puissiez synthétiser ce composé en faisant réagir de l'acétone avec de l'oxygène. Utilisez les énergies de liaisons pour estimer la variation d'enthalpie de la réaction suivante (qu'on suppose se produire en phase gazeuse).

b) La réaction est-elle exothermique ou endothermique ?
c) L'acétone est-elle une molécule polaire ?
d) Il arrive que des atomes d'hydrogène des molécules soient arrachés (sous forme de H^+) par des bases fortes (ce qui se produit en partie dans les réactions de bronzage). Quels sont les atomes d'hydrogène de la dihydroxyacétone les plus positifs ?

57. L'acroléine (*voir la question 29*) est utilisée dans la fabrication des plastiques. Supposons que ce composé puisse être préparé en insérant une molécule de monoxyde de carbone dans un lien C—H de l'éthylène.

a) Quelle est la liaison carbone-carbone de l'acroléine la plus forte ?
b) Quelle est la liaison carbone-carbone de l'acroléine la plus longue ?
c) L'éthylène et l'acroléine sont-ils des composés polaires ?
d) La réaction de CO avec C_2H_4 est-elle endothermique ou exothermique ?

La **liaison chimique** et la **structure** des **molécules :** **l'hybridation** des **orbitales atomiques** et les **orbitales moléculaires**

Aussi, vous devez toujours rester sceptique, vous devez toujours penser par vous-même.

Linus Pauling, lors de son discours d'acceptation du prix Nobel de chimie en 1954.

Linus Pauling : une vie consacrée à la chimie

Linus Pauling a reçu le prix Nobel de chimie en 1954, un diplôme *honoris causa* et le prix Nobel de la paix en 1962. C'est une ascension extraordinaire... pour un homme extraordinaire.

Il est né le 28 février 1901 à Portland (Oregon, États-Unis). Il n'a que neuf ans à la mort de son père, un pharmacien ambulant. Il contribue alors au soutien de la famille, sa mère et ses deux jeunes sœurs.

Contre la volonté de sa mère, il s'inscrit en 1917 à l'Oregon State Agricultural College, option génie chimique. Malgré une interruption d'une année pour subvenir aux besoins de sa famille, il décroche son diplôme en 1922. S'étant découvert un intérêt pour la chimie, il décide de s'inscrire à des études doctorales au California Institute of Technology (Cal Tech), une institution alors en émergence et

Linus Pauling, 1901-1994.

Thomas Hollyman/Photo Researchers, Inc.

pas encore le puissant institut de recherche qu'elle est aujourd'hui.

Les travaux de Pauling l'amènent à utiliser la technique relativement récente de la cristallographie par rayons X pour déterminer la structure des cristaux. L'expérimentation seule ne lui suffit pas, il veut connaître la théorie sous-jacente. Aussi, après l'obtention de son diplôme en 1925, en tant que boursier de la fondation Guggenheim, il fait la tournée de tous les grands centres européens développant la mécanique quantique émergente. Il est alors superbement équipé

ÉLÉMENTS DE COMPÉTENCE :

appliquer le modèle probabiliste de l'atome à l'analyse des propriétés des éléments ; résoudre des problèmes touchant la structure de la matière et les états de la matière à l'aide des théories modernes de la chimie.

PRÉCISIONS :

formation des liaisons : aspect énergétique. Liaisons intramoléculaires. Prédiction des structures moléculaires.

OBJECTIFS D'APPRENTISSAGE :

▶ interpréter la formation des liaisons covalentes simples et multiples à partir de la théorie des électrons localisés ;

▶ identifier l'hybridation des atomes dans les molécules et les ions ;

▶ interpréter qualitativement la formation des liaisons dans des molécules diatomiques simples à partir de la théorie des orbitales moléculaires ;

▶ interpréter la conductibilité électrique des métaux, des isolants et des semi-conducteurs.

◀ Linus et Ava Helen Pauling. M. Pauling a reçu le prix Nobel de la paix en 1962, mais sa femme a aussi joué un rôle important dans l'adoption du premier traité international de 1962 entre les États-Unis et l'URSS limitant les essais nucléaires.

Ava et Linus Pauling, Collections spéciales, université de l'Oregon

pour débuter sa carrière scientifique à laquelle il consacrera toute sa vie.

Dès son retour au Cal Tech, il amorce un programme intensif de détermination des structures des substances chimiques par diffraction des rayons X pour les solides et par diffraction électronique pour les gaz. Il accumule des données sur les longueurs et les angles de liaison, les analyse, puis effectue des calculs semi-empiriques en se référant à la mécanique quantique. Les prévisions de structures moléculaires font désormais partie du domaine du possible. Toutes ses conclusions sont magnifiquement exposées et résumées dans son livre *The Nature of the Chemical Bond and the Structure of Molecules and Crystals* publié en 1939. Ce manuel de chimie s'avère le plus déterminant du XXᵉ siècle pour bien des chimistes.

Après avoir résolu la structure de substances inorganiques et de molécules organiques relativement simples, Pauling se tourne vers la biochimie. Il est, selon les propres mots de Francis Crick, « un des fondateurs de la biologie moléculaire ». Pauling et son associé, Robert Corey, s'attellent systématiquement à la recherche des structures de base des protéines.

Le jour de son cinquantième anniversaire de naissance, il publie son article mémorable sur la structure secondaire des protéines (configuration en hélice α) dans *Proceedings of the National Academy of Sciences*. C'est ce travail, couplé aux recherches sur la nature de la liaison chimique, qui lui vaut le prix Nobel de chimie en 1954.

Pauling n'est qu'à mi-chemin de sa carrière scientifique. Il connaît des déceptions (il n'a pu découvrir la structure de l'ADN et sa théorie de la stabilité nucléaire n'a pas été acceptée), mais aussi des satisfactions et des succès (publication en 1949 de la relation entre une anomalie de la structure moléculaire de l'hémoglobine et une forme d'anémie héréditaire, l'anémie drépanocytaire ou hémoglobinose S; introduction du concept de l'horloge moléculaire évolutive). Mais, à partir des années 1950, la science n'occupe plus qu'une partie, parfois minime, de sa vie active.

Né dans une famille relativement conservatrice, Pauling devient un militant politique actif, à la demande pressante de sa femme Ava Helen. Il joue en particulier un rôle majeur dans l'adoption du premier traité international de 1962 entre les États-Unis et l'URSS limitant les essais nucléaires. Il reçoit le prix Nobel de la paix en 1962 pour son action pacifiste.

Pauling consacre les dernières années de sa vie à la défense de ce qu'il appelle la « médecine orthomoléculaire », l'art d'optimiser les niveaux de divers minéraux et vitamines dans le corps humain. Il préconise en particulier l'usage de doses massives de vitamine C pour le traitement de différentes indispositions comme le rhume. L'establishment des nutritionnistes se sent insulté. L'apport quotidien de vitamine C que ceux-ci recommandent est bien en deçà des doses variant de 1 à 10 g par jour suggérées par Pauling. Il réplique que la quantité nécessaire pour prévenir le scorbut n'est pas nécessairement suffisante pour contribuer de façon optimale à la santé des individus. Bien qu'il réfute encore les affirmations les plus extrêmes de Pauling, le corps médical semble toutefois avoir maintenant un certain engouement pour les antioxydants... comme la vitamine C.

Resté actif et optimiste jusqu'au bout, Linus Pauling s'éteint dans son ranch de Big Sur, en Californie, le 19 août 1994.

Source : Derek Davenport, professeur émérite de chimie, université de Purdue, Indiana, États-Unis.

La liaison et la structure des molécules Dans ce chapitre, on étudiera en détail la contribution des orbitales atomiques à la formation des liaisons chimiques simples ou multiples, tout en expliquant leurs propriétés. On voit que la rotation autour d'une double liaison carbone-carbone requiert beaucoup d'énergie : c'est justement ce phénomène qui entre en jeu dans la biologie de la vision.

LA RHODOPSINE

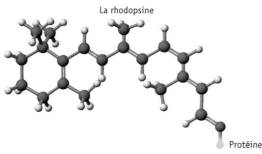

La rhodopsine

La métarhodopsine

Protéine

Votre foie transforme le β-carotène, un colorant naturel jaune orangé, en vitamine A, appelée aussi le rétinol. L'oxydation du rétinol donne le *trans*-11-rétinal, qui se transforme à l'aide d'un enzyme en *cis*-11-rétinal. Celui-ci réagit dans la rétine de l'œil avec la protéine opsine et donne le pigment rhodopsine.

La rhodopsine absorbe la lumière visible. Cet apport d'énergie provoque l'isomérisation de la liaison *cis* en une liaison *trans* donnant ainsi la métarhodopsine (bris de la liaison π grâce à l'apport d'énergie lumineuse, rotation autour de la liaison σ résiduelle, reformation de la liaison π).

L'ABSORPTION DE LUMIÈRE

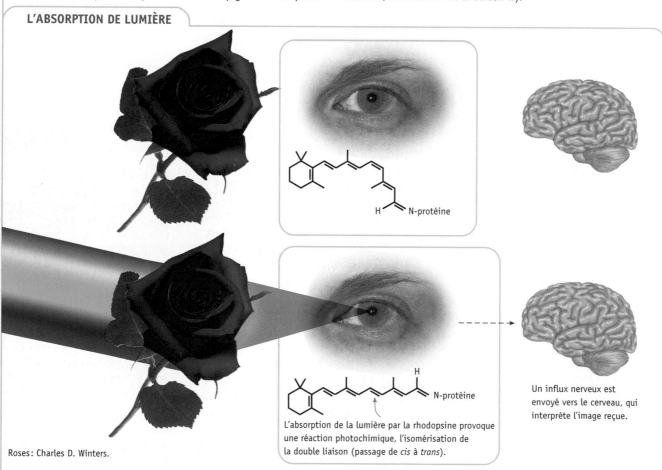

Roses: Charles D. Winters.

H
N-protéine

N-protéine

Un influx nerveux est envoyé vers le cerveau, qui interprète l'image reçue.

L'absorption de la lumière par la rhodopsine provoque une réaction photochimique, l'isomérisation de la double liaison (passage de *cis* à *trans*).

L'absorption de lumière fournit l'énergie nécessaire à la transformation de la rhodopsine en métarhodopsine. Ce changement de structure entraîne la dissociation du complexe en *trans*-11-rétinal et en opsine, et l'émission d'un influx nerveux vers le cerveau qui décode l'image reçue. Le *trans*-11-rétinal se retransforme ensuite en *cis*-11-rétinal à l'aide d'un enzyme. Le *cis*-11-rétinal est prêt à se recombiner avec l'opsine pour donner la rhodopsine. Comme la décomposition de la métarhodopsine n'est pas aussi rapide que sa formation, l'image formée sur la rétine persiste environ un dixième de seconde. Cette persistance permet au cinéma et à la télévision de donner l'illusion d'un mouvement continu par une succession rapide d'images (24 et 30 images par seconde respectivement).

omment les atomes se maintiennent-ils ensemble dans les molécules ? Comment deux molécules ayant la même formule chimique peuvent-elles être différentes ? Comment peut-on expliquer le paramagnétisme de l'oxygène et comment faire le lien entre cette caractéristique et la liaison entre les deux atomes ? Ce ne sont là que quelques questions auxquelles ce chapitre tentera de répondre.

7.1 LES ORBITALES ET LES THÉORIES DE LA LIAISON CHIMIQUE

Ce chapitre est centré sur les orbitales, tant atomiques que moléculaires. La mécanique quantique, la meilleure manière à ce jour d'expliquer les propriétés des atomes, décrit les électrons par des fonctions d'onde. Une orbitale atomique possède une certaine énergie découlant des forces électrostatiques : force d'attraction de l'électron par le noyau chargé d'électricité positive et forces de répulsion dues aux autres électrons présents. Si l'énergie de l'orbitale est connue avec précision, on doit admettre que la position de l'électron l'est nettement moins (principe d'incertitude de Heisenberg) : aussi, on imagine l'orbitale comme une région de l'espace où la probabilité de le trouver est élevée.

On sait que les liaisons entre atomes mettent en jeu leurs électrons périphériques et que la meilleure description de leur localisation est donnée par la mécanique ondulatoire et les probabilités. Il semble donc assez raisonnable de penser à transposer ce modèle aux molécules.

Deux approches se réclamant de cette théorie ont tenté de rationaliser les liaisons intramoléculaires : la **théorie des électrons localisés (ÉL)** et la **théorie des orbitales moléculaires (OM)**. Le développement de la première est le fait, surtout, de Linus Pauling, et celui de la seconde, de Robert Mulliken. La théorie ÉL reprend essentiellement l'idée de Lewis : les atomes sont liés entre eux par des paires d'électrons dits liants, les doublets libres et les électrons internes restant la propriété de leurs atomes respectifs. À l'inverse, l'approche de Mulliken met en jeu des orbitales moléculaires qui appartiennent à la molécule tout entière. Les orbitales atomiques se combinent pour former un ensemble d'orbitales qui sont la propriété de la molécule prise dans sa globalité, et c'est dans ces orbitales *moléculaires* dites de ce fait *délocalisées* que les électrons se distribuent.

On peut se poser la question : Pourquoi deux théories pour expliquer le même phénomène ? En réalité, les deux théories décrivent passablement bien la formation des liaisons, mais on les utilise dans des contextes différents. La théorie ÉL est la préférée lorsqu'on désire décrire qualitativement et visuellement des molécules, celles particulièrement composées de beaucoup d'atomes. En revanche, on privilégie la théorie des OM lorsqu'une image plus quantitative des liaisons est nécessaire.

D'un autre point de vue, la théorie ÉL fournit une bonne description des molécules dans leur état fondamental, l'état correspondant à l'énergie la plus basse. Cependant, on fait appel à la théorie des OM pour décrire leurs états excités. Cet aspect est important puisqu'il permet, entre autres choses, d'expliquer la coloration des substances.

Finalement, pour quelques composés comme NO et O_2, la théorie des OM est la seule en mesure d'expliquer correctement la liaison.

Histoire et **découvertes**

Robert Mulliken (1896-1986)

Robert Mulliken, chimiste américain, a reçu le prix Nobel de chimie en 1966, en récompense de ses travaux fondamentaux concernant les liaisons chimiques et l'étude de la structure électronique des molécules par la méthode des orbitales moléculaires. Il a introduit de nombreux concepts, toujours opérationnels en chimie théorique : orbitale, orbitale moléculaire, méthode LCAO (combinaison linéaire des orbitales atomiques), affinité électronique, donneur et accepteur d'électrons.

226

CHAPITRE 7 La liaison chimique et la structure des molécules :
l'hybridation des orbitales atomiques et les orbitales moléculaires

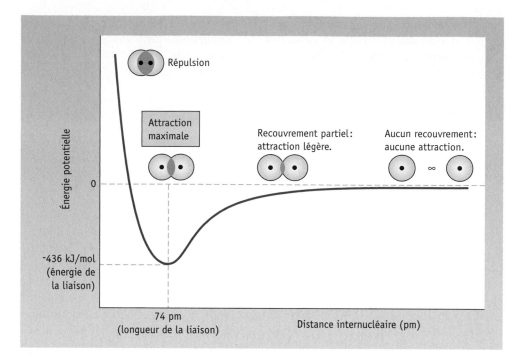

Figure 7.1 La variation de l'énergie potentielle durant la formation de la liaison H—H à partir des atomes. L'énergie minimale est atteinte à $d = 74$ pm. À des distances supérieures, le recouvrement des orbitales $1s$ est moindre, et la liaison est plus faible. À des distances inférieures, les répulsions entre les noyaux et entre les électrons deviennent rapidement importantes, et la courbe d'énergie potentielle augmente abruptement.

7.2 LA THÉORIE DES ÉLECTRONS LOCALISÉS

7.2.1 Le recouvrement des orbitales atomiques

Que se passe-t-il lorsque deux atomes situés à bonne distance l'un de l'autre se rapprochent et finalement se lient ? Pour répondre à cette question fondamentale, on prend souvent l'exemple de la molécule connue la plus simple, l'hydrogène (deux électrons et deux noyaux). La variation d'énergie potentielle de deux atomes d'hydrogène en fonction de la distance qui les sépare est donnée dans la figure 7.1.

À des distances relativement grandes, il n'existe pratiquement aucune interaction des deux atomes d'hydrogène, et l'énergie potentielle est considérée comme nulle. Lorsqu'ils se rapprochent, l'électron de chaque atome commence à ressentir une force d'attraction exercée par le noyau de l'autre atome. Sous l'action de ces forces, les nuages électroniques se déforment et l'énergie potentielle décroît. Des calculs théoriques montrent que l'énergie est minimale à $d = 74$ pm, distance interatomique à laquelle la molécule de H_2 est la plus stable. Cette valeur calculée correspond à celle mesurée expérimentalement.

Les atomes isolés possèdent chacun un électron. Dans la molécule H_2, les deux électrons s'apparient pour former la liaison. L'énergie à $d = 74$ pm est moindre que celle des deux atomes libres : par ce processus, le système s'est stabilisé. Cette diminution peut être aussi calculée : elle recoupe la valeur expérimentale déduite des énergies de liaison (*voir la section 6.8.3, page 198*) validant ainsi l'approche théorique.

La formation des liaisons, illustrée dans les figures 7.1 et 7.2, se produit quand les nuages électroniques des deux atomes s'interpénètrent, se recouvrent. Le **recouvrement des orbitales atomiques,** qui accroît la probabilité de présence des électrons de liaison dans la région située entre les deux atomes, *constitue le fondement de la théorie des électrons localisés.*

Quand la liaison covalente se forme dans H_2, le nuage électronique de chaque atome se déforme de manière à donner aux électrons une plus grande probabilité de se trouver entre les deux noyaux. Cette distorsion conduit les électrons dans

◆ *La liaison dans la théorie ÉL*

Dans le vocabulaire de la théorie ÉL, une paire d'électrons de spins opposés présente entre deux atomes constitue une liaison.

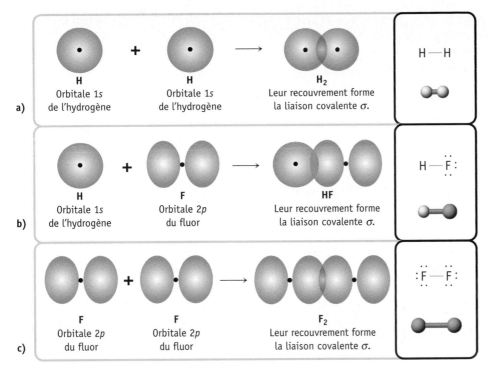

Figure 7.2 La formation de la liaison covalente dans H_2, HF et F_2. a) Le recouvrement des orbitales $1s$ des atomes d'hydrogène pour former la liaison σ (sigma) H—H. **b)** Le recouvrement de l'orbitale $1s$ de l'atome d'hydrogène et d'une orbitale $2p$ d'un atome de fluor pour former la liaison σ dans HF. **c)** Le recouvrement des orbitales $2p$ des atomes de fluor pour former la liaison σ dans F_2.

une situation telle qu'ils sont attirés de façon égale par les deux noyaux positifs. On remarque que cette position la plus probable rejoint la structure de Lewis de la molécule d'hydrogène.

La liaison covalente qui résulte du recouvrement de deux orbitales appartenant à deux atomes différents comme dans H_2 est une **liaison σ** (**sigma**), *caractérisée par une plus grande densité électronique le long de son axe*.

De la théorie ÉL, on doit retenir essentiellement les principes suivants.

* La liaison entre deux atomes provient du recouvrement de deux orbitales atomiques (figure 7.1).
* Deux électrons de spins opposés occupent l'orbitale résultante. Habituellement, ils sont fournis par chacun des deux atomes.
* Le recouvrement se traduit par une plus grande probabilité de présence des électrons de liaison dans une région de l'espace influencée par les deux noyaux, vers lesquels les deux électrons sont simultanément attirés.

Qu'arrive-t-il avec les éléments autres que l'hydrogène ? Dans la structure de Lewis de HF par exemple, une paire liante d'électrons est placée entre H et F, et trois doublets libres entourent le fluor (figure 7.2 **b**). Pour visualiser l'approche ÉL, examinez les orbitales externes de chacun des atomes. L'hydrogène va mettre à contribution son orbitale $1s$ occupée par un électron. Le fluor, de configuration $1s^2 2s^2 2p^5$, possède un électron non apparié dans une de ses orbitales $2p$. Une liaison σ entre H et F résulte du recouvrement de ces deux orbitales, $1s$ de l'hydrogène et $2p$ du fluor. Elle s'effectue comme dans H_2. Un atome d'hydrogène s'approche d'un atome de fluor selon l'axe de l'orbitale p contenant un seul électron. Les deux orbitales se déforment lorsque le noyau d'un atome influence le nuage électronique de l'autre. À partir d'une certaine distance, les orbitales $1s$ et $2p$ se recouvrent, et les deux électrons s'apparient en formant la liaison σ. L'énergie minimale est atteinte quand les noyaux sont séparés de 92 pm, la longueur de liaison. La stabilisation énergétique, soit la différence entre l'énergie minimale et l'énergie des atomes séparés ($d = \infty$, énergie potentielle nulle),

228

CHAPITRE 7   La liaison chimique et la structure des molécules :
l'hybridation des orbitales atomiques et les orbitales moléculaires

correspond à l'énergie de la liaison H—F. Les autres électrons périphériques du fluor (deux dans l'orbitale 2s et quatre dans les deux autres orbitales 2p) ne participent pas du tout à la liaison. Ce sont des électrons non liants, tout comme les paires d'électrons libres assignées au fluor dans les structures de Lewis.

La généralisation de ce modèle explique la liaison dans F_2. Cette fois, ce sont les orbitales 2p contenant un seul électron des atomes de fluor qui se recouvrent lorsque leurs axes sont confondus, les deux électrons s'appariant finalement dans la liaison σ F—F. Là encore, les paires d'électrons 2s et 2p résiduels forment des doublets libres toujours attribués à chacun des atomes.

7.2.2   L'hybridation des orbitales atomiques

Le modèle exposé précédemment fonctionne bien avec les molécules diatomiques, mais des difficultés d'application commencent à apparaître dans des molécules formées de plus d'atomes. Par exemple, la structure de Lewis du méthane (CH_4) aboutit à quatre liaisons C—H, et la théorie RPE prévoit une forme tétraédrique avec des angles de liaison de 109,5°. On sait en plus que les quatre liaisons C—H sont équivalentes. L'application pure et simple du modèle ÉL ne peut rendre compte des faits suivants.

- Les trois orbitales 2p du carbone sont situées à 90° l'une de l'autre (figure 7.3) et ne peuvent donner des angles de liaison de 109,5°.
- L'orbitale 2s du carbone peut se lier dans n'importe quelle direction (**symétrie sphérique**).
- Le carbone, dans son état fondamental $1s^2 2s^2 2p^2$, n'a que deux électrons non appariés et ne peut donc former quatre liaisons.

Pour décrire la formation des liaisons dans le méthane, et par extension dans d'autres molécules, Pauling propose le concept de l'**hybridation des orbitales atomiques** (figure 7.4).

◆ *La configuration des électrons périphériques du carbone dans son état fondamental*

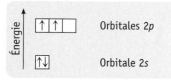

Figure 7.3 Les orbitales atomiques 2p. Les axes des orbitales atomiques 2p se confondent avec les axes des coordonnées situés à 90° l'un de l'autre. Modèles orbitaux : Patrick A. Harman et Charles F. Hamper.

Figure 7.4 L'hybridation. Quand deux orbitales d'un atome se combinent, elles forment deux nouvelles orbitales hybrides possédant des formes et des directions différentes des orbitales originelles. L'hybridation est analogue au mélange de deux couleurs distinctes (photographie de gauche) : la couleur résultante est un hybride des deux premières (photographie du centre). Le mélange effectué et repartagé, on a toujours deux bechers, contenant chacun le même volume initial de solution, mais de couleur identique (photographie de droite). Charles D. Winters

On peut créer un nouvel ensemble d'orbitales, appelées les **orbitales hybrides**, en combinant mathématiquement les fonctions d'onde s, p et, quelquefois, d d'un atome. Deux idées maîtresses guident les calculs.
- Premièrement, le nombre d'orbitales hybrides est égal au nombre initial d'orbitales atomiques que l'on désire combiner.
- Deuxièmement, les orbitales hybrides résultantes ont des directions se rapprochant le plus possible de celles des liaisons à former (observées expérimentalement), afin d'aboutir à un meilleur recouvrement et à une plus grande énergie de liaison.

La figure 7.5 illustre les nouveaux ensembles d'orbitales hybrides qui résultent du mélange des orbitales atomiques s, p et d.

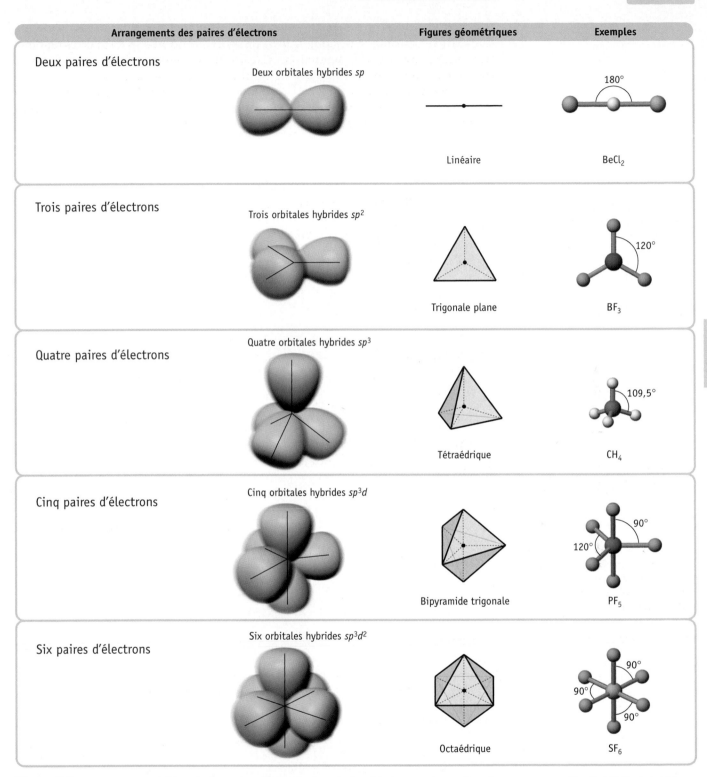

Arrangements des paires d'électrons	Figures géométriques	Exemples
Deux paires d'électrons Deux orbitales hybrides sp	Linéaire	$180°$ $BeCl_2$
Trois paires d'électrons Trois orbitales hybrides sp^2	Trigonale plane	$120°$ BF_3
Quatre paires d'électrons Quatre orbitales hybrides sp^3	Tétraédrique	$109{,}5°$ CH_4
Cinq paires d'électrons Cinq orbitales hybrides sp^3d	Bipyramide trigonale	$90°$ $120°$ PF_5
Six paires d'électrons Six orbitales hybrides sp^3d^2	Octaédrique	$90°$ $90°$ $90°$ SF_6

Figure 7.5 Les orbitales hybrides résultant du mélange de deux à six orbitales atomiques. Pour former un ensemble d'orbitales hybrides, on combine toujours une orbitale s avec autant d'orbitales p et, quelquefois, d d'un atome qu'il est nécessaire pour loger le nombre total de liaisons σ et de doublets libres entourant cet atome.

On retient ce qui suit :
• Le nombre d'orbitales hybrides requises par un atome est déterminé par le nombre de doublets, liants et libres, entourant cet atome.

- L'hybridation d'une orbitale *s* et d'une orbitale *p* appartenant à la même couche électronique périphérique d'un atome conduit à la formation de deux orbitales hybrides dénommées *sp*. Elles sont alignées sur l'axe de l'orbitale *p* initiale.
- L'hybridation d'une orbitale *s* et de deux orbitales *p* appartenant à la même couche électronique périphérique d'un atome donne trois orbitales hybrides *sp*^{2}. Elles sont situées dans le même plan que celui engendré par les orbitales *p* initiales et forment des angles de 120° entre elles.
- La combinaison d'une orbitale *s* avec les trois orbitales *p* de la même couche électronique périphérique d'un atome produit quatre nouvelles orbitales hybrides *sp*^{3}. Leurs axes pointent vers les sommets d'un tétraèdre et forment entre eux des angles de 109,5°.
- Quand on ajoute une ou deux orbitales *d* aux orbitales *sp*^{3}, on forme un nouvel ensemble de cinq ou six orbitales hybrides. L'ensemble *sp*^{3}*d* a la forme d'une bipyramide trigonale, tandis que les six orbitales *sp*^{3}*d*^{2} se regroupent autour de l'atome selon un octaèdre.

On va maintenant appliquer ce nouveau concept à des petites molécules, tout en gardant à l'esprit que ces hybridations rendent compte aussi de la structure des molécules plus complexes.

La théorie ÉL et le méthane (CH$_4$)

◆ **Les orbitales hybrides et les orbitales atomiques**

Le nombre d'orbitales hybrides est toujours égal au nombre d'orbitales atomiques combinées.

Quatre orbitales dirigées vers les sommets d'un tétraèdre sont requises pour refléter la géométrie des paires d'électrons de l'atome de carbone central : on y arrive en hybridant son orbitale 2*s* avec ses trois orbitales 2*p* (figure 7.6).

Les orbitales hybrides de forme identique, désignées par la notation *sp*^{3} rappelant la combinaison de l'orbitale *s* avec les trois orbitales *p*, possèdent deux lobes, un grand et un petit. Elles sont alignées sur les axes reliant le centre d'un tétraèdre régulier à ses sommets, les grands lobes dirigés vers ces derniers. Elles

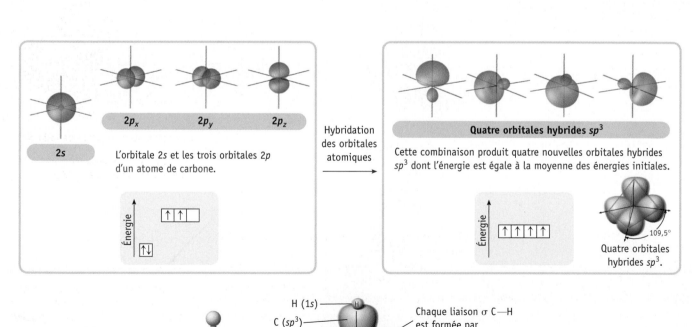

Figure 7.6 La liaison dans la molécule de méthane (CH$_4$).

forment entre elles des angles de 109,5°. Comme elles possèdent la même énergie, on assigne un électron périphérique à chacune d'elles conformément à la règle de Hund. Chaque liaison est formée par le recouvrement d'une orbitale sp^3 du carbone et de l'orbitale $1s$ de l'hydrogène, et l'appariement des électrons.

La théorie ÉL et l'ammoniac (NH₃)

La théorie RPE prévoit une géométrie tétraédrique pour les quatre doublets entourant l'atome d'azote dans l'ammoniac, les trois atomes occupant ainsi les sommets d'une pyramide trigonale. Les angles réels de liaison, 107,5°, sont proches de ce que la théorie prévoit, soit 109,5°. Fort de ces observations, on peut supposer une hybridation sp^3 dans l'atome d'azote, qui lui permet d'accepter quatre doublets (figure 7.7).

On assigne un électron à chacune des orbitales hybrides et le quatrième forme un doublet situé dans l'une d'entre elles.

Les quatre orbitales hybrides sp^3 de N [↑↓|↑|↑|↑]

Le recouvrement des orbitales sp^3 occupées par un seul électron et de l'orbitale $1s$ d'un atome d'hydrogène, accompagné d'un appariement, crée les trois liaisons identiques azote-hydrogène, situées à environ 109° l'une de l'autre.

La théorie ÉL et l'eau (H₂O)

Le raisonnement est identique au précédent, sauf que, cette fois, deux doublets libres sont présents dans deux orbitales hybrides sp^3 de l'atome d'oxygène (*voir la figure 7.8, page 232*).

EXEMPLE 7.1 **La théorie ÉL et le méthanol**

Décrivez la structure du méthanol (CH_3OH) à l'aide de la théorie ÉL.

SOLUTION

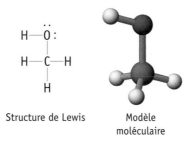

Structure de Lewis   Modèle moléculaire

La structure de Lewis du méthanol indique que quatre doublets entourent les atomes de carbone et d'oxygène: l'arrangement est tétraédrique. On attribue ainsi une hybridation sp^3 à chacun de ces atomes. La liaison C—O est formée par le recouvrement de ces orbitales. Les liaisons C—H et O—H sont issues du recouvrement d'une orbitale hybride sp^3 du carbone ou de l'oxygène et de l'orbitale $1s$ de l'atome d'hydrogène. Les deux orbitales hybrides sp^3 de l'atome d'oxygène qui ne participent pas aux liaisons O—C et O—H sont occupées chacune par un doublet libre.

Commentaire Dans toutes les molécules organiques, le groupe terminal méthyle (CH₃—) possède toujours la géométrie tétraédrique et l'angle de liaison C—O—H est toujours voisin de 109°. Ces observations sont utiles pour déterminer la géométrie des molécules complexes.

Structure de Lewis

Géométrie des paires d'électrons

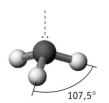

107,5°

Géométrie de la molécule

Chaque liaison N—H est formée par le recouvrement d'une orbitale hybride sp^3 de l'azote et de l'orbitale $1s$ de l'hydrogène, et l'appariement des électrons.

Doublet libre de l'azote dans une orbitale hybride sp^3

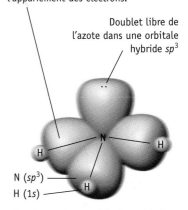

N (sp^3)
H ($1s$)

Représentation spatiale des orbitales

Figure 7.7 La liaison dans la molécule d'ammoniac (NH₃).

◆ *L'hybridation et la géométrie*

L'hybridation réconcilie le recouvrement des orbitales atomiques avec la géométrie des paires d'électrons. Dire que « l'atome est tétraédrique *parce qu'*il est hybridé sp^3 » est inexact. La géométrie tétraédrique des paires d'électrons autour de l'atome de carbone dans le méthane est un fait expérimental. L'hybridation n'en est pas la cause et n'est qu'une explication rationnelle de cet état de fait.

Structure de Lewis

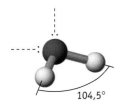

Géométrie des paires d'électrons

104,5°

Géométrie de la molécule

Doublet libre
de l'atome
d'oxygène
dans
une orbitale
hybride sp^3

Chaque liaison O—H
est formée par
le recouvrement
d'une orbitale
hybride sp^3
de l'oxygène et
de l'orbitale $1s$
de l'hydrogène,
et l'appariement
des électrons.

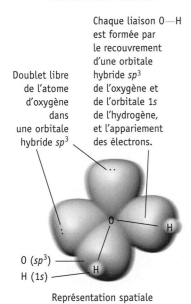

O (sp^3)
H ($1s$)

Représentation spatiale
des orbitales

**Figure 7.8 La liaison dans la
molécule d'eau (H_2O).**

EXERCICE 7.1 La formation des liaisons selon la théorie ÉL

Décrivez les liaisons présentes dans l'ion oxonium (H_3O^+) et dans la méthylamine
(CH_3NH_2).

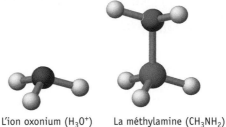

L'ion oxonium (H_3O^+)   La méthylamine (CH_3NH_2)

La théorie ÉL et les espèces à géométrie des paires d'électrons trigonale plane

On a déjà noté que la géométrie trigonale plane est assez souvent présente dans
les molécules et les ions : BF_3 et les autres halogénures de bore, NO_3^-, CO_3^{2-}, etc.
Elle est aussi présente autour des atomes de carbone de l'éthylène ($CH_2{=}CH_2$)
et pour les paires d'électrons dans O_3 et NO_2^-. Elle requiert trois orbitales
hybrides situées dans un même plan, à 120° l'une de l'autre : une hybridation
sp^2 répond à ces exigences (*voir la figure 7.5, page 229*). Si l'on utilise les deux
orbitales p_x et p_y, les trois orbitales hybrides sp^2 seront situées dans le plan xy,
l'orbitale p_z non touchée restant perpendiculaire à ce plan (figure 7.9).

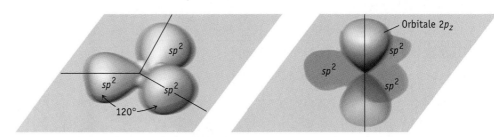

Figure 7.9 L'orbitale atomique p intouchée d'un atome hybridé sp^2.

La molécule BF_3 est trigonale plane. Chaque liaison B—F résulte du recouvrement d'une orbitale sp^2 du bore avec une orbitale p du fluor. L'orbitale p_z du
bore, non utilisée, est vacante (figure 7.10).

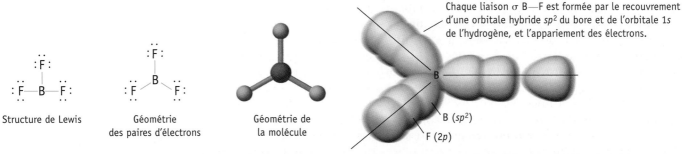

Structure de Lewis   Géométrie
                     des paires d'électrons

Géométrie de
la molécule

Chaque liaison σ B—F est formée par le recouvrement
d'une orbitale hybride sp^2 du bore et de l'orbitale $1s$
de l'hydrogène, et l'appariement des électrons.

B (sp^2)
F ($2p$)

Représentation spatiale des orbitales

Figure 7.10 La liaison dans BF_3.

La théorie ÉL et les espèces à géométrie des paires d'électrons linéaire

Ces molécules et ces ions nécessitent une hybridation *sp*. Si l'on utilise l'orbitale *p$_x$*, les deux orbitales hybrides sont alignées sur l'axe *x*, les orbitales intouchées *p$_y$* et *p$_z$* restant perpendiculaires à cet axe et à 90° l'une de l'autre dans le même plan (figure 7.11).

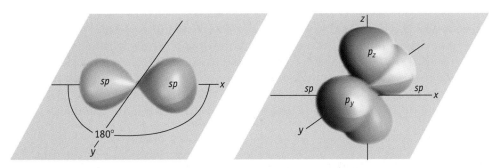

Figure 7.11 Les orbitales atomiques *p* intouchées d'un atome hybridé *sp*. Dans l'hybridation *sp*, deux orbitales *p* restent intouchées sur un atome, car seule une orbitale *p* est mise à contribution. Ces deux orbitales sont perpendiculaires entre elles et à l'axe des orbitales hybrides *sp*.

Le chlorure de béryllium ($BeCl_2$) est solide dans les conditions ordinaires. Au-delà de 520 °C, il se vaporise et, dans cet état, on constate que sa molécule est linéaire. Une hybridation *sp* est appropriée pour l'atome de béryllium (figure 7.12).

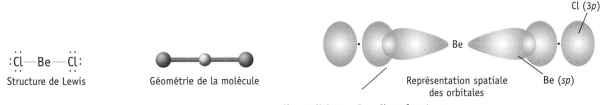

Chaque liaison σ Be—Cl est formée par le recouvrement d'une orbitale hybride *sp* du béryllium et d'une orbitale 3*p* du chlore, et l'appariement des électrons.

Figure 7.12 La liaison dans BeCl$_2$.

Les orbitales hybrides impliquant des orbitales atomiques *s*, *p* et *d*

Le nombre d'orbitales formées par hybridation est égal au nombre initial d'orbitales atomiques impliquées. C'est là une des hypothèses fondamentales, qui limite leur nombre à quatre si l'on ne fait intervenir que les sous-couches *s* et *p*. Mais alors, comment rendre compte de l'existence de composés tels PF_5 ou SF_6, dont les atomes centraux s'entourent de plus de quatre paires d'électrons ? Cela se fait en impliquant la sous-couche *d*, considérée comme faisant partie des orbitales périphériques des éléments représentatifs à partir de la troisième période.

Pour accueillir six paires d'électrons dans la couche périphérique d'un élément, on crée six orbitales hybrides *sp³d²* à partir de l'orbitale *s*, des trois *p* et de deux orbitales *d*. Elles pointent dans les directions définies par les axes reliant le centre aux six sommets d'un octaèdre (*voir la figure 7.5, page 229*).

De la même façon, on mélange une orbitale *s*, trois *p* et une *d* pour former cinq orbitales hybrides *sp³d*, formant une bipyramide trigonale (*voir la figure 7.5, page 229*).

7.2.3   Les liaisons multiples

La formation des liaisons selon la théorie ÉL nécessite le recouvrement de deux orbitales appartenant à deux atomes adjacents. Beaucoup de molécules voient certains de leurs atomes constituants liés doublement ou même triplement. On doit donc admettre qu'une double liaison implique le recouvrement de deux ensembles d'orbitales et de deux paires d'électrons. Une triple liaison en nécessite trois.

La théorie ÉL et la double liaison

Considérez l'éthylène ($H_2C{=}CH_2$), un des composés industriels les plus courants contenant une double liaison. La molécule est plane et ses liaisons sont situées à environ 120° l'une de l'autre. Cet angle de liaison suggère une hybridation sp^2 de chaque atome de carbone (géométrie: trigonale plane). On part donc de deux atomes de carbone possédant chacun trois orbitales sp^2 situées dans un même plan et une orbitale p perpendiculaire à ce plan, toutes à demi remplies.

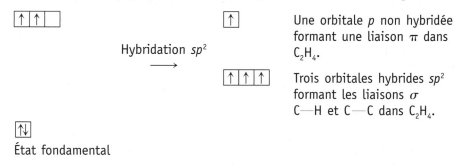

Hybridation sp^2

Une orbitale p non hybridée formant une liaison π dans C_2H_4.

Trois orbitales hybrides sp^2 formant les liaisons σ C—H et C—C dans C_2H_4.

État fondamental

On peut maintenant visualiser les deux liaisons C—H formées par recouvrement d'orbitales sp^2 du carbone et $1s$ de l'hydrogène. Il reste sur chaque atome de carbone une orbitale sp^2: ces deux orbitales s'alignent et forment la liaison C—C (figure 7.13).

Si elles sont bien placées, les orbitales p non hybridées peuvent elles aussi se recouvrir, permettant ainsi un appariement de leurs électrons. Cependant, le recouvrement ne s'effectue pas dans l'axe de la liaison C—C existante. Il a lieu de façon latérale et la densité électronique la plus élevée est située au-dessus et au-dessous du plan formé par les six atomes de la molécule. On a formé une **liaison π** (figure 7.13 **c**).

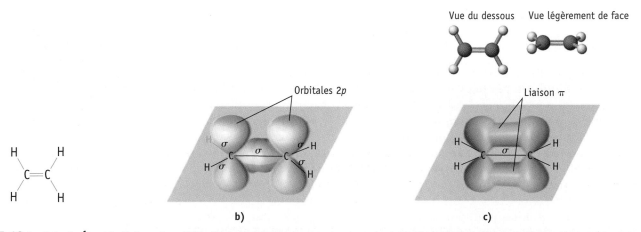

Figure 7.13 La théorie ÉL et la liaison dans l'éthylène (C_2H_4). Chaque atome de carbone est hybridé sp^2. **a)** La structure de Lewis de C_2H_4. **b)** Les liaisons σ C—H proviennent du recouvrement des orbitales sp^2 du carbone et de l'orbitale $1s$ de l'hydrogène. La liaison σ C—C est formée à partir d'orbitales sp^2 du carbone. **c)** L'orbitale p d'un atome de carbone recouvre latéralement l'orbitale p du second atome de carbone pour former une liaison π. On note l'absence de densité électronique le long de l'axe de la liaison carbone-carbone.

Il existe donc deux types de liaisons dans C_2H_4. Les liaisons σ C—H et C—C sont caractérisées par une densité électronique élevée le long de l'axe reliant les centres des atomes, tandis que le nuage électronique de la liaison π carbone-carbone s'étend au-dessus et au-dessous du plan de la molécule.

Une liaison π ne peut se former que si :
- des orbitales p à demi remplies sont présentes sur deux atomes adjacents déjà liés par une liaison σ ;
- les axes de ces orbitales p sont parallèles, afin que le recouvrement soit maximal. Cela ne peut arriver que si les orbitales sp^2 des atomes liés sont dans le même plan : l'existence d'une liaison π implique nécessairement que toutes les liaisons σ entourant ces deux atomes soient dans le même plan.

Une liaison σ et une liaison π entre deux atomes constituent une liaison double. Elle se forme couramment entre deux atomes de carbone ou entre un atome de carbone et un atome d'oxygène, de soufre ou d'azote. On en trouve une, par exemple, dans la molécule de formaldéhyde (HCHO) (figure 7.14).

Pour aboutir à une forme trigonale plane, on pense à une hybridation sp^2 du carbone. Les trois liaisons σ proviennent du recouvrement de ses orbitales sp^2 et des orbitales à demi remplies des deux atomes d'hydrogène et de l'atome d'oxygène. L'orbitale p du carbone, perpendiculaire au plan de la molécule, forme une liaison π avec une orbitale de l'atome d'oxygène.

Comment l'oxygène est-il lié dans cette molécule ? Le modèle de la figure 7.14 suppose une hybridation sp^2. Une orbitale hybride crée le lien σ avec le carbone, alors que les deux autres contiennent chacune un doublet libre ; l'orbitale p participe à la liaison π. On aurait pu tout aussi bien ne pas supposer d'hybridation. Les liaisons σ et π auraient pu mettre à contribution les deux orbitales p à moitié occupées, l'orbitale $2s$ et la dernière orbitale $2p$ logeant chacune un doublet libre. On a introduit l'hybridation dans cet atome terminal par souci de cohérence : puisque l'hybridation est nécessaire pour certains atomes, il semble logique de l'utiliser pour tous.

◆ *Les liaisons multiples*

C═C Une **liaison double** requiert le recouvrement de deux ensembles d'orbitales et de deux paires d'électrons. Elle est toujours constituée d'une liaison σ et d'une liaison π.

C≡C Une **liaison triple** requiert le recouvrement de trois ensembles d'orbitales et de trois paires d'électrons. Elle est toujours constituée d'une liaison σ et de deux liaisons π.

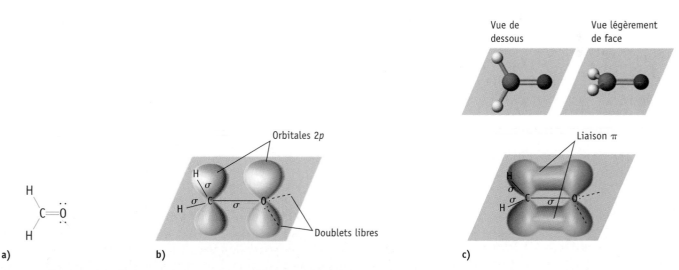

Figure 7.14 La théorie ÉL et la liaison dans le formaldéhyde (HCHO). a) La structure de Lewis de HCHO. **b)** Les liaisons σ C—H proviennent du recouvrement des orbitales sp^2 du carbone et de l'orbitale $1s$ de l'hydrogène. La liaison σ C—O est formée à partir d'orbitales sp^2 du carbone et de l'oxygène. **c)** L'orbitale p de l'atome de carbone recouvre latéralement l'orbitale p de l'atome d'oxygène pour former une liaison π.

EXEMPLE 7.2 **La théorie ÉL et l'acide acétique (CH_3COOH)**

Décrivez la structure de l'acide acétique (CH_3COOH), l'ingrédient principal du vinaigre, à l'aide de la théorie ÉL.

CHAPITRE 7   La liaison chimique et la structure des molécules :
l'hybridation des orbitales atomiques et les orbitales moléculaires

236

SOLUTION

| Structure de Lewis | Géométrie de la molécule |

Le carbone du groupement CH$_3$- est tétraédrique, il est hybridé *sp*^{3} (*voir l'exemple 7.1, page 231*). Ses liaisons C—H et C—C sont de type σ et forment des angles d'environ 109°. La géométrie des paires d'électrons entourant le second atome de carbone est trigonale plane, ce carbone doit être hybridé *sp*^{2}. Ses trois orbitales hybrides forment les liaisons σ avec les atomes voisins de carbone et d'oxygène, toutes situées dans un même plan et à environ 120° l'une de l'autre. Son orbitale *p* non hybridée forme une liaison π avec l'atome d'oxygène terminal (hybridé ou non hybridé ?), qui possède deux doublets libres. L'autre atome d'oxygène, dont les paires d'électrons adoptent une géométrie tétraédrique, est réputé hybridé *sp*^{3}. Deux de ses orbitales hybrides forment les liaisons O—C et O—H, à environ 109° l'une de l'autre ; les deux autres logent les deux doublets libres.

Commentaire Tout comme on a noté dans l'exemple 7.1 que l'atome de carbone formant quatre liaisons simples est hybridé *sp*^{3}, on peut retenir qu'il est hybridé *sp*^{2} dès qu'il forme une liaison double et deux liaisons simples. Cet atome et ses trois voisins sont situés dans un même plan et les liaisons forment des angles voisins de 120°.

EXERCICE 7.2   **La formation des liaisons selon la théorie ÉL**

Décrivez les liaisons présentes dans l'acétone (CH$_3$COCH$_3$).

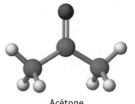

Acétone

La théorie ÉL et la triple liaison

L'acétylène (H—C≡C—H) est l'exemple typique d'une petite molécule contenant une triple liaison. La théorie RPE prévoit que les quatre atomes sont alignés. La théorie ÉL suppose donc une hybridation *sp* pour les atomes de carbone (*voir la figure 7.11, page 233*). Les orbitales hybrides *sp* forment des liaisons σ C—H et C—C, toutes alignées. Il reste sur chaque atome de carbone deux orbitales *p* non hybridées, perpendiculaires à l'axe de la molécule : elles s'orientent de manière à former par recouvrement latéral deux liaisons π entre les atomes de carbone (figure 7.15).

| ↑ | ↑ | | | ↑ | ↑ | Deux orbitales *p* non hybridées
                                                        formant deux liaisons π dans C$_2$H$_2$.

                    Hybridation *sp*
                    ⟶ | ↑ | ↑ | Deux orbitales hybrides *sp* formant
                                                        les liaisons σ C—C et C—H dans C$_2$H$_2$.

| ↑↓ |
État fondamental

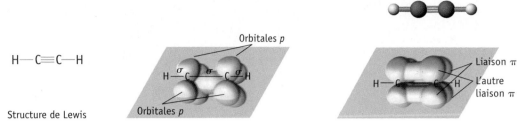

H—C≡C—H

Structure de Lewis

Figure 7.15 La théorie ÉL et la liaison dans l'acétylène (C_2H_2).

Les deux atomes de carbone sont ainsi liés par une liaison σ et deux liaisons π, l'ensemble forme une *triple liaison*.

En résumé,

- une liaison double est toujours constituée d'une liaison σ et d'une liaison π. De la même façon, une liaison triple est formée d'une liaison σ et de deux liaisons π;
- on ne peut former une liaison π que s'il reste une orbitale p à demi remplie sur les atomes déjà liés;
- la présence de liaisons multiples dans les structures de Lewis implique une hybridation sp^2 ou sp.

EXERCICE 7.3 **La formation des liaisons selon la théorie ÉL**

Décrivez les liaisons présentes dans l'acétonitrile (CH_3CN) et estimez les valeurs des angles de liaison.

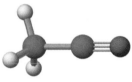

L'acétonitrile (CH_3CN)

7.2.4 L'isomérie *cis-trans*: une conséquence de la liaison π

On a vu que l'éthylène (C_2H_4) est une molécule plane. Cette géométrie permet la formation d'une liaison π par recouvrement latéral des orbitales p des atomes de carbone. Qu'arriverait-il si l'on faisait tourner une extrémité de la molécule sur son axe, l'autre extrémité étant fixe (figure 7.16)? Cette action déformerait la molécule, sa planéité tendrait à disparaître, les axes des orbitales p initiales ne seraient plus dans le même plan: l'ampleur de leur recouvrement tendrait à diminuer. Une rotation de 90° signifierait un recouvrement nul: autrement dit, on aurait fait disparaître la liaison π, on l'aurait brisée. Cependant, il faut tellement d'énergie pour rompre cette liaison, environ 260 kJ/mol, qu'on ne s'attend pas à ce que la rotation complète autour de la double liaison C=C se produise à température ambiante. Cet empêchement à la libre rotation autour d'une double liaison C=C explique l'existence de certains **isomères,** composés ayant la même formule chimique, mais des structures différentes. Par exemple, il existe deux composés répondant à la formule ClHC=CHCl, le *cis*-1,2-dichloroéthylène et le *trans*-1,2-dichloroéthylène, différant uniquement par la position des atomes de chlore liés aux atomes de carbone. Leur structure ressemble à celle de l'éthylène, un atome de chlore ayant remplacé un atome d'hydrogène sur chacun des atomes de carbone.

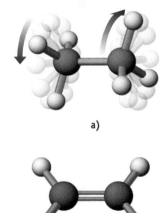

a)

Modèles orbitaux: Patrick A. Harman et Charles F. Hamper

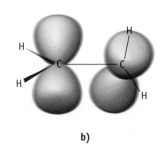

b)

Figure 7.16 La rotation autour des liaisons. a) Les groupements d'atomes tournent librement autour d'une liaison simple. **b)** Par contre, la rotation est sévèrement restreinte autour d'une liaison double. La libre rotation signifierait la rupture de la liaison π, processus qui requiert généralement beaucoup d'énergie.

◆ **L'isomérie cis-trans**

Les composés possédant la même formule chimique, mais des structures différentes, sont des isomères. Les groupes distinctifs sont situés de part et d'autre de la double liaison de l'isomère *trans,* alors qu'ils sont du même côté dans l'isomère *cis.*

cis-1,2-dichloroéthylène   *trans*-1,2-dichloroéthylène

Ces deux composés ne sont pas identiques. Leur point d'ébullition normal est différent : 60,3 °C pour le composé *cis* et 47,5 °C pour le composé *trans.* Parce qu'il faut beaucoup d'énergie pour briser le lien π, on ne peut réarranger facilement le composé *cis* en composé *trans* dans les conditions ordinaires. Par contre, on pourrait y arriver à des températures plus élevées. En effet, selon la théorie cinétique de la matière (*voir la section 1.6.1, page 25*), les molécules en phase liquide ou gazeuse se déplacent rapidement et entrent souvent en collision. Elles se déforment constamment, les angles et les longueurs de liaison oscillent autour d'une position moyenne. Si la température est suffisamment élevée, l'agitation devient telle que les molécules possèdent assez d'énergie pour que la rotation autour de la double liaison C=C puisse se produire, impliquant une rupture et une reformation de la liaison π. Cette rotation peut aussi être provoquée par l'absorption d'énergie lumineuse : cette situation se rencontre en particulier dans les processus physiologiques de la vision (*voir l'encadré* Point de mire, *page 224*).

7.2.5 Le benzène : un cas spécial de liaison π

Le benzène (C_6H_6) est le représentant le plus simple d'une classe de substances organiques, les composés *aromatiques,* une référence historique à leur odeur. Ils occupent une place de choix, à la fois dans l'histoire de la chimie et dans la synthèse de nombreux produits.

Aux yeux des chimistes du XIXᵉ siècle, le benzène était une substance intrigante, à la structure non résolue. Le chimiste allemand August Kekulé (1829-1896), à la suite de l'observation des propriétés chimiques du benzène, suggéra le premier une structure plane, symétrique, composée d'un cycle à six côtés formé par les atomes de carbone. Par la suite, l'élucidation expérimentale de la structure a confirmé l'idée de Kekulé. Le cycle est plan, toutes les liaisons carbone-carbone ont la même longueur intermédiaire entre une liaison simple et une liaison double. On a vu précédemment que l'on pouvait obtenir deux formes limites de résonance, différant l'une de l'autre par l'emplacement des doubles liaisons (*voir la section 6.5, page 182*).

Formes limites   Hybride de résonance

Comprendre les liaisons dans le benzène est important, étant donné la place qu'occupent les composés aromatiques dans la chimie organique moderne (figure 7.17).

Un cycle plan, des angles de 120° et trois groupes de liaisons par atome de carbone supposent une hybridation sp^2 de cet atome. Chaque liaison σ C—H est issue du recouvrement d'une orbitale sp^2 du carbone et de l'orbitale $1s$ de l'hydrogène

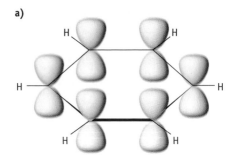

Figure 7.17 La liaison dans le benzène (C_6H_6). a) Les atomes de carbone du noyau benzénique sont liés entre eux par l'intermédiaire d'orbitales hybrides sp^2. La liaison C—H met en jeu ces mêmes orbitales du carbone. **b)** Le nuage électronique π est formé du recouvrement des orbitales p du carbone, dont les axes parallèles sont perpendiculaires au plan du cycle. La densité électronique π est répartie au-dessus et en dessous du plan de la molécule.

et les liens σ C—C sont formés à partir des orbitales sp^2 de chacun des atomes. L'ensemble forme un cycle plan à six côtés. Il reste sur chaque atome de carbone une orbitale p, à demi remplie et perpendiculaire au plan du cycle. Ces six orbitales p à axes parallèles peuvent former trois liaisons π. Comme toutes les liaisons carbone-carbone sont identiques, chaque orbitale p recouvre symétriquement celle des deux atomes de carbone adjacents, et l'interaction π est continue et se répartit uniformément sur les six atomes de carbone.

La représentation imagée des liaisons dans le benzène met un point important en évidence. Le modèle de liaison, dans la théorie des électrons localisés, qui repose sur l'hypothèse du partage d'une paire d'électrons entre deux atomes, ne fonctionne pas bien avec le benzène. L'ajout de la résonance, nécessaire pour décrire la structure, ne rend pas ce modèle plus concluant. Dans ce cas, la théorie des orbitales moléculaires, objet de la section 7.3, apparaît plus appropriée.

7.3 LA THÉORIE DES ORBITALES MOLÉCULAIRES

La théorie des orbitales moléculaires (OM) propose une autre vision des orbitales dans les molécules. La théorie des électrons localisés place des paires d'électrons liants entre les atomes pour les unir et des paires libres sur d'autres atomes bien identifiés. Au contraire, la théorie des OM suppose que les orbitales atomiques pures se combinent lors de la formation des molécules pour donner finalement des **orbitales moléculaires.** Celles-ci s'étendent ou se *délocalisent* sur plusieurs atomes, ou même parfois sur tout le squelette de la molécule.

Malgré sa complexité théorique, une des raisons qui ont contribué au succès de cette approche et qui militent en faveur de sa présentation réside dans le fait qu'elle est en mesure d'expliquer les structures électroniques de molécules qui soient en accord avec ses propriétés. Les hypothèses d'appariements d'électrons énoncées dans l'approche de Lewis et explicitées dans la théorie ÉL aboutissent, dans O_2 par exemple, à des électrons tous appariés, et ne peuvent rendre compte du paramagnétisme de l'oxygène, ce qu'arrive à expliquer la théorie des OM (*voir la figure 7.18, page 240*). Pour la comprendre, on expose à l'aide d'exemples les règles sur lesquelles elle s'appuie.

◆ *Les molécules diatomiques*

Les molécules telles que H_2, N_2, O_2, F_2 formées de deux atomes identiques sont appelées les diatomiques homonucléaires.

7.3.1 Les molécules H_2 et He_2 : les concepts théoriques

Dans la théorie des OM, on part de ce qui est connu, c'est-à-dire de l'emplacement relatif des atomes dans la molécule. On détermine ensuite les ensembles d'orbitales moléculaires qui répondent au mieux à cet arrangement. Un des moyens d'arriver à ce résultat est de combiner les orbitales externes disponibles des atomes pour aboutir à des orbitales qui englobent plus ou moins tous les atomes de la molécule et qui contiennent tous les électrons périphériques initiaux. Comme pour les atomes, la distribution des électrons dans ces nouvelles

Figure 7.18 L'oxygène liquide. L'oxygène, gazeux dans les conditions ordinaires, se liquéfie à -183 °C (photographie de gauche). Le liquide, bleu très pâle (photographie du centre), reste suspendu entre les pôles d'un puissant aimant (photographie de droite). Charles D. Winters

orbitales moléculaires doit respecter le principe d'exclusion de Pauli et la règle de Hund (*voir les sections 5.2 et 5.4.1, pages 140 et 144*).

La première règle de la théorie des OM édicte que *le nombre total d'orbitales moléculaires formées est toujours égal au nombre total d'orbitales atomiques mises à contribution.* Pour aider à sa compréhension, considérez la molécule d'hydrogène H₂. Lorsque l'orbitale 1s d'un atome d'hydrogène se combine avec l'orbitale 1s du second, il en résulte *deux* orbitales moléculaires. Dans la première résultant de l'*addition* des orbitales atomiques initiales, les régions à densité électronique élevée 1s s'additionnent et la probabilité de présence des électrons entre les deux noyaux augmente (figure 7.19). Cette OM est dite **liante,** et la liaison est semblable à celle décrite dans la théorie des électrons localisés. C'est aussi une orbitale de type σ parce que la région de plus grande probabilité de présence des électrons est située directement sur l'axe de la liaison. Elle est désignée par le symbole σ_{1s}, l'indice indiquant que des orbitales atomiques 1s ont été à l'origine de cette OM.

La seconde OM est construite par *soustraction* des orbitales atomiques 1s. Par cette opération, la probabilité de présence des électrons assignés à cette OM entre les noyaux est réduite, alors qu'elle augmente dans les autres régions de l'espace. La faible densité électronique entre les noyaux fait que ceux-ci ont tendance à se repousser. Cette OM est ainsi qualifiée d'**antiliante.** Comme c'est aussi une orbitale de type σ, elle est étiquetée σ_{1s}^*, l'astérisque signifiant « antiliant ». *Les OM antiliantes n'ont aucune contrepartie dans la théorie des électrons localisés.*

La deuxième règle mise en jeu dans la théorie des OM énonce que *l'énergie de l'OM liante est moindre que celle des orbitales atomiques originelles et qu'à l'inverse, celle de l'OM antiliante est supérieure.* Cela signifie que l'énergie d'un groupe d'atomes est inférieure à l'énergie des atomes séparés lorsque les électrons sont assignés à des OM liantes. Les chimistes disent alors que le système s'est stabilisé par la

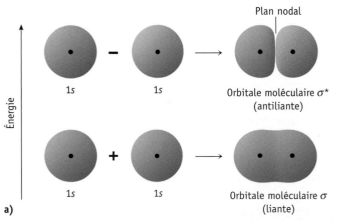

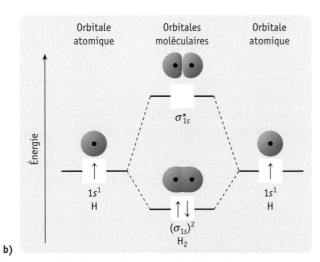

Figure 7.19 Les orbitales moléculaires. a) Les orbitales σ liante et antiliante sont formées à partir des orbitales 1s de deux atomes adjacents. On note la présence d'un plan nodal (densité électronique nulle) dans l'OM antiliante. **b)** Le diagramme des niveaux d'énergie des OM de H₂. Les deux électrons sont attribués à l'OM liante σ_{1s} qui possède l'énergie la plus faible.

formation de liaisons chimiques. À l'inverse, le système est déstabilisé quand des électrons occupent une OM antiliante dont l'énergie est supérieure à celle des orbitales des atomes isolés.

Dans une molécule, *on assigne les électrons dans l'ordre croissant des énergies des OM* en suivant le principe d'exclusion de Pauli et la règle de Hund. Cet énoncé constitue la troisième règle de la théorie des OM. Leur remplissage suit ainsi le même cheminement que celui des orbitales dans les atomes isolés. Dans une molécule, les spins des deux électrons d'une même OM sont opposés. Parce que l'énergie des électrons dans l'orbitale liante σ_{1s} est inférieure à celle qu'ils posséderaient dans les atomes isolés, la molécule H_2 est stable et sa configuration électronique est notée $(\sigma_{1s})^2$.

Qu'arrive-t-il si l'on essaie de combiner deux atomes d'hélium pour former He_2 (figure 7.20) ? Les deux atomes d'hélium possèdent chacun une orbitale $1s$ que l'on peut additionner et soustraire pour produire deux OM similaires à celles de l'hydrogène. Mais, contrairement à ce dernier, on doit assigner au système quatre électrons, non deux. La stabilisation engendrée par la présence des deux électrons dans l'OM liante σ_{1s} est détruite par l'accroissement d'énergie dû aux électrons présents dans l'OM antiliante σ_{1s}^* : la théorie des OM ne prévoit donc aucun gain de stabilité par rapport aux atomes séparés et montre que deux atomes d'hélium n'ont aucune tendance à se combiner. Cette théorie peut ainsi expliquer ce que l'on connaît déjà, à savoir que l'hélium existe en tant qu'atome et non pas sous la forme d'une molécule diatomique.

7.3.2 L'indice de liaison

Dans le chapitre 6 (*voir la section 6.8.1, page 196*), on a défini l'indice de liaison comme étant le nombre de doublets de liaisons présents entre deux atomes. Ce même concept peut aussi s'appliquer à la théorie des OM à la condition d'en modifier la définition :

$$\text{Indice de liaison} = \frac{1}{2}\left(\text{nombre d'électrons dans les OM liantes} - \text{nombre d'électrons dans les OM antiliantes}\right)$$

Dans la molécule H_2, l'indice de liaison est ainsi égal à 1, tandis qu'il tombe à 0 dans la molécule (hypothétique) He_2.

Les indices de liaison peuvent, comme dans la résonance, être fractionnaires. La configuration de l'ion He_2^+ est $(\sigma_{1s})^2(\sigma_{1s}^*)^1$. L'indice de liaison, égal à 0,5, signifie qu'une liaison, faible mais une liaison malgré tout, pourrait exister entre deux atomes d'hélium dans cet ion. Fait intéressant, cet ion a été décelé en phase gazeuse, en utilisant une technique expérimentale spéciale.

EXEMPLE 7.3 **Les orbitales moléculaires et l'indice de liaison**

Trouvez la configuration électronique attribuée à l'ion H_2^- par la théorie des OM. Quel est l'indice de liaison ?

SOLUTION

Cet ion possède trois électrons : deux électrons proviennent des atomes d'hydrogène et un de la charge négative. Sa configuration est $(\sigma_{1s})^2(\sigma_{1s}^*)^1$, identique à celle de l'ion He_2^+. L'indice de liaison est égal à $\frac{1}{2}(2-1) = 0,5$. Cet ion peut ainsi exister dans des circonstances spéciales.

◆ *Les orbitales et les fonctions d'onde*

Les orbitales sont caractérisées par des fonctions d'onde ; aussi, il est possible d'envisager la formation des orbitales moléculaires comme étant le résultat d'une interférence entre deux ondes caractérisant les électrons, un par atome. Une interférence en phase conduit à une OM liante, tandis qu'une interférence totalement déphasée donne une OM antiliante.

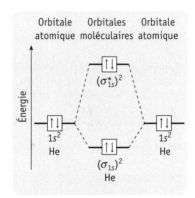

Figure 7.20 Le diagramme des niveaux d'énergie de la molécule He_2. Ce diagramme fournit une explication théorique à la non-existence de la molécule He_2 dans laquelle, les orbitales liante σ_{1s} et antiliante σ_{1s}^* seraient complètement remplies.

> **EXERCICE 7.4**   **Les OM et l'indice de liaison**
>
> Quelle est la configuration électronique de l'ion H_2^+ ? Comparez son indice de liaison avec celui de He_2^+ et H_2^-. Est-ce que l'on s'attend à ce qu'il existe ?

7.3.3 Les orbitales moléculaires de Li₂ et Be₂ : les concepts théoriques

La formation des orbitales moléculaires n'est effective que si *les énergies des orbitales atomiques initiales sont proches les unes des autres*. C'est là la quatrième règle que l'on doit suivre lorsqu'on tente d'expliquer les liaisons dans des molécules plus grosses que H_2 ou He_2.

Les électrons de l'atome de lithium sont répartis dans ses orbitales $1s$ et $2s$. Même si l'on pense *a priori* que la combinaison $1s \pm 2s$ est possible, elle doit cependant être écartée, car les énergies des orbitales $1s$ et $2s$ sont trop éloignées l'une de l'autre. Ainsi, les orbitales moléculaires dans Li_2 ne proviennent que des associations $1s \pm 1s$ et $2s \pm 2s$ (figure 7.21).

La configuration électronique de Li_2 est $(\sigma_{1s})^2(\sigma_{1s}^*)^2(\sigma_{2s})^2$. L'effet liant de la paire d'électrons dans σ_{1s} est neutralisé par l'effet antiliant dans σ_{1s}^*, si bien que ces deux paires ne contribuent pas à la liaison dans Li_2. Celle-ci n'est due qu'au doublet logé dans l'orbitale liante σ_{2s} et l'indice de la liaison est égal à $\frac{1}{2}(4 - 2) = 1$.

Le fait que les paires d'électrons dans σ_{1s} et σ_{1s}^* ne contribuent pas à la liaison rejoint ce que l'on a observé dans les structures de Lewis : *on ignore les électrons internes*. En ce qui concerne les orbitales moléculaires, ceux-ci peuplent des orbitales liantes et antiliantes dont les effets se neutralisent. La configuration de Li_2 pourrait s'écrire ainsi : [électrons internes] $(\sigma_{2s})^2$.

La théorie des OM prévoit que la molécule Be_2 ne devrait pas exister. Sa configuration [électrons internes] $(\sigma_{2s})^2(\sigma_{2s}^*)^2$ fait en sorte que les effets des électrons dans ces deux orbitales moléculaires remplies s'annulent et que l'indice de liaison est 0. La molécule Be_2 n'existe pas.

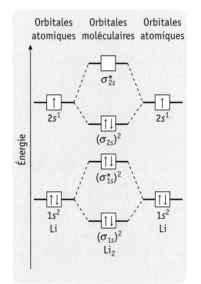

Figure 7.21 Le diagramme des niveaux d'énergie de Li₂. Notez que les OM sont créées à partir d'orbitales atomiques d'énergies semblables.

> **EXERCICE 7.5**   **Les OM des espèces diatomiques homonucléaires**
>
> L'anion Li_2^- pourrait-il exister ?

7.3.4 Les orbitales moléculaires formées à partir des orbitales atomiques *p*

Les règles mises en place, on peut aborder maintenant la formation des liaisons dans les **molécules diatomiques homonucléaires** telles que N_2, O_2 et F_2. Auparavant, il nous faut examiner quels types d'orbitales moléculaires peuvent être formées par des éléments possédant des orbitales atomiques *s* et *p*. Trois types d'interactions sont possibles.

- Deux orbitales atomiques *s* forment deux orbitales moléculaires σ_s, une liante et une antiliante, comme dans la figure 7.19 (*voir la page 240*).
- De la même manière, deux orbitales *p* dont les axes sont confondus peuvent donner lieu à deux OM, σ_p et σ_p^* (figure 7.22).

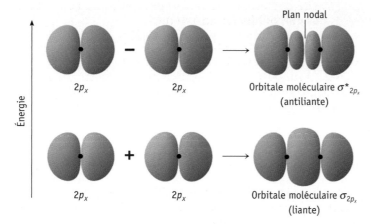

Figure 7.22 Les OM σ formées à partir des orbitales atomiques p. Le recouvrement axial de deux orbitales $2p$ donne naissance à deux OM, σ_{2p} et σ_{2p}^*, pouvant accepter chacune une paire d'électrons. Les orbitales p de plus haute énergie (n plus grand) donnent des OM ayant sensiblement la même forme.

- Finalement, les deux orbitales p de chacun des atomes, perpendiculaires à l'axe de la liaison σ, peuvent interagir latéralement pour former deux OM liantes π_p et deux antiliantes π_p^* (figure 7.23).

Toutes ces interactions d'orbitales atomiques $2s$ et $2p$ mènent au diagramme des niveaux d'énergie de la figure 7.24.

On se sert de ce diagramme pour effectuer le remplissage électronique correspondant aux molécules diatomiques des éléments de la deuxième période (*voir le tableau 7.1, page 244*).

En premier lieu, on remarque la corrélation entre, d'une part, les configurations électroniques et, d'autre part, l'indice, l'énergie et la longueur de la liaison. Plus l'indice de liaison est élevé, plus grande est l'énergie nécessaire pour la briser et plus petite est sa longueur.

En second lieu, de la configuration de l'oxygène (O_2), on déduit un indice de liaison égal à 2, en accord avec l'expérience, et l'on constate la présence de deux électrons non appariés, à l'origine du paramagnétisme de la molécule. Ainsi, la théorie des OM réussit à expliquer en une seule démarche l'indice de liaison et l'existence du paramagnétisme de ce composé commun, ce que n'avait pu réaliser la théorie ÉL.

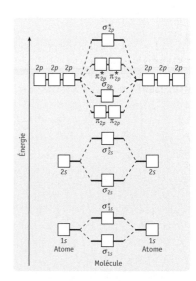

Figure 7.24 Le diagramme des niveaux énergétiques des OM des molécules diatomiques homonucléaires des éléments de la deuxième période.

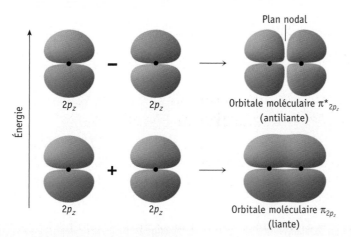

Figure 7.23 La formation des orbitales moléculaires π. Le recouvrement latéral de deux orbitales atomiques $2p$ dont les axes sont parallèles conduit à une OM π_{2p} liante et à une OM π_{2p}^* antiliante. Les OM π d'énergie plus élevée ont sensiblement la même forme.

EXEMPLE 7.4   **La configuration électronique
d'un ion diatomique homonucléaire**

La réaction du potassium et de l'oxygène conduit à la formation du superoxyde
de potassium (KO_2), composé ionique contenant l'anion superoxyde O_2^-. Trouvez
la configuration électronique de cet ion, calculez son indice de liaison et prévoyez
son comportement magnétique.

SOLUTION
On place les électrons que contient l'ion [16 (pour 2 O) + 1 (pour la charge négative) = 17] dans les OM classées par niveau d'énergie croissant (*voir la figure 7.24,
page 243*).
La configuration de O_2^- s'écrit : $(\sigma_{1s})^2(\sigma_{1s}^*)^2(\sigma_{2s})^2(\sigma_{2s}^*)^2(\pi_{2p})^4(\sigma_{2p})^2(\pi_{2p}^*)^3$ ou
[électrons internes] $(\sigma_{2s})^2(\sigma_{2s}^*)^2(\pi_{2p})^4(\sigma_{2p})^2(\pi_{2p}^*)^3$.

L'indice de liaison est égal à $\frac{1}{2}$ (8 − 5) = 1,5. Cet indice est plus bas que celui de

O_2 (2) : on prévoit donc une longueur de liaison plus élevée dans O_2^- que dans O_2.
L'expérience confirme cette prévision : 134 pm dans O_2^- et 121 pm dans O_2.
On s'attend à ce que cet ion, qui contient un électron non apparié, soit para-
magnétique, ce qu'il est en réalité.

EXERCICE 7.6   **Les configurations électroniques moléculaires**

Le cation O_2^+ joue un rôle important dans la haute atmosphère terrestre. Trouvez
sa configuration électronique, calculez son indice de liaison et prévoyez son
comportement magnétique.

La théorie des OM s'applique de la même façon aux **molécules diatomiques
hétéronucléaires,** molécules composées de deux atomes non identiques. On peut
donc utiliser le diagramme énergétique de la figure 7.24 (*voir la page 243*) pour
évaluer leur indice de liaison et leur comportement magnétique. Ainsi, le monoxyde
d'azote, avec ses 11 électrons périphériques, a la configuration suivante :

[électrons internes] $(\sigma_{2s})^2(\sigma_{2s}^*)^2(\pi_{2p})^4(\sigma_{2p})^2(\pi_{2p}^*)^1$.

Son indice de liaison est égal à 2,5, ce à quoi l'on s'attend quand on interprète
sa longueur expérimentale de liaison. Son paramagnétisme s'explique par la présence d'un électron non apparié dans son OM π_{2p}^*.

**TABLEAU 7.1 L'occupation des OM et quelques propriétés physiques des molécules
diatomiques homonucléaires des éléments de la deuxième période**

	B_2	C_2	N_2	O_2	F_2
σ_{2p}^*	☐	☐	☐	☐	☐
π_{2p}^*	☐☐	☐☐	☐☐	↑ ↑	↑↓ ↑↓
σ_{2p}	☐	☐	↑↓	↑↓	↑↓
π_{2p}	↑ ↑	↑↓ ↑↓	↑↓ ↑↓	↑↓ ↑↓	↑↓ ↑↓
σ_{2s}^*	↑↓	↑↓	↑↓	↑↓	↑↓
σ_{2s}	↑↓	↑↓	↑↓	↑↓	↑↓
Indices de liaison	1	2	3	2	1
Énergies de liaison (kJ/mol)	290	620	945	498	155
Longueurs de liaison (pm)	159	131	110	121	143
Magnétisme	para	dia	dia	para	dia

7.3.5　La théorie des OM et la résonance

On a déjà mentionné que les deux liaisons dans l'ozone (O_3) étaient identiques. On observe le même phénomène dans des molécules ou des ions comme SO_2, NO_2^-, $HCOO^-$. La théorie ÉL a fait appel à la résonance pour expliquer ce fait. La théorie des OM apporte un autre point de vue.

On suppose que les trois atomes d'oxygène sont hybridés sp^2. L'atome central utilise ses trois orbitales hybrides pour former deux liaisons σ et y loger un doublet électronique. Les orbitales sp^2 des atomes terminaux donnent une liaison σ et y logent deux doublets libres. En tout, les paires liantes et les paires libres logées dans les orbitales sp^2 accueillent sept des neuf doublets d'électrons périphériques.

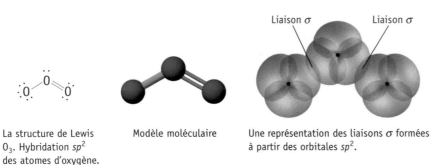

La structure de Lewis O_3. Hybridation sp^2 des atomes d'oxygène.

Modèle moléculaire

Une représentation des liaisons σ formées à partir des orbitales sp^2.

Modèles orbitaux : Patrick A. Harman et Charles F. Hamper

La liaison π dans l'ozone provient des deux paires d'électrons restantes (figure 7.25). Parce que nous avons supposé que les atomes d'oxygène étaient hybridés sp^2, il reste sur chacun d'eux une orbitale p. Lorsque le réseau des orbitales sp^2 est situé dans un plan, les axes des orbitales p sont parallèles et celles-ci peuvent se recouvrir latéralement pour former des liaisons de type π. Pour respecter une des règles de la théorie des OM, on doit combiner les trois orbitales p initiales de telle sorte que l'on aboutisse à trois orbitales moléculaires.

Une orbitale π_p est liante parce que les trois orbitales p sont « en phase » sur la molécule (*voir la figure B de l'encadré* Pour en savoir +… La détermination des structures cristallines, *page 287*). Une autre π_p est antiliante parce que l'orbitale p

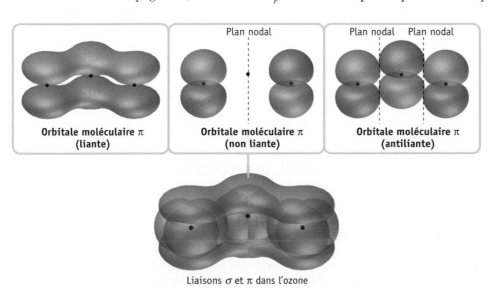

Liaisons σ et π dans l'ozone

Figure 7.25 Les liaisons π dans l'ozone. Chaque atome d'oxygène est hybridé sp^2. Les trois orbitales p, une par atome, se combinent pour former trois orbitales moléculaires π. Une paire d'électrons est attribuée à l'orbitale liante, une autre à l'orbitale non liante. L'indice de la liaison π est égal à 0,5 (une paire d'électrons répartie sur deux liaisons). Modèles orbitaux : Patrick A. Harman et Charles F. Hamper

centrale est en « opposition de phases » avec celles des deux autres. Enfin, la troisième π_p est dite **non liante** parce que l'orbitale p centrale ne participe pas à l'OM. L'orbitale liante π_p loge une paire d'électrons, qui est délocalisée sur toute la molécule comme on l'imaginait dans l'hybride de résonance. L'orbitale non liante est aussi occupée, mais les électrons sont concentrés près des deux noyaux d'oxygène terminaux. Comme le nom l'indique, les électrons de cette orbitale ne contribuent pas à la liaison mais ne la défavorisent pas non plus. L'indice de la liaison π dans l'ozone est 0,5 puisqu'une paire d'électrons liants est répartie sur deux liaisons. Chaque liaison est donc d'indice 1,5 (1 pour σ et 0,5 pour π), la même valeur que celle déduite de la théorie ÉL.

Le fait que deux des orbitales π de l'ozone s'étendent sur les trois atomes illustre un point important de la théorie des OM : les orbitales moléculaires peuvent recouvrir plus de deux atomes. Ce concept la distingue de la théorie ÉL, fondée sur la possibilité de localiser des paires d'électrons dans les liaisons entre deux atomes adjacents. Le benzène en est un autre exemple. La théorie de la résonance (*voir la section 6.5, page 182*) nous montrait que les six électrons π étaient délocalisés sur les six atomes de carbone formant le cycle plan. Dans la théorie des OM, les six orbitales p contribuent au système π. On envisage donc six orbitales moléculaires de type π. Une paire d'électrons remplit chacune des trois orbitales π possédant l'énergie la plus faible ; ce sont trois orbitales liantes (figure 7.26).

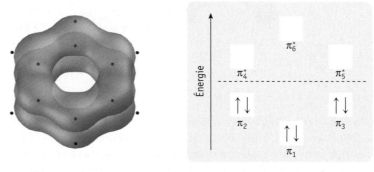

Figure 7.26 Le diagramme des niveaux d'énergie des OM du benzène. On peut former six orbitales moléculaires π à partir des six orbitales p non hybridées des atomes de carbone, trois liantes et trois antiliantes. Les paires d'électrons se répartissent dans les trois OM liantes, dont l'énergie est inférieure à celle des orbitales antiliantes. Modèles orbitaux : Patrick A. Harman et Charles F. Hamper

7.4   LES MÉTAUX ET LES SEMI-CONDUCTEURS

Les métaux figurent parmi les matériaux les plus anciens qui furent employés par les humains. Cependant, ce n'est qu'au siècle dernier que des nouveaux matériaux, les semi-conducteurs, furent développés. À cause de leur importance dans notre vie quotidienne, il s'avère pertinent de comprendre quelques-unes de leurs propriétés. Aussi, on va appliquer aux métaux les concepts de base de la théorie des OM pour comprendre leur conductibilité électrique, et aux semi-conducteurs, pour élucider leurs propriétés spécifiques.

7.4.1   Les conducteurs, les isolants et la théorie des bandes

Les cristaux métalliques peuvent être perçus comme des « supermolécules » retenues ensemble par des liaisons délocalisées formées à partir des orbitales atomiques. Même le plus petit morceau de métal contient un nombre effarant d'atomes et un nombre encore plus grand d'orbitales disponibles pour donner des orbitales moléculaires. Si 4 atomes de lithium se regroupent et que chaque atome contribue par son orbitale 2*s* et ses 3 orbitales 2*p* à la liaison métallique, on peut former en tout 16 orbitales moléculaires. Quatre cents atomes conduiraient à 1600 OM. Un monocristal de ce métal formé d'une mole d'atomes aurait $4 \times (6,022 \times 10^{23})$ orbitales moléculaires !

Dans un métal, les OM recouvrent une grande quantité d'atomes et finissent par former une *bande* d'orbitales moléculaires, dont les énergies sont très voisines à l'intérieur d'un intervalle donné (figure 7.27). La bande contient autant d'orbitales que le nombre d'orbitales atomiques participantes et chaque OM peut accueillir deux électrons appariés. La théorie de la liaison métallique dite **théorie des bandes** repose sur l'idée que toutes les orbitales moléculaires d'une bande d'énergie qui s'étendent sur tout le cristal sont *délocalisées*.

Dans un métal, il n'y a pas assez d'électrons pour remplir toute la bande (*voir la figure 7.28, page 248*). Ils occupent les OM d'énergie les plus faibles: le plus haut niveau occupé est appelé le **niveau de Fermi.** Toutefois, on doit noter que le niveau d'énergie le plus faible pour le système entier ne peut exister qu'à 0 K.

Un petit apport d'énergie (pour atteindre, par exemple, une température de quelques kelvins) peut faire migrer à la partie vide les électrons de la portion de bande remplie. Chaque électron ainsi promu crée deux niveaux à demi remplis: un électron négatif au-dessus du niveau de Fermi et un « trou positif » dû à la perte d'un électron au-dessous. Sous l'effet d'un champ électrique, les électrons vont vers la plaque positive et les trous positifs vers la plaque négative. Ceux-ci se déplacent parce qu'un électron peut migrer d'un niveau énergétique adjacent vers la place libérée, créant à son tour un autre trou. *La conductivité électrique des métaux provient du déplacement, sous l'effet d'un champ électrique, des électrons non appariés des états énergétiques proches du niveau de Fermi.*

Dans un métal, la **bande de valence** qui contient des électrons est partiellement remplie. Par contre, dans un **isolant** électrique, elle est complètement occupée, et la bande d'énergie immédiatement supérieure (non occupée) est très éloignée. À cause de ce grand écart énergétique, la promotion d'un électron vers ce niveau est peu probable et le solide ne conduit pas l'électricité.

Les diamants sont des isolants. Chaque atome de carbone est entouré de quatre autres atomes de carbone situés au sommet d'un tétraèdre dont il constitue le centre. Selon la théorie ÉL, chaque atome est hybridé *sp³* et forme quatre liaisons localisées C—C. Un autre point de vue consiste à imaginer que les orbitales de chacun des atomes forment des orbitales moléculaires délocalisées sur l'ensemble du solide. On peut ainsi envisager d'appliquer la théorie des bandes. Dans cette modélisation du diamant, les niveaux énergétiques sont répartis en deux bandes: une bande de valence, totalement occupée, constituée d'orbitales moléculaires liantes et une autre bande dite de **conduction,** vide, regroupant les orbitales moléculaires antiliantes d'énergie supérieure. Les deux bandes permises sont séparées par une **bande interdite** (*voir la figure 7.28, page 248*).

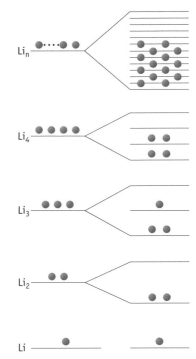

Figure 7.27 Les bandes d'orbitales moléculaires dans un cristal métallique. Ce diagramme illustre la combinaison d'une orbitale atomique, disons 2*s*, de chacun des atomes de lithium dans un cristal métallique. Plus on ajoute d'atomes de lithium dans le cristal, plus le nombre d'orbitales moléculaires augmente. Leurs énergies deviennent si voisines que les orbitales finissent par former une bande.

7.4.2 Les semi-conducteurs

Le silicium et le germanium [groupe 4A (14)] ont des structures semblables à celle du diamant (*voir la figure 7.29, page 248*).

Contrairement à ce dernier, ce sont des **semi-conducteurs,** c'est-à-dire des matériaux capables de conduire de faibles quantités de courant électrique. Ils sont nettement moins bons conducteurs que les métaux, mais ne sont pas des isolants. Pourquoi la conductibilité électrique de ces trois composés appartenant au même groupe et possédant des structures similaires est-elle différente?

La réponse est donnée par la largeur de la bande interdite. Quand un électron est promu de la bande de valence à celle de conduction, des niveaux à demi remplis sont créés. Comme dans les métaux, de tels niveaux permettent le passage d'un courant électrique. La bande interdite est très large dans le diamant,

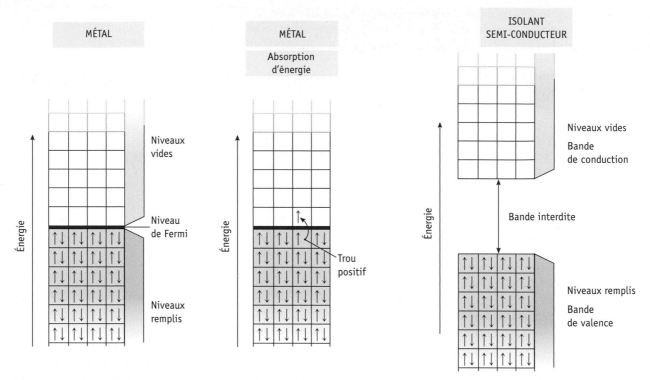

Figure 7.28 La théorie des bandes. Les métaux (à gauche). Le dernier niveau rempli possédant l'énergie la plus élevée à 0 K est appelé le niveau de Fermi. Les orbitales moléculaires sont délocalisées sur l'ensemble du métal, un facteur caractérisant la liaison métallique. Les semi-conducteurs et les isolants (à droite). Contrairement aux métaux, la bande regroupant les niveaux d'énergie remplis (la bande de valence) est séparée de la bande vide (la bande de conduction) par une bande interdite.

de l'ordre de 500 kJ/mol, reflétant ainsi la force des liaisons entre les atomes de carbone. Elle s'étend de 50 à 300 kJ/mol dans les semi-conducteurs. Elle se rétrécit de haut en bas dans le groupe 4A et les bandes du silicium et du germanium se situent dans cette gamme. Quelques électrons réussissent à migrer dans la bande de conduction par absorption de petites quantités d'énergie et la conduction électrique prend place.

▲ **Le silicium**

Le silicium à l'état élémentaire est un matériau brillant. On voit à l'arrière-plan une mince pastille de silicium sur laquelle on a gravé des circuits. Le carré doré et la plaquette noire et jaune sont tous deux des circuits sur support de silicium. Charles D. Winters

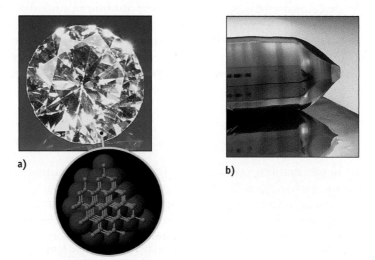

a)

b)

Figure 7.29 Le diamant et le silicium. Le carbone dans le diamant et le silicium ont la même structure tétraédrique. Cependant, le diamant **a)** est un isolant électrique, tandis que le silicium pur **b)** est un semi-conducteur. Charles D. Winters

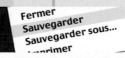

(À **SAUVE**garder)

LA FORMATION DE LA LIAISON COVALENTE σ SELON LA THÉORIE DES ÉLECTRONS LOCALISÉS

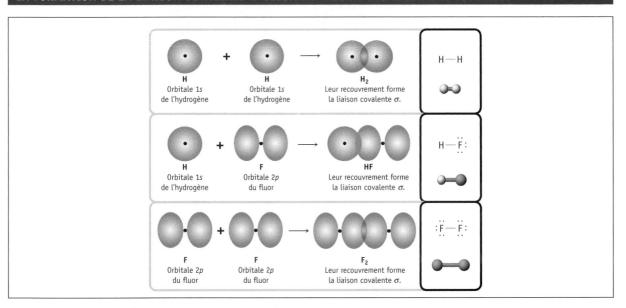

L'HYBRIDATION sp³ DES ORBITALES ATOMIQUES ET LES LIAISONS σ

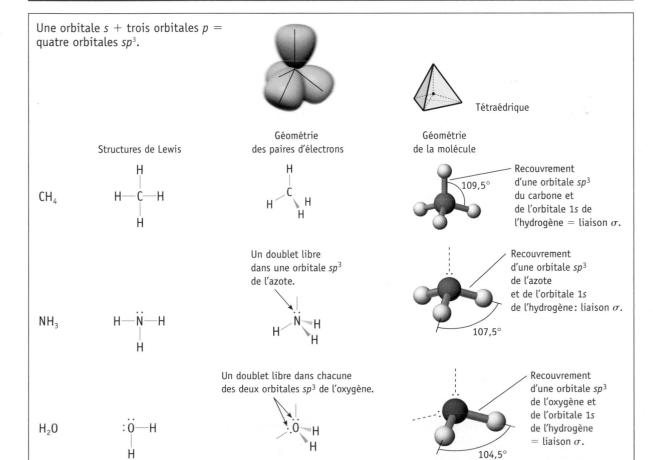

L'HYBRIDATION sp^2 DES ORBITALES ATOMIQUES ET LES LIAISONS σ ET π

Une orbitale s +
deux orbitales p =
trois orbitales hybrides sp^2.

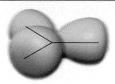

Trigonale plane

	Structure de Lewis	Géométrie des paires d'électrons	Géométrie de la molécule

BF_3

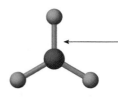

Recouvrement d'une orbitale sp^2 du bore et de l'orbitale $2p$ du fluor : liaison σ.

Recouvrement latéral de l'orbitale des deux atomes de carbone : liaison π.

C_2H_4

Recouvrement des orbitales sp^2 des deux atomes de carbone : liaison σ.

Éthylène C_2H_4

Recouvrement d'une orbitale sp^2 du carbone et de l'orbitale $1s$ de l'hydrogène : liaison σ.

L'HYBRIDATION sp DES ORBITALES ATOMIQUES ET LES LIAISONS σ ET π

Une orbitale s + une orbitale p =
deux orbitales hybrides sp

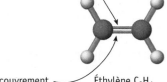

Linéaire

	Structure de Lewis	Géométrie des paires d'électrons	Géométrie de la molécule

$BeCl_2$

Recouvrement d'une orbitale sp du béryllium et d'une orbitale $3p$ du chlore

Recouvrement latéral des deux orbitales p de chaque atome de carbone : deux liaisons π.

C_2H_2 H—C≡C—H

Recouvrement d'une orbitale sp du carbone et de l'orbitale $1s$ de l'hydrogène : liaison σ.

Recouvrement d'une orbitale sp du carbone et d'une orbitale sp de l'autre carbone : liaison σ.

LA FORMATION DES OM DANS LES MOLÉCULES DIATOMIQUES

La combinaison d'une orbitale atomique *s* et d'une orbitale atomique *s*, de niveau énergétique proche, d'un atome adjacent conduit à la formation de deux orbitales moléculaires, une liante σ_s et une antiliante σ_s^*.

Plan nodal

Orbitale moléculaire σ^* (antiliante)

Orbitale moléculaire σ (liante)

La combinaison d'une orbitale atomique *p* et d'une orbitale atomique *p*, de niveau énergétique proche, d'un atome adjacent (axes confondus) conduit à la formation de deux orbitales moléculaires, une liante σ_p et une antiliante σ_p^*.

Plan nodal

Orbitale moléculaire $\sigma^*{}_{p_x}$ (antiliante)

Orbitale moléculaire σ_{p_x} (liante)

La combinaison d'une orbitale atomique *p* et d'une orbitale atomique *p*, de niveau énergétique proche, d'un atome adjacent (axes parallèles) conduit à la formation de deux orbitales moléculaires, une liante π_p et une antiliante π_p^*.

Plan nodal

Orbitale moléculaire $\pi^*{}_{p_z}$ (antiliante)

Orbitale moléculaire π_{p_z} (liante)

LA LIAISON π ET L'ISOMÉRIE *cis-trans*

L'empêchement à la libre rotation autour d'une double liaison explique l'existence de deux composés 1,2-dichloroéthylène, le *cis* et le *trans*.

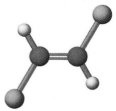

cis-1,2-dichloroéthylène   *trans*-1,2-dichloroéthylène

LE DIAGRAMME ÉNERGÉTIQUE DES OM DES MOLÉCULES DIATOMIQUES HOMONUCLÉAIRES DES ÉLÉMENTS DE LA DEUXIÈME PÉRIODE

Le remplissage des OM suit les mêmes règles que celui des orbitales atomiques.

σ^*_{2p}

2p 2p 2p π^*_{2p} π^*_{2p} 2p 2p 2p

σ_{2p}

π_{2p} π_{2p}

σ^*_{2s}

2s   2s

σ_{2s}

σ^*_{1s}

1s   1s
Orbitales   Orbitales
atomiques σ_{1s} atomiques
Orbitales
moléculaires

Énergie

LA THÉORIE ÉL ET LA THÉORIE DES OM

La théorie ÉL	La théorie des OM
• Le recouvrement de deux orbitales atomiques présentes sur deux atomes adjacents forme une liaison.	• Les orbitales atomiques se combinent pour donner le même nombre total d'orbitales moléculaires qui s'étendent sur toute la molécule, qui sont délocalisées.
• Le doublet de liaison est localisé entre ces deux atomes.	• Tous les électrons appartiennent à la molécule et sont distribués dans les OM.
• Les doublets libres sont attribués aux atomes.	• Il existe des OM liantes, non liantes et antiliantes.
Points communs	
• Elles appliquent le concept des orbitales.	• Elles conduisent à deux types de liaisons: σ et π.

LA LIAISON MÉTALLIQUE

La théorie des bandes, qui explique la liaison métallique, repose sur l'idée que toutes les OM d'une bande d'énergie qui s'étendent sur tout le cristal sont *délocalisées*.

La conductivité électrique des métaux provient du déplacement, sous l'effet d'un champ électrique, des électrons non appariés des états énergétiques proches du niveau de Fermi.

Dans un isolant et dans un semi-conducteur, la bande de valence complètement remplie est séparée de la bande de conduction vide par une bande interdite.

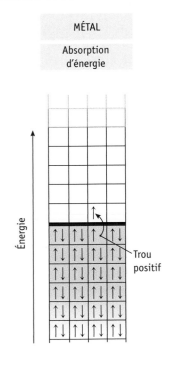

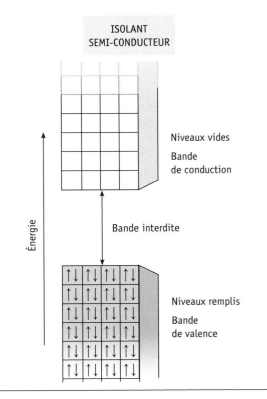

7

Revue des concepts importants

1. Quelle est la différence entre une liaison sigma (σ) et une liaison pi (π) ?

2. Combien d'orbitales hybrides un atome de carbone peut-il former au maximum et au minimum ? Justifiez brièvement vos réponses.

3. Estimez les valeurs des angles entre des orbitales hybrides sp, sp^2 et sp^3.

4. Combien d'orbitales p intouchées reste-t-il sur un atome hybridé sp ? Combien de liaisons π peut-il former ?

5. Déterminez le type d'orbitales hybrides permettant de former chacune des géométries des paires d'électrons suivantes : tétraédrique, linéaire, trigonale plane, octaédrique et bipyramidale trigonale.

6. Dessinez les orbitales moléculaires liantes et antiliantes de la molécule H_2, et commentez leurs différences.

7. Que signifient les termes « localisé » (théorie ÉL) et « délocalisé » (théorie des OM) ?

8. Quelle différence y a-t-il, au niveau de la bande interdite, entre les métaux et les isolants ?

Exercices

La théorie des électrons localisés
(*Voir les exemples 7.1 et 7.2*)

9. Déterminez la géométrie des paires d'électrons et la forme de la molécule NF_3 après avoir dessiné sa structure de Lewis. Donnez le type de liaison formée (σ ou π) entre les atomes N et F et les orbitales qui forment ces liaisons.

10. Déterminez la géométrie des paires d'électrons et la forme de l'ion ClF_2^+. Indiquez les orbitales qui se recouvrent pour former les liaisons Cl—F.

11. Déterminez la géométrie des paires d'électrons et la forme du chloroforme ($CHCl_3$). Indiquez les orbitales utilisées pour former chacune des liaisons et précisez le type de liaison formée.

12. Déterminez le type d'hybridation de l'atome souligné.
    a) $\underline{B}Br_3$
    b) $\underline{C}O_2$
    c) $\underline{C}H_2Cl_2$
    d) $\underline{C}O_3^{2-}$

13. Déterminez le type d'hybridation de l'atome souligné.
    a) $\underline{C}Se_2$
    b) $\underline{S}O_2$
    c) $\underline{C}H_2O$
    d) $\underline{N}H_4^+$

14. Précisez le type d'hybridation :
    a) des atomes C et O du méthoxyméthane ($H_3C—O—CH_3$) ;
    b) de chaque atome de carbone du propène ;

$$H_3C—\overset{\overset{\displaystyle H}{|}}{C}=CH_2$$

c) des deux atomes de carbone et de l'atome d'azote de la glycine ;

$$H—\overset{\overset{\displaystyle H}{|}}{\underset{\underset{\displaystyle H}{|}}{N}}—\overset{\overset{\displaystyle H}{|}}{\underset{\underset{\displaystyle H}{|}}{C}}—\overset{\overset{\displaystyle :O:}{||}}{C}—\overset{..}{\underset{..}{O}}—H$$

d) des atomes de carbone de l'acrylonitrile.

$$H—\overset{\overset{\displaystyle H}{|}}{C}=\overset{\overset{\displaystyle H}{|}}{C}—C\equiv N:$$

15. Représentez la structure de Lewis des espèces suivantes. Spécifiez la géométrie de leurs paires d'électrons et leur forme. Indiquez le type d'hybridation de l'atome central.
    a) SiF_6^{2-}
    b) SeF_4
    c) ICl_2^-
    d) XeF_4

16. Représentez la structure de Lewis des espèces suivantes. Spécifiez la géométrie de leurs paires d'électrons et leur forme. Indiquez le type d'hybridation de l'atome central.
    a) $XeOF_4$
    b) BrF_5
    c) OSF_4
    d) Br_3^-

17. Dessinez les structures de Lewis de l'acide HPO_2F_2 et de son anion $PO_2F_2^-$. Pour chacune de ces espèces, déterminez le nombre d'électrons périphériques, la forme et l'hybridation de l'atome de phosphore.

18. Déterminez l'hybridation de l'atome de carbone dans le phosgène (Cl_2CO). Donnez une description complète des orbitales utilisées pour former les liaisons de types σ et π.

La théorie des orbitales moléculaires
(*Voir les exemples 7.3 et 7.4*)

19. Trouvez les configurations électroniques des ions Li_2^+ et Li_2^- selon la théorie des OM. Comparez l'indice de liaison Li—Li dans ces ions avec celui dans Li_2.

20. Le carbure de calcium (CaC_2) contient l'ion C_2^{2-}.
    a) Tracez le diagramme des niveaux d'énergie des OM de cet ion.
    b) Déterminez le nombre de liaisons σ et de liaisons π formées dans cet ion, ainsi que l'indice de liaison.
    c) Est-ce que l'indice de liaison a changé en ajoutant des électrons à C_2 pour former C_2^{2-} ?
    d) L'ion C_2^{2-} est-il paramagnétique ?

21. Considérez que le diagramme des niveaux d'énergie des OM des molécules diatomiques homonucléaires (*voir la figure 7.24*) convient aussi à l'ion nitrosyle (NO^+).
    a) Écrivez la configuration électronique de ses OM.
    b) Déterminez l'orbitale moléculaire occupée possédant la plus haute énergie.
    c) NO^+ est-il diamagnétique ou paramagnétique ?

d) Déterminez le nombre de liaisons σ et de liaisons π formées dans cet ion, ainsi que l'indice de liaison.

Les métaux et les semi-conducteurs

22. Combien d'orbitales moléculaires seront formées par 100 atomes de Mg? Combien seront occupées complètement?

Questions de révision

Ces questions peuvent combiner plusieurs des concepts vus précédemment. Les numéros de couleur correspondent à des questions demandant plus de réflexion.

23. Représentez la structure de Lewis de ClF_2^+ et ClF_2^-. Déterminez la géométrie de leurs paires d'électrons et leur forme. Est-ce que l'angle F—Cl—F est le même dans les deux espèces? Précisez l'hybridation de l'atome de chlore.

24. Dessinez deux formes limites de résonance de l'ion nitrite (NO_2^-). Donnez la géométrie de ses paires d'électrons et sa forme. Déterminez la valeur de l'angle de la liaison O—N—O, l'indice de liaison et l'hybridation de l'atome d'azote.

25. Dessinez des formes limites de résonance de la molécule N_2O. Précisez l'hybridation de l'atome d'azote central et les orbitales permettant la formation des liaisons avec ce dernier.

26. Nombre de molécules sont détectées dans l'espace lointain. Trois d'entre elles sont illustrées ci-dessous.

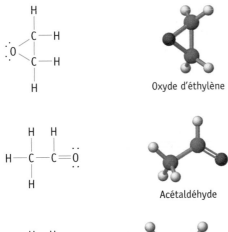

Oxyde d'éthylène

Acétaldéhyde

Alcool vinylique

a) Discutez des similitudes et des différences dans les formules de ces composés? Sont-ils des isomères?

b) Déterminez l'hybridation de chaque atome de carbone.

c) Évaluez l'angle de la liaison H—C—H des trois molécules.

d) Ces molécules sont-elles polaires ou non polaires?

e) Quelle molécule devrait avoir la liaison carbone-carbone la plus forte? La liaison carbone-oxygène la plus forte?

27. On trouve l'acide lactique, un composé naturel, dans le yogourt.

a) Déterminez le nombre de liaisons σ et de liaisons π dans l'acide lactique.

b) Identifiez le type d'hybridation des atomes 1, 2 et 3.

c) Quel lien CO est le plus court? Quel lien CO est le plus fort?

d) Estimez les valeurs des angles de liaison A, B et C.

28. La phosphosérine est un acide aminé peu fréquent.

a) Précisez l'hybridation des atomes de 1 à 5.

b) Estimez les valeurs des angles de liaison A, B, C et D.

c) Identifiez les deux liaisons les plus polaires de cette molécule.

29. Le trifluorure de bore (BF_3) peut accepter un doublet d'électrons d'une autre molécule et former ainsi un lien de coordinence comme le montre la réaction suivante avec l'ammoniac.

a) Déterminez la géométrie autour de l'atome de bore dans le réactif BF_3 et dans le produit.

b) Précisez l'hybridation de l'atome de bore dans ces deux composés.

30. Le pentafluorure d'antimoine réagit avec HF selon l'équation :

$$2\ HF + SbF_5 \longrightarrow [H_2F]^+[SbF_6]^-$$

a) Déterminez l'hybridation de l'atome d'antimoine dans le réactif et dans le produit.

b) Représentez la structure de Lewis de H_2F^+. Déterminez la forme de cet ion. Indiquez le type d'hybridation utilisé par l'atome de fluor.

31. Le cinnamaldéhyde se trouve naturellement dans l'huile de cannelle.

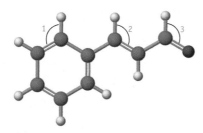

Cinnamaldéhyde

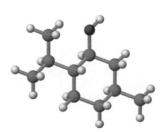

a) Identifiez la liaison la plus polaire de cette molécule.
b) Déterminez le nombre de liaisons σ et de liaisons π.
c) L'isomérie *cis-trans* est-elle possible ? Dans l'affirmative, dessinez l'autre isomère.
d) Précisez l'hybridation des atomes de carbone.
e) Estimez les valeurs des angles de liaison 1, 2 et 3.

32. Représentez la structure de Lewis des composés XeO_3 et XeO_4. Déterminez la géométrie de leurs paires d'électrons et leur forme. Précisez l'hybridation de l'atome de xénon.

33. L'ionisation de N_2 forme N_2^+ et l'ajout d'un électron donne N_2^-. À l'aide de la théorie des OM, comparez ces trois espèces selon :
a) le comportement magnétique ;
b) le nombre de liaisons π ;
c) l'indice de liaison ;
d) la longueur de liaison ;
e) la force de liaison.

34. Déterminez le comportement magnétique de chacune des espèces suivantes. Considérez que le diagramme des niveaux d'énergie convient à toutes ces espèces (*voir la figure 7.24*).
a) NO
b) Ne_2^{2+}
c) OF^-
d) CN
e) O_2^{2-}

35. L'amphétamine, un stimulant, est représentée ci-dessous.

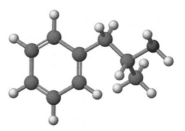

Amphétamine

a) Précisez le type d'hybridation des atomes de carbone du cycle, des atomes de carbone de la chaîne et de l'atome d'azote.
b) Évaluez les angles de liaison A, B et C.
c) Déterminez le nombre de liaisons σ et de liaisons π.
d) La molécule est-elle polaire ou non polaire ?
e) L'amphétamine réagit spontanément avec un proton (H^+) en solution aqueuse. Avec quel atome de la molécule forme-t-il une liaison ?

36. Le menthol est utilisé dans les savons, les parfums et la nourriture. Il est présent dans la menthe et peut être synthétisé à partir de la térébenthine.

Menthol

a) Précisez l'hybridation des atomes de carbone.

b) Déterminez l'angle de la liaison C—O—H.

c) La molécule est-elle polaire?

d) Le cycle à six carbones est-il plan? Justifiez votre réponse.

37. Donnez la principale différence entre la structure de bandes d'un conducteur et celle d'un isolant.

38. La structure électronique du silicium est semblable à celle du carbone dans le diamant avec une bande de valence remplie et une bande de conduction vide. Expliquez pourquoi le silicium est un semi-conducteur et le diamant, un isolant.

39. Le germanium a une bande de valence remplie et une bande de conduction vide, mais sa bande interdite est beaucoup plus petite que celle du diamant ou du silicium. Quelle devrait être la conductibilité électrique du germanium par rapport au diamant et à un métal tel que le lithium?

40. L'acétylacétone existe sous deux formes: la forme *énol* et la forme *céto*.

$$H_3C-C=C-C-CH_3 \rightleftarrows H_3C-C-C-C-CH_3$$

Forme *énol*   Forme *céto*

Cette molécule réagit avec OH⁻ pour former l'anion [CH₃COCHCOCH₃]⁻ (ion acétylacétonate, souvent abrégé en acac⁻). Un des aspects les plus intéressants de cet anion est qu'il peut former deux liaisons avec un métal de transition formant un composé coloré très stable.

a) Les formes *énol* et *céto* sont-elles des formes limites de résonance de l'acétylacétone? Expliquez votre réponse.

b) Déterminez l'hybridation des atomes de carbone et d'oxygène de la forme *énol*. Quels changements observez-vous au niveau de l'hybridation lors de la formation de la forme *céto*?

c) Déterminez, pour les formes *énol* et *céto*, la géométrie des paires d'électrons et la forme géométrique autour de chaque atome de carbone.

d) Vérifiez si l'isomérie *cis-trans* est possible pour ces deux formes.

41. Deux atomes de carbone et un atome d'oxygène forment le cycle à trois côtés de l'oxyde d'éthylène.

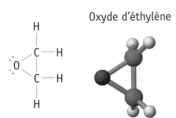

Oxyde d'éthylène

a) Estimez les angles de liaison du cycle.

b) Déterminez l'hybridation de chaque atome du cycle.

c) Commentez la structure du cycle en comparant les angles donnés en **a)** et ceux prévus par l'hybridation.

CHAPITRE 8

Les **forces intermoléculaires,** les **liquides** et les **solides**

Le système d'identification des individus à l'aide des empreintes digitales est utilisé en Inde et en Chine, jusqu'à un certain point, depuis 25 ans.

Mark Twain, *Pudd'nhead Wilson*, 1897.

ÉLÉMENT DE COMPÉTENCE:

résoudre des problèmes touchant la structure et les états de la matière à l'aide des théories modernes de la chimie.

PRÉCISIONS:

éléments: état physique habituel; formation des liaisons: aspect énergétique; liaisons intermoléculaires et états de la matière.

OBJECTIFS D'APPRENTISSAGE:

▶ identifier les forces d'attraction intermoléculaire se manifestant dans une substance donnée;

▶ comparer quelques propriétés physiques et l'état de substances ayant des structures semblables en fonction des forces d'attraction intermoléculaire;

▶ décrire les caractéristiques des différents types de solides;

▶ identifier, dans des conditions expérimentales définies, l'état et les diverses transformations physiques d'une substance pure à l'aide de son diagramme de phases.

Le mystère de la disparition des empreintes digitales

Le recours aux empreintes digitales comme moyen d'authentification n'est pas récent. On a découvert de telles traces sur des tablettes d'argile utilisées dans les transactions commerciales dans le royaume de Babylone (IIᵉ millénaire avant J.-C.), sur des sceaux d'argile dans la Chine ancienne (VIIIᵉ siècle) et sur divers papiers officiels de l'empire de Perse au XIVᵉ siècle. En 1686, Marcello Malpighi, médecin et professeur d'anatomie à l'université de Bologne (Italie) est le premier à utiliser le microscope pour ses recherches et à décrire les formes observées sur les empreintes digitales. En 1823, Jan Evangelista Purkinje, professeur d'anatomie à l'université de Breslau (Pologne), publie le premier article sur leur nature et suggère une classification reposant sur neuf motifs principaux. Peu de temps après, les Britanniques commencent à les utiliser dans les contrats avec les autochtones de l'Inde, pensant ainsi que ceux-ci s'estimeraient plus liés que par une simple signature. Cependant, c'est seulement vers les années 1880, à la suite des travaux de sir Francis Galton, un anthropologue anglais cousin de Charles Darwin, qu'il fut établi que les empreintes d'une personne ne se modifiaient pas au cours de la vie et qu'elles étaient différentes d'un individu à l'autre. Depuis le début du XXᵉ siècle, elles font partie des outils reconnus en médecine légale.

▲ La prise officielle d'empreintes digitales.
Charles D. Winters

En 1993, à Knoxville (Tennessee, États-Unis), le détective Art Bohanan croyait que le recours aux empreintes digitales lui permettrait d'étoffer rapidement la preuve dans un cas d'enlèvement d'enfant. Une jeune fille avait été enlevée chez elle et emmenée dans une automobile verte. Elle avait réussi à s'échapper et avait pu décrire la voiture aux policiers. Quatre jours plus tard, on retrouvait le véhicule et son propriétaire, qui fut arrêté. Pour savoir si l'enfant s'était effectivement trouvée dans cette voiture, Art Bohanan se mit à la recherche d'empreintes, utilisant les techniques les plus récentes, mais n'en trouva aucune correspondant à celles de la victime. Le ravisseur fut finalement reconnu coupable grâce à d'autres preuves concluantes, mais Bohanan continuait à se demander pourquoi il n'avait trouvé dans l'auto aucune empreinte digitale de la jeune fille. Il décida alors de comparer la durée de vie d'une empreinte d'enfant par rapport à celle d'un adulte. À son grand étonnement, il constata qu'elle disparaissait au bout de quelques heures, alors que celle d'un adulte se conservait pendant plusieurs jours. « C'est comme si les substances à l'origine des marques laissées par un enfant s'évaporaient plus vite que celles des adultes. »

▲ Un relevé d'empreintes digitales.
Charles D. Winters

L'empreinte digitale est constituée de 99 % d'eau. Le 1 % résiduel contient des huiles, des acides gras, des esters, des sels, de l'urée et des acides aminés. Des chercheurs du Oak Ridge National Laboratory (Tennessee, États-Unis) ont analysé les empreintes de plus de 50 enfants et adultes. Leurs conclusions ont permis de résoudre le mystère de la disparition des empreintes de la voiture du ravisseur.

Les empreintes des enfants contiennent plus d'acides gras de faible masse molaire que celles des adultes. Dans ces molécules, le groupe terminal —COOH est polaire, tandis que la chaîne carbonée auquel il est lié ne l'est pas. La masse molaire relativement faible et la polarité peu élevée de ces acides n'engendrent que peu de forces intermoléculaires : les em-

▲ Un gros plan sur une empreinte digitale.
Charles D. Winters

preintes des enfants se volatilisent tout simplement.

Par contre, celles des adultes contiennent des esters provenant d'acides gras et d'alcools à longues chaînes carbonées. Ces esters sont des cires, composés que l'on rencontre fréquemment dans notre environnement. C'est une cire naturelle qui rend brillante la pelure des pommes. La cire de carnauba, extraite des feuilles du palmier brésilien *copernica cerifera*, entre dans la constitution des cires pour meubles ou pour carrosseries d'automobiles et de certains produits de beauté.

$$CH_3(CH_2)_{30} - \overset{\displaystyle O}{\overset{\displaystyle \|}{C}} - O - (CH_2)_{33}CH_3$$

Cire de carnauba

La lanoline, présente dans un grand nombre de produits cosmétiques, est une matière grasse extraite de la laine de mouton.

Ces types de cires à longues chaînes carbonées n'apparaissent sur la peau qu'à l'âge adulte. Elles se retrouvent alors sur les doigts, généralement par contact avec la peau du visage, et au bout du compte… sur tout ce que nous touchons.

8

Les solides et les liquides Dans ce chapitre, on abordera l'étude des liquides et des solides, qui constituent les deux états condensés de la matière. On prêtera une attention particulière à l'eau et à ses propriétés uniques qui en font un composé à part. On voit que la structure très régulière de la glace lui confère des propriétés inhabituelles. Il existe aussi d'autres formes d'eau à l'état solide, les « hydrates de gaz » formés de molécules de gaz (méthane, dioxyde de carbone, etc.) enfermées dans un réseau de molécules d'eau disposées en cage, d'où leur nom de clathrate (du latin *clatarus*, « encapsulé »).

LES ÉTATS CONDENSÉS DE L'EAU

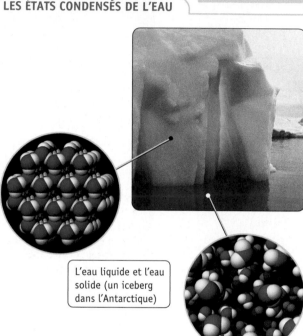

L'eau liquide et l'eau solide (un iceberg dans l'Antarctique)

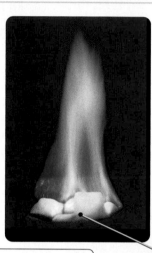

Le clathrate eau-méthane. Le méthane (CH_4) est piégé dans une cage formée de molécules d'eau.

LES SOLIDES

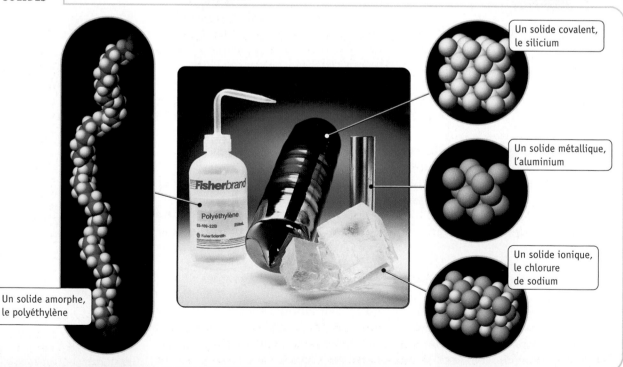

Un solide amorphe, le polyéthylène

Un solide covalent, le silicium

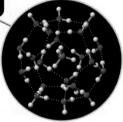

Un solide métallique, l'aluminium

Un solide ionique, le chlorure de sodium

À 25 °C et à la pression atmosphérique, seulement 11 éléments se présentent à l'état gazeux (H_2, O_2, N_2, F_2, Cl_2 et les six gaz rares); il n'en existe que 2 à l'état liquide (Hg et Br_2) et le reste, la grande majorité, se présente à l'état solide (deux éléments, Cs et Ga, fondent cependant à des températures légèrement supérieures à 25 °C, soit 28,4 °C et 29,8 °C respectivement). Dans les mêmes conditions, beaucoup de composés sont des gaz, tels que CO_2 et CH_4, ou des liquides comme H_2O, mais la grande majorité se présente à l'état solide comme dans les éléments.

Avec ce chapitre débute l'étude des états de la matière. On y aborde les états liquide et solide d'un point de vue plus submicroscopique (les particules) que macroscopique.

8.1 LES FORCES INTERMOLÉCULAIRES OU FORCES DE VAN DER WAALS

Contrairement aux gaz dont on parlera plus en détail dans le chapitre suivant, les particules à l'état liquide ou solide sont maintenues proches les unes des autres par des forces d'attraction de divers types. On peut se faire une idée de leur niveau de compactage en comparant les volumes occupés par un nombre égal de molécules d'une substance selon l'état dans lequel elle se trouve. La figure 8.1 représente un ballon rempli de 300 mL d'azote liquide. La même quantité, cette fois à l'état gazeux, occupe dans les conditions ambiantes environ 200 L. L'accroissement de volume lors du passage de l'état liquide à l'état gazeux est très grand. Par contre, peu de variations de ce genre se produisent lors de la transformation d'un solide en liquide (la fusion). La figure 8.2 représente côte à côte deux tubes à essai contenant la même quantité (mol) de benzène, sous forme liquide et sous forme solide. Il n'y a pratiquement pas de différence de volume. Cela montre que les molécules à l'état liquide s'empilent de manière presque aussi compacte qu'à l'état solide.

On a vu dans la section 6.3.2 (*voir la page 174*) que les ions positifs et les ions négatifs étaient maintenus ensemble dans un réseau cristallin par des forces électrostatiques. Dans les liquides et les solides moléculaires, les forces *entre* molécules, appelées de ce fait les **forces *inter*moléculaires** sont aussi dues à diverses attractions électrostatiques, mais nettement plus faibles que celles agissant entre les ions de charges opposées: de l'ordre de 700 à 1100 kJ/mol pour ces derniers, entre 150 et 600 kJ/mol pour la liaison covalente simple, au plus 15 % des valeurs associées aux liaisons covalentes pour l'attraction intermoléculaire.

Les forces intermoléculaires:
- ont un impact direct sur des propriétés telles que les points de fusion et d'ébullition, et déterminent la quantité d'énergie requise pour effectuer un changement d'état physique;
- déterminent les structures de nombreuses molécules biologiquement importantes, comme les protéines ou l'ADN.
- influencent la solubilité des gaz, des liquides et des solides dans différents solvants.

Elles résultent de différents types d'interactions électrostatiques, que nous examinerons séparément dans les sections suivantes.

8.1.1 Les interactions entre molécules polaires (Keesom)

Quand une molécule polaire s'approche d'une autre molécule polaire, identique ou non, il y a inévitablement interaction. L'extrémité positive (δ^+) de la première est attirée par l'extrémité négative (δ^-) de la seconde. On appelle ce type de forces intermoléculaires qui s'établissent entre les charges partielles contraires des

Figure 8.1 L'azote liquide. L'évaporation de 300 mL d'azote liquide donne plus de 200 L de gaz dans les conditions ambiantes. Les molécules, proches les unes des autres à l'état liquide, sont nettement plus dispersées à l'état gazeux. Charles D. Winters

Benzène liquide   Benzène solide

Figure 8.2 Le benzène. Deux tubes à essai contiennent la même quantité (mol) de benzène (C_6H_6). Le tube de droite a été réfrigéré, et le benzène s'est solidifié: le volume occupé est resté pratiquement identique à ce qu'il était à l'état liquide (tube de gauche). Charles D. Winters

molécules polaires l'**attraction entre dipôles permanents** ou l'attraction de Keesom (figure 8.3).

L'enthalpie de vaporisation, le point d'ébullition

Ces attractions entre dipôles permanents ont une grande influence sur l'évaporation d'un liquide ou la condensation d'un gaz (figure 8.4).

Une variation d'énergie accompagne ces deux changements d'état. La quantité de chaleur nécessaire pour faire passer une mole de substance de l'état liquide à l'état de vapeur (à la température d'ébullition et à une pression constante) est appelée l'**enthalpie de vaporisation (ΔH_{vap})**. Le processus est endothermique, ΔH_{vap} est de signe positif. Le changement inverse, la condensation, dégage quant à lui de la chaleur, et l'**enthalpie de condensation,** égale en valeur absolue à l'enthalpie de vaporisation, est alors affectée d'un signe négatif.

Plus les forces d'attraction entre les molécules à l'état liquide sont élevées, plus il faut de l'énergie pour les séparer. Ainsi, on s'attend à ce que les ΔH_{vap} des composés polaires soient plus grandes que celles de composés non polaires de masses molaires voisines. Dans le tableau 8.1, on donne ces valeurs pour quelques composés polaires et composés non polaires: on note, par exemple, que l'enthalpie de vaporisation de CO ($M = 28$ g/mol), un composé polaire, est plus élevée que celle de N_2, de même masse molaire, mais non polaire.

TABLEAU 8.1 La masse molaire (M), le point d'ébullition normal ($t_{éb}$) et l'enthalpie de vaporisation (ΔH_{vap}) de quelques composés non polaires et composés polaires

	Composés non polaires				Composés polaires		
	M (g/mol)	$t_{éb}$ (°C)	ΔH_{vap} (kJ/mol)		M (g/mol)	$t_{éb}$ (°C)	ΔH_{vap} (kJ/mol)
N_2	28	-196	5,57	CO	28	-192	6,04
SiH_4	32	-112	12,10	PH_3	34	-88	14,06
GeH_4	77	-90	14,06	AsH_3	78	-62	16,69
Br_2	160	59	29,96	ICl	162	97	

Figure 8.3 L'attraction entre dipôles permanents. Deux molécules polaires de BrCl sont attirées l'une vers l'autre par des forces entre dipôles permanents. Le chlore est plus électronégatif que le brome, si bien que la liaison entre les deux atomes est polaire. L'extrémité négative d'une molécule est attirée par l'extrémité positive d'une autre molécule.

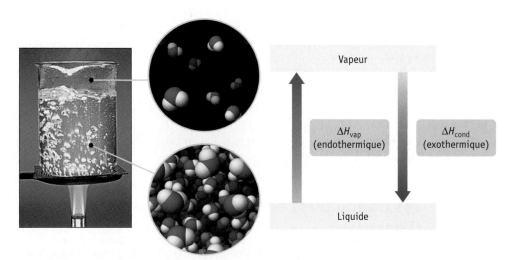

Figure 8.4 L'évaporation d'un point de vue submicroscopique. On doit fournir de l'énergie pour vaincre les forces d'attraction entre molécules présentes à l'état liquide et les amener ainsi à l'état gazeux. Charles D. Winters

Le point d'ébullition des liquides dépend aussi des forces intermoléculaires. Lorsque la température monte, leurs molécules acquièrent plus d'énergie cinétique (*voir la section 1.6.1, page 25*) et, à la température d'ébullition, finissent par en avoir suffisamment pour surmonter les forces d'attraction. Plus celles-ci sont fortes, plus il faut de l'énergie pour les vaincre et plus la température d'ébullition est élevée. Dans le tableau 8.1, on note que celle-ci est plus élevée pour ICl (97 °C), une molécule polaire, que pour Br_2 (59 °C), un composé non polaire possédant sensiblement la même masse molaire.

La solubilité

Les forces intermoléculaires influencent aussi la solubilité. Selon l'aphorisme bien connu, « Qui se ressemble s'assemble », *les petites molécules polaires ont de fortes chances d'être solubles dans un solvant polaire* et que *des petites molécules non polaires se dissolvent généralement dans des solvants non polaires* (figure 8.5). La réciproque est aussi vraie : les molécules polaires sont rarement solubles dans des solvants non polaires et il est peu probable que des composés non polaires soient solubles dans des solvants polaires.

Par exemple, l'eau et l'éthanol (C_2H_5OH) sont miscibles en toutes proportions. Par contre, l'eau peut être considérée comme pratiquement insoluble dans l'essence. La polarité des molécules crée la différence : l'eau et l'éthanol sont tous deux polaires, tandis que l'essence, composée principalement d'hydrocarbures tels que l'octane (C_8H_{18}), ne l'est pas. Les interactions eau-éthanol relativement fortes compensent l'énergie nécessaire pour séparer les molécules d'eau et faire place à des molécules d'éthanol. À l'opposé, les forces d'attraction entre l'eau et les hydrocarbures sont faibles, les molécules d'hydrocarbure ne peuvent vaincre les forces d'attraction entre les molécules d'eau et prendre la place de certaines d'entre elles : les deux liquides ne sont pas miscibles.

◆ *La dissolution*

Les divers facteurs influençant la solubilité sont étudiés en détail dans le cours de chimie suivant : *Chimie des solutions.*

8

a) Le 1,2-éthanediol, plus communément appelé l'éthylèneglycol, ($HOCH_2CH_2OH$), un composé polaire utilisé comme antigel dans les radiateurs d'automobiles, est soluble dans l'eau.

b) L'huile à moteur, un mélange d'hydrocarbures, est soluble dans des solvants non polaires comme l'essence ou le tétrachlorure de carbone. Elle n'est cependant pas miscible dans des solvants polaires tels que l'eau. Les détachants commerciaux contiennent des solvants non polaires qui dissolvent les taches de graisse ou d'huile sur les vêtements.

Figure 8.5 « Qui se ressemble s'assemble ». Charles D. Winters

◆ *La solubilité de l'oxygène dans l'eau*

La solubilité de l'oxygène dans l'eau (en équilibre avec l'air, à une pression voisine de 101 kPa) varie d'environ 14 mg/L près du point de congélation à 9 mg/L à 20 °C. La présence d'oxygène dissous est indispensable à l'autoépuration de l'eau, c'est-à-dire à sa possibilité d'éliminer sans dommage, à l'aide de micro-organismes, une certaine charge de polluants organiques. La quantité d'oxygène nécessaire à la transformation des matières organiques biodégradables par ce processus naturel (oxydation bactérienne) s'exprime par l'indice de la « demande biochimique en oxygène » (DBO), donné généralement en milligrammes d'oxygène par litre d'eau. La DBO d'une eau fortement polluée est élevée et peut parfois dépasser la solubilité de l'oxygène (la DBO d'une eau d'égout non traitée peut monter jusqu'à 300 mg/L).

8.1.2 Les interactions entre molécules polaires et molécules non polaires (Debye)

Beaucoup de molécules comme O_2, N_2 et les halogènes, bien que non polaires, sont légèrement solubles dans des solvants polaires tels que l'eau. Devant ces faits, on doit admettre qu'il existe des forces intermoléculaires entre ces molécules et H_2O.

Les molécules polaires peuvent induire, c'est-à-dire créer, un dipôle dans une molécule qui ne possède pas de moment dipolaire permanent. Pour visualiser une telle situation, imaginez une molécule d'eau s'approchant d'une molécule d'oxygène (figure 8.6).

La molécule polaire d'eau déforme le nuage électronique de l'oxygène et induit ainsi un dipôle dans cette dernière.

Figure 8.6 L'interaction dipôle permanent-dipôle induit. Une molécule d'eau induit un dipôle dans la molécule d'oxygène.

Le nuage électronique d'une molécule isolée d'oxygène est distribué de manière symétrique autour des deux atomes. Quand l'extrémité négative (δ^-) d'une molécule d'eau s'approche, le nuage électronique de l'oxygène se déforme. La molécule d'oxygène devient alors polaire, un dipôle ayant été induit par la présence du dipôle permanent de l'eau. Il en résulte une attraction entre les deux, faible mais suffisante pour que l'oxygène puisse être partiellement soluble dans l'eau. Ce type d'attraction est nommé l'interaction **dipôle permanent-dipôle induit** ou l'**attraction** de **Debye**.

On appelle la **polarisation** le processus d'induction d'un dipôle et la **polarisabilité** la facilité avec laquelle le nuage électronique d'un atome ou d'une molécule peut se déformer pour donner un dipôle. Cette propriété est difficile à mesurer expérimentalement. Cependant, il est relativement aisé de penser qu'un *nuage électronique volumineux* comme celui de I_2 peut être plus facilement polarisé, c'est-à-dire déformé, que celui d'un atome ou d'une molécule plus petite tels que He ou H_2, dans lesquels les électrons périphériques sont plus proches des noyaux et plus fermement maintenus. En général, dans une série de composés analogues, comme les halogènes ou les alcanes (CH_4, C_2H_6, C_3H_8, etc.), on constate une augmentation du volume du nuage électronique et de la polarisabilité avec une augmentation de la masse molaire.

Dans le tableau 8.2, la solubilité de quelques gaz communs dans l'eau s'explique par l'ampleur des interactions dipôle permanent-dipôle induit.

Quand la masse molaire du gaz augmente, la polarisabilité du nuage électronique croît généralement et il devient plus facile d'induire un dipôle : ce dipôle induit devient plus fort, et les interactions dipôle permanent-dipôle induit augmentent. Comme la solubilité des substances gazeuses non polaires dépend de ces interactions, il s'ensuit qu'elle augmente habituellement avec une augmentation de la masse molaire.

M ↗ nuage électronique ↗ polarisabilité ↗ dipôle induit ↗ interaction dipôle permanent-dipôle induit ↗ solubilité ↗

Il faut toutefois rester prudent dans l'utilisation de la seule masse molaire, une grandeur facilement accessible, comme indicateur de la polarisabilité. Même si elle augmente généralement avec le nombre d'électrons, elle ne reflète pas tou-

TABLEAU 8.2 La solubilité de quelques gaz dans l'eau (à 20 °C et sous une pression totale, gaz et vapeur d'eau, de 101,325 kPa)

Gaz	M (g/mol)	Solubilité dans l'eau (mg de gaz/ 1000 g d'eau)
H_2	2,01	1,60
N_2	28,0	19,0
O_2	32,0	43,4

L'iode est soluble dans l'éthanol.

▲ **La solubilité de l'iode dans l'éthanol.** Les interactions dipôle permanent-dipôle induit expliquent la solubilité de l'iode non polaire dans l'éthanol polaire. Charles D. Winters

jours le volume des molécules. Il peut s'ensuivre que la prévision, à partir de la seule masse molaire, de l'évolution d'une même propriété dépendant de la polarisabilité, dans un groupe quelconque de molécules, diffère parfois de la réalité.

8.1.3 Les interactions entre molécules non polaires (London)

Dans les conditions ambiantes, l'iode est solide, le brome est liquide, alors que le chlore et le fluor sont gazeux. Il est possible de liquéfier de l'azote, de l'oxygène, de l'hydrogène et même de l'hélium. L'existence des états condensés, liquide ou solide, prouve ainsi la présence de forces entre molécules non polaires. On peut estimer leur ampleur à partir des enthalpies de vaporisation à leur température d'ébullition et à la pression de 101,325 kPa (tableau 8.3).

Ces données suggèrent que les forces mises en jeu dans ces composés non polaires varient de très faibles dans N_2, O_2 et CH_4 (ΔH_{vap} faibles et $t_{éb}$ très bas) à substantielles dans C_6H_6 et I_2.

Pour comprendre comment deux molécules non polaires peuvent interagir, on doit se rappeler que les électrons des atomes ou des molécules sont constamment en mouvement. En moyenne, l'arrangement du nuage électronique et des noyaux est tel que l'ensemble ne présente pas de moment dipolaire permanent. Toutefois, à un instant précis, il est fort probable que les électrons ne sont pas répartis uniformément dans l'atome ou la molécule : une dissymétrie apparaît dans la répartition des charges, et il se crée un **dipôle instantané.** Peu après, les électrons ont changé de position, et un nouveau dipôle différent du précédent se crée. La moyenne de ces dipôles conduit évidemment à un moment dipolaire résultant nul, mais, à un instant donné, et c'est là le point important, le moment instantané ne l'est pas. On peut imaginer que ce dipôle temporaire peut induire un dipôle dans une autre entité très proche : si les déformations des deux nuages électroniques sont en concordance, soit synchronisées, il en résulte une attraction entre les deux entités (*voir la figure 8.7, page 266*), d'autant plus forte que la polarisabilité est élevée. Ces forces d'attraction entre dipôles instantanés-dipôles induits portent le nom de **forces de dispersion de London,** en hommage au physicien allemand établi aux États-Unis, Fritz London (1900-1954), qui a développé cette théorie.

L'ensemble de ces trois types distincts d'interactions constitue les **forces de Van der Waals** : Keesom, Debye et London.

TABLEAU 8.3 L'enthalpie de vaporisation (ΔH_{vap}), le point d'ébullition normal ($t_{éb}$) de quelques composés non polaires

	ΔH_{vap} (kJ/mol)	$t_{éb}$ (°C)
N_2	5,57	-196
O_2	6,82	-183
CH_4 (méthane)	8,2	-162
C_6H_6 (benzène)	30,7	80
I_2	41,95	185

▲ **Les forces de dispersion de London** Les forces de dispersion de London sont suffisamment élevées dans le brome et l'iode, deux composés non polaires, pour qu'ils existent dans les conditions ordinaires dans un état condensé, liquide pour le premier, solide pour le second. Charles D. Winters

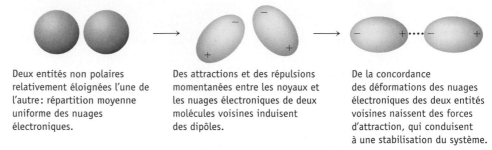

Deux entités non polaires relativement éloignées l'une de l'autre : répartition moyenne uniforme des nuages électroniques.

Des attractions et des répulsions momentanées entre les noyaux et les nuages électroniques de deux molécules voisines induisent des dipôles.

De la concordance des déformations des nuages électroniques des deux entités voisines naissent des forces d'attraction, qui conduisent à une stabilisation du système.

Figure 8.7 **L'attraction entre dipôles instantanés.**

EXEMPLE 8.1 **Les forces de Van der Waals**

Quels types de forces de Van der Waals doit-on vaincre pour vaporiser les liquides suivants ?

a) Hexane (C_6H_{14}).   b) Brome.   c) Iodure de méthyle (CH_3I).

SOLUTION

L'hexane et le brome sont deux composés non polaires, qui ne peuvent donner lieu qu'à des forces de dispersion de London. Ce sont donc les seules interactions qu'il faut vaincre pour les faire passer à l'état gazeux.

Par contre, l'iodure de méthyle est polaire. En plus des forces de dispersion de London présentes dans tous les composés, il faudra vaincre les interactions entre dipôles permanents (Keesom) et entre dipôle permanent-dipôle induit (Debye) pour le vaporiser.

EXEMPLE 8.2 **Les forces de Van der Waals et les points d'ébullition**

Classez les composés suivants par ordre croissant de point d'ébullition : F_2, Cl_2, Br_2 et I_2.

SOLUTION

Tous les composés sont non polaires et seules des forces de dispersion de London unissent les molécules entre elles à l'état liquide. Elles dépendent de la polarisabilité des molécules, elle-même reliée généralement à la masse molaire : plus celle-ci est élevée, plus la polarisabilité est grande, plus l'attraction entre molécules est forte et plus le point d'ébullition est élevé. On prévoit donc l'ordre suivant : $t_{éb}(F_2) < t_{éb}(Cl_2) < t_{éb}(Br_2) < t_{éb}(I_2)$. Les valeurs réelles suivent effectivement cette progression.

EXERCICE 8.1 **Les forces de Van der Waals et les points d'ébullition**

Dans chacune des paires de composés suivantes, identifiez celui qui possède le point d'ébullition le plus élevé.

a) O_2 ou N_2.   b) SO_2 ou CO_2.   c) SiH_4 ou GeH_4.

EXEMPLE 8.3 **Les forces de Van der Waals et la solubilité**

Nommez les forces de Van der Waals mises en jeu lorsqu'on mélange deux à deux les composés suivants : I_2 (s), H_2O (l) et CCl_4 (l). Que se passe-t-il quand on mélange ces trois composés ?

SOLUTION

Dans ce type d'exercice, il faut commencer par déterminer si les composés en question sont polaires ou non polaires. On applique ensuite la règle du « Qui se ressemble s'assemble ».

I_2 (s) : non polaire, facilement polarisable.

H_2O (l) : polaire.

CCl_4 (l) : non polaire.

I_2 (s), H_2O (l) : l'eau peut induire un dipôle dans l'iode : interactions dipôle-dipôle induit.

I_2 (s), CCl_4 (l) : seules des forces de dispersion de London peuvent être présentes entre l'iode et le tétrachlorure de carbone.

H_2O (l), CCl_4 (l) : des interactions dipôle-dipôle induit peuvent se manifester entre l'eau et le tétrachlorure de carbone. Cependant, on peut s'attendre à une interaction faible, à cause de la faible polarisabilité du tétrachlorure de carbone. Les photographies ci-dessous illustrent les solubilités relatives. L'iode se dissout jusqu'à un certain point dans l'eau, la solution est brunâtre. Si l'on ajoute lentement cette solution dans un tube à essai contenant du tétrachlorure de carbone, les deux liquides, l'un polaire, l'autre non polaire, ne se mélangent pas (CCl_4, plus dense que l'eau, reste dans le fond du tube). Après agitation énergique, les deux couches de liquide réapparaissent, mais l'iode est passé de l'eau au CCl_4 comme l'attestent les changements de coloration. L'iode, non polaire, est nettement plus soluble dans CCl_4, non polaire, que dans l'eau.

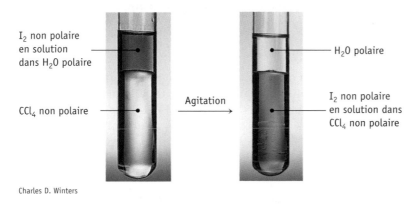

I_2 non polaire en solution dans H_2O polaire

CCl_4 non polaire

Agitation

H_2O polaire

I_2 non polaire en solution dans CCl_4 non polaire

Charles D. Winters

EXERCICE 8.2 **Les forces de Van der Waals et la solubilité**

Nommez les forces de Van der Waals mises en jeu lorsqu'on mélange deux à deux les composés suivants : H_2O (l), CCl_4 (l) et hexane [$CH_3(CH_2)_4CH_3$ (l)]. Que se passe-t-il quand on mélange ces trois composés ?

8.2 LA LIAISON HYDROGÈNE

Le fluorure d'hydrogène (HF) et de nombreux composés comprenant des liaisons —O—H et —N—H présentent des propriétés exceptionnelles qui s'écartent notablement des tendances remarquées dans des séries de composés semblables. On peut s'en rendre compte en analysant les points d'ébullition ($P = 101,325$ kPa) des composés binaires que forme l'hydrogène avec les éléments des groupes de 4A (14) à 7A (17) (*voir la figure 8.8, page 268*).

Généralement, le point d'ébullition de composés formant une série augmente avec la masse molaire à cause de l'accroissement des forces de dispersion. Cette

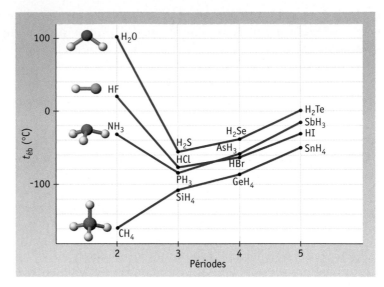

Figure 8.8 Le point d'ébullition de quelques composés binaires de l'hydrogène. L'effet de la liaison hydrogène se fait fortement sentir dans l'eau, le fluorure d'hydrogène et l'ammoniac, dont les points d'ébullition très élevés s'écartent notablement des tendances relevées.

tendance est bien illustrée dans les composés binaires formés avec les éléments du groupe 4A (14).

$$t_{\text{éb}}(CH_4) < t_{\text{éb}}(SiH_4) < t_{\text{éb}}(GeH_4) < t_{\text{éb}}(SnH_4)$$

La même tendance est observée dans les composés binaires formés à partir des éléments des autres groupes 5A, 6A et 7A appartenant aux périodes 3, 4 et 5. Par contre, le point d'ébullition de NH_3, H_2O et HF s'écarte notablement de ce à quoi on pourrait s'attendre en tenant compte seulement de la masse molaire. En extrapolant dans la série H_2Te, H_2Se, H_2S, on trouverait un point d'ébullition de l'eau voisin de -90 °C, presque 200 °C plus bas que la valeur réelle! De la même manière, mais moins prononcée, les points d'ébullition de l'ammoniac et du fluorure d'hydrogène sont plus élevés que les valeurs extrapolées à partir des composés similaires plus lourds. Pourquoi en est-il ainsi?

8.2.1   La nature de la liaison hydrogène

Les points d'ébullition très élevés de NH_3, H_2O et HF dénotent l'existence de forces intermoléculaires relativement grandes qui s'ajoutent aux forces de Van der Waals. La présence de la liaison hydrogène entre les molécules de ces composés explique ce comportement « anormal ».

Les électronégativités de F (4,0), O (3,5) et N (3,0) figurent parmi les plus élevées de tous les éléments, tandis que celle de H est nettement inférieure (2,1). Cette grande différence fait en sorte que les liaisons F—H, O—H et N—H sont très polaires, les éléments très électronégatifs acquérant une charge partielle négative et l'hydrogène, une charge partielle positive relativement élevées. Il peut se créer une attraction relativement forte entre cet atome d'hydrogène d'une liaison fortement polarisée et un élément électronégatif possédant une paire d'électrons libres (F, O ou N d'une autre molécule ou même à l'intérieur de la molécule): cette attraction constitue la **liaison hydrogène.**

On la représente généralement par un pointillé reliant l'atome d'hydrogène portant une charge δ^+ à l'atome portant une charge δ^- d'une autre molécule ou d'une autre partie de la molécule. Dans la plupart de ces liaisons (tableau 8.4), *les atomes concernés tendent à s'aligner.* L'atome d'hydrogène forme un pont entre

TABLEAU 8.4 Les différents types de liaisons hydrogène X—H···Y

X = F	X = O	X = N
F—H···: F	O—H···: F	N—H···: F
F—H···: O	O—H···: O	N—H···: O
F—H···: N	O—H···: N	N—H···: N

deux atomes très électronégatifs, d'où le nom de pont hydrogène qu'on donne parfois à cette attraction.

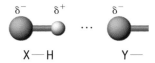

La forte polarité de la liaison X—H, la petite taille de l'atome d'hydrogène et la forte électronégativité de l'atome Y voisin expliquent que l'énergie associée à cette liaison varie généralement entre 10 et 30 kJ/mol.

La liaison hydrogène a une grande influence sur les propriétés des composés qui dépendent des forces intermoléculaires. Par exemple, c'est elle qui explique la présence d'un dimère de l'acide acétique à l'état solide (figure 8.9). Elle joue aussi un grand rôle dans la structure de nombreux polymères synthétiques, incluant le nylon, dans lequel l'atome d'hydrogène d'une liaison polaire $\underset{\delta^-}{N}—\underset{\delta^+}{H}$ interagit avec l'atome d'oxygène d'une liaison $\underset{\delta^+}{C}—\underset{\delta^-}{O}$ d'une chaîne adjacente (figure 8.10).

Figure 8.9 La liaison hydrogène dans l'acide acétique. Les molécules d'acide acétique peuvent interagir par l'intermédiaire des liaisons hydrogène. Cette photographie montre de l'acide acétique glacial partiellement solidifié.
Charles D. Winters

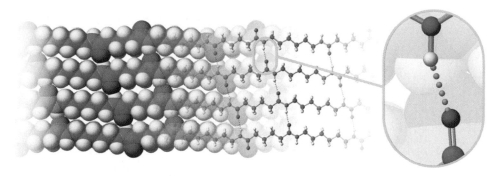

Figure 8.10 La liaison hydrogène dans le nylon. Un atome d'oxygène porteur d'une charge partielle négative d'un groupement C═O d'une chaîne interagit avec un atome d'hydrogène porteur d'une charge partielle positive d'une liaison polaire N—H d'une autre chaîne.

EXEMPLE 8.4   **L'influence de la liaison hydrogène**

L'éthanol (CH_3CH_2OH) et le méthoxyméthane (CH_3OCH_3) ont la même masse molaire et la même formule empirique (C_2H_6O). Lequel des deux possède le point d'ébullition le plus élevé?

SOLUTION
À partir des formules développées, on détermine:
1. la grandeur relative des forces de dispersion de London;
2. si les molécules sont polaires ou non polaires;
3. si elles peuvent donner lieu à des liaisons hydrogène.
A priori, on peut considérer que les forces de dispersion de London sont semblables, puisque les deux composés ont la même masse molaire. Ce type d'interactions n'est pas discriminatoire.
L'éthanol, molécule polaire, possède un groupement —OH susceptible d'engendrer des liaisons hydrogène, qui vont contribuer énormément aux forces intermoléculaires.

◆ **La liaison hydrogène intramoléculaire**

Le point de fusion de l'*o*-nitrophénol est égal à 45 °C, tandis que celui du *p*-nitrophénol, un isomère, est de 114 °C. Cette différence s'explique en partie par la présence d'une liaison hydrogène intramoléculaire dans l'*o*-nitrophénol, qui prend place au détriment des associations intermoléculaires.

o-nitrophénol
t_{fus} = 45 °C

p-nitrophénol
t_{fus} = 114 °C

pour en savoir+ ...

La liaison hydrogène dans l'ADN

Vous savez que la molécule d'ADN est constituée de deux chaînes torsadées de groupements phosphate séparés par une molécule de sucre, à laquelle est liée une des quatre bases possibles : thymine, guanine, cytosine et adénine (*voir la section 6.11, page 212*). Watson et Crick ont découvert que des liaisons hydrogène unissent les bases d'une chaîne aux bases de la deuxième, mais pas de n'importe quelle façon : répondant aux impératifs de ce type de liaison (hydrogène aligné entre deux atomes très électro-négatifs, proximité relative), l'adénine (A) d'une chaîne ne peut interagir qu'avec la thymine (T) de l'autre chaîne et la cytosine (C), qu'avec la guanine (G). L'appariement des bases spécifiques par liaison hydrogène confère ainsi à l'ADN sa structure en double hélice ou, si l'on prend le problème en sens inverse, la structure en double hélice de l'ADN est rendue possible ou s'explique par cet appariement particulier.

Il y a chez l'humain à peu près trois milliards de paires de bases dans tout son ADN.

ADN

Thymine

Guanine

Cytosine

Adénine

Chaîne (succession de groupements phosphate séparés par une molécule de sucre)

Appariement des bases

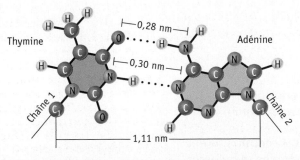

Thymine — 0,28 nm — Adénine
— 0,30 nm —
Chaîne 1 — 1,11 nm — Chaîne 2

Cytosine — 0,29 nm — Guanine
— 0,30 nm —
— 0,29 nm —
Chaîne 1 — 1,08 nm — Chaîne 2

Les liaisons hydrogène unissant les bases des deux chaînes.

$$CH_3 - CH_2 - \overset{..}{\underset{H}{O}} : \cdots H - \overset{..}{\underset{CH_2 - CH_3}{O}} :$$

Par contre, le méthoxyméthane, bien que polaire lui aussi, ne peut en créer puisqu'il ne possède pas de liaison —OH.

On s'attend donc à ce que les liaisons intermoléculaires soient nettement plus fortes dans l'éthanol que dans le méthoxyméthane et que l'éthanol ait un point d'ébullition plus élevé. C'est effectivement le cas ; il bout à 78 °C à la pression atmosphérique, alors que le méthoxyméthane bout à -25 °C à la même pression. Dans les conditions ambiantes, l'éthanol est liquide et le méthoxyméthane, gazeux.

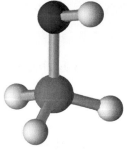

Méthanol (CH_3OH)

EXERCICE 8.3   **La liaison hydrogène**

Représentez les liaisons hydrogène existant dans le méthanol (CH_3OH). Nommez quelques-unes de ses propriétés physiques qui peuvent être influencées par ce type de liaison intermoléculaire.

8.2.2   La liaison hydrogène et les propriétés spéciales de l'eau

L'abondance de l'eau sur terre nous fait souvent oublier ses caractéristiques qui la rendent si particulière et si différente de la plupart des autres substances. Ses propriétés quasi uniques proviennent essentiellement de sa capacité à former des liaisons hydrogène qui maintiennent fortement ses molécules entre elles.

La structure exceptionnelle de la glace s'explique non seulement par le fait que chaque atome d'hydrogène d'une molécule d'eau peut donner lieu à une liaison hydrogène avec un doublet libre d'électrons situé sur un atome d'oxygène d'une molécule voisine, mais aussi par le fait que chaque atome d'oxygène, à cause de ses deux doublets libres, peut donner lieu à deux liaisons hydrogène (figure 8.11 **a**).

Il en résulte un arrangement tétraédrique des atomes d'hydrogène autour de l'atome d'oxygène, comprenant deux liaisons covalentes O—H (longueur égale à 101 pm) et deux liaisons hydrogène (distance O$\cdots$H égale à 175 pm). Cet assemblage confère à la glace une structure très ouverte en forme de cage, qui doit sa stabilité à l'existence des liaisons hydrogène. Elle comporte beaucoup d'espace vide (figure 8.11 **b**), ce qui rend la masse volumique de la glace inférieure à celle de l'eau liquide : la glace moins dense d'environ 10 % flotte sur son liquide. On remarque aussi que les atomes d'oxygène occupent les sommets de cycles à six côtés. Cette structure interne se reflète dans la forme des cristaux de neige (*voir la figure 3.2, page 76*).

Lorsque la glace fond à 0 °C, le réseau cristallin régulier et très ouvert imposé par les liaisons hydrogène dans le solide s'effondre et le volume occupé diminue : la masse volumique de l'eau augmente de façon substantielle (*voir la figure 8.12, page 272*).

Lorsqu'on élève légèrement la température de l'eau liquide au-dessus de son point de fusion, une autre surprise surgit : la masse volumique continue d'augmenter ! Ce comportement va à l'encontre de ce que l'on observe chez pratiquement toutes les substances : une élévation de température se traduit par une augmentation du volume et, en conséquence, une diminution de la masse volumique. Là encore, on explique cette propriété inusitée de l'eau par la présence, légèrement au-dessus du point de fusion, d'agrégats moléculaires semblables à

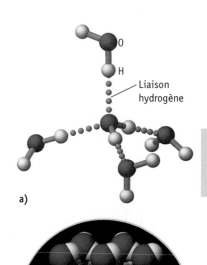

a)

b)

Figure 8.11 La structure de la glace. a) L'atome d'oxygène d'une molécule d'eau (dans la glace) se trouve au centre d'un tétraèdre régulier et est entouré de quatre atomes d'hydrogène situés sur ses axes. Deux atomes d'hydrogène lui sont liés par covalence et les deux autres appartenant à deux autres molécules d'eau, par liaison hydrogène. **b)** Dans la glace, le motif structural décrit en **a)** se répète pour former un réseau cristallin. Ce modèle montre une petite partie de ce réseau, formé de cycles à six côtés. Chaque sommet est occupé par un atome d'oxygène et chaque côté est composé d'une liaison O—H covalente et d'une liaison hydrogène O$\cdots$H un peu plus longue.

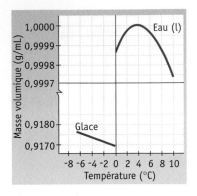

Figure 8.12 La masse volumique de l'eau en fonction de la température.

ceux qui existent dans la glace : des espaces vides sont encore présents dans ces structures. Au fur et à mesure de l'élévation de température, les derniers vestiges de la structure ouverte de la glace disparaissent progressivement, le volume du liquide diminue et la masse volumique augmente. Celle-ci atteint un maximum à 4 °C. Au-delà de ce point, elle diminue à mesure que la température monte, comme pour la plupart des substances.

La **capacité thermique massique**[1] extrêmement élevée de l'eau s'explique aussi par les liaisons hydrogène. Même si, à l'état liquide, l'eau n'a pas la structure régulière de la glace, elle n'en possède pas moins une proportion importante de ce type de liaison. Une augmentation de température entraîne la rupture de ces dernières, rupture qui exige cependant beaucoup d'énergie. À apport calorifique égal, la hausse de la température de l'eau est moins prononcée que celle de beaucoup de composés. Cela explique pourquoi les lacs, au printemps, se réchauffent moins rapidement que ce qui les entoure.

De la même manière, la formation de nombreuses liaisons hydrogène dans l'eau des lacs dégage de l'énergie sous forme de chaleur et compense en partie la baisse de température provoquée par le milieu environnant plus froid à l'automne : par conséquent, l'eau se refroidit plus lentement et la température d'un lac ou d'un océan demeure généralement supérieure à celle de l'air jusque tard en automne. L'eau réchauffe alors l'atmosphère, modérant ainsi la chute de température de l'air.

◆ *L'hydrate de méthane*

Les liaisons hydrogène sont responsables de la structure en cage des molécules d'eau qui piègent le méthane dans l'hydrate de méthane (*voir le modèle dans l'encadré* Point de mire, *page 260*).

8.3 RÉSUMÉ DES FORCES INTERMOLÉCULAIRES

Les forces de Van der Waals agissent entre molécules polaires (Keesom), entre molécules polaires et molécules non polaires polarisables (Debye) et entre molécules non polaires (London). Celles-ci, les seules à intervenir entre des molécules non polaires, sont aussi présentes entre toutes les molécules, polaires ou non polaires. De la même façon, des interactions de Debye (dipôle-dipôle induit) se manifestent aussi entre molécules polaires : elles s'ajoutent aux interactions dipôle-dipôle.

La liaison hydrogène résulte de l'attraction de l'atome d'hydrogène d'une liaison intramoléculaire X—H par un atome Y appartenant à une autre molécule (parfois la même), X et Y étant tous deux des éléments très électronégatifs, et Y comportant au moins un doublet libre d'électrons.

En général, on peut considérer que l'ampleur des forces intermoléculaires des *petites molécules* varie dans l'ordre :

dipôle permanent-dipôle permanent (incluant la liaison hydrogène) > dipôle permanent-dipôle induit > dipôle instantané-dipôle induit

mais cet ordre est loin d'être absolu, et il faut être prudent lorsqu'on désire prévoir les points d'ébullition de composés différents, surtout lorsque leurs masses molaires sont assez élevées et éloignées les unes des autres.

EXEMPLE 8.5 **Les forces intermoléculaires**

Identifiez les types de forces intermoléculaires se manifestant dans chacune des situations suivantes et classez-les par ordre croissant d'importance.

a) Le méthane (CH₄) liquide.

b) Un mélange d'eau et de méthanol.

c) Une solution de brome dans l'eau (*voir l'exercice 8.1, page 266*).

---

1. La capacité thermique massique est la quantité de chaleur requise pour élever de 1 K la température d'un gramme d'une substance.

SOLUTION

Stratégie: molécule polaire ou non polaire? possibilité de liaison hydrogène?

a) Le méthane est une molécule non polaire et seules des forces de dispersion de London peuvent se manifester dans ce composé.

Modèle moléculaire CH$_4$

b) L'eau et le méthanol sont deux composés polaires, qui contiennent des liaisons O—H. Tous les types d'interactions se retrouvent entre ces deux composés dans le mélange.
   - Forces de dispersion de London: présentes partout.
   - Forces de Debye: présentes dès qu'un des constituants est polaire.
   - Forces de Keesom: les deux composés sont polaires.
   - Liaison hydrogène: présence de liaisons O—H dans les deux composés.

$$H—\overset{..}{\underset{|}{O}}:\cdots H—\overset{..}{\underset{|}{O}}: \qquad H—\overset{..}{\underset{|}{O}}:\cdots H—\overset{..}{\underset{|}{O}}:$$
$$\quad\; H \qquad\quad CH_3 \qquad\quad CH_3 \qquad\quad H$$

c) L'eau, composé polaire, et le brome, non polaire, peuvent interagir de deux façons.
   - Forces de dispersion de London: présentes partout.
   - Forces de Debye: l'eau polaire peut induire un dipôle dans le brome.

Les forces intermoléculaires les plus faibles se retrouvent certainement dans le méthane liquide, où seules des forces de dispersion peuvent intervenir. Les plus élevées se manifestent dans le mélange eau-méthanol, en particulier à cause de la présence de liaisons hydrogène et de deux composés polaires. Le mélange eau-brome (un seul composé polaire et un composé assez polarisable) se retrouve entre les deux.

méthane liquide < eau-brome < eau-méthanol

EXERCICE 8.4 **Les forces intermoléculaires**

Identifiez les types de forces intermoléculaires se manifestant dans chacune des situations suivantes et classez-les par ordre croissant d'importance.

a) L'oxygène liquide.   b) Le méthanol.   c) L'oxygène dissous dans l'eau.

8.4 LES PROPRIÉTÉS DES LIQUIDES

L'état liquide de la matière est certainement le plus difficile à décrire avec précision. Les molécules d'un gaz dans les conditions ordinaires sont suffisamment éloignées les unes des autres pour qu'on puisse généralement les considérer comme indépendantes. Dans un solide, les particules sont très proches les unes des autres et forment des arrangements réguliers que l'on peut décrire relativement facilement. Dans un liquide, les particules interagissent entre elles, comme dans un solide, mais ne se présentent pas sous une forme bien ordonnée et identifiable. Malgré ce manque de précision, on arrive quand même à expliquer ses propriétés spécifiques en se référant au comportement de ses particules.

8.4.1   La vaporisation

On appelle la **vaporisation,** ou encore l'évaporation, le processus par lequel une substance à l'état liquide se transforme en gaz. Dans ce changement d'état, des molécules s'échappent de la surface du liquide et se retrouvent à l'état gazeux.

Pour comprendre l'évaporation, on doit se référer à une des conclusions importantes de la théorie cinétique des gaz, que nous examinerons plus en détail dans le chapitre suivant. On acceptera pour l'instant que les molécules dans un liquide n'aient pas toutes la même énergie et que celles-ci se répartissent, à une température déterminée, selon une distribution semblable à celle des courbes de la figure 8.13. Plus élevée est la température, plus grande est l'énergie moyenne et plus grande est la proportion des molécules qui possèdent une énergie élevée. Dans un échantillon liquide quelconque, il en existe toujours dont l'énergie très élevée leur permet de vaincre les forces d'attraction intermoléculaire qui les retiennent à l'état liquide. Si ces molécules se trouvent à la surface et se déplacent dans la bonne direction, elles peuvent se libérer de leurs congénères et s'échapper : elles passent alors à l'état gazeux (figure 8.14).

Dans l'exposé portant sur les forces intermoléculaires présentes entre molécules polaires et molécules non polaires, nous avons fait mention de la relation existant entre les ΔH_{vap} de quelques composés et leur point d'ébullition. Ces deux

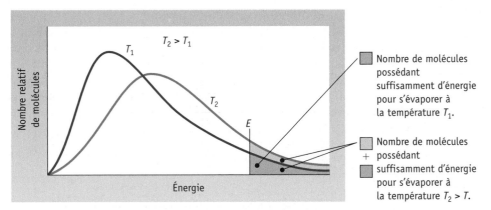

Figure 8.13 La distribution des énergies des molécules d'un liquide. À une température T_2 plus élevée que T_1, un plus grand nombre de molécules possèdent une énergie supérieure à E et ont la capacité de s'évaporer.

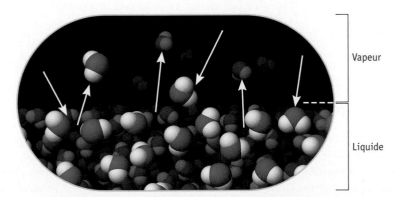

Figure 8.14 L'évaporation. Certaines molécules à la surface d'un liquide possèdent suffisamment d'énergie pour vaincre les forces les unissant aux molécules avoisinantes et ainsi passer à l'état gazeux. En même temps, d'autres molécules à l'état gazeux réintègrent le liquide.

propriétés sont le reflet des forces d'attraction entre les molécules dans un liquide (tableau 8.5).

Le point d'ébullition des liquides non polaires, tels que les hydrocarbures, les halogènes et les gaz constituant l'atmosphère, augmente avec les masses molaires ou atomiques, un indice de l'augmentation des forces de dispersion de London. Les alcanes en sont un exemple probant.

De la même manière, le point d'ébullition et l'enthalpie de vaporisation des halogénures d'hydrogène HCl, HBr et HI augmentent aussi avec leur masse molaire. Dans ces composés, les liaisons hydrogène ne sont pas aussi importantes que dans HF, et les forces entre dipôles permanents et les forces de dispersion de London contribuent majoritairement aux liaisons intermoléculaires. Comme celles-ci prennent de plus en plus d'ampleur avec l'augmentation des masses molaires, les points d'ébullition augmentent dans l'ordre HCl, HBr, HI.

On remarque aussi les valeurs très élevées du point d'ébullition et de l'enthalpie de vaporisation de l'eau et de HF, conséquences de l'existence dans ces composés de fortes liaisons hydrogène.

L'eau se distingue très nettement des liquides répertoriés dans le tableau 8.5 : il faut une énorme quantité de chaleur pour la faire passer à l'état de vapeur. Ce fait a des conséquences importantes sur votre bien-être physique et sur l'environnement.

TABLEAU 8.5 **La masse molaire (M), l'enthalpie de vaporisation (ΔH_{vap}) et le point d'ébullition ($t_{éb}$) de quelques composés courants**

Composés	M (g/mol) *	ΔH_{vap} (kJ/mol) **	$t_{éb}$ (°C) ***
Composés polaires			
HF	20,0	25,2	19,7
HCl	36,5	16,2	– 84,8
HBr	80,9	19,3	– 66,4
HI	127,9	19,8	– 35,6
NH_3	17,0	23,3	– 33,3
H_2O	18,0	40,7	100,0
SO_2	64,1	24,9	– 10,0
Composés non polaires			
CH_4 (méthane)	16,0	8,2	– 161,5
C_2H_6 (éthane)	30,1	14,7	– 88,6
C_3H_8 (propane)	44,1	19,0	– 42,1
C_4H_{10} (butane)	58,1	22,4	– 0,5
Éléments monoatomiques			
He	4,0	0,08	– 268,9
Ne	20,2	1,7	– 246,1
Ar	39,9	6,4	– 185,9
Xe	131,3	12,6	– 108,0
Éléments diatomiques			
H_2	2,0	0,90	– 252,9
N_2	28,0	5,6	– 195,8
O_2	32,0	6,8	– 183,0
F_2	38,0	6,6	– 188,1
Cl_2	70,9	20,4	– 34,0
Br_2	159,8	30,0	58,8

* Arrondie à une décimale. ** Au point d'ébullition du composé. *** À la pression de 101,325 kPa.
Source : D. R. Lide, *Basic Laboratory and Industrial Chemicals,* Boca Raton, FL, CRC Press, 1993.

Figure 8.15 Les nuages. La condensation de la vapeur d'eau libère d'énormes quantités d'énergie dans l'atmosphère. Mark A. Schneider/Dembinsky Photo Associates

– Après un exercice relativement intense, votre corps transpire et élimine le surplus de chaleur par vaporisation de la sueur. Dans ce processus naturel, le corps se refroidit.

– La condensation de la vapeur d'eau contenue dans l'air en eau liquide qui tombe finalement sous forme de pluie dégage une quantité énorme de chaleur dans l'atmosphère, environ $2,2 \times 10^8$ kJ, soit l'équivalent de l'énergie dégagée par l'explosion de 50 000 kg de dynamite, pour une averse qui laisse au sol 1 cm d'eau sur une superficie de 10 000 m^2 (figure 8.15).

EXEMPLE 8.6   Les enthalpies de vaporisation

Calculez la quantité d'énergie requise pour faire passer 1,00 L d'eau liquide à l'état de vapeur (à la température de 100 °C), sachant que ρ_{100}(eau) = 0,958 g/mL et ΔH_{vap}(eau) = 40,7 kJ/mol à 100 °C.

SOLUTION

Comme l'enthalpie de vaporisation est donnée en kJ/mol, vous devez tout d'abord convertir la quantité initiale d'eau en moles.

$$\text{Quantité d'eau} = 1,00 \ \cancel{L} \ (1000 \ \cancel{mL}/1 \ \cancel{L})(0,958 \ \cancel{g}/\cancel{mL})(1 \ mol/18,0152 \ \cancel{g})$$
$$= \left(\frac{958}{18,0152}\right) mol.$$
$$\text{Énergie requise} = \left[\left(\frac{958}{18,0152}\right) \cancel{mol}\right] 40,7 \ kJ/\cancel{mol} = 2,16 \times 10^3 \ kJ.$$

Cette quantité d'énergie représente environ le tiers de votre métabolisme basal, quantité minimale quotidienne requise pour soutenir vos fonctions vitales.

EXERCICE 8.5   L'enthalpie de vaporisation

L'enthalpie de vaporisation du méthanol (CH_3OH) est de 35,2 kJ/mol à 64,6 °C. Quelle quantité d'énergie est nécessaire pour évaporer à cette température 1,00 kg de cet alcool ?

8.4.2 La pression de vapeur

Un peu d'eau laissée dans un verre de montre à l'air libre peut à la longue s'évaporer complètement. Par contre, dans un récipient fermé (figure 8.16), elle s'évapore au début, mais une stabilisation apparaît au bout d'un certain temps : la pression qui règne au-dessus du liquide reste constante. L'explication de ce phénomène repose sur deux processus opposés, l'évaporation et la condensation.

La vitesse d'évaporation d'un liquide dépend de sa nature, de la température et de la surface de contact liquide-air ambiant ou liquide-vapeur. Pour un liquide donné placé dans un récipient fermé, à température fixe, la vitesse d'évaporation est constante, puisque les trois facteurs énumérés précédemment sont stables. Au fur et à mesure que se produit l'évaporation, le nombre de molécules à l'état gazeux augmente et, de ce fait, la pression exercée sur les parois augmente[2]. De la même façon, la surface du liquide est aussi bombardée, et un certain nombre de molécules sont réabsorbées par le milieu liquide. On imagine facilement que

---

2. Rappelons que, selon la théorie cinétique, la pression exercée par un gaz provient des collisions de ses molécules sur les parois du récipient.

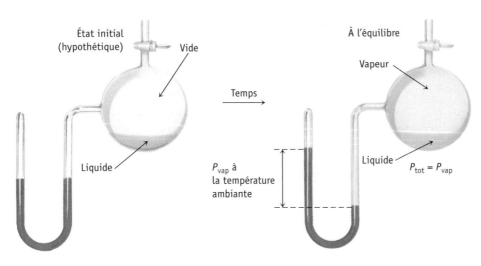

a) Un liquide volatil est placé dans un récipient fermé dans lequel on a fait le vide (situation initiale hypothétique). Au temps $t = 0$, aucune molécule n'est à l'état gazeux.

b) Peu de temps après, quelques molécules du liquide s'évaporent et la vapeur commence à exercer une certaine pression. La pression de vapeur, à la température considérée, est celle que l'on mesure lorsque l'équilibre est atteint.

Figure 8.16 La pression de vapeur.

la vitesse de condensation dépend de la concentration des molécules à l'état gazeux: plus il y a de molécules dans un certain volume, plus la probabilité de retour à la phase liquide augmente. Il arrive un moment où la vitesse de condensation devient égale à la vitesse d'évaporation: il s'établit alors un **équilibre dynamique.**

$$\text{Liquide} \rightleftharpoons \text{vapeur}$$

La **double flèche** ($\rightleftharpoons$) entre les deux états de la substance signifie que les deux processus, direct et inverse, évaporation et condensation dans ce cas, se produisent en même temps et au même rythme: les masses des deux phases, liquide et gazeuse, demeurent constantes et la pression reste stable. L'eau dans un verre de montre à l'air libre n'atteint pas toujours un état d'équilibre avec sa vapeur, parce que le mouvement de l'air et la diffusion éloignent les molécules d'eau à l'état gazeux de la surface du liquide, les empêchant ainsi de le réintégrer.

La pression exercée par la vapeur d'un composé en équilibre avec son liquide est appelée la **pression de vapeur** (P_{vap}). C'est une mesure de sa **volatilité,** c'est-à-dire de la tendance de ses molécules à s'échapper du liquide et à adopter l'état gazeux. Un liquide, dont la pression de vapeur, à une température donnée, est plus élevée que celle d'un liquide B, est dit « plus volatil que B ».

On a vu dans la section 8.4.1 (*voir la page 274*) que l'énergie moyenne des molécules dépendait de la température. Plus celle-ci est élevée, plus nombreuses sont les molécules qui possèdent suffisamment d'énergie pour quitter le liquide: de ce fait, la pression de vapeur augmente. Si l'on porte sur un graphique les valeurs de P_{vap} en fonction de la température, on obtient des courbes ressemblant à celles de la figure 8.17 (*voir la page 278*). On remarque aisément que l'éthoxyéthane est plus volatil que l'éthanol, lui-même plus volatil que l'eau.

Chaque point des courbes représente les conditions d'équilibre entre les phases liquide et gazeuse des substances considérées. En dehors de ces courbes, elles ne peuvent exister en même temps. En effet, supposez un récipient fermé par un piston étanche contenant un liquide et sa vapeur en équilibre, à une température constante T (*voir la figure 8.18 a page 278*). Que se passe-t-il si l'on perturbe cet équilibre en soulevant lentement le piston (*voir la figure 8.18 b page 278*) ? Le volume attribué à la vapeur augmente et la pression diminue: il y a moins de

◆ *L'équilibre*

La notion d'équilibre est présente partout en chimie et l'on s'y réfère souvent. Dans un système en équilibre, des changements se produisent simultanément à la même vitesse, mais en sens opposé. Cela est symbolisé par une double flèche ($\rightleftharpoons$) unissant les réactifs et les produits d'une réaction ou les états physiques d'une même substance. Les équilibres chimiques sont étudiés plus en détail dans le cours de chimie suivant: *Chimie des solutions.*

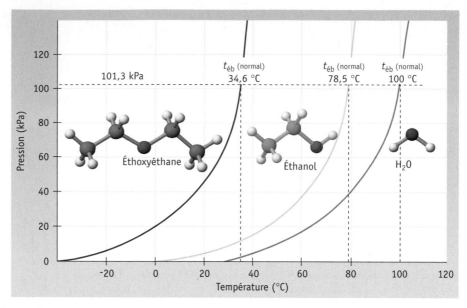

Figure 8.17 Les courbes de pression de vapeur de l'éthoxyéthane ($C_2H_5OC_2H_5$), de l'éthanol (C_2H_5OH) et de l'eau. Chaque courbe représente les conditions d'équilibre (P_{vap} et T) entre les deux phases liquide et gazeuse d'une substance donnée. En dehors de ces courbes, les phases liquide et gazeuse ne peuvent exister en même temps. À la gauche des courbes, l'état liquide est seul présent ; à droite, seule la phase gazeuse existe.

molécules par unité de volume et la vitesse de condensation diminue, alors que la vitesse d'évaporation est restée constante. Il sort plus de molécules du liquide qu'il n'en rentre : cet échange inégal se poursuit jusqu'à ce que la vitesse de condensation soit redevenue égale à la vitesse d'évaporation. L'équilibre se rétablit alors à la même pression de vapeur initiale (figure 8.18 **c**). Ce n'est que lorsque tout le liquide aura disparu que la pression exercée par le gaz pourra prendre une valeur inférieure à la pression de vapeur (figure 8.18 **d**) : en dessous de la courbe d'équilibre ($P < P_{vap}$), seul le gaz peut exister. À l'inverse, si la

◆ **La pression de vapeur**

À chaque point de la courbe d'équilibre liquide-vapeur correspond une situation d'équilibre dynamique entre la vapeur et son liquide (coexistence des deux états). Un seul état physique existe dans les conditions représentées par toute combinaison de P et de T située en dehors de la courbe d'équilibre.

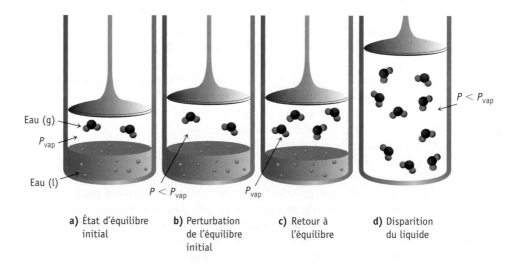

Figure 8.18 L'état d'équilibre liquide-vapeur. a) L'état d'équilibre initial (P_{vap}). **b)** On perturbe l'équilibre en soulevant lentement le piston. La pression devient inférieure à la pression de vapeur. **c)** Plus de molécules passent à l'état gazeux. Le processus s'arrête lorsque la vitesse de condensation redevient égale à la vitesse d'évaporation restée constante : la pression est alors remontée à la pression d'équilibre initiale (P_{vap}). **d)** La pression peut devenir inférieure à la pression de vapeur lorsque toute l'eau liquide a disparu.

pression est maintenue à une valeur supérieure à la pression de vapeur du liquide, à une température donnée ($P > P_{vap}$), la phase gazeuse disparaît complètement et seul le liquide existe.

EXERCICE 8.6 **Les courbes de pression de vapeur**

En vous référant aux courbes de la figure 8.17,

a) quelle est la valeur approximative de la pression de vapeur de l'éthanol à 40 °C?

b) sous quel état physique se présente l'éthanol à 60 °C et à une pression de 80 kPa?

8.4.3 L'ébullition et le point d'ébullition

Lorsqu'on élève la température d'un becher rempli d'eau, sur laquelle s'exerce la pression atmosphérique, de plus en plus de molécules s'évaporent. Quand la pression de vapeur devient égale à la pression atmosphérique, des bulles de vapeur se forment à l'intérieur du liquide et éclatent à sa surface : celui-ci entre en ébullition, il bout (figure 8.19). La température à laquelle la pression de vapeur d'un liquide est égale à la pression externe qui s'exerce sur lui est son **point d'ébullition.** Lorsque celle-ci est égale à 101,325 kPa, le point d'ébullition est qualifié de **normal.**

Au point d'ébullition, toute l'énergie fournie au liquide est utilisée par les molécules pour s'en échapper, et la température reste constante durant ce changement d'état.

Les points d'ébullition normaux de quelques liquides ont été répertoriés dans le tableau 8.5 (*voir la page 275*).

À la pression normale de 101,325 kPa, l'éthoxyéthane bout à 34,6 °C, l'éthanol moins volatil, à 78,5 °C, et l'eau encore moins volatile, à 100 °C (figure 8.17).

Figure 8.19 La pression de vapeur et l'ébullition. Lorsque la pression de vapeur est égale à la pression atmosphérique, des bulles de vapeur commencent à se former à l'intérieur du liquide et éclatent à la surface : le liquide bout. Charles D. Winters.

◆ *La cuisson sous pression*

Pour diminuer les durées de cuisson, on peut utiliser un autocuiseur, cocotte scellée dans laquelle la pression de vapeur de l'eau peut être maintenue légèrement supérieure à la pression atmosphérique par une soupape. Le point d'ébullition de l'eau est alors supérieur à 100 °C, ce qui permet une cuisson plus rapide.

8.4.4 Les température et pression critiques

Pour toute substance, il existe une température au-delà de laquelle l'interface liquide-gaz disparaît : c'est la **température critique (t_c)** et on appelle la **pression critique** (P_c) la pression correspondante sur la courbe d'équilibre liquide-gaz. Cette courbe se termine donc au **point critique** correspondant à ces deux dernières coordonnées (figure 8.20).

Le point critique de la plupart des substances est situé à de très hautes températures et pressions (*voir le tableau 8.6, page 280*).

Par exemple, l'eau a une température critique de 374 °C et une pression critique de $22,06 \times 10^3$ kPa (217,7 atm). Sous cette pression très élevée, on force les molécules d'eau à se rapprocher presque aussi près que si elles étaient à l'état liquide. Par contre, à cette température très élevée, chaque molécule a suffisamment d'énergie cinétique pour surmonter les forces d'attraction intermoléculaire. Ainsi, ce fluide nommé **supercritique** possède un arrangement moléculaire assez compact comme un liquide, mais les forces intermoléculaires qui caractérisent ce dernier état sont moindres que l'énergie cinétique de ses particules. Ce fluide a des propriétés qui ne sont ni celles d'un gaz ni celles d'un liquide : comme un gaz, il est peu visqueux (grande facilité d'écoulement) et remplit tout son contenant, mais sa masse volumique est proche de celle d'un liquide.

Une température critique élevée indique que les forces d'attraction intermoléculaire sont importantes, car le liquide peut encore exister à des températures légèrement inférieures.

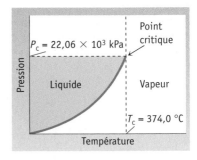

Figure 8.20 Le point critique de l'eau. La courbe représentant les conditions d'équilibre entre les phases liquide et gazeuse de l'eau se termine au point critique (t_c, P_c). Au-dessus de cette température et de cette pression, l'eau devient un fluide supercritique.

TABLEAU 8.6 Les température (t_c) et pression critiques (P_c) de quelques composés

Composés	t_c (°C)	P_c (kPa)	P_c (atm)
CH_4 (méthane)	-82,6	4 600	45,4
C_2H_6 (éthane)	32,3	4 980	49,1
C_3H_8 (propane)	96,7	4 250	41,9
C_4H_{10} (butane)	152,0	3 780	37,3
CCl_2F_2 (CFC-12)	111,8	4 140	40,9
NH_3	132,4	11 350	112,0
H_2O	374,0	22 060	217,7
CO_2	30,99	7 380	72,8
SO_2	157,7	7 880	77,8

Source : D. R. Lide, *Basic Laboratory and Industrial Chemicals*, Boca Raton, FL, CRC Press, 1993.

▲ **L'extraction par fluide supercritique.** Photographie d'une installation industrielle d'extraction par CO_2 supercritique. Thar Technologies, Inc., Pittsburgh, PA

Les fluides supercritiques ont des propriétés inhabituelles, comme celle de dissoudre des composés normalement insolubles. Le dioxyde de carbone supercritique est particulièrement remarquable. Ce composé est disponible en grande quantité, non toxique, ininflammable, bon marché, facile à amener dans un état supercritique (t_c = 30,99 °C, peu élevée ; P_c = 7380 kPa, facile à atteindre) et très maniable. L'eau et les substances polaires comme le sucre sont insolubles dans le CO_2 supercritique ; par contre, il dissout facilement les huiles non polaires, à l'origine de nombreuses saveurs et arômes présents dans notre nourriture. Pour ces raisons, on l'utilise industriellement afin d'extraire, par exemple, la caféine du café.

8.4.5   La tension superficielle, la capillarité et la viscosité

Les molécules ont des comportements différents selon qu'elles se trouvent à la surface du liquide ou en son sein. À l'intérieur, elles interagissent dans toutes les directions avec les molécules qui les entourent, tandis que celles situées à la surface ne subissent que les interactions des molécules situées dans le liquide (figure 8.21). Cette situation se traduit par une attraction des molécules de surface vers l'intérieur : le liquide se comporte comme s'il possédait une peau qui a tendance à rétrécir et à occuper la plus petite superficie possible. La **tension**

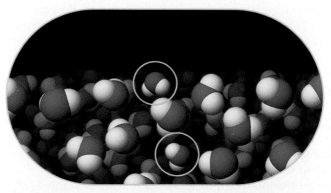

Une molécule à la surface de l'eau n'est pas complètement entourée.

À l'intérieur du liquide, une molécule est entourée de tous les côtés.

Figure 8.21 Les forces intermoléculaires dans un liquide. Une molécule située à la surface d'un liquide ne subit pas les mêmes forces qu'une molécule se trouvant à l'intérieur.

superficielle est une mesure de la résistance de cette « peau »: elle représente la force avec laquelle la surface d'un liquide qui se trouve d'un côté d'une ligne de longueur unitaire attire la surface qui se trouve de l'autre côté. Son unité SI est le newton par mètre (N·m^{-1}). Les liquides dont les attractions intermoléculaires sont intenses ont une forte tension superficielle. C'est elle qui explique la sphéricité des gouttes d'eau ou de tout liquide dans l'air: en effet, de toutes les formes possibles, la sphère est celle qui possède la plus petite surface pour un volume donné (figure 8.22 **a**).

La **capillarité** est intimement liée à la tension superficielle. L'eau monte dans un tube de verre de très faible diamètre, un tube capillaire (du latin *capillus*, « cheveu »), comme elle migre dans du papier (figure 8.22 **b**). Le verre est principalement constitué de dioxyde de silicium (SiO_2) et sa surface possède de nombreux sites polaires. Les molécules polaires de l'eau sont attirées par des **forces d'adhésion** qui se manifestent entre elles et les sites polaires de la paroi. Ces forces sont suffisamment élevées pour entrer en compétition avec les **forces de cohésion** existant entre les molécules d'eau elles-mêmes. Ainsi, certaines molécules peuvent adhérer à la paroi, on dit que le liquide mouille la paroi, tandis que d'autres s'accrochent à elles et forment un lien avec la masse de liquide. La tension superficielle de l'eau (expression des forces de cohésion) est suffisamment forte pour que l'eau puisse monter dans le capillaire. L'ascension s'arrête lorsque les forces d'attraction, adhésion entre l'eau et le verre, cohésion entre les molécules d'eau, sont contrebalancées par la force de gravité s'exerçant sur la colonne d'eau. Cet équilibre entre forces antagonistes crée le ménisque concave, que l'on peut apercevoir dans un verre d'eau ou dans une burette, ou dans une éprouvette (figure 8.22 **c**).

Dans certains liquides à tension superficielle élevée, les forces de cohésion sont bien plus fortes que les forces d'adhésion au verre. Le mercure en est

a) Cette série de photographies prises à l'aide d'un stroboscope (intervalle de 5 ms, durée totale d'exposition de 50 ms) illustre la chute d'une goutte d'eau dans l'air. S. R. Nagel, James Frank Institute, université de Chicago

b) La capillarité. Les molécules polaires de l'eau, attirées par les liaisons polaires O—H présentes dans les fibres de papier, migrent verticalement. Les différents constituants de l'encre utilisée pour tracer une ligne horizontale sur le papier ne sont pas retenus de façon égale par l'eau et par le support, si bien qu'ils migrent à des vitesses différentes. Cette technique de séparation est appelée la chromatographie sur papier. Charles D. Winters

c) L'eau (couche supérieure) forme un ménisque concave, alors que celui formé par le mercure (couche inférieure) est convexe. Les formes dépendent des forces d'adhésion entre le liquide et les parois et des forces de cohésion entre les molécules du liquide. Charles D. Winters

Figure 8.22 Les forces d'adhésion et de cohésion dans un liquide.

l'exemple typique. Il reste à l'état de gouttelettes sur une surface de verre, ne la « mouille » pas, ne grimpe pas le long des parois internes d'un tube capillaire et son ménisque est convexe (*voir la figure 8.22 c, page 281*).

Un verre d'eau renversé se vide très rapidement, tandis qu'il faut bien plus de temps pour que s'écoule du sirop d'érable ou du miel d'une cuillère, par exemple. Ces substances n'ont pas la même résistance à l'écoulement: leur **viscosité** est différente. Les forces intermoléculaires jouent un très grand rôle dans cette propriété, mais d'autres facteurs ne sont pas pour autant négligeables. Par exemple, l'huile d'olive constituée de molécules diverses à longues chaînes carbonées est pratiquement 70 fois plus visqueuse que l'éthanol, dont le squelette carboné ne comprend que deux atomes. Plus les chaînes sont longues, plus elles s'enchevêtrent et plus la viscosité augmente. À cela s'ajoutent, bien sûr, de plus grandes forces de dispersion de London dues à la présence d'un plus grand nombre d'atomes.

Le glycérol

EXERCICE 8.7   **La viscosité**

À la même température, la viscosité du glycérol ($HOCH_2CHOHCH_2OH$), un composé largement utilisé dans l'industrie des cosmétiques, est-elle plus élevée que celle de l'éthanol (CH_3CH_2OH)? Justifiez votre réponse.

8.5   LA CHIMIE DE L'ÉTAT SOLIDE: LA MAILLE ÉLÉMENTAIRE, LES MÉTAUX

La chimie de l'état solide est une branche en pleine expansion. La description des différentes variétés de solides (*voir l'encadré* Point de mire, *page 260, et le tableau 8.7*) vous donne un aperçu de ce qui motive cet engouement actuel. Dans cette section, nous abordons les structures des métaux; viendront ensuite les solides ioniques (*voir la section 8.6, page 286*), covalents, moléculaires et amorphes (*voir la section 8.7, page 289*). Leurs principales propriétés sont mentionnées dans la dernière section de ce chapitre (*voir la section 8.8, page 291*).

À l'état liquide ou gazeux, les molécules se déplacent continuellement au hasard, tout en vibrant et en tournant sur elles-mêmes. À cause de tous ces mouvements, un arrangement ordonné ne peut s'établir en permanence. Par contre, à l'état solide, les particules ne peuvent plus se mouvoir et seules les vibrations et, occasionnellement les rotations, sont permises. Un arrangement régulier, répétitif, des espèces à la grandeur de l'échantillon est alors possible: c'est une caractéristique de l'état solide.

La régularité macroscopique d'un magnifique cristal de chlorure de sodium (figure 8.23) suggère une disposition interne de ses ions extrêmement symétrique. Un **réseau** tridimensionnel d'atomes, de molécules ou d'ions constitue la structure des systèmes cristallins et ce qu'on appelle la **maille élémentaire** est le plus petit motif structural qui se répète dans l'espace, et qui possède toutes les caractéristiques de symétrie de l'arrangement.

Toutes les mailles élémentaires existant dans la nature se rattachent à un des sept **systèmes cristallins de base,** qui diffèrent l'un de l'autre par la longueur relative de leurs arêtes et par les angles qu'elles forment entre elles. Le **système cubique** est le plus simple: ses côtés ont la même longueur et ses angles valent tous 90° (figure 8.24). On ne présente que lui dans ce manuel, non seulement parce qu'il est facile à visualiser, mais aussi et surtout parce qu'il est le plus répandu.

Ce système se subdivise en trois mailles élémentaires différentes selon la position et le nombre de nœuds (*voir la figure 8.25, page 284*), points occupés par les

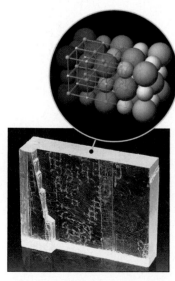

Figure 8.23 Le réseau cristallin du chlorure de sodium. La structure régulière interne du chlorure de sodium se reflète dans son aspect extérieur.

TABLEAU 8.7 Les structures des différents types de solides

	Types	Composants	Exemples	Forces mises en jeu	Propriétés caractéristiques
Cristallin	Métallique	Atomes de métal (ions métalliques positifs et électrons délocalisés)	Fer, argent, cuivre, les alliages métalliques	Liaison métallique ; attraction électrostatique entre les cations métalliques et les électrons	Malléables, ductiles, bons conducteurs électriques [(s) et (l)], bons conducteurs de la chaleur, vaste gamme de dureté et de points de fusion
	Ionique	Cations et anions, pas de molécules individuelles	$NaCl$, K_2SO_4, $CaCl_2$, $(NH_4)_3PO_4$	Liaison ionique ; attraction électrostatique entre les cations et les anions	Durs, cassants, points de fusion élevés, mauvais conducteurs électriques (s), bons conducteurs électriques (l), souvent solubles dans l'eau
	Moléculaire	Molécules	H_2 (s), O_2 (s), I_2, glace, neige carbonique CO_2 (s), CH_4 (s), CH_3OH (s), CH_3CH_2OH (s), la plupart des composés organiques solides	Forces de Van der Waals, liaisons hydrogène parfois	Points de fusion et d'ébullition de bas à modérés, mauvais conducteurs électriques [(s) et (l)]
	Covalent	Atomes liés par covalence dans un réseau bidimensionnel ou tridimensionnel	Graphite, diamant, quartz, feldspath, mica	Liaisons covalentes ; liaisons directionnelles par doublet d'électrons	Vaste gamme de dureté et de points de fusion (3D > 2D), mauvais conducteurs électriques à quelques exceptions près
Amorphe		Réseau covalent sans répétition régulière de motifs	Verre, polyéthylène, nylon	Liaisons covalentes ; liaisons directionnelles par doublets d'électrons	Vaste gamme de points de fusion, mauvais conducteurs électriques à quelques exceptions près

composants de la maille. Le réseau **cubique simple** est formé de huit nœuds situés aux sommets. Le **cubique centré** contient une particule supplémentaire en son centre. Dans le **cubique à faces centrées,** les nœuds sont constitués des sommets et des centres des faces du cube. Beaucoup de métaux présentent l'une ou l'autre de ces mailles élémentaires. Les alcalins, par exemple, cristallisent dans le système cubique centré, alors que les atomes de nickel, de cuivre ou d'aluminium forment un réseau cubique à faces centrées (*voir la figure 8.26, page 284*).

Quand les cubes s'empilent les uns à côté des autres pour former le réseau cristallin à trois dimensions, l'atome occupant un sommet est partagé entre huit cubes (*voir la figure 8.27 **a**, page 284*). De ce fait, on peut considérer que seulement le huitième de chacun de ces atomes est attribué à une maille cubique simple, qui *ne contient ainsi qu'un seul atome* (huit sommets).

L'atome occupant le centre du réseau *cubique centré* appartient en totalité à la maille, qui *comprend ainsi deux atomes*.

Finalement, *la maille du réseau cubique à faces centrées comporte quatre atomes*, un provenant de ses sommets et trois de ses six faces $\left(6 \times \dfrac{1}{2}\right)$ (*voir la figure 8.27 **b**, page 284*).

La cristallographie par rayons X est une des méthodes expérimentales les plus puissantes pour déterminer les structures cristallines. Une fois la structure connue, le recoupement des résultats avec ceux provenant d'autres types d'expériences conduit à la valeur de paramètres très utiles, comme les rayons des atomes ou des ions.

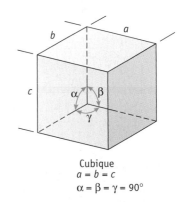

Cubique
$a = b = c$
$\alpha = \beta = \gamma = 90°$

Figure 8.24 Le système cubique. Le cube est l'un des sept systèmes de base qui décrivent les réseaux cristallins.

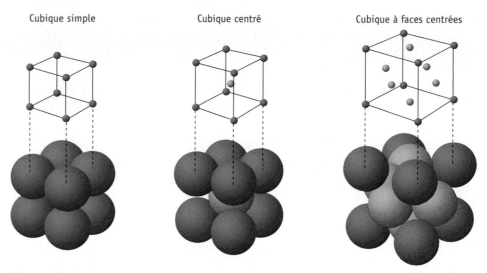

| Cubique simple | Cubique centré | Cubique à faces centrées |

Figure 8.25 Les trois mailles élémentaires cubiques. Les trois réseaux cubiques sont représentés à l'aide de deux types de modèles. Le modèle boule-tige montre clairement les nœuds de la maille, tandis que le modèle compact illustre mieux l'empilement. Les sphères représentent toutes des atomes ou des ions identiques et le changement de couleur n'est utilisé que pour mieux repérer les positions des nœuds du centre du cube ou des centres de ses faces.

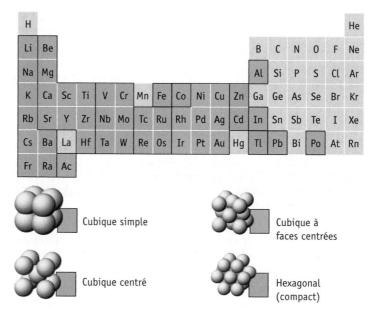

Cubique simple

Cubique à faces centrées

Cubique centré

Hexagonal (compact)

Figure 8.26 Les quatre mailles élémentaires des métaux. Trois mailles appartiennent au système cubique. Le système hexagonal constitue la quatrième maille fréquemment rencontrée (*voir l'encadré* Pour en savoir +... L'empilement des atomes et des ions dans la maille élémentaire).

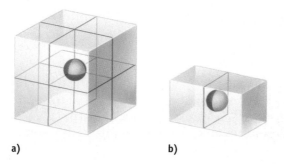

a)   b)

Figure 8.27 Le partage des atomes dans les réseaux cubiques simple et à faces centrées. a) Dans tout système cubique, la particule qui occupe un sommet est partagée également entre huit mailles élémentaires. Un huitième de cette particule est ainsi attribué à chacune d'elles. **b)** La particule occupant le centre d'une face dans le système cubique à faces centrées se divise en parts égales entre deux mailles.

L'empilement des atomes et des ions dans la maille élémentaire

En général, la nature agit aussi efficacement que possible. Il ne faut donc pas s'étonner si les atomes ou les ions d'un réseau cristallin, représentés sous forme de petites sphères dures, s'empilent de manière à occuper le mieux possible l'espace qui leur est attribué. Un empilement cubique simple n'est pas très efficace puisque sa compacité, le rapport entre la somme des volumes des atomes appartenant à la maille et le volume de cette dernière, n'est que de 52 %. Le système cubique centré, avec 68 % de l'espace rempli, fait un peu mieux. La palme revient toutefois à l'empilement cubique à faces centrées : 74 %.

Vous pouvez apprécier la compacité d'un arrangement en transposant le concept dans un schéma en deux dimensions : une couche de billes sur une surface plane.

a)

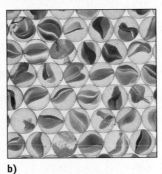

b)

Figure A L'empilement des billes sur une surface plane.
a) Les billes sont disposées selon un arrangement carré et chacune d'elles touche quatre billes voisines.
b) Les billes forment des hexagones et chacune d'elles touche six billes voisines. Le motif **b)** est plus compact que l'arrangement en **a)**. Charles D. Winters

Dans le premier arrangement (figure **A** en **a**), les billes occupent les sommets d'un carré et chacune d'elles touche quatre billes voisines. Dans la seconde disposition (figure **A** en **b**), elles forment des hexagones et chacune d'elles est en contact avec six autres billes. Dans les deux motifs, il reste de l'espace inoccupé, mais l'espace libre est plus important dans la figure **A** en **a)** que dans la figure **A** en **b)** : ce dernier arrangement dans un espace à deux dimensions est en fait le plus compact.

Dans l'espace tridimensionnel, les couches d'atomes ou d'ions sont empilées les unes sur les autres. Si l'on débute par l'arrangement carré de la figure **A** en **a)** et que l'on empile la seconde couche directement sur la première, le résultat est une maille cubique simple, qui laisse beaucoup d'espace libre.

Il existe deux autres façons nettement plus efficaces de placer les particules. On commence par une couche compacte comme celle de la figure **A** en **b)**, puis on empile les couches suivantes en plaçant les particules dans les cavités et non pas au-dessus de celles déjà disposées. Selon la disposition relative des couches superposées, on obtient soit un empilement hexagonal compact (figure **B** en **a**), soit un empilement cubique compact (figure **B** en **b**).

Dans l'arrangement hexagonal compact, les couches additionnelles sont situées de part et d'autre d'une couche **A,** dans les mêmes cavités : les couches se succèdent dans l'ordre **ABABAB...** Les particules d'une couche **A** sont directement au-dessus de celles d'une autre couche **A** ; la situation est la même pour les atomes des couches **B**. Dans l'arrangement cubique compact, les particules de la couche supérieure **A** occupent des cavités de la couche centrale **B** et celles de la couche inférieure **C** ne sont pas situées en dessous de celles de la couche **A** : elles occupent trois cavités différentes de la couche **B** décalées de 60°. Les couches se succèdent alors dans l'ordre **ABCABC...** En représentant cette structure en laboratoire, et en l'observant sous un autre angle, on se rend compte qu'elle correspond à une maille cubique à faces centrées.

a) Empilement hexagonal compact.

b) Empilement cubique compact : maille cubique à faces centrées.

A
Couche supérieure

B Couche médiane

A
Couche inférieure

A

B

C

A

B

C

Figure B Les arrangements compacts.
L'empilement hexagonal compact en **a)** et l'empilement cubique compact en **b)** sont les deux façons les plus efficaces d'empiler les particules dans les cristaux. L'illustration de droite montre que l'empilement cubique compact donne la maille cubique à faces centrées.

8

▲ **Un morceau d'aluminium et sa maille élémentaire cubique à faces centrées.** Charles D. Winters

8.6 LA CHIMIE DE L'ÉTAT SOLIDE : LES STRUCTURES ET LES FORMULES DES COMPOSÉS IONIQUES

Si vous prenez une maille cubique simple ou cubique à faces centrées dont les nœuds sont occupés par des ions identiques et que vous insérez dans les cavités des ions de charges opposées aux premiers, vous obtenez le réseau cristallin de la plupart des composés ioniques.

Le choix de la maille, le nombre et la localisation des sites occupés déterminent la relation entre la structure réticulaire et la formule du composé ionique. Prenez, par exemple, le chlorure de césium (CsCl) (figure 8.28).

Les ions chlorure forment un réseau cubique simple, au centre duquel se trouve un ion césium. Celui-ci est ainsi entouré de huit ions Cl⁻ : le site est qualifié de cubique.

Considérez maintenant la structure de NaCl (figure 8.29). Les ions Cl⁻ forment une maille cubique à faces centrées, dans laquelle s'insèrent des ions Na⁺, eux aussi en réseau cubique à faces centrées. Ils se déduisent l'un de l'autre par translation parallèle aux arêtes du cube et d'amplitude égale à la moitié du côté de la maille. Chaque ion sodium est au centre d'un octaèdre, dont les sommets sont occupés par six ions chlorure : le site est *octaédrique*.

Cl⁻ (r = 181 pm)

Un ion Cl⁻ à chaque sommet du cube = 1 Cl⁻ par maille.

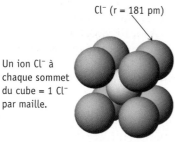

Maille cubique simple d'ions Cl⁻ et un ion Cs⁺ en son centre.

Figure 8.28 La maille du chlorure de césium. Les sommets du cube sont occupés par l'ion le plus gros Cl⁻, tandis que Cs⁺ occupe la cavité centrale.

Dans cette maille sont représentés 12 ions sodium (ceux des milieux des arêtes) apportant chacun une contribution de $\frac{1}{4}$ et un ion sodium central contribuant pour 1 : elle comprend quatre ions sodium. Les huit ions chlorure des sommets du cube contribuent chacun pour $\frac{1}{8}$, tandis que les six autres situés au centre des faces y contribuent chacun pour $\frac{1}{2}$: le tout équivaut à quatre ions Cl⁻.

Il y a donc autant d'ions sodium que d'ions chlorure dans la maille comme le requiert la stœchiométrie du composé.

Un autre type de maille rencontrée assez couramment est constitué d'un réseau cubique à faces centrées, dans lequel des ions de charges opposées occupent des sites *tétraédriques* (*voir la figure 8.30, page 288*).

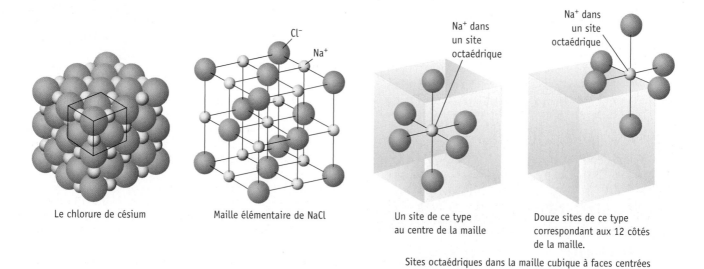

Le chlorure de césium

Maille élémentaire de NaCl

Na⁺ dans un site octaédrique

Un site de ce type au centre de la maille

Na⁺ dans un site octaédrique

Douze sites de ce type correspondant aux 12 côtés de la maille.

Sites octaédriques dans la maille cubique à faces centrées

a)   b)   c)

Figure 8.29 Le chlorure de sodium. a) Une vue compacte du réseau cristallin du chlorure de sodium. Les ions Na⁺ (couleur argent) s'insèrent dans un réseau à faces centrées d'ions Cl⁻ nettement plus gros (couleur jaune). On a isolé une maille élémentaire (traits noirs). **b)** La maille élémentaire du chlorure de sodium. **c)** Gros plan sur l'environnement de l'ion Na⁺ au centre de la maille et des ions Na⁺ situés au milieu des arêtes entre les ions Cl⁻.

pour en savoir+ ...

La détermination des structures cristallines par rayons X

Comment les chimistes s'y prennent-ils pour déterminer la distance entre les atomes d'un métal, les ions d'un sel ou les atomes d'une molécule ? Pour répondre à cette question, il nous faut remonter au début du XXᵉ siècle.

En 1912, le physicien allemand Max von Laue (1879-1960, prix Nobel de physique en 1914) découvre que les solides cristallins diffractent les rayons X. Quelque temps plus tard, William Bragg (1862-1942) et son fils Lawrence (1890-1971), corécipiendaires du prix Nobel de physique en 1915, démontrent qu'on peut utiliser cette propriété pour mesurer les distances entre les particules qui composent les cristaux. La cristallographie par rayons X vient de naître. De nos jours, elle est encore l'une des méthodes d'étude des structures cristallines les plus utilisées.

Pour mesurer les distances à l'échelle submicroscopique, on se doit d'utiliser un instrument qui puisse localiser les particules. L'outil doit donc avoir une dimension qui soit de l'ordre de grandeur de ce que l'on veut mesurer, de l'ordre des picomètres : les longueurs d'onde des rayons X répondent à cette exigence.

On étudie généralement les substances dans leur état solide :

– parce que les atomes, les ions ou les molécules qui les composent occupent des positions fixes, que l'on peut repérer à l'aide des rayons X,
– et parce que ces mêmes entités, arrangées de façon régulière, donnent des figures de diffraction symétriques.

Pour « observer » l'interaction entre les rayons X et les particules, on doit faire appel à une modification apparente d'une des propriétés initiales des rayons. Ce changement se traduit dans ce cas par leur diffraction, c'est-à-dire par un changement de leur direction à la suite de la traversée de l'échantillon. Cette diffraction provoque l'apparition, autour d'une tache centrale de rayons non déviés, de taches distribuées selon une symétrie remarquable : ces impacts sont détectés sur un écran fluorescent ou impressionnent une plaque photographique (figure **A**).

Les figures de diffraction dépendent de la position des particules dans le cristal. On peut saisir ce concept en considérant les propriétés ondulatoires des photons. Les ondes présentent des pics et des creux d'intensité, comme vous l'avez vu dans leur définition. Si deux ondes interfèrent en un point donné et si le pic de l'une correspond au creux de l'autre (on dit alors qu'elles sont en opposition de phase ou qu'elles sont totalement déphasées), elles vont se détruire (figure **B** en **a**). À l'inverse, si elles sont en phase, c'est-à-dire si le pic de l'une rencontre celui de l'autre au même instant et au même endroit, elles s'additionnent (figure **B** en **b**) et la radiation résultante produit une tache détectable sur un écran ou sur un film. Cette dernière condition est remplie lorsque les rayons X, d'une longueur d'onde définie, sont réfractés selon des angles θ spécifiques qui dépendent des distances entre les particules du solide cristallin.

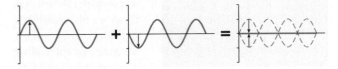

a) Interférence destructive (opposition de phase).

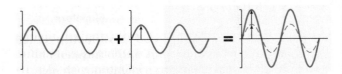

b) Interférence constructive (en phase).

Figure B Les interférences.
a) Deux ondes identiques (même longueur d'onde et même amplitude) se détruisent lorsqu'elles sont totalement déphasées.
b) Une interférence constructive a lieu quand deux ondes en phase se combinent pour produire une résultante de plus grande amplitude.

En réalité, l'expérimentation et l'exploitation des résultats sont bien plus complexes que ce que l'on vient de décrire. Néanmoins, l'automatisation et l'informatisation relativement récentes des instruments rendent l'étude des paramètres d'une structure cristalline plus rapide et plus précise qu'autrefois. Aussi, on peut dire que depuis une trentaine d'années la cristallographie a littéralement révolutionné la chimie. La plupart des modèles reproduits dans ce manuel reposent sur des renseignements recueillis à l'aide de cette technique devenue très courante.

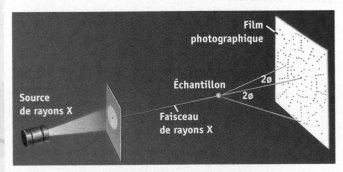

Figure A Une figure de diffraction des rayons X.
Dans une expérience typique de diffraction, un faisceau de rayons X est dirigé sur un solide cristallin. Ces rayons sont diffractés par les particules du solide, selon des angles qui correspondent à des interférences constructives. Les rayons déviés impressionnent un film photographique ou sont mis en évidence par un détecteur électronique.

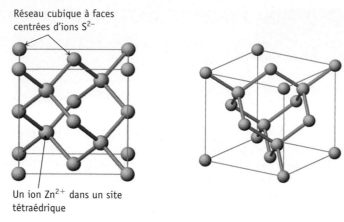

Réseau cubique à faces
centrées d'ions S^{2-}

Un ion Zn^{2+} dans un site
tétraédrique

Figure 8.30 Deux vues de la maille de la blende (ZnS). Cette maille est un exemple d'un réseau cubique à faces centrées (ions S^{2-}) dans lequel des ions de charges opposées (Zn^{2+}) occupent la moitié des huit sites tétraédriques.

◆ *Les nœuds et les sites*

Les sites (cavités) dans une maille sont plus petits que les ions qui la composent. De ce fait, on définit généralement cette dernière à partir des ions les plus gros, qui en occupent les nœuds (les sommets), et on place les plus petits dans les cavités. Par exemple, la maille cubique à faces centrées du chlorure de sodium est définie à partir des ions chlorure (rayon = 181 pm), les ions sodium plus petits (rayon = 98 pm) occupant les sites appropriés.

Dans la blende (ZnS), les ions sulfure forment un réseau cubique à faces centrées. Les ions zinc, qui occupent quatre des huit sites tétraédriques possibles, sont entourés de quatre ions sulfure. La maille contenant l'équivalent de quatre ions S^{2-} et quatre ions Zn^{2+} respecte la stœchiométrie.

EXEMPLE 8.7   La maille élémentaire et la formule empirique

La maille élémentaire de la perovskite est représentée ci-dessous.

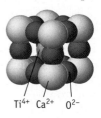

Ti^{4+} Ca^{2+} O^{2-}

Quelle est la formule de ce minéral?

SOLUTION
Huit ions calcium aux sommets du cube contribuant chacun pour $\frac{1}{8}$: un ion calcium.
Un ion titane au centre du cube.
Douze ions oxyde occupant le milieu des arêtes du cube contribuant chacun pour $\frac{1}{4}$: trois ions oxyde.
La formule de ce minéral est $CaTiO_3$.

Commentaire
Cette formule semble tout à fait plausible. Un cation Ca^{2+} et trois anions O^{2-} impliquent un ion titane de charge +4. Ce métal, qui appartient au groupe 4B (4), a la configuration électronique $[Ar]3d^24s^2$: il peut vraisemblablement donner un ion Ti^{4+} en perdant ses électrons périphériques.

EXERCICE 8.8   La maille élémentaire et la formule empirique

Dans une structure cubique à faces centrées d'anions A, tous les sites tétraédriques sont occupés par des cations M. Trouvez la formule empirique du composé.

8.7 LES AUTRES TYPES DE MATÉRIAUX SOLIDES

Nous venons de décrire les structures des métaux et des composés ioniques. Nous abordons maintenant les autres catégories de solides.

8.7.1 Les solides moléculaires

Dans certaines conditions, on peut trouver à l'état solide des composés tels que H_2O et CO_2. Dans ces cas-là, ce ne sont pas des ions ou des atomes qui s'empilent d'une manière régulière pour former des réseaux cristallins, mais des molécules, d'où le nom de **solide moléculaire.**

La façon dont se positionnent les molécules dans un réseau cristallin dépend de leur forme et des types de forces d'attraction intermoléculaire. Elles tendent à s'empiler de la manière la plus efficace possible et à s'aligner de façon à maximiser les forces d'attraction. Ainsi, on a montré auparavant (*voir la section 8.2.2, page 271*) que les liaisons hydrogène déterminaient l'orientation et la position des molécules d'eau dans la glace. Comme on l'a illustré dans la figure 8.9 (*voir la page 269*), les molécules organiques d'acides carboxyliques s'assemblent à l'état solide sous forme de dimères, deux molécules liées entre elles par liaisons hydrogène.

8.7.2 Les solides covalents

On appelle les **solides covalents** des substances solides composées d'atomes liés uniquement par des liaisons covalentes, l'ensemble formant un réseau cristallin régulier. Parmi les exemples courants, on trouve les deux allotropes du carbone, le graphite et le diamant (*voir la figure 2.9, page 65*), le silicium (*voir la figure 7.28, page 248*) et le dioxyde de silicium (SiO_2) (figure 8.31).

Le diamant (figure 8.32) est le matériau le plus dur et le meilleur conducteur de chaleur qui soit. Il laisse passer la lumière visible, aussi bien que les radiations

Figure 8.31 Les silicates. Le quartz, le sable, les feuilles de mica, le talc et le grès sont des silicates naturels. Tous sont des solides covalents. Charles D. Winters

Figure 8.32 Un mélange de diamants industriels naturels et synthétiques. De nos jours, les diamants de qualité industrielle sont synthétisés à partir du graphite porté à 1200-1500 °C, en présence d'un catalyseur métallique, à une pression pouvant varier entre 65 000 et 90 000 atm. Ils sont abondamment utilisés dans l'industrie, principalement dans la fabrication des outils coupants ou abrasifs. On est toujours à la recherche de nouvelles techniques de fabrication peu onéreuses, ainsi que de procédés visant à prolonger la durée de vie des outils de coupe au diamant. Sinclair Stammers/Science Photo Library/Photo Researchers, Inc.

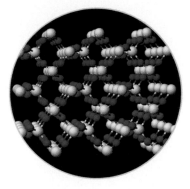

◆ Le quartz

Une vue partielle schématisée du réseau cristallin du quartz (SiO₂). Chaque atome de silicium est lié par covalence à quatre atomes d'oxygène selon une géométrie tétraédrique; chacun de ces atomes d'oxygène est lié à un autre atome de silicium. S. M. Young

infrarouges et ultraviolettes. C'est un isolant électrique, mais il peut se comporter comme un semi-conducteur qui présente quelques avantages par rapport au silicium.

Les silicates, substances formées de silicium et d'oxygène, forment une grande catégorie de composés chimiques. Ils se présentent principalement sous forme de sable, de quartz, de talc, de mica ou comme constituant majeur de roches telles que le granite (*voir la figure 8.31, page 289*).

La plupart des solides covalents sont durs, rigides et caractérisés par des points de fusion et d'ébullition élevés. Ces propriétés sont le reflet de la force des liaisons covalentes à la base du réseau: les briser nécessite beaucoup d'énergie. La comparaison des propriétés très différentes des dioxydes de carbone et de silicium, ces éléments appartenant tous deux au groupe 4A (14), illustre ce fait. Le dioxyde de carbone est gazeux dans les conditions ambiantes (bien qu'il se condense en neige carbonique à partir de -78 °C), tandis que le dioxyde de silicium est un solide qui fond à plus de 1600 °C. Cette différence s'explique par leur structure. Le dioxyde de silicium est formé d'atomes de silicium situés au centre d'un tétraèdre et liés de façon covalente à des atomes d'oxygène, l'ensemble se répétant et formant un réseau gigantesque à trois dimensions. La rupture des liens covalents entre les atomes de silicium et d'oxygène nécessaire à l'effondrement de la structure solide n'a lieu qu'à haute température. Par contre, seules des forces de dispersion de London relativement faibles maintiennent ensemble les molécules de CO_2 à l'état solide: elles se dispersent pour se trouver à l'état liquide à une température relativement basse.

8.7.3 Les solides amorphes ou vitreux

Un point de fusion spécifique est une des propriétés caractéristiques des solides cristallins purs. Par exemple, la glace fond à 0 °C, l'aspirine, à 135 °C, le plomb, à 327,5 °C et le chlorure de sodium, à 801 °C. La plupart de ces solides forment des cristaux bien définis, aux faces plates et lisses. Un coup sec les clive en deux morceaux présentant le même aspect que l'échantillon initial (figure 8.33 **a**).

Toutefois, beaucoup de solides usuels ne possèdent pas ces propriétés. Le verre en est un exemple typique. À chaud, il se transforme en une pâte plus ou moins

a)

b)

c)

Figure 8.33 Les solides cristallins et amorphes. a) On peut découper « proprement » un cristal de sel. Les morceaux obtenus sont des répliques en plus petit de l'échantillon initial. **b)** Le verre est un solide amorphe composé de tétraèdres silicium-oxygène liés ensemble. Il ne possède toutefois pas la structure régulière gigantesque que l'on trouve, par exemple, dans le quartz. **c)** On peut mouler ou donner toutes sortes de formes au verre en le travaillant à chaud. La présence d'oxydes métalliques colorés lui confère des couleurs merveilleuses. Charles D. Winters

molle selon la température. Cette propriété est mise à profit par les artisans verriers, qui créent des objets utiles ou des objets d'art. Le verre a aussi une propriété qui le rend cependant un peu moins sympathique : il se brise en éclats de différentes tailles et formes sous l'effet d'un choc (figure 8.33 **b**). Il existe d'autres matériaux dont le point de fusion et le bris se comportent comme ceux du verre : il s'agit des polymères synthétiques comme le nylon, les polyéthylènes et autres matériaux plastiques courants.

Les propriétés de ces **solides amorphes** ou **vitreux** sont liées à leur structure, qui n'est pas régulière comme dans les solides cristallins. Ces substances ressemblent de bien des façons à des liquides, à une différence près toutefois : les attractions, suffisamment fortes, restreignent le mouvement des entités.

8.8 QUELQUES PROPRIÉTÉS PHYSIQUES DES SOLIDES CRISTALLINS

La forme externe d'un solide cristallin reflète sa structure interne, mais qu'en est-il de son point de fusion, de sa dureté ou de sa solubilité dans l'eau par exemple, propriétés parmi d'autres qui interpellent les chimistes, les géologues ou les ingénieurs ?

Le point de fusion d'un solide est la température à laquelle le réseau cristallin s'effondre, à laquelle il passe à l'état liquide. Comme dans le passage du liquide à la vapeur, la fusion requiert de l'énergie, que l'on nomme l'**enthalpie de fusion** (ΔH_{fus}), généralement exprimée en kJ/mol.

$$\text{Solide} \longrightarrow \text{liquide} \qquad \Delta H_{fus} > 0 \text{ (processus endothermique)}$$

Les enthalpies de fusion varient de quelques kilojoules à plus d'une trentaine (*voir le tableau 8.8, page 292*).

Les valeurs des points de fusion et des enthalpies de fusion suivent généralement les mêmes tendances.

$$\text{Point de fusion bas} \leftrightarrow \text{enthalpie de fusion faible}$$

$$\text{Point de fusion élevé} \leftrightarrow \text{enthalpie de fusion élevée}$$

Le tungstène, dont le point de fusion est le deuxième plus élevé de tous les éléments (le carbone, un non-métal, vient en tête), possède aussi l'enthalpie de fusion la plus élevée des métaux de transition. Ces propriétés expliquent son choix pour les filaments des ampoules à incandescence : on n'a pas trouvé mieux depuis leur invention en 1908.

On peut tirer beaucoup de renseignements sur les substances à partir de leur point de fusion. En général, un point de fusion bas fait croire que l'on est en présence d'un solide moléculaire non polaire. Les points de fusion augmentent dans une série de molécules liées à leur masse molaire et à leur taille, à cause de l'accroissement des forces de dispersion.

A priori, un point de fusion élevé indique un composé ionique. Ce phénomène est dû à la présence de très grandes forces électrostatiques entre ions de charges opposées, forces qui se reflètent dans la grandeur des énergies réticulaires (*voir la section 6.3.2, page 174*). Comme ces forces dépendent de la taille et de la charge des ions, il existe une bonne corrélation entre les énergies réticulaires et la position

TABLEAU 8.8 Le point de fusion (t_{fus}) et l'enthalpie de fusion (ΔH_{fus}) de quelques éléments et composés

Composés	t_{fus} (°C)	ΔH_{fus} (kJ/mol)	Types de forces d'attraction
Métaux			
Hg	-39	2,29	Liaison métallique (*voir la section 7.4, page 246*)
Na	98	2,60	
Al	660	10,70	
Ti	1668	20,9	
W	3422	35,2	
Les solides moléculaires : molécules non polaires			
O_2	-218	0,440	Forces de dispersion de London
F_2	-220	0,510	
Cl_2	-102	6,41	
Br_2	-7,2	10,8	
Les solides moléculaires : molécules polaires			
HCl	-114	1,99	Forces de dispersion de London
HBr	-87	2,41	Dipôle permanent-dipôle permanent
HI	-51	2,87	Liaison hydrogène parfois
H_2O	0	6,02	
Solides ioniques			
NaF	996	33,4	Liaison ionique
NaCl	801	28,2	Valeurs suivant la tendance des énergies
NaBr	747	26,1	réticulaires (*voir le tableau 6.3, page 175*).
NaI	660	23,6	

des éléments dans le tableau périodique. Ainsi, par exemple, la taille de l'ion augmente de F^- à I^- et l'énergie réticulaire diminue (en valeur absolue) de NaF à NaI (tableau 6.3 : -926, -786, -752, -702 kJ/mol de NaF à NaI) (*voir la page 175*). On remarque dans le tableau 8.8 que le point de fusion et l'enthalpie de fusion de ces mêmes composés ioniques diminuent dans le même ordre.

Dans certaines conditions, les molécules peuvent passer directement de l'état solide à l'état gazeux sans passer par l'état liquide (figure 8.34).

$$\text{Solide} \longrightarrow \text{gaz} \qquad \Delta H_{sub} > 0 \text{ (processus endothermique)}$$

Ce changement d'état, la **sublimation,** requiert de l'énergie : l'**enthalpie de sublimation** (ΔH_{sub}) est positive. L'eau, $\Delta H_{sub} = 51$ kJ/mol, passe facilement de la glace à la vapeur d'eau : on peut le remarquer par un beau matin frais d'hiver lorsque le givre disparaît sous l'action des premiers rayons de soleil.

◀ **La sublimation.** En hiver, le givre se dépose durant la nuit sur les arbres et le gazon. Au lever du soleil, une partie du givre peut fondre, mais la majeure partie se sublime, l'eau solide passant directement à l'état de vapeur.
Charles D. Winters

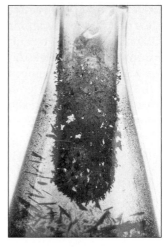

L'iode se sublime
sous l'effet
de la chaleur.

Figure 8.34 La sublimation. L'iode chauffé se sublime sous l'effet de la chaleur et redevient solide au contact des parois froides de l'éprouvette remplie de glace. Charles D. Winters

8.9 LE DIAGRAMME DE PHASES

Selon les conditions de température et de pression, une substance peut exister à l'état gazeux, liquide ou solide. En outre, dans des conditions encore plus spécifiques, deux (et à la limite trois) états peuvent coexister en équilibre. Toutes ces informations sont réunies dans un **diagramme de phases** qui consiste en un graphique de la pression en fonction de la température et qui montre les zones de stabilité et d'existence de chacun des états physiques.

Le diagramme de phases de l'eau est représenté dans la figure 8.35.

◆ *Les phases*

Une phase est une partie homogène d'un système séparée des autres par une délimitation physique. Par exemple, un becher rempli d'eau et de glaçons à l'air libre comprend trois phases : la phase solide (la glace), la phase liquide (l'eau liquide) et la phase gazeuse (l'air humide). Une phase comprend toutes les parties d'un système qui ont les mêmes propriétés et la même composition. Ainsi, les différents glaçons de l'exemple précédent séparés les uns des autres ne constituent qu'une seule phase, la glace.

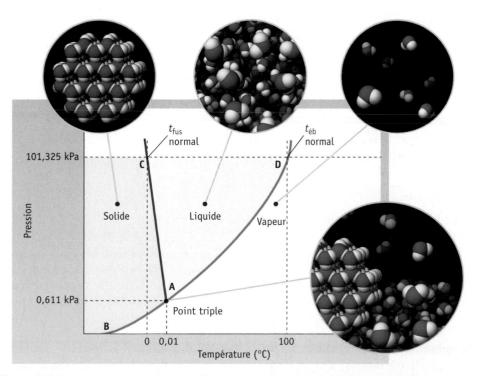

Figure 8.35 Le diagramme de phases de l'eau. Le graphique n'est pas à l'échelle, de façon à montrer le point triple et la pente négative de la courbe d'équilibre solide-liquide.

Dans la section 8.4.2 (*voir la page 276*) traitant de la pression de vapeur, on a eu l'occasion d'expliquer la signification de la courbe d'équilibre liquide-vapeur et du point d'ébullition. Les deux autres courbes du diagramme ont exactement la même signification, sauf qu'elles s'appliquent aux deux autres équilibres, solide-gaz (courbe **AB**) et solide-liquide (courbe **AC**). Ainsi, la courbe brune représente les conditions de température et de pression pour que la glace puisse exister en équilibre avec son liquide. Par exemple, à la pression atmosphérique de 101,325 kPa, l'eau liquide et la glace ne coexistent qu'à la température de 0 °C, le point de fusion normal de la glace (point **C**) ; à des températures inférieures à 0 °C, seule la glace solide peut exister et, à l'inverse, seule l'eau liquide peut exister à des températures supérieures à 0 °C et inférieures au point d'ébullition normal (point **D**).

Le point **A**, le **point triple**, représente une combinaison unique de température et de pression où les trois phases, solide, liquide et gazeuse, coexistent en équilibre : $P = 0,611$ kPa et $t = 0,01$ °C. Dans chacune des régions définies par les courbes d'équilibre et en dehors de ces courbes, l'eau ne peut exister que dans un seul état physique.

On peut démontrer l'utilité d'un diagramme de phases en considérant le comportement de l'eau chauffée à pression constante, par exemple 101,325 kPa. Imaginez l'expérience suivante : un bloc de glace, à une température initiale de -50 °C, est enfermé dans un cylindre de manière à ce qu'il en occupe tout le volume, le cylindre étant fermé par un piston mobile. Étant donné que la pression est maintenue constante, le point représentatif de la température se déplace sur une droite parallèle à l'axe des abscisses. L'évolution de la température en fonction de la chaleur fournie à un rythme constant est suivie à l'aide d'une courbe de réchauffement (figure 8.36).

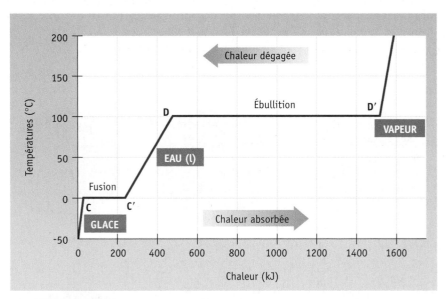

Figure 8.36 **Une courbe de réchauffement de l'eau.**

Au début, la température de la glace augmente régulièrement. Lorsqu'on atteint 0 °C [point **C** des deux figures 8.35 (*voir la page 293*) et 8.36], la température demeure constante et la chaleur fournie ne sert qu'à faire fondre la glace. À cette température de fusion, l'eau et la glace coexistent en équilibre. Quand toute la glace a été transformée en liquide (point **C′** de la figure 8.36), celui-ci absorbe toute la chaleur et sa température monte jusqu'à 100 °C (point **D** des deux figures). Elle se stabilise à cette valeur, le point d'ébullition, tant qu'il reste du liquide à transformer en vapeur : à cette température, le liquide et la vapeur coexistent en équilibre. Tout apport supplémentaire de chaleur ne sert ensuite qu'à élever la température de la vapeur d'eau (à partir du point **D′** de la figure 8.36).

Supposez maintenant que l'on reprenne la même expérience, mais en maintenant cette fois une pression inférieure à celle du point triple. La température de la glace augmente graduellement pour atteindre finalement la température d'équilibre solide-gaz : la phase gazeuse apparaît alors. La température demeure constante tant qu'il reste de la glace en équilibre avec sa phase gazeuse (durant cette sublimation, on élève le piston de manière à maintenir la pression constante). Quand toute la glace a disparu, la chaleur fournie réchauffe la vapeur d'eau et la température reprend son ascension.

La courbe **AC** représente les conditions d'équilibre entre la glace solide et l'eau liquide. La pression dont il est question dans ce cas est la pression externe exercée sur le système, puisque la phase gazeuse n'existe pas dans ces conditions. La pente de la courbe est négative, fait assez exceptionnel que l'on ne rencontre que chez une dizaine de substances, au plus. Lorsque la pression augmente, le point de fusion diminue : toutefois, la variation est très faible, de l'ordre de 0,01 °C par 100 kPa. La structure de la glace et de l'eau liquide explique ce phénomène. Lorsque la pression augmente, on s'attend au nom du simple bon sens à ce que le volume du système diminue, à ce qu'il évolue donc vers la phase la plus dense. Comme la glace est moins dense que l'eau liquide à cause de sa structure plus lâche, sous l'augmentation de pression, la glace se transforme en liquide de manière à ce que l'ensemble occupe un volume moins grand, jusqu'à ce qu'un nouvel équilibre soit atteint. À une température donnée, au-dessus de la courbe d'équilibre, c'est-à-dire aux pressions plus élevées, se situe donc le domaine d'existence de la phase liquide : cela se traduit graphiquement par une pente négative.

Le diagramme de phases du dioxyde de carbone (figure 8.37) présente les mêmes caractéristiques que celui de l'eau, sauf que la pente de la courbe d'équilibre solide-liquide est positive (le solide, comme pour la plupart des substances, est plus dense que le liquide). Notez que le dioxyde de carbone se sublime à la température ambiante, nettement supérieure à la température de son point triple, dont la pression dépasse largement la pression atmosphérique. C'est pour cela qu'on appelle couramment le CO_2 solide, glace sèche : il a l'aspect de la glace, mais ne fond pas.

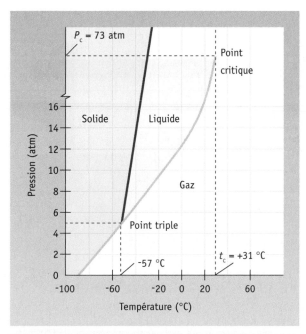

Figure 8.37 Le diagramme de phases du dioxyde de carbone (CO_2). Notez en particulier la pente positive de la courbe d'équilibre solide-liquide et les coordonnées du point triple.

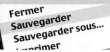

(**SAUVE***garder*)

LES FORCES INTERMOLÉCULAIRES

Types d'interactions	Facteurs responsables de l'interaction	Exemples
Dipôle permanent-dipôle permanent (Keesom)	Moment dipolaire (dépend des électronégativités des atomes et de la structure des molécules).	
Liaison hydrogène	Liaison très polaire X—H (X = F, O, N) et un atome Y électronégatif possédant un doublet libre. Forme extrême d'une interaction dipôle-dipôle	
Dipôle permanent-dipôle induit (Debye)	Moment dipolaire permanent d'une molécule et polarisabilité d'une autre molécule	
Dipôle instantané-dipôle induit (forces de dispersion de London)	Polarisabilité des molécules non polaires et des molécules polaires (dépend de leur taille, du nombre d'électrons).	

L'ÉTAT LIQUIDE

La pression de vapeur

La pression exercée, à une température donnée, par la vapeur d'une substance en équilibre avec l'une des phases condensées de cette substance (avec les deux phases condensées au point triple).

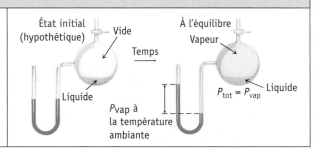

L'ÉTAT LIQUIDE (*SUITE*)

Le point d'ébullition normal

La température à laquelle la pression de vapeur d'un liquide est égale à 101,325 kPa.

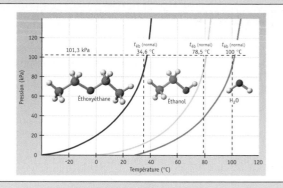

Le point critique de l'eau

Le point limite de la courbe d'équilibre liquide-gaz (P_c, T_c) au-delà duquel les phases liquide et gazeuse d'une substance se confondent en un fluide supercritique.

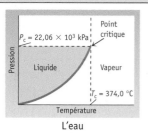

L'eau

L'enthalpie de vaporisation (ΔH_{vap})

La variation d'énergie qui accompagne, à pression constante, le passage d'une substance de l'état liquide à l'état gazeux, à une température donnée.

Exemple

H_2O (l) $\longrightarrow$ H_2O (g)

$\Delta H_{vap} = 40,7$ kJ/mol à $t = 100$ °C et $P = 101,325$ kPa.

Forces intermoléculaires élevées: pression de vapeur faible (substance peu volatile), point d'ébullition élevé, enthalpie de vaporisation élevée, point critique éloigné.

La tension superficielle

La force avec laquelle la surface d'un liquide qui se trouve d'un côté d'une ligne de longueur unitaire attire la surface qui se trouve de l'autre côté.

La tension superficielle est responsable de la forme sphérique des gouttes d'eau.

La capillarité

La manifestation de la tension superficielle et des forces d'adhésion, qui permet à un liquide de monter malgré la gravité ou parfois de descendre dans un tube de faible diamètre.

Les molécules polaires de l'eau, attirées par les liaisons polaires O—H présentes dans les fibres de papier, migrent verticalement dans le papier.

La viscosité

La résistance d'un liquide à l'écoulement

Influencée par la grandeur des forces intermoléculaires et par l'enchevêtrement des longues chaînes de molécules.

8

LES PROPRIÉTÉS DES SOLIDES

TABLEAU 8.7 Les structures des différents types de solides

	Types	Composants	Exemples	Forces mises en jeu	Propriétés caractéristiques
Cristallin	Métallique	Atomes de métal (ions métalliques positifs et électrons délocalisés)	Fer, argent, cuivre, les alliages métalliques	Liaison métallique; attraction électrostatique entre les cations métalliques et les électrons	Malléables, ductiles, bons conducteurs électriques [(s) et (l)], bons conducteurs de la chaleur, vaste gamme de dureté et de points de fusion
	Ionique	Cations et anions, pas de molécules individuelles	$NaCl$, K_2SO_4, $CaCl_2$, $(NH_4)_3PO_4$	Liaison ionique; attraction électrostatique entre les cations et les anions	Durs, cassants, points de fusion élevés, mauvais conducteurs électriques (s), bons conducteurs électriques (l), souvent solubles dans l'eau
	Moléculaire	Molécules	H_2 (s), O_2 (s), I_2, glace, neige carbonique CO_2 (s), CH_4 (s), CH_3OH (s), CH_3CH_2OH (s), la plupart des composés organiques solides	Forces de Van der Waals, liaisons hydrogène parfois	Points de fusion et d'ébullition de bas à modérés, mauvais conducteurs électriques [(s) et (l)]
	Covalent	Atomes liés par covalence dans un réseau bidimensionnel ou tridimensionnel	Graphite, diamant, quartz, feldspath, mica	Liaisons covalentes; liaisons directionnelles par doublet d'électrons	Vaste gamme de dureté et de points de fusion (3D > 2D), mauvais conducteurs électriques à quelques exceptions près
Amorphe		Réseau covalent sans répétition régulière de motifs	Verre, polyéthylène, nylon	Liaisons covalentes; liaisons directionnelles par doublets d'électrons	Vaste gamme de points de fusion, mauvais conducteurs électriques à quelques exceptions près

LE SYSTÈME CUBIQUE

La maille cubique simple	
La maille cubique centrée	Le chlorure de césium
La maille cubique à faces centrées	Cl⁻ Na⁺ Le chlorure de sodium

LE DIAGRAMME DE PHASES

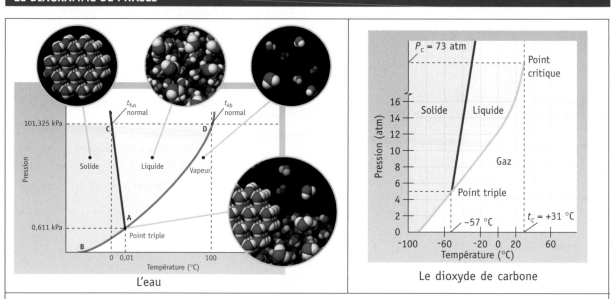

L'eau

Le dioxyde de carbone

Chacune des courbes représente les conditions d'équilibre (P_{vap} et t) entre deux phases d'une substance.
Au point triple, les trois phases coexistent.
En dehors des courbes, la substance ne peut exister que dans un seul état physique.

8

Revue des concepts importants

1. Nommez les types de forces intermoléculaires pouvant exister entre deux molécules.

2. Quelle est la nature des forces intermoléculaires existant entre une molécule d'eau et une molécule de CO_2? Comment ces interactions se forment-elles?

3. Nommez les atomes auxquels peut se lier un atome d'hydrogène dans une liaison hydrogène. Dites pourquoi ce sont spécifiquement ces atomes.

4. La masse volumique de l'eau diminue lorsque la température passe de 4 °C (liquide) à 0 °C (glace). Expliquez ce fait à l'aide des liaisons hydrogène.

5. Expliquez pourquoi la transpiration résultant d'un exercice intense permet de rafraîchir le corps.

6. Pourquoi une huile constituée d'une longue chaîne hydrocarbonée est-elle plus visqueuse que le benzène (C_6H_6)?

7. Décrivez les trois types de mailles élémentaires cubiques.

8. Quel type de solide possède généralement des points de fusion très élevés?

Exercices

Les forces intermoléculaires
(*Voir les exemples 8.1 et 8.3 à 8.5*)

9. Quelles forces intermoléculaires doit-on vaincre pour:
   a) fondre de la glace?
   b) fondre de l'iode solide?
   c) vaporiser de l'ammoniac liquide?

10. Quelles forces intermoléculaires doit-on vaincre pour séparer les molécules d'iode (s) lors de leur dissolution dans le méthanol (CH_3OH)? Quelles forces intermoléculaires doit-on vaincre pour séparer les molécules de méthanol lors de la dissolution de l'iode? Quelles forces intermoléculaires existe-t-il entre ces deux composés en solution homogène?

11. Quels types de forces intermoléculaires doit-on vaincre pour vaporiser les liquides suivants?
    a) O_2 liquide.
    b) Mercure.
    c) $CHCl_3$
    d) CH_3CH_2OH
    e) CCl_4

12. Classez les espèces suivantes par ordre croissant d'importance de leurs forces intermoléculaires.
    a) Ne
    b) CH_4
    c) CO
    d) CCl_4

13. Classez les espèces suivantes par ordre croissant d'importance de leurs forces intermoléculaires. Lesquelles sont des gaz à 25 °C et à une pression de 101,3 kPa?

   a) $CH_3CH_2CH_2CH_3$ (butane).
   b) CH_3OH (méthanol).
   c) He
   d) CH_4

14. Les espèces suivantes peuvent-elles former, à l'état liquide, des liaisons hydrogène?
    a) CH_3OCH_3
    b) CH_4
    c) HF
    d) CH_3COOH (acide acétique).
    e) Br_2
    f) CH_3OH (méthanol).
    g) H_2Se
    h) HI

Les liquides
(*Voir les exemples 8.2 et 8.6*)

15. Calculez la quantité d'énergie requise pour vaporiser 0,500 mL de mercure à 357 °C, son point d'ébullition normal, sachant qu'à cette température ρ (Hg) = 13,53 g/mL et ΔH_{vap} (Hg) = 59,11 kJ/mol.

16. Répondez à la question suivante à l'aide de la figure 8.17.
    a) Évaluez approximativement la pression de vapeur de l'éthoxyéthane à 20 °C.
    b) Placez les trois composés par ordre croissant d'importance de leurs forces intermoléculaires.
    c) Dans quelle phase sont chacun des trois composés lorsque la pression dans un flacon est de 55 kPa, à la température de 40 °C?

17. Répondez aux questions suivantes à l'aide de la figure 8.17.
    a) À la température de la pièce, vous versez un peu d'eau à une température de 60 °C dans un contenant en plastique que vous scellez bien, afin qu'il n'y ait aucun gaz qui puisse y entrer ou en sortir. Que se passe-t-il lorsque l'eau se refroidit?
    b) Est-ce que quelques gouttes d'éthoxyéthane (éther diéthylique) déposées sur votre main s'évaporent complètement ou restent liquides?

18. Dans chacune des paires de composés suivantes, identifiez celui qui possède le point d'ébullition le plus élevé.
    a) NH_3 ou AsH_3.
    b) SO_2 ou CO_2.
    c) HF ou HI.
    d) NOF ou NOCl.

19. Classez théoriquement les composés suivants par ordre croissant de leur point d'ébullition: SCl_2, NH_3, CH_4 et CO.

20. Complétez les phrases suivantes.
    a) Si les forces intermoléculaires dans un liquide A sont plus élevées que dans un liquide B, le point d'ébullition normal de A est _____ élevé que celui de B.
    b) Si les forces intermoléculaires dans un liquide A sont plus élevées que dans un liquide B, la pression

de vapeur de A est _____ élevée que
celle de B.

c) Si l'interface liquide-vapeur diminue, la pression de
vapeur _____.

d) Si la température d'un liquide augmente, sa pression de vapeur _____.

21. À la température de la pièce, on ne peut liquéfier le
méthane (CH_4) quelle que soit la pression exercée.
Est-ce qu'on peut liquéfier le propane (C_3H_8), un
autre alcane, à la même température (P_c = 4256 atm
et t_c = 96,7 °C)?

Les solides métalliques et ioniques

(*Voir l'exemple 8.7*)

22. Délimitez une maille élémentaire possible, bidimen-
sionnelle, pour le modèle ci-dessous. Déterminez la
formule empirique A_xB_y sachant que les carrés noirs
représentent A et les carrés blancs, B.

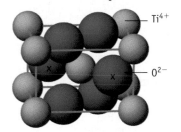

23. Déterminez le nombre d'unités formulaires de TiO_2
dans la maille élémentaire illustrée ci-dessous. (Les
ions oxyde marqués d'un « x » sont situés à l'intérieur
de la maille, les autres en occupent les faces.)

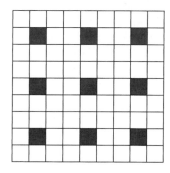

24. La maille élémentaire de la fluorite, composée d'ions
calcium et d'ions fluorure, est représentée ci-dessous.

a) Quel est le type de maille élémentaire formée par
les ions Ca^{2+}?

b) Quels sites, tétraédriques ou octaédriques, les ions
F^- occupent-ils?

c) Quelle est la formule de ce minéral?

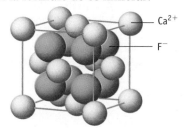

Les autres types de solides

25. La maille élémentaire du diamant est illustrée ci-
dessous.

a) Combien y a-t-il d'atomes de carbone dans cette
maille?

b) Des atomes de carbone constituent une maille
cubique dans laquelle s'insèrent d'autres atomes C.
Le système de base est-il cubique simple, cubique
centré ou cubique à faces centrées. Quels sites,
tétraédrique ou octaédrique, les atomes de carbone
situés à l'intérieur occupent-ils?

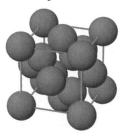

26. La structure du graphite est représentée à la figure 2.9 **a.**

a) Quelle force intermoléculaire existe-t-il entre les
couches d'atomes de carbone?

b) Pourquoi le graphite possède-t-il des propriétés
lubrifiantes (pourquoi facilite-t-il le glissement)?
Pourquoi les crayons à mine laissent-ils une marque
noire sur le papier?

Le diagramme de phases

27. Utilisez le diagramme de phases du dioxyde de carbone
(CO_2) de la figure 8.37 pour répondre aux questions
suivantes.

a) La masse volumique de CO_2 (l) est-elle plus grande
que celle de CO_2 (s)?

b) Sous quelle phase se trouve CO_2 lorsque la pression
est de 5 atm et la température, de 0 °C?

c) Quelle est la température critique de CO_2?

28. Soit le diagramme de phases du xénon ci-dessous.

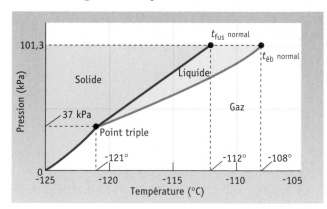

a) Sous quelle phase se trouve-t-il à la température de
la pièce et à une pression de 101 kPa?

b) Quelle est la phase du xénon à une température de
-114 °C et à une pression de 76 kPa?

c) Quelle est la température du xénon liquide lorsque sa pression de vapeur est de 51 kPa?

d) Quelle est la pression de vapeur du solide à -122 °C?

e) Laquelle des phases solide et liquide est la plus dense? Justifiez brièvement votre réponse.

Questions de révision

Ces questions peuvent combiner plusieurs des concepts vus précédemment. Les numéros de couleur correspondent à des questions demandant plus de réflexion.

29. Identifiez la plus importante force intermoléculaire qui existe entre les molécules de la phase liquide des composés suivants.

a) C_2H_6

b) $(CH_3)_2CHOH$

30. a) Tracez le diagramme de phases de l'oxygène, sachant que ses points d'ébullition et de fusion normaux sont respectivement de 90,18 K et de 54,8 K, et que son point triple est à une température de 54,34 K et à une pression de 0,27 kPa. Identifiez les phases de l'oxygène dans les différentes zones du diagramme.

b) La masse volumique de l'oxygène liquide est-elle plus élevée que celle de l'oxygène solide?

c) Estimez la pression de vapeur de l'oxygène liquide à -196 °C.

31. Quelles conclusions tireriez-vous au sujet de la polarité des molécules de l'huile végétale et de leur capacité à former des liaisons hydrogène, sachant qu'elle n'est pas miscible avec l'eau?

32. Expliquez pourquoi l'acétone (CH_3COCH_3), un solvant souvent utilisé pour assécher la verrerie rincée à l'eau, absorbe l'eau si rapidement. Montrez comment ces deux molécules interagissent ensemble, à l'aide de leur structure moléculaire.

33. Des deux espèces, l'éthylène glycol ($HOCH_2CH_2OH$) et l'éthanol (CH_3CH_2OH), laquelle est la plus visqueuse?

34. Dans chacune des paires de composés suivantes, identifiez celui qui devrait avoir le point d'ébullition le plus élevé.

a) Br_2 ou ICl.

b) Ne ou Kr.

c) CH_3CH_2OH (éthanol) ou C_2H_4O (oxyde d'éthylène, représenté ci-dessous).

$$H_2C\!-\!CH_2$$
$$\diagdown \;\; \diagup$$
$$O$$

35. Le ménisque du méthanol (CH_3OH) liquide, placé dans un tube de verre, est-il concave ou convexe?

36. Consultez les courbes de pression de vapeur pour répondre aux questions suivantes.

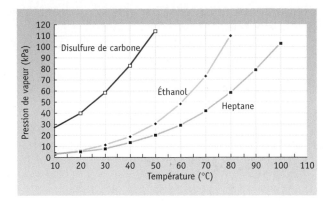

a) Quelle est la pression de vapeur de l'éthanol (C_2H_5OH) à 60 °C?

b) Des deux composés à l'état liquide, le disulfure de carbone (CS_2) et l'éthanol, lequel possède les forces intermoléculaires les plus fortes?

c) Quelle est la température à laquelle l'heptane (C_7H_{16}) a une pression de vapeur de 65 kPa?

d) Quels sont approximativement les points d'ébullition normaux de ces trois substances?

e) Sous quelle phase retrouve-t-on chacun de ces composés lorsque la pression est de 55 kPa et la température, de 70 °C?

37. Expliquez les affirmations suivantes.

a) Même si l'éthanol (C_2H_5OH, $t_{éb} = 80$ °C) a une masse molaire plus grande que celle de l'eau ($t_{éb} = 100$ °C), l'éthanol a un point d'ébullition plus bas.

b) Le mélange de 50 mL d'éthanol avec 50 mL d'eau donne un volume total légèrement plus petit que 100 mL.

38. Classez les molécules suivantes par ordre croissant d'importance de leurs forces intermoléculaires: CH_3Cl, $HCOOH$ (acide formique) et CO_2.

39. Calculez la quantité d'énergie impliquée lors de la solidification de 15,5 g de benzène (C_6H_6, voir la figure 8.2) à 5,5 °C, sa température de fusion, sachant que $\Delta H_{fus} = 9,95$ kJ/mol. Toujours à 5,5 °C, calculez la quantité d'énergie requise pour rendre ce même échantillon à nouveau liquide.

40. Le tungstène cristallise selon la maille élémentaire représentée ci-dessous.

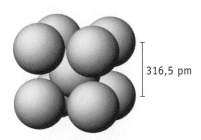

316,5 pm

a) Quelle structure cubique cette maille représente-t-elle?

b) Combien d'atomes de tungstène trouve-t-on dans une maille élémentaire?

c) Calculez le rayon atomique du tungstène sachant que les arêtes de cette maille ont une longueur de 316,5 pm. (Notez que les atomes W se touchent le long de la diagonale passant par le centre.)

41. Expliquez pourquoi le propanol ($CH_3CH_2CH_2OH$) a une température d'ébullition de 97,2 °C, alors que le méthoxyéthane ($CH_3CH_2OCH_3$), de même formule empirique, bout à 7,4 °C.

42. Classez les composés suivants par ordre croissant de leur enthalpie molaire de vaporisation: CH_3OH, C_2H_6, HCl.

43. Le graphique ci-dessous représente la courbe de pression de vapeur du dichlorodifluorométhane (CCl_2F_2). Son enthalpie de vaporisation est de 165 kJ/g et sa capacité thermique massique, de 1,0 J/(g·K).

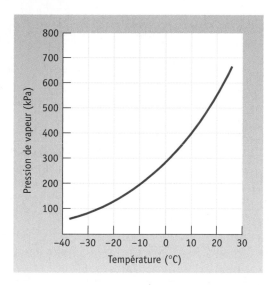

a) Quel est le point d'ébullition normal du CCl_2F_2?

b) Déterminez approximativement la pression régnant dans une bonbonne d'acier contenant 25 kg de CCl_2F_2 à 25 °C.

c) En ouvrant la valve de la bonbonne, on remarque qu'un jet de vapeur de CCl_2F_2 s'échappe rapidement, mais ralentit peu de temps après l'ouverture, et que les parois externes sont recouvertes de givre. Lorsqu'on ferme la valve, il reste encore 20 kg de CCl_2F_2 dans la bonbonne. Pourquoi le jet de vapeur s'échappe-t-il rapidement au début? Pourquoi s'échappe-t-il plus lentement bien avant que la bonbonne ne soit vide? Pourquoi les parois de la bonbonne sont-elles recouvertes de givre?

d) Laquelle des procédures suivantes permettrait de vider la bonbonne de façon efficace et sécuritaire?

   i) Virer la bonbonne à l'envers et ouvrir la valve.

   ii) Refroidir la bonbonne à -78 °C dans de la glace sèche et ouvrir la valve.

   iii) Frapper à deux mains, à l'aide d'un marteau, la tête de la bonbonne, la valve et tout ce qui empêche le gaz de s'échapper.

44. La maille élémentaire de l'iridium, un métal très dense, est de type cubique à faces centrées. Calculez le rayon atomique de l'iridium, sachant qu'il a une masse volumique égale à 22,56 g/cm³.

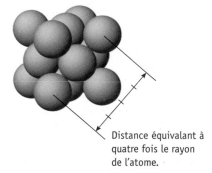

Distance équivalant à quatre fois le rayon de l'atome.

45. L'arête du système cubique centré du fer, qui a une masse volumique de 7,874 g/cm³, a une longueur de 286,65 pm. À l'aide de ces données, calculez le nombre d'Avogadro.

CHAPITRE 9

Les **gaz** et leurs **propriétés**

L'invention des ballons s'est avérée... d'une grande importance.

Benjamin Franklin, vers 1784.

S'envoler et partir !

Le premier vol d'un être humain dans un ballon à air chaud eut lieu le 21 novembre 1783, à Paris (France). Le ballon, piloté par Pilâtre de Rozier et le marquis d'Arlandes, a été construit par les frères Joseph et Étienne Montgolfier. En juin de la même année, ils avaient expérimenté un prototype sans passager : la machine était constituée d'une toile de coton cousue sur des feuilles de papier, découpée en fuseaux assemblés par des boutonnières. Le ballon d'environ 10 m de diamètre, maintenu à la verticale par des mâts, chauffé à sa base par un feu de paille humide et de laine cardée, s'élève « à une hauteur considérable » lors d'une ascension d'une dizaine de minutes. Le premier essai public d'un vol « habité » par un canard, un coq et un mouton eut lieu le 19 septembre 1783 : le vol d'une durée de trois minutes fut un succès. Le premier vol d'un homme survenu deux mois après fut le point culminant de leurs expériences.

Sous l'effet de la chaleur (fournie maintenant par un brûleur au propane), l'air présent dans l'enveloppe prend de l'expansion. Comme le volume est pratiquement constant, une certaine quantité est forcée de s'évacuer. Sa masse volumique devient inférieure à celle de l'air extérieur : la montgolfière, sous l'effet de la pous-

▲ **Les montgolfières modernes** s'élèvent dans le ciel parce que la masse volumique de l'air chaud est inférieure à celle de l'atmosphère. La flotille de l'International de montgolfières de Saint-Jean-sur-Richelieu. Stéphanie Lachance

sée d'Archimède, peut alors s'élever dans le ciel.

Comment l'idée des ballons à air chaud est-elle venue aux frères Montgolfier ? Certains racontent qu'en réchauffant sa chemise au-dessus du foyer de la cheminée, en la tenant par le col, Joseph a constaté qu'elle se gonflait ; déjà au courant du pouvoir ascensionnel de l'air chaud, il eut alors l'idée de construire un premier ballon avec l'aide de son frère. D'autres pensent qu'après avoir lu le récit des expériences menées en Écosse par Joseph Black (1728-1799) l'idée émergea. Il est vrai que le XVIIIe siècle fut fertile en découvertes, et l'on s'accorde pour admettre que les expériences sur les gaz effectuées par des hommes comme Black, Henry Cavendish (1731-1810), Joseph Priestley (1733-1804) et Antoine de Lavoisier (1743-1794) ont donné naissance à la chimie moderne. Parmi les chimistes ayant aussi étudié le comportement des gaz, on peut citer Jacques Charles (1746-1823). Le 27 août 1783, exploitant ses récentes connaissances sur l'hydrogène, il gonfle un ballon avec ce gaz. Comme l'hydrogène risque de s'échapper facilement d'un revêtement de papier et de tissu, Charles conçoit une enveloppe de taffetas enduite d'une gomme élastique. Le gonflage du ballon prend plusieurs jours et nécessite environ 250 kg d'acide sulfurique (à l'époque, appelé vitriolique) et 500 kg de fer. Le ballon demeure dans les airs pendant près de 45 minutes et s'écrase à quelque 15 km de son point de départ. Terrifiés par cet engin qui tombe du ciel dans leur village, des habitants le détruisent à coups de pierres, de fourches et de fléaux. Le 1er décembre 1783, une semaine et demie après le vol historique de Pilâtre de Rozier, Jacques Charles et un des frères Robert embarquent dans un nouveau ballon gonflé à l'hydrogène et atterrissent dans la campagne française à quelque 40 km de leur point de départ, le Jardin des Tuileries (Paris). Ils ont atteint une altitude, incroyable à l'époque, d'environ 3 km.

Une montgolfière typique moderne a une vingtaine de mètres de haut et un volume d'environ 2250 m^3. Son brûleur est alimenté au propane et son autonomie de vol est d'environ deux heures.

Les ballons permettant des vols de longue distance sont habituellement remplis d'un gaz plus léger que l'air, l'hydrogène ou l'hélium. La première tentative de vol sur une longue distance a été menée en janvier 1785 par Pilâtre de Rozier, le premier aéronaute des frères Montgolfier. Il essaie d'effectuer la traversée de la Manche dans un ballon hybride qui, en plus de l'air chaud, contient une petite poche remplie d'hydrogène. Après quelques minutes de vol, la flamme lèche la chambre d'hydrogène et l'enveloppe prend feu. Le ballon s'écrase et Pilâtre de Rozier ne survit pas à la chute. Premier homme à voler, il devient aussi la première victime du vol en ballon. En souvenir, on a donné le nom de rozières aux engins les plus récents destinés aux voyages au long cours. Ils sont constitués d'une ou de plusieurs poches remplies d'hélium, un gaz ininflammable, et d'une chambre remplie d'air que l'on peut chauffer. La sustentation est assurée presque complètement par l'hélium, la chambre à air chaud ayant pour rôle principal l'ajustement de l'altitude : monter ou descendre selon les circonstances, compenser le refroidissement nocturne de l'hélium. Quand la température baisse, le pilote réchauffe l'air de la chambre non scellée à l'aide du brûleur au propane, l'air ainsi réchauffé transmet sa chaleur aux chambres contenant l'hélium. Le premier tour du monde sans escale en ballon (mars 1999) fut réussi avec une rozière de ce type.

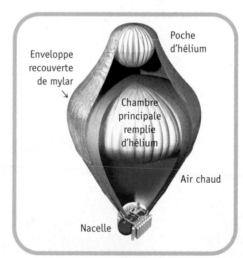

▲ Croquis de la rozière qui a établi le record de distance en ballon, en réalisant le tour du monde en 1999. La poche supérieure remplie d'hélium maintient en place la tente, enveloppe extérieure isolant thermiquement la chambre principale, elle aussi remplie d'hélium. La sustentation est assurée par la chambre principale et par la chambre à air chaud. La nacelle, bien isolée, abrite l'équipage. En croisière, le ballon navigue entre 6000 et 15 000 m, et la température peut baisser jusqu'à - 60 °C. Don Foley

9

Les gaz Les coussins gonflables sont des dispositifs de sécurité passive présents dans la plupart des véhicules automobiles. En cas d'accident, le sac se gonfle rapidement d'azote produit par une réaction chimique.

LES COUSSINS GONFLABLES

▲ Les accidents de la route font partie de la réalité et la sécurité du conducteur et des passagers devient une préoccupation importante.

▲ La plupart des automobiles sont équipées de coussins gonflables frontaux. Certaines voitures sont même munies de coussins latéraux et de coussins protégeant les jambes. Le dispositif se gonfle en moins de 0,050 s, donnée importante, car la plupart des accidents de la route durent à peu près 0,125 s. Courtoisie de Automobiles Saab USA Inc.

LA CHIMIE DES COUSSINS DE SÉCURITÉ

Lors d'une collision, le capteur envoie un signal électrique à un détonateur qui déclenche une réaction explosive dans le générateur de gaz: l'azoture de sodium (NaN_3) se transforme très rapidement en sodium et libère de l'azote qui gonfle le coussin.

$$2\ NaN_3\ (s) \longrightarrow 2\ Na\ (s) + 3\ N_2\ (g)$$

Comme le sodium est très réactif et pourrait produire au contact de l'air humide de l'hydroxyde de sodium (NaOH) ou du peroxyde de sodium (Na_2O_2), deux composés très irritants, on y ajoute de l'oxyde de fer (III) pour le transformer en un sous-produit moins néfaste.

LA TECHNOLOGIE DES COUSSINS

▲ La décélération causée par une collision est enregistrée par un capteur, qui envoie une impulsion électrique au détonateur. Le combustible (les pastilles vertes) explose et libère de l'azote dans le coussin. L'enveloppe de nylon, pliée de façon spéciale pour permettre un déploiement rapide et sûr, exerce alors une pression sur le couvercle de son habitacle. Ce couvercle s'ouvre automatiquement, le sac sort, amortissant le choc potentiel du conducteur ou du passager sur le tableau de bord. Courtoisie de Autoliv ASP

▲ Le volume du sac varie de 35 à 70 L du côté du conducteur et de 60 à 160 L du côté du passager. Charles D. Winters

▲ Le coussin possède sur sa face arrière des évents pour assurer un bon amortissement: le sac peut se dégonfler en moins de 0,2 s. Charles D. Winters

I l existe au moins trois raisons qui rendent indispensable l'étude des propriétés des gaz. Premièrement, dans les conditions ordinaires de température et de pression, un bon nombre d'éléments et de composés courants se présentent à l'état gazeux (tableau 9.1); en outre, les vapeurs de beaucoup de liquides volatils ont des propriétés importantes que l'on ne peut négliger.

Deuxièmement, l'atmosphère, constituée de gaz, transporte l'énergie et la matière autour du globe terrestre, et est source de composés nécessaires à la vie.

La troisième raison s'est imposée d'elle-même. Des trois états de la matière, le comportement des gaz est « raisonnablement » le plus simple à expliquer à l'échelle moléculaire : de ce fait, les gaz ont été largement étudiés et leurs propriétés bien comprises. Il est maintenant possible de décrire qualitativement leurs propriétés en termes de comportement des molécules et leur description quantitative impliquant des équations mathématiques simples est relativement facile.

On a vu dans les chapitres précédents que les scientifiques cherchaient à élaborer des modèles permettant d'expliquer les phénomènes naturels. Ce chapitre portant sur l'étude des gaz s'inscrit dans cette optique.

TABLEAU 9.1 Quelques éléments et composés présents à l'état gazeux à 25 °C et sous une pression de 101,325 kPa	
He	H_2S
Ne	CO
Ar	CO_2
Kr	CH_4
Xe	$H_2C = CH_2$
H_2	$CH_3CH_2CH_3$
O_2	HF
O_3	HCl
N_2	HBr
F_2	HI
Cl_2	NO
SO_2	N_2O

9.1 LA PRESSION

Le concept de **pression** vous est certainement familier. Les météorologues vous communiquent qu'une hausse de la pression atmosphérique est annonciatrice de beau temps et qu'au contraire une baisse brutale annonce des orages.

On peut fabriquer simplement un baromètre, un instrument servant à mesurer la pression atmosphérique, en remplissant de mercure un long tube de verre scellé à une extrémité, et en l'inversant sans faire rentrer d'air dans une cuve remplie elle aussi de mercure (figure 9.1).

Le mercure descend dans le tube et son niveau se stabilise à une hauteur telle que la pression exercée par la masse de mercure présente dans le tube est contre-balancée par la pression de l'atmosphère s'exerçant sur le liquide de la cuve. Une augmentation de la pression atmosphérique se traduit par la montée du mercure dans le tube jusqu'à l'établissement d'un nouvel équilibre de pression. Au niveau de la mer, la hauteur de la colonne de mercure est voisine de 760 mm.

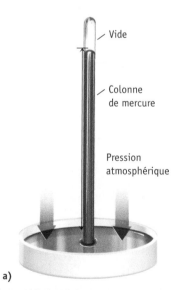

Vide

Colonne de mercure

Pression atmosphérique

a)

b)

Charles D. Winters

Figure 9.1 L'utilisation de la pression : un baromètre et une pompe à eau manuelle aspirante et foulante. **a)** La pression exercée par l'atmosphère sur la surface de la cuve équilibre la pression exercée par la colonne de mercure. **b)** À l'aide d'une pompe aspirante et foulante, on peut remonter à la surface de l'eau située à une profondeur voisine de 10 m, hauteur maximale d'une colonne d'eau supportée par l'atmosphère.

La commodité d'utilisation d'un tel instrument, inventé en 1643 par Evangelista Torricelli (1608-1647), a fait que la pression a longtemps été exprimée en *millimètres de mercure* (mm Hg). La pression a aussi été exprimée en *atmosphères normales* (atm), définie maintenant comme suit:

1 atmosphère normale = 1 atm = 760 mm Hg (nombre exact).

Le *pascal* (Pa), nommé ainsi en mémoire du mathématicien et philosophe français Blaise Pascal (1623-1662), est l'unité de mesure SI de la pression. Comme la pression, par définition, est une force par unité de surface, le pascal vaut:

$$1 \text{ Pa} = 1 \text{ N/m}^2 = 1 \text{ kg·m}^{-1}·\text{s}^{-2}$$

où N est le newton, l'unité de force SI (force = masse × accélération; $1 \text{ N} = 1 \text{ kg} \times 1 \text{ m·s}^{-2} = 1 \text{ kg·m·s}^{-2}$).

Comme l'unité SI de la pression est souvent très petite en comparaison des pressions ordinaires, on lui préfère souvent un de ses multiples, le kilopascal (kPa). Pour exprimer l'ancienne unité de pression, l'atmosphère, en fonction de l'unité SI, il a fallu la préciser plus exactement: l'atmosphère normale (1 atm) est maintenant la pression exercée par une colonne de mercure de 760 mm de haut, ayant une masse volumique de 13,5951 g/cm^3, à un endroit où l'accélération terrestre est égale à 9,806 65 m·s^{-2}.

$$1 \text{ atm} = 760 \text{ mm Hg} = 101 \text{ 325 Pa} = 101,325 \text{ kPa (nombre exact)}$$

Finalement, pour les données thermodynamiques, il a été décidé d'exprimer la pression en bars:

1 bar = 100 000 Pa (nombre exact) = 100 kPa (nombre exact).

◆ *Gaz ou vapeur*

Le nom *gaz* s'applique généralement à une substance qui se présente à l'état gazeux dans les conditions ordinaires de pression et de température, et l'on réserve le nom de *vapeur* à la forme gazeuse d'une substance habituellement liquide ou solide dans les mêmes conditions. Ainsi, on parle du *gaz* hélium et de la *vapeur* d'eau.

EXEMPLE 9.1 La conversion des unités de pression

Exprimez une pression de 635 mm Hg en atmosphères et en kilopascals.

SOLUTION

On sait que, par définition, 1 atm = 760 mm Hg.

$$635 \text{ mm Hg} \times \frac{1 \text{ atm}}{760 \text{ mm Hg}} = 0,836 \text{ atm}$$

On sait aussi que 1 atm = 101,325 kPa.

$$635 \text{ mm Hg} \times \frac{101,325 \text{ kPa}}{760 \text{ mm Hg}} = 84,7 \text{ kPa}$$

EXERCICE 9.1 La conversion des unités de pression

Classez par ordre décroissant les pressions suivantes: 75 kPa, 250 mm Hg, 0,83 bar et 0,63 atm.

◆ *Les unités de pression*

Aux États-Unis, la pression est souvent exprimée en livres par pouce carré (psi, pour *pounds per square inch*). 1 atm = 14,7 psi = 101,325 kPa.

9.2 LES LOIS RÉGISSANT LES GAZ: LES BASES EXPÉRIMENTALES

De nombreuses expériences menées aux XVIIe et XVIIIe siècles ont contribué à l'émergence des lois qui régissent le comportement des gaz.

pour ensavoir+ ...

La mesure de la pression d'un gaz

L a pression est la force exercée sur un objet, divisée par la surface sur laquelle elle agit.

$$\text{Pression} = \frac{\text{force}}{\text{surface}}$$

Selon cette définition, la pression (P) exercée par la colonne de mercure du baromètre de la figure 9.1 (*voir la page 307*) sur la surface du récipient est égale au poids de la colonne de mercure de hauteur (h) divisé par la section (S) du tube. La masse de la colonne est obtenue en multipliant la masse volumique (ρ) du mercure par son volume : $\rho(hS)$. La force exercée par cette colonne, c'est-à-dire son poids, s'obtient en multipliant la masse par l'accélération (g) de la pesanteur : $\rho h S g$. La pression, égale à la force divisée par la surface, vaut alors $\rho h g$. Comme la pression exercée par la colonne est directement proportionnelle à sa hauteur (h) (ρ et g sont constantes) et qu'elle est égale à la pression atmosphérique, il devient possible de déterminer cette dernière en mesurant la hauteur de la colonne de mercure qu'elle supporte.

Le mercure convient bien aux baromètres à cause de sa masse volumique élevée. Un baromètre rempli, par exemple, d'eau atteindrait plus de 10 m de hauteur : en effet, la colonne d'eau est environ 13,6 fois plus haute que celle de mercure, parce que la masse volumique de l'eau à 25 °C (0,997 g/cm³) est environ 13,6 fois plus petite que celle du mercure (13,53 g/cm³) à la même température.

Vous avez peut-être déjà utilisé un manomètre à air pour vérifier la pression des pneus de votre bicyclette ou de votre voiture. Ce type de jauge mesure la pression en livres par pouce carré (psi) et, parfois aussi, en kilopascals. La lecture indique la pression au-dessus de la pression atmosphérique (la pression d'un pneu crevé n'est pas nulle, car il contient de l'air à la pression atmosphérique). Lire, par exemple, 240 kPa sur la jauge signifie que la pression de l'air contenu dans le pneu est en réalité égale à environ 340 kPa, la pression atmosphérique étant voisine de 100 kPa.

Un manomètre à air comprimé pour les pneus. L'échelle intitulée « lb » exprime la pression en livres par pouce carré (psi).

9.2.1 La loi de Boyle-Mariotte : relation entre volume et pression

Dans une pompe à bicyclette, on force l'air à occuper un volume moindre en abaissant un piston dans le cylindre (figure 9.2). On expérimente ainsi une propriété des gaz, leur **compressibilité.**

Robert Boyle a observé que le volume (V) d'une quantité donnée de gaz était inversement proportionnel à la pression (P) exercée par ce gaz. En 1676, le physicien français Edme Mariotte (1620-1684) compléta cet énoncé en précisant « à température constante ». Cette loi est maintenant connue sous le nom de **loi de Boyle-Mariotte.** Elle s'énonce mathématiquement par l'équation :

$$V = k_{bm} \frac{1}{P} \quad \text{[à température (T) et quantité de gaz (n) constantes]}$$

dans laquelle k_{bm} est une constante. Cette équation peut aussi s'écrire :

$$PV = k_{bm} \quad \text{(T et n constantes),}$$

ce que l'on traduit habituellement par : *À température (T) constante et pour une quantité donnée (n) de gaz, le produit de sa pression (P) par son volume (V) est constant.*

Figure 9.2 La pompe à bicyclette. La loi de Boyle-Mariotte. Lorsqu'on abaisse le piston d'une pompe à bicyclette, on diminue le volume occupé par l'air dans le cylindre. On expérimente ainsi la loi de Boyle-Mariotte, car il est facile de se rendre compte qualitativement que la pression a augmenté. Charles D. Winters

Cela signifie que si l'on connaît la valeur du produit *PV* pour un ensemble de conditions, P_1 et V_1, on connaît aussi cette valeur pour un autre ensemble de conditions, P_2 et V_2.

$$P_1 V_1 = P_2 V_2 = k_{bm} \quad (T \text{ et } n \text{ constantes}).$$

9.2.2   La loi de Charles : relation entre volume et température

En 1787, le scientifique français Jacques Charles montra que, si la pression était maintenue constante, le volume d'une quantité donnée de gaz était proportionnel à sa température. La figure 9.3 illustre la variation de volume en fonction de la température (*t*), à pression constante, pour deux échantillons gazeux.

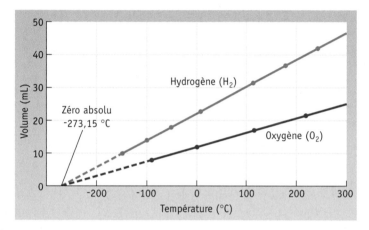

Figure 9.3 La loi de Charles. Les lignes continues représentent les volumes de deux échantillons d'hydrogène et d'oxygène en fonction de la température (*t*). À pression constante, le volume varie linéairement avec la température. Ces lignes droites extrapolées coupent l'axe des températures à environ -273 °C.

Les deux courbes expérimentales extrapolées à *V* = 0 coupent l'axe des températures à la même valeur, -273,15 °C. En réalité, le volume des gaz ne peut atteindre une valeur nulle ; ils se liquéfient avant d'atteindre cette température et la loi ne s'applique plus. Cette température a cependant une très grande importance. William Thomson (1824-1907), plus connu sous le nom de lord Kelvin, proposa une échelle de température, l'échelle Kelvin, ayant comme point de départ 0 K = -273,15 °C (*voir la section 1.3.2, page 16*).

Lorsque la température est exprimée en kelvins, la **loi de Charles** devient :

$$V = k_c T \quad (P \text{ et } n \text{ constantes}),$$

équation dans laquelle k_c est une constante. Cette équation peut aussi se mettre sous la forme :

$$\frac{V_1}{T_1} = \frac{V_2}{T_2} = k_c \quad (P \text{ et } n \text{ constantes}),$$

◆ *Les lois de Boyle-Mariotte et de Charles*

Ces deux lois ne dépendent pas du gaz étudié. Elles s'appliquent à tous les gaz, quels qu'ils soient, sans égard à leur nature.

les indices 1 et 2 correspondant à des conditions expérimentales différentes. Ainsi, *le volume (V) d'une quantité donnée de gaz (n) maintenu à une pression (P) constante est directement proportionnel à la température Kelvin (T).*

9.2.3 L'hypothèse d'Avogadro : relation entre volume et quantité

En 1811, Amedeo Avogadro, s'inspirant des travaux sur les gaz menés par le chimiste français Joseph Gay-Lussac (1778-1850), propose que *des volumes* (*V*) *égaux de gaz, dans les mêmes conditions de température* (*T*) *et de pression* (*P*), *contiennent le même nombre de molécules* (*n*). L'**hypothèse d'Avogadro** est devenue une loi après avoir été corroborée par des chercheurs pendant plusieurs décennies. Mathématiquement, cela signifie que le volume (*V*) d'un gaz, à pression (*P*) et à température (*T*) fixées, est directement proportionnel à sa quantité, c'est-à-dire à son nombre de moles *n*.

$$V = k_a n \quad (P \text{ et } T \text{ constantes})$$

9.3 LA LOI DES GAZ PARFAITS

La combinaison des lois de Boyle-Mariotte, de Charles et d'Avogadro conduit à la **loi des gaz parfaits,** qui décrit les relations quantitatives existant entre le volume d'un gaz, sa pression, sa température et sa quantité.

$$PV = nRT \qquad \text{(Équation 9.1)}$$

La **constante des gaz parfaits** (*R*) est une constante universelle, dont la valeur est égale à :

$$R = 8{,}314\ 472\ \text{kPa·L·mol}^{-1}\text{·K}^{-1}$$

On peut trouver cette valeur déterminée expérimentalement en mesurant précisément les valeurs de *P*, *V* et *T* pour un échantillon de *n* moles de gaz. Par exemple, dans les **conditions normales de température et de pression (TPN)** (*T* = 273,15 K, *P* = 101,325 kPa), une mole de gaz occupe un volume de 22,414 L, appelé le **volume molaire normal.**

$$R = \frac{PV}{nT} = \frac{101{,}325\ \text{kPa} \times 22{,}414\ \text{L}}{1\ \text{mol} \times 273{,}15\ \text{K}}$$
$$= 8{,}3145\ \text{kPa·L·mol}^{-1}\text{·K}^{-1}$$

Dans les calculs, on utilisera la valeur arrondie à quatre chiffres significatifs : 8,314.

◆ **TPN**

Température = 273,15 K, *pression* = 101,325 kPa. Dans ces conditions *normales,* une mole de gaz parfait occupe un volume de 22,414 L.

EXEMPLE 9.2 **La loi des gaz parfaits**

De l'azote exerce une pression de 100 kPa dans un coussin gonflable de 65,0 L. À la même température, tout l'azote est transféré dans un récipient de 25,0 L. Quelle en est sa nouvelle pression ?

SOLUTION

Pour résoudre ce genre de problème impliquant un état initial et un état final, il est fortement recommandé de présenter les données sous forme de tableau,

État initial	État final
P_i = 100 kPa	P_f = ?
V_i = 65,0 L	V_f = 25,0 L
n_i	$n_f = n_i$
T_i	$T_f = T_i$

et d'appliquer l'équation des gaz parfaits aux deux états, après avoir isolé la grandeur recherchée.

$$P_i = \frac{n_i R T_i}{V_i} \qquad\qquad P_f = \frac{n_f R T_f}{V_f} = \frac{n_i R T_i}{V_f}$$

On effectue le rapport des deux égalités et on simplifie.

$$\frac{P_i}{P_f} = \frac{V_f}{V_i} \qquad\qquad \text{(expression de la loi de Boyle-Mariotte)}$$

On isole de cette dernière expression P_f la grandeur recherchée.

$$P_f = \frac{P_i V_i}{V_f} = \frac{100 \text{ kPa} \times 65,0 \text{ L}}{25,0 \text{ L}} = 260 \text{ kPa}$$

EXERCICE 9.2 **La loi des gaz parfaits**

Un ballon est rempli de 45 L d'hélium à la température de 25 °C. On le refroidit à -10 °C. La pression étant inchangée, calculez son nouveau volume.

EXEMPLE 9.3 **La loi des gaz parfaits**

Les météorologues utilisent des ballons-sondes remplis d'hélium pour mesurer les conditions prévalant dans la haute atmosphère. Un tel ballon de $4,19 \times 10^3$ L est largué alors qu'il contient de l'hélium à une pression de 100 kPa et à une température de 22,5 °C. En supposant que la quantité de gaz demeure constante, quel en sera son volume à une altitude de 50 km, où règnent une pression atmosphérique de 10,0 kPa et une température de -33,0 °C?

▲ **Un ballon-sonde météoro-logique** NASA/Science Source/Photo Researchers, Inc.

SOLUTION

État initial	État final
$P_i = 100$ kPa	$P_f = 10,0$ kPa
$V_i = 4,19 \times 10^3$ L	$V_f = ?$
n_i	$n_f = n_i$
$T_i = 22,5 + 273,15 = 295,65$ K	$T_f = -33,0 + 273,15 = 240,15$ K

$$V_i = \frac{n_i R T_i}{P_i} \qquad\qquad V_f = \frac{n_f R T_f}{P_f} = \frac{n_i R T_f}{P_f}$$

On effectue le rapport des deux égalités et on simplifie.

$$\frac{V_i}{V_f} = \frac{T_i/P_i}{T_f/P_f} = \frac{T_i}{T_f} \times \frac{P_f}{P_i}$$

On isole de cette dernière expression V_f la grandeur recherchée.

$$V_f = V_i \frac{T_f P_i}{T_i P_f} = (4,19 \times 10^3 \text{ L}) \left(\frac{240,15 \text{ K}}{295,65 \text{ K}}\right)\left(\frac{100 \text{ kPa}}{10,0 \text{ kPa}}\right) = 34,0 \times 10^3 \text{ L}$$

EXERCICE 9.3   La loi des gaz parfaits

À 31 °C, la pression régnant dans un cylindre de 22 L contenant de l'hélium est égale à 150 atm. Combien de ballons de 5,0 L peut-on remplir d'hélium, à la pression atmosphérique de 755 mm Hg et à la température de 22 °C?

EXEMPLE 9.4   La loi des gaz parfaits

Un coussin de sécurité gonflable contient 65 L d'azote, à la température de 25 °C et sous une pression de 110,5 kPa. Combien de moles d'azote renferme-t-il?

SOLUTION

Il suffit de remplacer les lettres de l'équation 9.1 par leurs valeurs numériques exprimées dans les mêmes unités que la constante : (R), kPa, L et K.

$$V = 65 \text{ L} \qquad\qquad T = 273,15 + 25 = 298,15 \text{ K} \qquad\qquad P = 110,5 \text{ kPa}$$

$$n = \frac{PV}{RT} = \frac{110,5 \text{ kPa} \times 65 \text{ L}}{8,314 \text{ kPa·L·mol}^{-1}\text{·K}^{-1} \times 298,15 \text{ K}}$$

$$= 2,9 \text{ mol}$$

EXERCICE 9.4   La loi des gaz parfaits

Le ballon dans lequel Jacques Charles a effectué son vol historique, en 1783, contenait environ 1300 mol d'hydrogène. En présumant qu'il faisait ce jour-là 23 °C et que la pression atmosphérique était voisine de 100 kPa, quel était le volume approximatif de son ballon?

9.3.1   La masse volumique des gaz

La masse volumique (ρ) d'un gaz, à une température et à une pression données, est une grandeur très utile (figure 9.4).

Puisque le nombre de moles (n) d'un gaz peut être obtenu par sa masse (m) divisée par sa masse molaire (M), le remplacement de n dans l'équation 9.1 par sa valeur m/M conduit à l'expression :

$$PV = \frac{m}{M} RT$$

a) John C. Kotz   **b)** Greg Gawlowsky/Dembinsky Photo Associates

Figure 9.4 La masse volumique des gaz. a) Les deux ballons contiennent sensiblement le même nombre de moles de gaz. Le ballon rose est rempli d'hélium (masse volumique voisine de 0,18 g/L), tandis que le ballon vert est rempli d'air (masse volumique voisine de 1,2 g/L). **b)** La montgolfière s'élève dans l'atmosphère parce que l'air chaud qu'elle renferme a une masse volumique moindre que celle de l'air environnant plus froid.

que l'on peut réarranger en isolant $m/V = \rho$.

$$\rho = \frac{PM}{RT}$$

(Équation 9.2)

Cette équation est importante, car elle permet de calculer la masse molaire d'un gaz à partir de sa masse volumique déterminée expérimentalement.

EXEMPLE 9.5   **La masse volumique et la masse molaire**

Calculez la masse volumique à TPN du dioxyde de carbone (CO_2). Est-il plus dense que l'air dans les mêmes conditions?

SOLUTION

On remplace les lettres de l'équation 9.2 par leurs valeurs numériques exprimées dans les mêmes unités que la constante : (R), kPa, L et K.

$R = 8{,}314 \text{ kPa·L·mol}^{-1}\text{·K}^{-1}$ $T = 273{,}15 \text{ K}$

$M = 12{,}011 + (2 \times 15{,}9994) = 44{,}010 \text{ g·mol}^{-1}$ $P = 101{,}325 \text{ kPa}$

$$\rho = \frac{PM}{RT} = \frac{101{,}325 \text{ kPa} \times 44{,}010 \text{ g·mol}^{-1}}{8{,}314 \text{ kPa·L·mol}^{-1}\text{·K}^{-1} \times 273{,}15 \text{ K}} = 1{,}964 \text{ g/L}$$

La masse volumique de l'air est d'environ 1,2 g/L. La densité relative du dioxyde de carbone par rapport à l'air est égale à $\dfrac{1{,}964 \text{ g·L}^{-1}}{1{,}2 \text{ g·L}^{-1}} = 1{,}6$: le dioxyde de carbone est plus dense que l'air.

EXERCICE 9.5   **Le calcul de la masse volumique des gaz**

Calculez la masse volumique de l'air sec à 15 °C et à une pression de 101,325 kPa sachant que sa « masse molaire moyenne » est égale à 28,96 g/mol.

La masse volumique a beaucoup d'implications pratiques. Elle explique en particulier pourquoi les montgolfières peuvent voler (*voir la capsule* S'envoler et partir! *en tête de chapitre*). Comme le volume du ballon est à peu près constant et que la pression à l'intérieur demeure égale à la pression atmosphérique (le ballon ouvert permet à l'air de s'échapper), l'augmentation de température de l'air interne a pour effet une diminution de sa masse volumique (équation 9.2). La masse totale du ballon devient finalement moindre que la masse d'air environnante qu'il déplace, ce qui lui permet de s'élever sous l'effet de la poussée d'Archimède.

L'équation 9.2 indique aussi que la masse volumique est directement proportionnelle à sa masse molaire. Une mole d'air sec, à 25 °C et à une pression de 101 kPa, a une masse d'environ 29 g et une masse volumique de l'ordre de 1,2 g/L. Les masses volumiques des gaz ou des vapeurs dont la masse molaire est plus grande que 29 g/mol sont supérieures à 1,2 g/L, dans les mêmes conditions : ces gaz sont plus denses que l'air (à volume, pression et température identiques, leur masse est plus grande). Ces gaz sont dits, dans le langage courant, « plus lourds » que l'air. Des gaz comme CO_2, SO_2 et les vapeurs d'essence ont tendance à rester au sol au début de leur relâchement dans l'atmosphère (figure 9.5).

9.3.2   Le calcul de la masse molaire d'un gaz

Une des premières choses que l'on fait après avoir isolé et purifié en laboratoire un produit que l'on pense nouveau est de déterminer sa masse molaire. Si le

a) Charles D. Winters

b) Courtoisie de George Kling

Figure 9.5 Le dioxyde de carbone est plus dense que l'air. a) La masse volumique du dioxyde de carbone est plus grande que celle de l'air. Ce gaz provenant d'un extincteur d'incendie a donc tendance à rester au sol et à circonscrire les foyers d'incendie, privant ces derniers de l'oxygène nécessaire à leur entretien. Lorsque le dioxyde de carbone est expulsé de l'extincteur sous l'effet de sa propre pression, il se détend et, de ce fait, se refroidit (la vaporisation est un processus endothermique). Le nuage blanc est composé de dioxyde de carbone à l'état solide, non encore transformé en gaz, et de fines gouttelettes d'eau provenant de la condensation de sa vapeur présente dans l'air humide. **b)** Le lac Nyos, au Cameroun (Afrique occidentale), a été le lieu d'une gigantesque catastrophe naturelle. Une immense bulle de dioxyde de carbone, produite par une activité volcanique naturelle, a émergé du lac, asphyxiant près de 1700 personnes et de nombreux animaux pris au dépourvu.

composé est à l'état gazeux, on peut y arriver en utilisant une méthode classique qui met en jeu des mesures de pression, de volume d'une masse donnée de composé à une température connue.

EXEMPLE 9.6 **Le calcul de la masse molaire d'un gaz**

L'analyse d'un composé qui pourrait éventuellement remplacer les chlorofluorocarbones dans les climatiseurs a abouti à la formule empirique CHF_2. Dans une autre expérience, on a trouvé que 0,100 g de ce gaz placé dans un récipient de 256 mL exerçait une pression de 9,40 kPa à la température de 22,3 °C. Trouvez sa masse molaire et sa formule moléculaire.

SOLUTION

Il faut tout d'abord convertir les données dans les unités de la constante (R).

$R = 8,314$ kPa·L·mol^{-1}·K^{-1} $T = 22,3 + 273,15 = 295,45$ K
$P = 9,40$ kPa $V = 256$ mL $= 0,256$ L

Deux approches de résolution de ce problème sont ensuite possibles.

a) On peut calculer la masse volumique ρ du gaz puisqu'on connaît sa masse et son volume, et ensuite appliquer l'équation 9.2 réarrangée de manière à isoler

$$M: \rho = \frac{PM}{RT} \qquad M = \frac{\rho RT}{P}.$$

$$\rho = \frac{0,100 \text{ g}}{0,256 \text{ L}} = \frac{0,100}{0,256} \text{ g/L}$$

$$M = \frac{\frac{0,100}{0,256} \text{ g·L}^{-1} \times 8,314 \text{ kPa·L·mol}^{-1}\text{·K}^{-1} \times 295,45 \text{ K}}{9,40 \text{ kPa}} = 102 \text{ g/mol}$$

b) On aurait pu aussi appliquer directement l'équation 9.1 pour trouver la quantité n de gaz et calculer ensuite la masse molaire M à l'aide de $M = \frac{m}{n}$. On isole n de l'équation des gaz parfaits.

$$n = \frac{PV}{RT} = \frac{9,40 \text{ kPa} \times 0,256 \text{ L}}{8,314 \text{ kPa·L·mol}^{-1}\text{·K}^{-1} \times 295,45 \text{ K}} = \frac{9,40 \times 0,256}{8,314 \times 295,45} \text{ mol}$$

$$M = \frac{m}{n} = \frac{0,100 \text{ g}}{\frac{9,40 \times 0,256}{8,314 \times 295,45} \text{ mol}} = 102 \text{ g/mol}$$

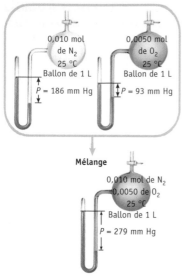

Figure 9.6 La loi de Dalton. À 25 °C, 0,010 mol d'azote contenu dans un ballon de 1 L exerce une pression de 24,79 kPa, tandis que 0,0050 mol d'oxygène contenu dans le même volume exerce une pression de 12,39 kPa. La pression totale de ces deux quantités de gaz réunis dans le même volume de 1 L, toujours à la même température de 25 °C, est de 37,18 kPa, la somme des pressions que chaque gaz exerce lorsqu'il est seul dans le flacon.

Comme la masse molaire représente environ deux fois la masse de la formule CHF_2, 51,02 g/mol, on déduit que la formule chimique du gaz est $C_2H_2F_4$.

EXERCICE 9.6   **Le calcul de la masse molaire d'un gaz**

0,100 g d'un échantillon d'un composé gazeux placé dans un récipient de 125 mL exerce une pression de 74,8 kPa à la température de 23,0 °C. Trouvez sa masse molaire.

9.4 LES MÉLANGES DE GAZ ET LES PRESSIONS PARTIELLES

L'air que vous respirez est un mélange d'azote, d'oxygène, d'argon, de dioxyde de carbone, de vapeur d'eau et de quelques autres gaz en petites quantités (tableau 9.2).

TABLEAU 9.2 Les constituants de l'air sec

Constituants	Masses molaires (g/mol)	Fractions molaires	Pressions partielles (kPa) à 0 °C
Azote (N_2)	28,0134	0,7808	79,11
Oxygène (O_2)	31,9988	0,2095	21,23
Dioxyde de carbone (CO_2)	44,010	0,00031	0,031
Argon (Ar)	39,948	0,00934	0,946

Chacun de ces gaz exerce sa propre **pression** qualifiée de **partielle,** dont la somme est égale à la pression atmosphérique. Généralisé à n'importe quel mélange de gaz A, B, C, etc., exerçant respectivement une pression partielle P_A, P_B, P_C, etc., cet énoncé, connu sous le nom de **loi des pressions partielles (de Dalton),** se traduit par l'égalité

$$P_{tot} = P_A + P_B + P_C + \ldots \qquad \text{(Équation 9.3)}$$

dans laquelle P_{tot} représente la pression totale du mélange.

La pression d'un gaz parfait, à une température et dans un volume donnés, ne dépend que de sa quantité (mol), sa nature n'intervenant pas. On peut ainsi considérer qu'il se comporte comme s'il était seul dans un mélange à l'état gazeux et on peut le traiter individuellement, indépendamment des autres. Supposez, par exemple, qu'un mélange contienne n_A, n_B et n_C moles de trois gaz parfaits A, B et C, à une température (T) et dans un volume (V). On peut calculer la pression partielle exercée par chacun des constituants à l'aide de l'équation 9.1.

$$P_A = \frac{n_A RT}{V} \qquad\qquad P_B = \frac{n_B RT}{V} \qquad\qquad P_C = \frac{n_C RT}{V}$$

Selon la loi de Dalton (équation 9.3), la pression totale (P_{tot}) du mélange est égale à la somme des pressions partielles exercées par chacun de ses constituants.

$$P_{\text{tot}} = P_A + P_B + P_C = \frac{n_A RT}{V} + \frac{n_B RT}{V} + \frac{n_C RT}{V} = \frac{(n_A + n_B + n_C)RT}{V}$$

$$P_{\text{tot}} = \frac{n_{\text{tot}} RT}{V}$$ (Équation 9.4)

La **fraction molaire** (X, khi), définie par le rapport entre le nombre de moles d'une substance faisant partie d'un mélange et le nombre total de moles présentes dans le mélange, est une unité de concentration appropriée pour les gaz. On a ainsi:

$$X_A = \frac{n_A}{n_A + n_B + n_C} = \frac{n_A}{n_{\text{tot}}}$$

La division de l'équation $P_A = \frac{n_A RT}{V}$ par l'équation 9.4, $P_{\text{tot}} = \frac{n_{\text{tot}} RT}{V}$, donne $\frac{P_A}{P_{\text{tot}}} = \frac{n_A}{n_{\text{tot}}} = X_A$ que l'on écrit plus souvent sous la forme:

$$P_A = X_A P_{\text{tot}}$$ (Équation 9.5)

La pression partielle d'un gaz dans un mélange gazeux est égale au produit de sa fraction molaire par la pression totale du mélange.

Il est indiqué dans le tableau 9.2 que la fraction molaire de l'azote dans l'air sec, à la pression normale atmosphérique de 101,325 kPa, est égale à 0,7808. On déduit de l'équation 9.5 que sa pression partielle est: 0,7808 × 101,325 kPa = 79,11 kPa.

On note aussi que la somme des fractions molaires des constituants d'un mélange est toujours égale à 1.

$$X_A + X_B + X_C + \dots = \frac{n_A}{n_{\text{tot}}} + \frac{n_B}{n_{\text{tot}}} + \frac{n_C}{n_{\text{tot}}} + \dots = \frac{n_{\text{tot}}}{n_{\text{tot}}} = 1$$

EXEMPLE 9.7 Les pressions partielles des gaz

L'halothane ($C_2HBrClF_3$) est un gaz ininflammable, non explosif et non irritant utilisé couramment comme anesthésique par inhalation. Supposez qu'un mélange contienne 15,0 g de vapeur de ce composé et 23,5 g d'oxygène. Sachant que la pression totale est de 114 kPa, calculez la pression partielle de chacun de ces gaz.

SOLUTION

La conversion des masses des deux gaz du mélange en quantités (mol) permet de calculer leur fraction molaire. L'application de l'équation 9.5, $P_A = X_A P_{\text{tot}}$, conduit aux résultats recherchés.
On doit tout d'abord calculer la masse molaire de $C_2HBrClF_3$, 197,382 g/mol, et celle de O_2, 31,9988 g/mol.

$$\text{Quantité de } C_2HBrClF_3 = 15,0 \text{ g de } C_2HBrClF_3 \times \frac{1 \text{ mol}}{197,382 \text{ g de } C_2HBrClF_3}$$
$$= 0,07599 \text{ mol}$$

$$\text{Quantité de } O_2 = 23,5 \text{ g de } O_2 \times \frac{1 \text{ mol}}{31,9988 \text{ g de } O_2} = 0,7344 \text{ mol}$$

Le mélange contient (0,07599 mol + 0,7344 mol) = 0,81039 mol.

◆ *La masse molaire de l'air sec*

Bien que la masse molaire soit une grandeur normalement réservée aux substances pures, il est d'usage courant de parler de masse molaire de l'air. Elle est définie comme étant la masse d'air qui occupe un volume de 22,414 L dans les conditions normales. Cette interprétation est acceptable, puisque les lois des gaz ne dépendent pas de la nature de ces derniers et que l'air sec a une composition quasi constante.

perspectives

Et l'oxygène apparut dans l'atmosphère

La fraction molaire de l'oxygène dans l'air est d'environ 0,21 et la vie sur terre dépend fortement de cette concentration qui doit rester assez stable. Comment l'oxygène est-il apparu dans l'atmosphère terrestre?

La plupart des scientifiques s'accordent sur le fait qu'à l'origine l'oxygène était présent sur Terre dans un de ses composés, l'eau. L'eau a été ensuite décomposée en donnant de l'oxygène par la photosynthèse réalisée par des cyanobactéries, anciennement appelées les algues bleues. Ce processus aurait débuté il y a environ 2,7 milliards d'années, mais il a fallu attendre encore environ 400 millions d'années avant que l'oxygène ne devienne abondant. Que s'est-il passé durant ces années?

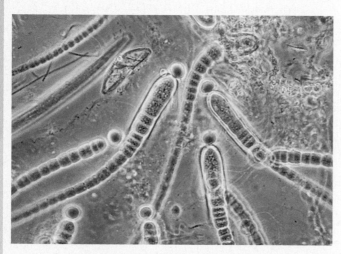

▲ Les cyanobactéries sont apparues sur la Terre avant la chlorophylle et ont constitué la base du premier système de photosynthèse. On pense qu'elles sont à l'origine de la production d'oxygène sur Terre.
Ken W. Davis/Tom Stack & Associates

Le problème est complexe et les réponses ne sont certainement pas définitives. Actuellement, on pense que le processus a débuté par la combinaison du dioxyde de carbone et de l'eau, aboutissant à la fabrication de matières organiques et à un dégagement d'oxygène.

$$CO_2 + H_2O \longrightarrow HCHO + O_2$$

L'oxygène produit dans des réactions de ce type aurait été rapidement consommé, soit en réagissant avec du soufre ou des composés à base de soufre produits par les volcans, soit en se combinant avec des composés présents dans la croûte terrestre. La matière organique ainsi formée se serait ensuite dégradée selon un processus anaérobie (en l'absence d'air, donc d'oxygène) alimenté par la lumière. À l'issue de ces réactions de méthanogenèse, on obtiendrait du dioxyde de carbone en plus du méthane (CH_4). Ce type de réactions se produit encore de nos jours dans les sites d'enfouissement des déchets et dans les marais; les gaz produits sont appelés les gaz des marais ou, plus couramment maintenant, les biogaz.

$$2\ HCHO \longrightarrow CH_4 + CO_2$$

Si le méthane, un gaz à effet de serre, ainsi produit s'était concentré dans l'atmosphère, la planète se serait réchauffée. Cela concorde avec les évidences géologiques. La dernière théorie en date suggérerait que le méthane aurait été décomposé sous l'effet des radiations solaires et que les atomes d'hydrogène produits lors de ces réactions photochimiques se seraient dispersés dans l'espace, et que l'hydrogène aurait été ainsi perdu à jamais pour la Terre.

$$CH_4 + \text{lumière solaire} \longrightarrow C + 4\ H \text{ (dans l'espace)}$$
$$C + O_2 \longrightarrow CO_2$$

Il découle de l'addition de toutes ces réactions (la première étant multipliée par deux pour respecter les quantités) une production nette d'oxygène qui a pu s'accumuler dans l'atmosphère et atteindre son taux actuel.

$$2\ \cancel{CO_2} + 2\ H_2O \longrightarrow 2\ \cancel{HCHO} + 2\ O_2$$
$$2\ \cancel{HCHO} \longrightarrow \cancel{CH_4} + \cancel{CO_2}$$
$$\cancel{CH_4} + \text{lumière solaire} \longrightarrow \cancel{C} + 4\ H \text{ (dans l'espace)}$$
$$\cancel{C} + \cancel{O_2} \longrightarrow \cancel{CO_2}$$
$$\overline{2\ H_2O + \text{lumière solaire} \longrightarrow O_2 + 4\ H \text{ (dans l'espace)}}$$

Un dernier mystère: Pourquoi la fraction molaire de l'oxygène est-elle égale à 0,21 plutôt que 0,15 ou 0,35? Si la concentration avait été inférieure à 0,21, la vie n'aurait peut-être pas pu apparaître ou aurait été différente de celle que l'on connaît. Si au contraire elle avait été plus élevée, l'atmosphère aurait été trop oxydante et l'évolution là aussi aurait certainement été différente. Les scientifiques cherchent toujours la réponse à cette question. Aujourd'hui, le taux d'oxygène dans l'atmosphère semble constant, car il y aurait équilibre entre sa production par photosynthèse et sa consommation, principalement par respiration et combustion.

$$\chi_{\text{halothane}} = \frac{0{,}07599 \ \text{mol}}{0{,}81039 \ \text{mol}} = \frac{0{,}07599}{0{,}81039}$$

$$P_{\text{halothane}} = \chi_{\text{halothane}} \ P_{\text{tot}} = \frac{0{,}07599}{0{,}81039} \times 114 \ \text{kPa} = 10{,}7 \ \text{kPa}$$

La pression partielle de l'oxygène est égale à la pression totale moins la pression partielle de l'halothane : 114 kPa − 10,7 kPa = 103 kPa.

EXERCICE 9.7   **Les pressions partielles des gaz**

Le mélange gazeux décrit dans l'exemple 9.7 occupe un volume de 5,00 L à la température de 25 °C. Quelle est la pression totale exercée par le mélange ? Calculez les pressions partielles de chacun des deux gaz.

9.5 LA THÉORIE CINÉTIQUE DES GAZ

Jusqu'ici, nous n'avons discuté que des propriétés macroscopiques des gaz. Nous allons maintenant approfondir la théorie cinétique exposée sommairement dans la section 1.6.1 (*voir la page 25*). Des centaines d'observations expérimentales ont amené les scientifiques à formuler les postulats suivants pour tenter d'expliquer le comportement des gaz à l'échelle submicroscopique.

- Les gaz sont constitués de particules (molécules ou atomes) très petites par rapport à la distance qui les sépare (figure 9.7).
- Les particules, en mouvement continuel, rapide et aléatoire, entrent en collision entre elles et avec les parois du récipient. Ces collisions sont élastiques, c'est-à-dire qu'il n'y a pas de perte d'énergie cinétique totale. Il n'existe aucune force de répulsion ou d'attraction entre les particules.
- L'énergie cinétique moyenne des particules est proportionnelle à la température Kelvin. *Tous les gaz, quelle que soit leur masse molaire, possèdent à la même température la même énergie cinétique moyenne.*

Nous allons exposer les propriétés des gaz à partir de ce point de vue.

9.5.1 La vitesse des molécules et l'énergie cinétique

Votre copine ou votre copain s'est parfumé ? La pizza sent bon ? Comment pouvez-vous le savoir ? En termes scientifiques, on dirait que les molécules entrant dans la composition des parfums ou responsables de l'odeur de la pizza passent en phase gazeuse, migrent dans l'air et finissent par atteindre vos organes olfactifs. Le même phénomène se produit en laboratoire lorsqu'on place côte à côte un récipient ouvert contenant une solution aqueuse d'ammoniac et un autre contenant de l'acide chlorhydrique (*voir la figure 9.8, page 320*).

Des molécules d'ammoniac et de chlorure d'hydrogène s'échappent de leur solution, passent à l'état gazeux ; certaines se rencontrent et forment un nuage de petites particules solides de chlorure d'ammonium (NH_4Cl).

Si la même expérience est réalisée à une température plus basse, vous constatez que l'apparition du nuage blanc de chlorure d'ammonium prend plus de temps. On déduit de cette observation que la vitesse de déplacement des molécules dépend de la température. L'énergie cinétique E_c d'une molécule de masse (m), se déplaçant à la vitesse (v) est donnée par l'équation :

$$E_c = \frac{1}{2} \, mv^2$$

Figure 9.7 Une représentation des gaz et des liquides. La liquéfaction de l'azote donne un liquide dont le volume est de très loin inférieur à celui occupé initialement par le gaz. Ce fait indique que les distances intermoléculaires à l'état gazeux sont très grandes comparativement à celles observées à l'état liquide.
Charles D. Winters

9

Figure 9.8 Le déplacement des molécules à l'état gazeux. Des vases de Pétri contenant respectivement une solution aqueuse d'ammoniac et de l'acide chlorhydrique sont déposés côte à côte. Lorsque des molécules de NH_3 et de HCl échappées de leur solution se rencontrent dans l'atmosphère, elles se combinent pour former du chlorure d'ammonium solide (NH_4Cl).

Charles D. Winters

On pourrait calculer l'énergie cinétique d'une molécule isolée à l'aide de cette équation, mais pas pour un ensemble parce qu'*elles ne se déplacent pas toutes à la même vitesse* à cause, en particulier, des nombreuses collisions. Les vitesses se distribuent selon une courbe semblable à celle de l'oxygène décrite dans la figure 9.9.

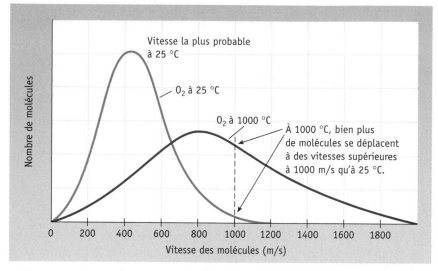

Figure 9.9 La distribution des vitesses moléculaires. Si l'on porte sur un graphique le nombre de molécules d'oxygène possédant à 25 °C une certaine vitesse en fonction de la vitesse, on obtient la courbe bleue (courbe de distribution de Maxwell-Boltzmann). La courbe rouge, valable pour la température de 1000 °C, illustre l'influence de cette variable sur la forme des courbes. Notez cependant que, même si la courbe à 1000 °C est plus aplatie et plus large que celle à 25 °C, la surface sous ces deux courbes est identique, puisque le nombre de molécules dans l'échantillon n'a pas varié.

On retiendra deux points importants relativement à ces courbes.

- Quelques molécules se déplacent très rapidement (et de ce fait, possèdent une énergie cinétique élevée) et quelques autres sont nettement lentes. La vitesse la plus probable correspond à l'abscisse du maximum de la courbe. Pour l'oxygène, à 25 °C, elle est égale à environ 400 m/s ($\approx$ 1400 km/h), mais la plupart des molécules ont des vitesses variant entre 200 et 700 m/s.
- Lorsqu'on élève la température, la vitesse la plus probable croît (le maximum de la courbe est déplacé vers la droite, vers des vitesses plus grandes) et le nombre de molécules se déplaçant très rapidement augmente de beaucoup.

Les expériences ont montré que *l'énergie cinétique moyenne des molécules* ($\overline{E_c}$) *d'un échantillon de gaz ne dépend que de la température Kelvin et lui est proportionnelle.*

$$\overline{E_c} \propto T$$

L'énergie cinétique moyenne des molécules est égale à la somme des énergies cinétiques de toutes les molécules divisée par le nombre total de molécules.

$$\overline{E_c} = \frac{\frac{1}{2}mv_1^2 + \frac{1}{2}mv_2^2 + \frac{1}{2}mv_3^2 + \ldots}{\text{nombre total de molécules}}$$

$$= \frac{1}{2}m\left(\frac{v_1^2 + v_2^2 + v_3^2 + \ldots}{\text{nombre total de molécules}}\right) = \frac{1}{2}m\overline{v^2},$$

équation dans laquelle la quantité $\overline{v^2}$ représente la moyenne des carrés des vitesses.

Des calculs plus complets conduisent à l'**équation de Maxwell,** qui exprime la relation entre la vitesse quadratique moyenne des molécules ($\sqrt{\overline{v^2}}$), la température (T) et la masse molaire (M) du gaz.

Les courbes de distribution de Maxwell-Boltzmann

Les courbes de distribution du nombre de molécules en fonction de leur vitesse ou de leur énergie cinétique sont appelées les courbes de Maxwell-Boltzmann, en hommage à James Clerk Maxwell (1831-1879) et Ludwig Boltzmann (1844-1906).

$$\sqrt{\overline{v^2}} = \sqrt{\frac{3RT}{M}}$$ (Équation 9.6)

Tous les gaz possèdent la même énergie cinétique moyenne à la même température, mais leurs vitesses quadratiques moyennes sont différentes puisque leurs molécules n'ont pas la même masse : les molécules plus lourdes se déplacent moins vite que les molécules plus légères (figure 9.10).

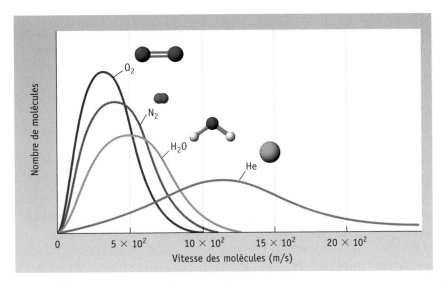

Figure 9.10 L'influence de la masse molaire sur la distribution des vitesses moléculaires. À une température donnée, les maxima des courbes se déplacent vers les vitesses élevées lorsqu'on passe de l'oxygène ($M \approx 32$ g/mol) à l'azote ($M \approx 28$ g/mol), à l'eau (g) ($M \approx 18$ g/mol) et à l'hélium ($M \approx 4$ g/mol).

Pour appliquer correctement l'équation 9.6, toutes les grandeurs doivent être exprimées en unités de base SI. La constante R devient :

$$R = 8,314 \text{ kPa·L·mol}^{-1}\text{·K}^{-1} = 8,314\left(\text{kPa} \times \frac{10^3 \text{ Pa}}{1 \text{ kPa}}\right)\left(\text{L} \times \frac{10^{-3} \text{ m}^3}{1 \text{ L}}\right)\text{·mol}^{-1}\text{·K}^{-1}$$

$$= 8,314 \text{ Pa·m}^3\text{·mol}^{-1}\text{·K}^{-1}$$

Comme $1 \text{ Pa} = 1 \text{ kg·m}^{-1}\text{·s}^{-2}$ (*voir la section 9.1, page 307*), la constante R devient en unités de base SI :

$$R = 8,314 \text{ kg·m}^{-1}\text{·s}^{-2}\text{·m}^3\text{·mol}^{-1}\text{·K}^{-1} = 8,314 \text{ kg·s}^{-2}\text{·m}^2\text{·mol}^{-1}\text{·K}^{-1}$$

Si la masse molaire est exprimée en kg·mol^{-1}, la vitesse quadratique moyenne aura pour unité le mètre par seconde.

EXEMPLE 9.8   La vitesse des molécules

Calculez la vitesse quadratique moyenne des molécules d'oxygène à 25 °C.

SOLUTION

Il suffit de remplacer les lettres de l'équation 9.6 par leurs valeurs exprimées en unités de base SI.

$M = 31,9988 \text{ g·mol}^{-1} = 31,9988 \times 10^{-3} \text{ kg·mol}^{-1}$

$R = 8,314 \text{ kg·s}^{-2}\text{·m}^2\text{·mol}^{-1}\text{·K}^{-1}$ $T = 273,15 + 25 = 298,15 \text{ K}$

$$\sqrt{\overline{v^2}} = \sqrt{\frac{3(8,314 \text{ kg·s}^{-2}\text{·m}^2\text{·mol}^{-1}\text{·K}^{-1})\, 298,15 \text{ K}}{31,9988\, 10^{-3} \text{ kg·mol}^{-1}}} = \sqrt{232\,398 \text{ m}^2\text{·s}^{-2}} = 482 \text{ m·s}^{-1}$$

Cette vitesse moyenne équivaut à environ 1700 km/h !

EXERCICE 9.8   **La vitesse des molécules**

Calculez la vitesse quadratique moyenne des atomes d'hélium et des molécules d'azote à 25 °C.

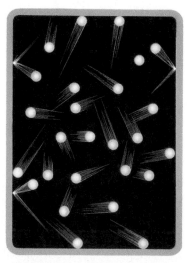

Figure 9.11 **La pression exercée par les gaz.** Selon la théorie cinétique, la pression provient des collisions des molécules de gaz sur les parois du récipient.

9.5.2   La théorie cinétique et les lois des gaz

La théorie cinétique peut expliquer les lois expérimentales des gaz. Elle suppose que la pression exercée par un gaz provient de la collision des molécules sur les parois du récipient qui renferme le gaz (figure 9.11).

La force qui résulte de ces chocs dépend à la fois du nombre et de la force moyenne des impacts. Une augmentation de la température du gaz se traduit:

• par une augmentation de l'énergie cinétique moyenne, si bien que les chocs sur la paroi sont plus violents,

• par une augmentation du nombre de collisions par unité de temps, puisque les molécules se déplacent plus rapidement.

La paroi subit alors des chocs plus violents et plus nombreux: la force résultante augmente et, par conséquent, la pression (force par unité de surface). Cette vision explique qualitativement la loi de Charles combinée à celle de Boyle-Mariotte: à V et n constants, la pression (P) est proportionnelle à la température (T).

Si la pression est maintenue constante lors d'une augmentation du nombre de moles de gaz ou d'une élévation de température, le volume du récipient doit augmenter de manière à ce que la surface sur laquelle se heurtent les molécules devienne plus grande. En effet, dans chacun des cas, pour maintenir constante la pression ($P = f/S$) lorsque les forces (f) résultant des impacts augmentent, il faut que la surface (S) augmente. On peut ainsi expliquer les résultats quantitatifs exprimés par la combinaison de la loi de Charles et de l'hypothèse d'Avogadro: à pression (P) constante, le volume (V) est proportionnel à nT.

Finalement, à température (T) et à quantité de gaz (n) constantes, une diminution de volume (V) du récipient (donc, de la surface de sa paroi) va se traduire par une augmentation du nombre de collisions par unité de surface, la force moyenne de chacune des collisions étant restée identique (T constante, énergie cinétique moyenne constante): la pression va augmenter (surface plus petite). C'est ce qu'énonce la loi de Boyle-Mariotte: à T et n constantes, le produit PV est constant.

9.6   LA DIFFUSION ET L'EFFUSION DES GAZ

Quand vous mijotez un bon petit plat dans votre cuisine, les molécules à la base des odeurs alléchantes se répandent dans l'atmosphère, où elles se mélangent avec les gaz constituant l'air. Même s'il n'y avait aucun courant d'air dans la cuisine, l'odeur continuerait à se propager dans toutes les pièces de l'appartement ou de la maison. Ce mélange spontané de molécules de deux ou de plusieurs gaz est appelé la **diffusion.** Il est dû aux déplacements aléatoires et continuels de toutes les molécules à l'état gazeux. Avec le temps, dans un contenant fermé, les molécules d'un constituant d'un mélange gazeux vont toutes se disperser complètement dans les autres gaz et l'on obtiendra naturellement un mélange homogène (figure 9.12).

Le passage des molécules de gaz à travers de minuscules trous d'une paroi poreuse séparant un récipient d'un autre où règne une pression inférieure est appelé l'**effusion** (figure 9.13).

Figure 9.12 La diffusion des gaz. L'attaque du cuivre par de l'acide nitrique produit entre autres choses du NO_2. Ce gaz brun rouge diffuse en quelques minutes de l'endroit où il est produit (coude à gauche) vers le ballon de droite. Charles D. Winters

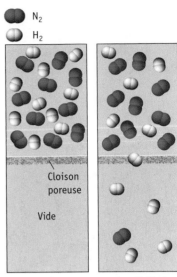

Figure 9.13 L'effusion des gaz. Les molécules de gaz traversent les pores d'une cloison. À la même température, les molécules les plus légères (H_2), possédant une plus grande vitesse moyenne, frappent plus souvent la cloison et la traversent plus rapidement que les molécules d'azote plus lourdes.

Thomas Graham (1805-1869), chimiste britannique, a étudié le phénomène et en a déduit une loi qui porte son nom : *la vitesse d'effusion d'un gaz est inversement proportionnelle à la racine carrée de sa masse molaire.* Mathématiquement, la **loi de Graham** est énoncée par l'équation 9.7.

$$\frac{\text{vitesse d'effusion du gaz A}}{\text{vitesse d'effusion du gaz B}} = \sqrt{\frac{M_B}{M_A}} \qquad \text{(Équation 9.7)}$$

Cette égalité peut se déduire facilement de l'équation de Maxwell (équation 9.6), à la condition d'admettre que la vitesse d'effusion est proportionnelle à la vitesse quadratique moyenne des molécules.

$$\frac{\text{vitesse d'effusion du gaz A}}{\text{vitesse d'effusion du gaz B}} = \frac{\sqrt{\overline{v_B}^2}}{\sqrt{\overline{v_A}^2}} = \frac{\sqrt{3RT/M_A}}{\sqrt{3RT/M_B}} = \sqrt{\frac{M_B}{M_A}}$$

Appliquée aux molécules d'hydrogène et d'azote de la figure 9.13, cette équation donne :

$$\frac{\text{vitesse d'effusion de } H_2}{\text{vitesse d'effusion de } N_2} = \sqrt{\frac{28,0134 \text{ g/mol}}{2,0158 \text{ g/mol}}} \approx 3,7.$$

Ce calcul indique que les molécules d'hydrogène traversent la cloison environ 3,7 fois plus vite que les molécules d'azote.

EXEMPLE 9.9 La loi de Graham

La vitesse d'effusion du tétrafluoroéthylène (C_2F_4) à travers une barrière poreuse est $4,6 \times 10^{-6}$ mol/h. Dans les mêmes conditions, un gaz inconnu (X), composé de bore et d'hydrogène, effuse à un taux $5,8 \times 10^{-6}$ mol/h. Quelle est la masse molaire (M_X) de ce gaz inconnu ?

SOLUTION

On applique directement la loi de Graham (équation 9.7).

$$\frac{\text{vitesse d'effusion de X}}{\text{vitesse d'effusion de } C_2F_4} = \frac{5,8 \times 10^{-6} \text{ mol/h}}{4,6 \times 10^{-6} \text{ mol/h}} = \sqrt{\frac{100,016 \text{ g/mol}}{M_X \text{ g/mol}}}$$

On élève au carré les deux membres de l'égalité et l'on extrait M_X.

$$\left(\frac{5,8}{4,6}\right)^2 = 1,59 = \frac{100,016}{M_X} \qquad M_X = 63 \text{ g/mol}$$

EXERCICE 9.9   **La loi de Graham**

L'effusion d'un échantillon de méthane (CH_4) à travers une paroi poreuse prend 90 s. Dans les mêmes conditions, un nombre égal de molécules d'un gaz inconnu effuse en 284 s. Trouvez la masse molaire de ce gaz.

9.7   LES GAZ RÉELS

À la température ambiante et à la pression atmosphérique, la loi des gaz parfaits est remarquablement suivie par la plupart des gaz. Par contre, à pressions élevées ou à basses températures, les gaz s'écartent notablement de ce comportement « parfait ». Cela peut s'expliquer par le fait que, dans ces conditions, les hypothèses à la base de la loi sont moins confirmées.

pour en savoir+...

La plongée sous-marine autonome

La plongée sous-marine autonome (avec bonbonnes) est formidable, mais vous devez prendre certaines précautions si vous désirez descendre à des profondeurs dépassant 20 m.

Lorsque vous respirez l'air emmagasiné dans les bonbonnes, la pression du gaz dans les poumons est égale à la pression exercée sur votre corps. En surface, la fraction molaire de l'oxygène dans l'air est voisine de 0,21 et sa pression partielle est approximativement égale à 21 kPa. À une profondeur d'environ 10 m, il règne une pression voisine de 200 kPa: cela signifie que la pression partielle de l'oxygène vient de doubler. Il en est de même pour l'azote: sa pression partielle passe de 80 kPa, à la surface, à 160 kPa, à 10 m de profondeur. Où est le problème?

NOAA

La narcose à l'azote, appelée aussi l'« ivresse des profondeurs », résulte de l'effet toxique sur l'influx nerveux de l'azote sous haute pression. Son effet est comparable à l'alcool ingurgité à jeun ou à l'inhalation du gaz hilarant, le monoxyde de diazote (N_2O). Elle crée une sensation d'euphorie, de bien-être et, dans certains cas extrêmes, inhibe le jugement, réduit la coordination et cause une perte de motricité. On rapporte qu'un plongeur serait même allé jusqu'à ôter le régulateur de pression de sa bouche et à l'offrir à un poisson! Certains plongeurs peuvent descendre jusqu'à 40 m sans problème, tandis que d'autres ressentent les symptômes de ce phénomène dès 25 m.

Respirer de l'air à des profondeurs dépassant 30 m crée un autre problème dû à la toxicité de... l'oxygène. Le corps humain est conçu pour respirer de l'oxygène à une pression partielle de 21 kPa. À 45 m de profondeur, la pression partielle de ce gaz est voisine de 95 kPa: c'est comme si l'on respirait sur terre de l'oxygène pur. Cette pression élevée peut endommager fortement les poumons et causer des dommages sérieux au système nerveux central. C'est pourquoi, lors des plongées en profondeur, on remplace l'air comprimé par des mélanges gazeux contenant une proportion moindre d'oxygène, 0,10 kPa au lieu de 0,21 kPa.

Pour éviter la narcose causée par l'azote lors des plongées dépassant 40 m, comme sont amenés à le faire les spécialistes des forages de puits de pétrole sous-marins, on utilise des mélanges d'oxygène et d'hélium. L'hélium crée nettement moins de problèmes de narcose que l'azote, mais en induit un autre: la voix du plongeur ressemble à celle de Donald Duck! Une vitesse de propagation du son dans l'hélium différente de celle dans l'air et une masse volumique de gaz supérieure à celle prévalant à la pression atmosphérique sont responsables de cette modification.

À TPN, le volume occupé par une molécule isolée est très petit par rapport au volume du contenant. Par exemple, l'espace dont dispose un atome d'hélium pour se déplacer correspond à un ballon de basket-ball pour un petit pois. Si la pression est augmentée par un facteur de 1000, l'espace est nettement plus restreint : l'espace du petit pois est réduit à une balle de ping pong.

Le volume dont il est question dans la théorie cinétique et la loi des gaz parfaits est l'espace dans lequel les molécules ou les atomes peuvent se déplacer et non pas celui des espèces elles-mêmes. Il est clair qu'à haute pression le volume occupé par ces dernières n'est pas négligeable devant le volume du récipient.

Selon la théorie cinétique, les collisions sont élastiques et les molécules n'exercent entre elles aucune force d'attraction ou de répulsion. Cela n'est manifestement pas possible dans toutes les conditions de températures et de pressions. Tous les gaz peuvent être liquéfiés, même si parfois ce processus nécessite des températures extrêmement basses, et la seule façon d'expliquer ce fait est d'admettre l'existence de forces intermoléculaires (*voir la figure 9.8, page 320*). Quand une molécule est sur le point de frapper la paroi, la légère attraction exercée sur elle par ses voisines fait en sorte que l'impact de la collision sur la paroi sera moindre que si elle avait été seule (figure 9.14).

La pression exercée par le gaz est donc moindre que celle prévue par la loi des gaz parfaits. Cet effet est d'autant plus prononcé que la température est plus basse et se rapproche de la température de liquéfaction du gaz.

Le physicien néerlandais Johannes Van der Waals (1837-1923, prix Nobel de physique en 1910) a étudié les déviations à la loi des gaz parfaits et a développé une équation plus représentative du comportement des gaz. L'**équation de Van der Waals** « corrige » les écarts entre les grandeurs réelles de pression et de volume et les grandeurs prévues par la loi des gaz parfaits.

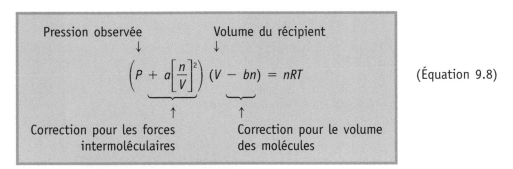

Pression observée   Volume du récipient

$$\left(P + a\left[\dfrac{n}{V}\right]^2\right)(V - bn) = nRT$$ (Équation 9.8)

Correction pour les forces   Correction pour le volume
intermoléculaires   des molécules

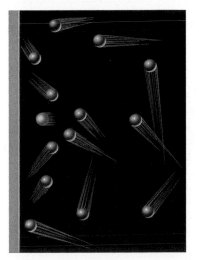

Figure 9.14 L'effet des forces intermoléculaires. Une molécule (en rouge) va heurter la paroi. La force de l'impact sera moindre que celle prévue par la loi des gaz parfaits puisqu'il faut tenir compte des forces d'attraction qu'elle subit de la part des molécules de son entourage.

Dans cette équation, les coefficients a et b sont des valeurs expérimentales propres à chacun des gaz, les autres variables désignent les grandeurs habituelles.

Puisque la pression observée est inférieure à la pression idéale à cause des forces intermoléculaires, le facteur de correction $a\left[\dfrac{n}{V}\right]^2$ est ajouté à la pression observée. La constante a, déterminée expérimentalement, s'échelonne entre, *grosso modo*, 3 et 1000 kPa·L²·mol⁻² (exemples : hélium : 3,457 ; chlore : 657,9 ; propane : 877,9).

Le terme bn diminue le volume observé de façon à se rapprocher du volume réellement disponible pour les molécules. La constante b, déterminée expérimentalement, varie de 0,02370 L·mol⁻¹ (pour l'hélium) à environ 0,1 (chlore : 0,05622 ; propane : 0,08445). Sa valeur croît normalement avec la taille des molécules.

Pour illustrer l'ampleur des corrections dans certains cas, on peut calculer, par exemple, la pression exercée par 8,00 mol de chlore contenues dans un récipient de 4,00 L, à 27 °C. L'équation des gaz parfaits donne une pression égale à :

$$P = \frac{nRT}{V} = \frac{8{,}00 \text{ mol} \times 8{,}314 \text{ kPa·L·mol}^{-1}\text{·K}^{-1} \times 300{,}15 \text{ K}}{4{,}00 \text{ L}} = 4{,}99 \times 10^3 \text{ kPa},$$

tandis que l'équation de Van der Waals conduit à :

$$P = \frac{nRT}{V - bn} - a\left(\frac{n}{V}\right)^2$$

$$= \frac{8{,}00 \text{ mol} \times 8{,}314 \text{ kPa·L·mol}^{-1}\text{·K}^{-1} \times 300{,}15 \text{ K}}{4{,}00 \text{ L} - (0{,}05622 \text{ L·mol}^{-1} \times 8{,}00 \text{ mol})}$$

$$(657{,}9 \text{ kPa·L}^2\text{·mol}^{-2})\left(\frac{8{,}00 \text{ mol}}{4{,}00 \text{ L}}\right)^2 = \frac{19\ 964}{3{,}55} \text{ kPa} - 2632 \text{ kPa} = 2{,}99 \times 10^3 \text{ kPa}.$$

La pression « parfaite » est surestimée de 2000 kPa, environ 20 fois la pression atmosphérique normale !

EXERCICE 9.10   **L'équation de Van der Waals**

Calculez à l'aide de l'équation des gaz parfaits et de l'équation de Van der Waals la pression exercée par 10,0 mol d'hélium contenues dans un réservoir de 1,00 L maintenu à la température de 25 °C ($a = 3{,}457$ kPa·L²·mol⁻², $b = 0{,}02370$ L·mol⁻¹).

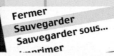

(**SAUVE**_garder_)

LA PRESSION

Définition
Force exercée par unité de surface.

Unité SI	Exemples de conversion
$1\ Pa = 1\ N/m^2 = 1\ kg \cdot m^{-1} \cdot s^{-2}$	$635\ \cancel{mm\ Hg} \times \dfrac{1\ atm}{760\ \cancel{mm\ Hg}} = 0{,}836\ atm$

Autres unités courantes	
$1\ atm = 760\ mm\ Hg$ (nombre exact) $1\ atm = 101{,}325\ kPa$ (nombre exact)	$635\ \cancel{mm\ Hg} \times \dfrac{101{,}325\ kPa}{760\ \cancel{mm\ Hg}} = 84{,}7\ kPa$

LES LOIS DES GAZ

Loi de Boyle-Mariotte	
À température (T) constante et pour une quantité donnée de gaz (n), le produit de sa pression (P) par son volume (V) est constant.	$P_1 V_1 = P_2 V_2 = k_{bm}$ (T et n constantes)

Loi de Charles	
Le volume (V) d'une quantité donnée de gaz (n) maintenu à une pression (P) constante est directement proportionnel à la température Kelvin (T).	$\dfrac{V_1}{T_1} = \dfrac{V_2}{T_2} = k_c$ (P et n constantes)

Loi d'Avogadro	
Des volumes (V) égaux de gaz, dans les mêmes conditions de température (T) et de pression (P), contiennent le même nombre de molécules (n).	$V = k_a n$ (P et T constantes)

Loi des gaz parfaits	
R = constante des gaz parfaits $\quad = 8{,}3145\ kPa \cdot L \cdot mol^{-1} \cdot K^{-1}$	$PV = nRT$ $\rho = \dfrac{PM}{RT}$ $M = \dfrac{mRT}{PV}$

Loi des pressions partielles de Dalton	
La pression d'un mélange de gaz (P_{tot}) est égale à la somme des pressions partielles de chacun des gaz constituant le mélange (P_A, P_B, P_C, etc.).	$P_{tot} = P_A + P_B + P_C + \ldots$ $\chi_A = \dfrac{n_A}{n_A + n_B + n_C} = \dfrac{n_A}{n_{tot}}$ $P_A = \chi_A P_{tot}$

Les gaz réels : équation de Van der Waals
$$\left(P + a\left[\dfrac{n}{V}\right]^2\right)(V - bn) = nRT$$

9

LA THÉORIE CINÉTIQUE

Les postulats

a) Les gaz sont constitués de particules (molécules ou atomes) très petites par rapport à la distance qui les sépare.

b) Les particules, en mouvement continuel, rapide et aléatoire, entrent en collision entre elles et avec les parois du récipient. Ces collisions sont élastiques et il n'existe aucune force de répulsion ou d'attraction entre les particules.

c) L'énergie cinétique moyenne des particules est proportionnelle à la température Kelvin. Tous les gaz, quelle que soit leur masse molaire, possèdent à la même température la même énergie cinétique moyenne.

La pression

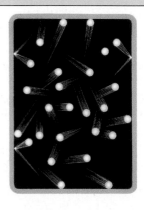

La pression provient des collisions des molécules ou des atomes de gaz sur les parois du récipient.

La distribution des vitesses moléculaires

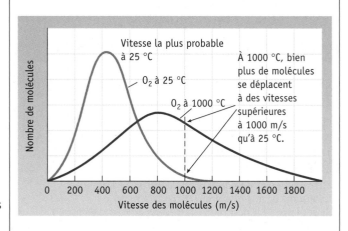

L'équation de Maxwell

Elle exprime la relation entre la vitesse quadratique moyenne des molécules $\left(\sqrt{\overline{v^2}}\right)$, la température ($T$) et la masse molaire ($M$) du gaz.

$$\sqrt{\overline{v^2}} = \sqrt{\frac{3RT}{M}}$$

La loi de Graham

La vitesse d'effusion d'un gaz est inversement proportionnelle à la racine carrée de sa masse molaire.

$$\frac{\text{vitesse d'effusion du gaz A}}{\text{vitesse d'effusion du gaz B}} = \sqrt{\frac{M_B}{M_A}}$$

Revue des concepts importants

1. Que signifie l'abréviation TPN? Quel est le volume d'une mole de gaz idéal dans ces conditions?

2. Énoncez la loi d'Avogadro. Appliquez-la à la formation de la vapeur d'eau à partir de l'hydrogène et de l'oxygène, à TPN. Par exemple, quel est le volume (L) de O_2 nécessaire et quel est le volume (L) de vapeur d'eau produit à partir de 3 mol de H_2?

3. a) Énoncez la loi des pressions partielles de Dalton.
   b) La fraction molaire de O_2 dans l'air que vous respirez est égale à 0,21. Calculez sa pression partielle, sachant que la pression atmosphérique est de 100 kPa.

4. Énoncez la loi de Graham et donnez son équation. Déterminez la masse molaire d'un gaz inconnu qui effuse quatre fois plus lentement que H_2 à 25 °C.

Exercices

La pression
(*Voir l'exemple 9.1*)

5. Exprimez une pression de 440 mm Hg en atmosphères et en kilopascals.

6. Déterminez la pression la plus élevée pour chacune des paires suivantes.
   a) 534 mm Hg et 0,754 bar.
   b) 534 mm Hg et 650 kPa.
   c) 1,34 bar et 934 kPa.

7. Classez par ordre croissant les pressions suivantes : 363 mm Hg, 363 kPa, 0,256 atm et 0,523 bar.

La loi de Boyle-Mariotte et la loi de Charles
(*Voir l'exemple 9.2*)

8. Du dioxyde de carbone exerce une pression de 56,5 mm Hg dans un contenant de 125 mL. À la même température, on le transfère dans un nouveau contenant et la pression augmente rapidement à 62,3 mm Hg. Quel est le volume de ce nouveau contenant?

9. À pression constante, quel volume occuperait du monoxyde d'azote (NO), à 27 °C, s'il occupe un volume de 3,5 L à 22,0 °C?

L'hypothèse d'Avogadro

10. Le monoxyde d'azote réagit avec l'oxygène pour former du dioxyde d'azote.

$$2 \, NO \, (g) + O_2 \, (g) \longrightarrow 2 \, NO_2 \, (g)$$

Mesuré dans les mêmes conditions de température et de pression,
   a) quel volume de O_2 va réagir avec 150 mL de NO?
   b) quel volume de NO_2 obtiendra-t-on?

11. L'éthane (C_2H_6) brûle en présence d'air selon l'équation :

$$2 \, C_2H_6 \, (g) + 7 \, O_2 \, (g) \longrightarrow 4 \, CO_2 \, (g) + 6 \, H_2O \, (g).$$

Les volumes de gaz étant mesurés dans les mêmes conditions de température et de pression,

a) combien de litres de O_2 seront consommés par la combustion de 5,2 L d'éthane?
   b) quel volume de vapeur d'eau sera produit à partir de 5,2 L d'éthane?

La loi des gaz parfaits
(*Voir les exemples 9.3 et 9.4*)

12. Quelle est la pression d'un gaz contenu dans un récipient de 250 mL à -5,0 °C, si elle est de 48 kPa à 25,5 °C?

13. Un gaz exerce une pression de 22,0 kPa, à 22,5 °C, dans un récipient de 135 mL. Il est transféré dans un récipient de 252 mL, à une température de 0,0 °C. Quelle est sa nouvelle pression?

14. Quelle est la pression (kPa) exercée par 1,25 g de CO_2, à 22,5 °C, contenu dans un récipient de 750 mL?

15. Déterminez le volume d'un ballon contenant 30,0 kg d'hélium, à la pression de 122 kPa et à la température de 22 °C.

16. Quelle est la pression exercée (kPa) par 1,50 g de vapeur d'éthanol (C_2H_5OH) contenue dans un cylindre de 251 cm³, à une température de 250 °C?

17. Quelle masse (g) d'hélium faut-il pour remplir un ballon de 5,0 L sous une pression de 111 kPa, à 25 °C?

La masse volumique des gaz et le calcul de la masse molaire
(*Voir les exemples 9.5 et 9.6*)

18. L'éthoxyéthane (($C_2H_5)_2O$) se vaporise facilement à la température de la pièce. Calculez la masse volumique de cette vapeur à 25 °C et à une pression de 31,1 kPa.

19. Le chloroforme, un solvant utilisé régulièrement en laboratoire, se vaporise facilement. Déterminez sa masse molaire, sachant que sa pression de vapeur dans un contenant est de 26,0 kPa à 25,0 °C et que la masse volumique de sa vapeur est égale à 1,25 g/L.

20. Un échantillon de 1,007 g d'un gaz inconnu exerce une pression de 95,3 kPa dans un récipient de 452 mL, à 23 °C. Calculez sa masse molaire.

21. Un nouvel hydrure de bore (B_xH_y) a été isolé. Afin de déterminer sa masse molaire, vous avez recueilli les données suivantes au cours d'une expérience.
   Masse du gaz = 12,5 mg.
   Température = 25 °C.
   Pression du gaz = 24,8 mm Hg.
   Volume du récipient = 125 mL.
   Quelle formule moléculaire correspond à la masse molaire calculée?
   a) B_2H_6 c) B_5H_9 e) $B_{10}H_{14}$
   b) B_4H_{10} d) B_6H_{10}

Les mélanges gazeux et la loi de Dalton
(*Voir l'exemple 9.7*)

22. Quelle est la pression totale (kPa) régnant dans un récipient de 3,0 L contenant 1,0 g d'hydrogène et 8,0 g d'argon, à 27 °C?

9

23. Un cylindre de gaz comprimé est étiqueté « Composition (fraction molaire) : 0,045 H_2S, 0,030 CO_2, le reste N_2. » Le manomètre affiche 4661 kPa. Calculez la pression partielle de chacun de ces gaz.

24. Les pressions partielles d'halothane ($C_2HBrClF_3$) et d'oxygène constituant un mélange anesthésique sont respectivement de 23 kPa et 76 kPa.
   a) Calculez le ratio quantité (mol) d'halothane/quantité (mol) d'oxygène.
   b) Calculez la masse de $C_2HBrClF_3$ présente dans un réservoir contenant 160 g de O_2.

25. À la température de 21,5 °C, un ballon dégonflé est rempli d'hélium jusqu'à un volume de 12,5 L, sous une pression de 101,3 kPa. De l'oxygène est ensuite ajouté jusqu'à ce que le volume du ballon atteigne 26,0 L, sous une pression totale de 101,3 kPa.
   a) Quelle masse d'hélium le ballon contient-il ?
   b) Quelle est la pression partielle de He dans le ballon ?
   c) Quelle est la pression partielle de O_2 dans le ballon ?
   d) Quelle est la fraction molaire de chacun de ces gaz ?

La théorie cinétique des gaz
(*Voir l'exemple 9.8*)

26. Des masses égales de N_2 et de Ar sont placées séparément dans des flacons identiques, et à la même température. Les énoncés suivants sont-ils vrais ou faux ? Justifiez brièvement votre choix.
   a) Il y a plus de molécules de N_2 que d'atomes de Ar.
   b) La pression est plus élevée dans le flacon contenant l'argon.
   c) Les atomes de Ar ont une vitesse moyenne plus élevée que celle des molécules de N_2.
   d) Les molécules de N_2 entrent en collision plus fréquemment avec les parois du flacon que ne le font les atomes de Ar.

27. Calculez la vitesse quadratique moyenne des molécules de CO, à 25 °C. Calculez le rapport de cette vitesse avec celle des atomes d'argon à la même température.

28. Placez les gaz suivants par ordre croissant de leur vitesse moléculaire moyenne, à 25 °C : Ar, CH_4, N_2 et CH_2F_2.

La diffusion et l'effusion des gaz
(*Voir l'exemple 9.9*)

29. Quel gaz a la plus grande vitesse d'effusion ?
   a) CO_2 ou F_2.
   b) O_2 ou N_2.
   c) C_2H_4 ou C_2H_6.
   d) $CFCl_3$ ou $C_2Cl_2F_4$.

30. Un gaz effuse à travers une petite ouverture à une vitesse trois fois moins grande que celle de l'hélium. Calculez la masse molaire du gaz inconnu.

31. La vitesse d'effusion d'un échantillon de fluorure d'uranium est de 17,7 mg/h. Dans les mêmes conditions, l'iode gazeux effuse à un taux de 15,0 mg/h. Quelle est la masse molaire du fluorure d'uranium ?

Questions de révision
Ces questions peuvent combiner plusieurs des concepts vus précédemment.

32. Calculez la masse (g) de CO_2 nécessaire pour remplir un réservoir cylindrique d'une longueur de 20,0 m et d'un rayon de 10,0 cm pour obtenir une pression de 115 kPa, à 25 °C.

33. À quelle température (°C) devez-vous refroidir un échantillon de 25,5 mL d'oxygène à 90 °C pour que son volume devienne égal à 21,5 mL ? (La pression et la masse du gaz sont constantes.)

34. À quelle température devrez-vous réchauffer un échantillon d'hélium à -33 °C pour augmenter de 10 % la vitesse moyenne de ses atomes ?

35. Calculez la masse de O_2 nécessaire pour gonfler un ballon à une température de 5 °C, sachant qu'il faut 12,0 g de O_2 pour gonfler ce même ballon à 27 °C (à la même pression).

36. Un ballon rempli d'hydrogène à une pression de 1 atm se trouve dans la neige, à -5 °C. Un autre ballon, deux fois moins gros que le précédent, rempli d'hélium à une pression de 2 atm, est placé dans un immeuble, à 23 °C.
   a) Quel ballon contient le plus de molécules ?
   b) Quel ballon contient la plus grande masse de gaz ?

37. Un pneu de bicyclette, possédant un volume interne de 1,52 L et contenant 0,406 mol d'air, éclate lorsque la pression interne atteint 735 kPa. Quelle est alors sa température ?

38. L'analyse élémentaire d'un chlorofluorocarbone gazeux (CCl_xF_y) montre qu'il est constitué de 11,79 % de C et de 69,57 % de Cl. Une autre expérience démontre que 0,107 g de ce composé remplit un flacon de 458 mL à 25 °C et à une pression de 2,84 kPa. Déterminez la formule moléculaire de ce composé.

39. En laboratoire, on peut reproduire l'éruption d'un volcan miniature en chauffant du dichromate d'ammonium. Celui-ci se décompose violemment en émettant des étincelles très colorées.

$$(NH_4)_2Cr_2O_7 \text{ (s)} \longrightarrow N_2 \text{ (g)} + 4 H_2O \text{ (g)} + Cr_2O_3 \text{ (s)}$$

Vous utilisez 0,95 g de dichromate d'ammonium et vous recueillez les gaz formés dans un contenant de 15,0 L, à 23 °C.
   a) Déterminez la pression totale (kPa) dans le contenant.
   b) Déterminez les pressions partielles de N_2 et de H_2O.

Charles D. Winters

40. Lequel des échantillons gazeux suivants contient le plus de molécules ? Lequel en contient le moins ? Lequel est le plus lourd ?

a) 1,0 L de H_2 à TPN.

b) 1,0 L de Ar à TPN.

c) 1,0 L de H_2 à 27 °C et à une pression de 101 kPa.

d) 1,0 L de He à 0 °C et à une pression de 120 kPa.

41. Un ballon de 3,0 L contenant de l'hélium à une pression de 19,3 kPa est raccordé par un robinet à un ballon de 2,0 L contenant de l'argon à une pression de 47,3 kPa. Calculez la pression partielle de chacun des gaz et la pression totale après avoir ouvert le robinet.

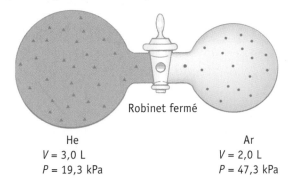

Robinet fermé

He	Ar
V = 3,0 L	V = 2,0 L
P = 19,3 kPa	P = 47,3 kPa

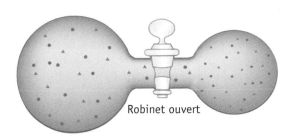

Robinet ouvert

He + Ar   He + Ar

42. La phosphine (PH_3) est un gaz toxique lorsque sa concentration dépasse 7×10^{-5} mg/L. À quelle pression (kPa) cette concentration correspond-elle dans l'air, à 25 °C ?

43. Des molécules d'eau s'évaporent dans un contenant fermé jusqu'à ce que la pression de vapeur à 25 °C soit égale à 3,17 kPa. Calculez le nombre de molécules d'eau par centimètre cube de vapeur.

44. La réaction du monoxyde d'azote avec l'oxygène donne du dioxyde d'azote.

$$2 \; NO \; (g) + O_2 \; (g) \longrightarrow 2 \; NO_2 \; (g)$$

a) Placez ces trois gaz par ordre croissant de leur vitesse de déplacement de leurs molécules, à 298 K.

b) Si vous mélangez les réactifs en quantités stœchiométriques, quelle est la pression partielle de O_2 si celle de NO est de 20 kPa ?

c) À partir des données en **b)**, calculez la pression de NO_2.

45. Un flacon de 1,0 L contient 10,0 g de O_2 et 10,0 g de CO_2, à 25 °C.

a) Lequel des deux gaz possède la pression partielle la plus élevée ?

b) La vitesse moyenne des molécules de O_2 est-elle plus grande que celle des molécules de CO_2 ?

c) L'énergie cinétique moyenne des molécules de O_2 est-elle plus grande que celle des molécules de CO_2 ?

46. Les forces intermoléculaires sont-elles plus importantes lorsque :

a) le volume de gaz est diminué, à température constante ?

b) des molécules supplémentaires de gaz sont ajoutées dans un certain volume, à température constante ?

c) la température du gaz est augmentée, à pression constante ?

47. Calculez la pression exercée par 165 g de CO_2 contenus dans un réservoir de 12,5 L maintenu à la température de 25 °C, à l'aide de :

a) l'équation des gaz parfaits ;

b) l'équation de Van der Waals (a = 364 kPa·L^2·mol^{-2}, b = 0,0427 L·mol^{-1}).

Les **réactions**, les **équations chimiques** et la **stœchiométrie**

Les conditions qui ont dû être satisfaites pour que la vie puisse émerger sont tellement nombreuses que son origine tient du miracle.

Francis Crick, rapporté par John Horgan dans « Au commencement », *Scientific American*, février 1991, pages 116 à 125.

Les cheminées noires et l'origine de la vie

Cette déclaration de Francis Crick ne veut pas dire que les chimistes et les biologistes n'ont pas essayé de découvrir les conditions dans lesquelles la vie aurait pu surgir. Charles Darwin pensait que la vie aurait pu commencer lorsque de simples petites molécules se seraient combinées entre elles pour en donner de plus complexes. Sa conception lui a survécu et, pour chercher à la valider, des scientifiques tels que Stanley Miller, en 1953, ont tenté de recréer en laboratoire l'atmosphère que l'on pensait être celle de la Terre aux temps primitifs. Miller a rempli de méthane, d'ammoniac et d'hydrogène un flacon contenant un peu d'eau. À la manière d'un éclair, il a déclenché une décharge électrique dans le mélange. Aussitôt, une vase visqueuse rougeâtre est apparue, tapissant les parois et le fond. Il s'avéra qu'elle était composée d'acides aminés, des composés à la base des protéines. Les chimistes crurent alors qu'ils pourraient savoir bientôt comment les organismes vivants avaient commencé leur développement, mais ce ne fut pas le cas. Miller avoua récemment: « Le problème des origines de la vie s'est avéré bien plus difficile que bien des gens et moi-même ne l'avions cru. »

Bien sûr, d'autres théories sur les origines de la vie ont été avancées. La plus récente est liée à la découverte de sites géologiques très actifs au fond des océans. Se pourrait-il que la vie soit apparue dans de tels environnements? La preuve est ténue, reposant uniquement comme celle de Miller sur la création de composés complexes contenant du carbone, à partir de molécules plus simples.

En 1977, des scientifiques explorant la jonction de deux des plaques tectoniques qui forment le fond de l'océan Pacifique ont découvert des sources hydrothermales crachant une mixture bizarre, noire et chaude. L'eau de l'océan s'infiltre dans des fissures, s'approche du magma (roches en fusion) qui la réchauffe à 300 °C jusqu'à 400 °C. Des minéraux de la croûte terrestre passent en solution dans cette eau très chaude et les sulfates dissous se transforment, dans ces conditions de température et de pression, en sulfure d'hydrogène (H_2S). Quand cette eau chaude, très riche en minéraux et surtout en sulfures, s'échappe sous l'effet de la pression dans les eaux froides des profondeurs de l'océan, elle se refroidit et des sulfures de cuivre, de manganèse, de fer, de zinc, de nickel, etc., précipitent. Comme la plupart de ces produits sont noirs, les panaches issus des sources ressemblent à de la fumée noire, d'où leur surnom anglais, *black smokers*. Les sulfures solides se déposent constamment sur les parois de l'évent et forment à la longue des « cheminées noires » sous-marines. Les scientifiques furent surpris de constater qu'aux alentours de ces cheminées, dans un environnement très chaud et très riche en sulfures, vivaient des animaux primitifs. À ces profondeurs de plusieurs centaines de mètres, que la lumière solaire n'atteint pas, ceux-ci se sont adaptés et vivent sans l'appoint de l'énergie solaire directe. On croit qu'ils puisent l'énergie nécessaire à la fabrication des matières organiques dont ils dépendent de la réaction entre l'oxygène et le sulfure d'hydrogène, réaction qui dégage de la chaleur.

$$H_2S \ (aq) + 2 \ O_2 \ (aq) \longrightarrow$$
$$H_2SO_4 \ (aq) \ \text{et chaleur libérée}$$

L'hypothèse selon laquelle la vie aurait pu apparaître dans cet environnement *a priori* inhospitalier a été testée en laboratoire par le scientifique allemand, également juriste, G. Wächtershäuser et par sa collègue, Claudia Huber. Ils ont découvert que des sulfures métalliques comme le sulfure de fer favorisent la transformation de molécules simples contenant du carbone en des substances plus complexes. Si cela se produit en laboratoire, se pourrait-il que des réactions chimiques similaires aient lieu dans l'environnement très spécial des cheminées noires ?

▲ Certains pensent que les océans ont pu jouer un rôle dans l'émergence de la vie sur la terre. John C. Kotz

▲ Une source hydrothermale dans l'océan Pacifique. National Oceanic and Atmospheric Administration/Département du Commerce

10

Les réactions chimiques La chimie étudie les changements. Cette page présente quelques types de réactions chimiques impliquant aussi bien des éléments que des composés. Dans ce chapitre, nous étudierons de manière qualitative et quantitative les équations utilisées pour représenter les réactions.

PHOSPHORE BLANC (s) + CHLORE (g) ⟶ TRICHLORURE DE PHOSPHORE (l)

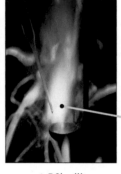
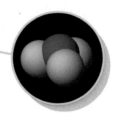

$$P_4 \text{ (s)} + 6 \text{ Cl}_2 \text{ (g)}$$
Réactifs

⟶

$$4 \text{ PCl}_3 \text{ (l)}$$
Produits

Une réaction de précipitation

◄ **Pb²⁺ (aq) + CrO₄²⁻ (aq) ⟶ PbCrO₄ (s)**

$$Pb^{2+} \text{ (aq)} + CrO_4^{2-} \text{ (aq)} \longrightarrow PbCrO_4 \text{ (s)}$$

L'addition de quelques gouttes d'une solution aqueuse de chromate de potassium à une solution aqueuse de nitrate de plomb (II) provoque la précipitation du chromate de plomb (II).

Une réaction avec dégagement gazeux

◄ **CaCO₃ (s) + 2 H⁺ (aq) ⟶ H₂O (l) + Ca²⁺ (aq) + Co₂ (g)**

$$CaCO_3 \text{ (s)} + 2 \text{ H}^+ \text{ (aq)} \longrightarrow H_2O \text{ (l)} + Ca^{2+} \text{ (aq)} + Co_2 \text{ (g)}$$

La dissolution dans du vinaigre d'une pierre calcaire constituée essentiellement de carbonate de calcium produit un dégagement de dioxyde de carbone.

Une réaction acidobasique

HCl (acide)   NaOH (base)

NaCl (sel) + H₂O

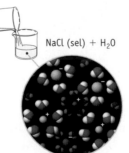

$H^+ \text{ (aq)} + Cl^- \text{ (aq)}$ $Na^+ \text{ (aq)} + OH^- \text{ (aq)}$ $Na^+ \text{ (aq)} + Cl^- \text{ (aq)}$

$$H^+ \text{ (aq)} + OH^- \text{ (aq)} \longrightarrow H_2O \text{ (l)}$$

L'acide chlorhydrique et l'hydroxyde de sodium sont totalement dissociés en solution aqueuse. Le mélange des deux solutions se réduit à la combinaison des ions H^+ et OH^- qui donne de l'eau. Les ions Na^+ et Cl^- restent en solution.

Une réaction d'oxydoréduction

a) Un fil de cuivre. **b)** Le même fil de cuivre au bout de quelques heures dans une solution aqueuse diluée de nitrate d'argent. Les ions Ag^+ (aq) oxydent le cuivre en ions cuivre (II).

$$Cu \text{ (s)} + 2 \text{ Ag}^+ \text{ (aq)} \longrightarrow Cu^{2+} \text{ (aq)} + 2 \text{ Ag (s)}$$

Q *ui pense chimie pense réactions chimiques. L'alchimiste du Moyen Âge qui triturait des mélanges de substances en espérant la transmutation du plomb en or fait toujours partie de notre imaginaire et c'est encore bien souvent la caricature que l'on fait du chimiste. Mais, bien évidemment, la chimie moderne dépasse ce cadre très étroit. En effet, il existe un nombre inimaginable de réactions se produisant dans la nature : chaque activité de tout être vivant est régie par des réactions chimiques minutieusement réglées. Dans ce chapitre, nous les aborderons du point de vue quantitatif.*

10.1 LES ÉQUATIONS CHIMIQUES

Dans la première partie de l'encadré *Point de mire*, on a illustré la réaction du chlore (Cl_2) avec le phosphore (P_4). La réaction est violente, le phosphore s'enflamme immédiatement en produisant du trichlorure de phosphore (PCl_3). On symbolise cette réaction à l'aide d'une **équation chimique** équilibrée (*voir la section 1.5, page 23*) :

$$P_4 \text{ (s)} + 6 \text{ Cl}_2 \text{ (g)} \longrightarrow 4 \text{ PCl}_3 \text{ (l)}$$
Réactifs   Produits

Les nombres relatifs de molécules, d'ions ou de composés ioniques de réactifs et de produits, les **coefficients stœchiométriques,** sont placés devant la formule de chaque substance.

Au XVIIIe siècle, le grand chimiste français Antoine Laurent de Lavoisier a énoncé la **loi de la conservation de la matière,** formulée dans cet aphorisme devenu classique : « Rien ne se perd, rien ne se crée ». Cette loi stipule que si l'on a au départ 10 g de réactifs et que toute cette quantité s'est transformée, on obtient 10 g de produits. Elle signifie aussi que s'il y a un certain nombre d'atomes d'un élément particulier dans les réactifs, on retrouve ce même nombre dans les produits. Revenant à la réaction du chlore et du phosphore, la loi de la conservation de la matière stipule qu'une molécule de phosphore (4 atomes P) et 6 molécules diatomiques de chlore (12 atomes Cl) sont nécessaires pour former 4 molécules de PCl_3 (4 atomes P et 12 atomes Cl, au total).

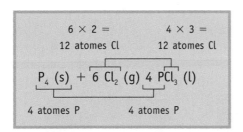

En appliquant le même raisonnement, l'équation équilibrée de la réaction de l'aluminium avec le brome s'écrit :

$$2 \text{ Al (s)} + 3 \text{ Br}_2 \text{ (l)} \longrightarrow \text{Al}_2\text{Br}_6 \text{ (s)}$$

Coefficients stœchiométriques   (on omet le 1 devant Al_2Br_6)
(2 atomes Al et 6 atomes Br de chaque côté de la flèche de réaction).

Les coefficients stœchiométriques peuvent s'appliquer aussi bien aux nombres de moles d'atomes ou de molécules qu'aux nombres d'atomes ou de molécules. Ainsi, l'équation précédente signifie aussi que 2 mol d'aluminium (Al) se combinent avec 3 mol de brome (Br_2) pour former 1 mol de bromure d'aluminium (Al_2Br_6).

Antoine Laurent de Lavoisier (1743-1794)
Ce chimiste français a énoncé la loi de la conservation de la matière. Il a été guillotiné durant la Révolution française. Collection E. F. Smith/Van Pelt Library/ Université de Pennsylvanie

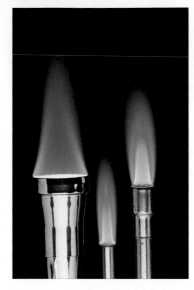

Une réaction de combustion.
Le propane (C_3H_8) brûle en
dégageant du dioxyde de carbone
et de l'eau. Ces deux oxydes
apparaissent toujours comme
produits de la combustion
complète d'un hydrocarbure.
Charles D. Winters

10.2   L'ÉQUILIBRAGE DES ÉQUATIONS CHIMIQUES

Équilibrer une équation, c'est s'assurer que le nombre d'atomes de chacun des éléments est le même de part et d'autre de la flèche de réaction. Dans les réactions de l'oxygène avec des métaux ou des non-métaux conduisant à des oxydes (figure 10.1), l'**équilibrage** est simple: les coefficients sont presque évidents et faciles à trouver.

$$4\ Fe\ (s) + 3\ O_2\ (g) \longrightarrow 2\ Fe_2O_3\ (s)$$
$$2\ Mg\ (s) + O_2\ (g) \longrightarrow 2\ MgO\ (s)$$
$$P_4\ (s) + 5\ O_2\ (g) \longrightarrow P_4O_{10}\ (s)$$

Par contre, les réactions de l'oxygène avec des composés organiques, appelées les réactions de combustion, sont un peu plus longues à équilibrer, l'oxygène se combinant avec au moins deux éléments, le carbone et l'hydrogène, pour donner du dioxyde de carbone et de l'eau lorsque la combustion est complète.

$$2\ C_8H_{18}\ (l) + 25\ O_2\ (g) \longrightarrow 16\ CO_2\ (g) + 18\ H_2O\ (g)$$
$$\text{(octane)}$$

L'équilibrage des équations chimiques s'effectue généralement par tâtonnements plus ou moins nombreux. Toutefois, l'application de quelques règles simplifie souvent le processus.

1. Écrivez l'équation non équilibrée de la réaction.
2. Sélectionnez la formule la plus complexe.
3. Équilibrez en premier l'élément de la formule précédente, généralement différent de O et de H, qui n'apparaît que dans un seul produit de la réaction.
4. Repérez et équilibrez un autre élément qui n'apparaît que dans une seule substance de chaque côté de la flèche.
5. Équilibrez en dernier l'élément présent sous forme de corps simple (comme O_2, H_2).
6. Multipliez l'ensemble des coefficients pour éliminer les nombres fractionnaires.
7. Vérifiez l'équilibrage.

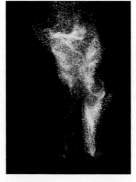
a)

b)

c)

Figure 10.1 Les réactions des métaux et des non-métaux avec l'oxygène. a) La réaction du fer et de l'oxygène donne de l'oxyde de fer (III) (Fe_2O_3). **b)** La réaction du magnésium et de l'oxygène produit de l'oxyde de magnésium (MgO). **c)** Le phosphore réagit avec l'oxygène pour donner du décaoxyde de tétraphosphore (P_4O_{10}). Charles D. Winters

---

EXEMPLE 10.1 **L'équilibrage des réactions**

Équilibrez la réaction de combustion complète du tétraéthylplomb ($Pb(C_2H_5)_4$ (l)), qui était utilisé jusque dans les années 1970 comme additif dans les essences, sachant que les produits de la réaction sont PbO (s), H_2O (g) et CO_2 (g).

SOLUTION

On applique successivement les différentes étapes mentionnées précédemment.

1) $Pb(C_2H_5)_4$ (l) + O_2 (g) $\longrightarrow$ PbO (s) + H_2O (g) + CO_2 (g)

2) Formule la plus complexe : $Pb(C_2H_5)_4$.

3) Élément de la formule précédente n'apparaissant que dans un seul produit de la réaction.

$$Pb(C_2H_5)_4 \text{ (l)} + O_2 \text{ (g)} \longrightarrow PbO \text{ (s)} + H_2O \text{ (g)} + CO_2 \text{ (g)}$$

4) Autre élément qui n'apparaît que dans une seule substance de chaque côté de la flèche.

$$Pb(C_2H_5)_4 \text{ (l)} + O_2 \text{ (g)} \longrightarrow PbO \text{ (s)} + H_2O \text{ (g)} + 8\,CO_2 \text{ (g)}$$
$$Pb(C_2H_5)_4 \text{ (l)} + O_2 \text{ (g)} \longrightarrow PbO \text{ (s)} + 10\,H_2O \text{ (g)} + 8\,CO_2 \text{ (g)}$$

5) Tous les coefficients des produits de la réaction sont trouvés. Les 27 atomes d'oxygène sont fournis par $\dfrac{27}{2}$ molécules d'oxygène (O_2).

$$Pb(C_2H_5)_4 \text{ (l)} + \frac{27}{2}\,O_2 \text{ (g)} \longrightarrow PbO \text{ (s)} + 10\,H_2O \text{ (g)} + 8\,CO_2 \text{ (g)}$$

6) On multiplie tous les coefficients par 2 pour faire apparaître un nombre entier de molécules d'oxygène.

$$2\,Pb(C_2H_5)_4 \text{ (l)} + 27\,O_2 \text{ (g)} \longrightarrow 2\,PbO \text{ (s)} + 20\,H_2O \text{ (g)} + 16\,CO_2 \text{ (g)}$$

7) Vérifiez l'équilibrage.
Deux atomes Pb, 16 C, 40 H et 54 O sont présents de chaque côté de la flèche. L'équation est bien équilibrée.

◆ *L'équilibrage des équations*

Dans l'équilibrage des équations chimiques, on ne doit pas toucher aux formules des réactifs ou des produits, on ne peut modifier un indice apparaissant dans une formule. Le faire équivaudrait à modifier la substance, qu'elle soit un réactif ou un produit.

10

EXERCICE 10.1 **L'équilibrage des réactions de combustion**

a) Équilibrez la réaction de combustion du butane (C_4H_{10} (g)), qui brûle complètement dans l'air en donnant du dioxyde de carbone et de la vapeur d'eau.

b) Équilibrez l'équation de la réaction de l'ammoniac et de l'oxygène, qui donne de l'eau et de l'azote.

10.3 LES CALCULS IMPLIQUANT DES MASSES

Comme vous venez de le voir, une équation est équilibrée à partir de la quantité d'atomes mis en jeu dans la réaction chimique. Mais, compte tenu des relations qui existent entre les nombres d'atomes ou de moles d'atomes et les masses correspondantes, elle permet aussi d'aborder les réactions chimiques en termes de masses de réactifs ou de masses de produits. Pour illustrer le passage des quantités (mol) aux masses, considérez de nouveau l'exemple de la formation de PCl_3 à partir de ses éléments et supposez qu'au départ vous disposiez d'une mole de phosphore (P_4, $M = 123{,}895$ g/mol) soit, en arrondissant, 124 g. L'équation équilibrée :

$$P_4 \text{ (s)} + 6\,Cl_2 \text{ (g)} \longrightarrow 4\,PCl_3 \text{ (l)}$$

indique que six moles de chlore (Cl_2, $M = 70,9054$ g/mol), soit 425 g, sont consommées et qu'il s'est formé quatre moles de PCl_3 ($M = 137,332$ g/mol) ou 549 g (tableau 10.1).

TABLEAU 10.1 Les relations entre les quantités (mol) et les masses dans la réaction P_4 (s) + 6 Cl_2 (g) ⟶ 4 PCl_3 (l)

	P_4 (s)	+	6 Cl_2 (g)	⟶	4 PCl_3 (l)
quantités initiales (mol)	1,00		6,00		0
variation (mol)	− 1,00		− 6,00		+4,00
quantités finales (mol)	0		0		4,00
masse initiale (g)	124		425		0
variation (g)	− 124		− 425		+549
masse finale (g)	0		0		549

Ce tableau montre les relations existant entre une mole de phosphore et les autres quantités de substances, exprimées en moles ou en grammes. L'équation chimique indique encore plus que ces relations mettent les coefficients en présence : en effet, elle s'applique à n'importe quelle quantité initiale de phosphore. Si l'on avait supposé, par exemple, 10^{-2} mol de phosphore au lieu d'une, tous les nombres du tableau ci-dessus auraient été divisés par 100. On va appliquer ce dernier raisonnement à l'exemple suivant.

EXEMPLE 10.2   Les masses et les équations chimiques

Le phosphore (P_4) et le chlore réagissent pour donner du trichlorure de phosphore.

a) Calculez la masse de chlore qui se combine à 1,45 g de phosphore.

b) Calculez la masse de trichlorure de phosphore formé dans ces conditions.

SOLUTION

Question a)

1) Écrivez l'équation équilibrée. C'est toujours la première étape à effectuer.
$$P_4 \text{ (s)} + 6\ Cl_2 \text{ (g)} \longrightarrow 4\ PCl_3 \text{ (l)}$$

2) Convertissez les masses en quantités (mol).
$$\text{Quantité de } P_4 = 1,45 \text{ g de } P_4 \times \frac{1 \text{ mol}}{123,895 \text{ g de } P_4} = \frac{1,45}{123,895} \text{ mol}$$

3) Faites intervenir les coefficients stœchiométriques de l'équation équilibrée. On sait que six moles de Cl_2 réagissent avec une mole de P_4.
$$\text{Quantité de } Cl_2 = \frac{1,45}{123,895} \text{ mol de } P_4 \times \frac{6 \text{ mol de } Cl_2}{1 \text{ mol de } P_4} = \frac{1,45 \times 6}{123,895} \text{ mol}$$

4) Convertissez les quantités (mol) en masses.
$$\text{Masse de } Cl_2 = \frac{1,45 \times 6}{123,895} \text{ mol de } Cl_2 \times \frac{70,9054 \text{ g}}{1 \text{ mol de } Cl_2} = 4,98 \text{ g}$$

Question b)

1,45 g de phosphore a réagi avec 4,98 g de chlore. À cause de la loi de la conservation de la matière, on déduit qu'il s'est formé (1,45 + 4,98) g = 6,43 g de PCl_3. On peut aussi arriver à ce résultat en suivant le processus précédent.

3) Faites intervenir les coefficients stœchiométriques de l'équation équilibrée. On sait qu'une mole de P_4 donne quatre moles de PCl_3.

$$\text{Quantité de } PCl_3 = \frac{1,45}{123,895} \text{ mol de } P_4 \times \frac{4 \text{ mol de } PCl_3}{1 \text{ mol de } P_4} = \frac{1,45 \times 4}{123,895} \text{ mol}$$

4) Convertissez les quantités (mol) en masses.

$$\text{Masse de } PCl_3 = \frac{1,45 \times 4}{123,895} \text{ mol de } PCl_3 \times \frac{137,332 \text{ g}}{1 \text{ mol de } PCl_3} = 6,43 \text{ g}$$

EXERCICE 10.2 **Les masses et les équations chimiques**

Calculez la masse de O_2 nécessaire pour que 454 g de propane (C_3H_8) brûlent complètement. Calculez les masses des produits formés.

10.4 LES CALCULS IMPLIQUANT DES VOLUMES DE GAZ

De nombreux procédés industriels mettent en jeu des gaz. À titre d'exemples, on peut noter que l'azote et l'hydrogène sont à la base de la fabrication de l'ammoniac et que l'électrolyse d'une solution aqueuse de chlorure de sodium produit de l'hydroxyde de sodium, de l'hydrogène et du chlore.

$$N_2 \text{ (g)} + 3 H_2 \text{ (g)} \longrightarrow 2 NH_3 \text{ (g)}$$

$$\text{Électrolyse}$$
$$2 NaCl \text{ (aq)} + 2 H_2O \text{ (l)} \longrightarrow 2 NaOH \text{ (aq)} + H_2 \text{ (g)} + Cl_2 \text{ (g)}$$

Il est donc important de maîtriser l'aspect quantitatif de telles réactions. Les exemples qui suivent vont vous y aider. Le schéma de la figure 10.2 (*voir la page 340*) montre l'application aux gaz des calculs stœchiométriques exposés précédemment.

10

trucs et astuces

Les calculs stœchiométriques

Soit les deux équations équilibrées hypothétiques suivantes :

1) $a A \longrightarrow b B$ et   2) $a A + b B \longrightarrow c C$

Le calcul de la masse ou de la quantité (mol) de produit B
– formé (réaction 1) à partir d'une quantité donnée de réactif A [en masse ou en quantité (mol)]
– ou nécessaire (réaction 2) pour réagir complètement avec une masse ou une quantité (mol) donnée de réactif A,
ne peut généralement pas s'effectuer en une seule étape. Leur nombre dépend de la forme des données initiales et de l'unité de la réponse à la question posée. Toute séquence de calculs s'insère dans l'organigramme suivant :

Masse de réactif A	--- // ---	Masse de réactif B
	Calcul direct impossible	

$\times \dfrac{1 \text{ mol}}{\text{g de A}}$ ↓ $\times \dfrac{\text{g}}{1 \text{ mol de B}}$ ↑

| Quantité (mol) de A | $\times$ *facteur stœchiométrique* $\times \dfrac{b \text{ mol de B}}{a \text{ mol de A}}$ | Quantité (mol) de B |

Si la donnée initiale est exprimée en quantité (mol), on saute la première étape de l'organigramme ; si l'on vous demande une réponse en quantité (mol), on n'effectue pas la dernière conversion.

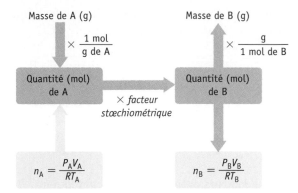

Figure 10.2 Les gaz et les calculs stœchiométriques. Les gaz A et B peuvent faire aussi bien partie des réactifs que des produits d'une réaction. On peut calculer la quantité (mol) de A à partir des masses en appliquant l'équation des gaz parfaits. On calcule la quantité (mol) de B en se servant des coefficients stœchiométriques de la réaction. On peut ensuite convertir ce résultat dans les différentes grandeurs demandées en effectuant les calculs inverses de ceux décrits pour le gaz A.

EXEMPLE 10.3 **La loi des gaz parfaits et la stœchiométrie**

L'ammoniac est fabriqué directement à partir de ses éléments.

$$N_2 \, (g) + 3 \, H_2 \, (g) \longrightarrow 2 \, NH_3 \, (g)$$

On dispose de 15,0 L d'hydrogène.

a) Calculez le volume d'azote, mesuré dans les mêmes conditions de température et de pression, nécessaire pour que la réaction soit complète.

b) Quel volume d'ammoniac, mesuré dans les mêmes conditions de température et de pression, obtiendra-t-on théoriquement?

SOLUTION

Selon l'équation de la réaction, 3 mol d'hydrogène réagissent avec 1 mol d'azote pour donner 2 mol d'ammoniac. On a donc:

$$n_{N_2} = n_{H_2} \, \cancel{\text{mol de H}_2} \times \frac{1 \, \text{mol de N}_2}{3 \, \cancel{\text{mol de H}_2}} = \frac{1}{3} \, n_{H_2} \, \text{mol de N}_2$$

$$n_{NH_3} = n_{H_2} \, \cancel{\text{mol de H}_2} \times \frac{2 \, \text{mol de NH}_3}{3 \, \cancel{\text{mol de H}_2}} = \frac{2}{3} \, n_{H_2} \, \text{mol de NH}_3$$

Hydrogène	**Azote**	**Ammoniac**
P	P	P
$V_{H_2} = 15{,}0 \, L$	$V_{N_2} = ?$	$V_{NH_3} = ?$
n_{H_2}	$n_{N_2} = \frac{1}{3} \, n_{H_2}$	$n_{NH_3} = \frac{2}{3} \, n_{H_2}$
T	T	T

$$V_{H_2} = \frac{n_{H_2} RT}{P} \qquad\qquad V_{N_2} = \frac{n_{N_2} RT}{P} = \frac{1}{3} \frac{n_{H_2} RT}{P}$$

$$V_{NH_3} = \frac{n_{NH_3} RT}{P} = \frac{2}{3} \frac{n_{H_2} RT}{P}$$

On divise V_{N_2} et V_{NH_3} par V_{H_2}, et on simplifie le résultat.

$$\frac{V_{N_2}}{V_{H_2}} = \frac{1}{3} \qquad\qquad \frac{V_{NH_3}}{V_{H_2}} = \frac{2}{3}$$

On isole de ces dernières expressions les grandeurs recherchées.

$$V_{\text{N}_2} = \frac{1}{3}\ V_{\text{H}_2} = \frac{1}{3}\ (15{,}0\ \text{L}) = 5{,}00\ \text{L} \qquad V_{\text{NH}_3} = \frac{2}{3}\ V_{\text{H}_2} = \frac{2}{3}\ (15{,}0\ \text{L}) = 10{,}0\ \text{L}$$

EXERCICE 10.3   **Les gaz parfaits et la stœchiométrie**

La combustion complète du méthane produit du dioxyde de carbone et de l'eau.

$$\text{CH}_4\ (g)\ +\ 2\ \text{O}_2\ (g)\ \longrightarrow\ \text{CO}_2\ (g)\ +\ 2\ \text{H}_2\text{O}\ (g)$$

En supposant que tous les volumes de gaz sont mesurés dans les mêmes conditions de température et de pression, calculez le volume d'oxygène nécessaire pour brûler complètement 22,4 L de méthane et les volumes de CO_2 et de H_2O produits par cette combustion.

EXEMPLE 10.4   **Les gaz parfaits et la stœchiométrie**

On vous demande de calculer la masse d'azoture de sodium (NaN_3) nécessaire pour remplir d'azote un coussin de sécurité gonflable. Les données sont les suivantes : le volume du coussin est d'environ 45 L, la pression doit être légèrement supérieure à la pression atmosphérique, disons 110 kPa, la température est voisine de 22 °C et

$$2\ \text{NaN}_3\ (s)\ \longrightarrow\ 2\ \text{Na}\ (s)\ +\ 3\ \text{N}_2\ (g).$$

SOLUTION
L'organigramme de la figure 10.2 se traduit dans ce cas par la séquence suivante.

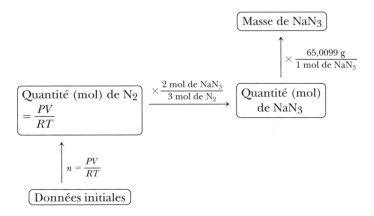

Données exprimées dans les unités de la constante R :

$R = 8{,}314\ \text{kPa·L·mol}^{-1}\text{·K}^{-1}$; $P = 110\ \text{kPa}$;

$T = 22 + 273{,}15 = 295{,}15\ \text{K}$; $V = 45\ \text{L}$.

$$\text{Quantité de N}_2 = \frac{PV}{RT} = \frac{110\ \cancel{\text{kPa}} \times 45\ \cancel{L}}{8{,}314\ \cancel{\text{kPa·L·mol}^{-1}\text{·K}^{-1}}} \times 295{,}15\ \cancel{K}$$

$$= \frac{110 \times 45}{8{,}314 \times 295{,}15}\ \text{mol}$$

$$\text{Masse de NaN}_3 = \frac{110 \times 45}{8{,}314 \times 295{,}15}\ \cancel{\text{mol de N}_2} \times \frac{2\ \cancel{\text{mol de NaN}_3}}{3\ \cancel{\text{mol de N}_2}} \times \frac{65{,}0099\ \text{g}}{1\ \cancel{\text{mol de NaN}_3}}$$

$$= 87\ \text{g}$$

Commentaire On est passé directement de la quantité de N_2 à la masse de NaN_3 en utilisant de façon consécutive deux facteurs de conversion. Cette façon de faire élimine les calculs intermédiaires et les arrondissements de nombres que l'on serait tenter d'effectuer. Toutefois, il est conseillé de ne pas convertir plus de deux grandeurs à la fois, pour ne pas perdre de vue le raisonnement qui sous-tend les calculs.

EXERCICE 10.4   **Les gaz parfaits et la stœchiométrie**

L'ammoniac est synthétisé à partir de ses éléments selon la réaction suivante.

$$N_2 \text{ (g)} + 3 \text{ H}_2 \text{ (g)} \xrightarrow[\text{de 450 à 500 °C}]{\text{Catalyseur}} 2 \text{ NH}_3 \text{ (g)}$$

Vous disposez de 355 L d'hydrogène, à la température de 25,0 °C et sous une pression de 72,3 kPa.

a) En présence d'un excès d'azote, quelle quantité (mol) maximale d'ammoniac pourrait-on obtenir?

b) Cette quantité est stockée dans un réservoir de 125 L, à la température de 25,0 °C. Quelle est la pression dans ce réservoir?

EXERCICE 10.5   **Les gaz parfaits et la stœchiométrie**

L'oxygène réagit avec l'hydrazine pour donner de l'eau et de l'azote selon l'équation suivante.

$$N_2H_4 \text{ (aq)} + O_2 \text{ (g)} \longrightarrow 2 \text{ H}_2O \text{ (l)} + N_2 \text{ (g)}$$

Quel volume d'oxygène, mesuré à la température de 21 °C et à une pression de 100 kPa, va réagir avec une solution qui contient 180 g de N_2H_4?

10.5   LES RÉACTIONS EN SOLUTION AQUEUSE[1] ET LA STŒCHIOMÉTRIE

Une solution est un mélange homogène de deux ou de plusieurs substances. Le **solvant** est le constituant qui se trouve dans le même état physique que la solution et qui, généralement, est présent en plus grande quantité. Toute substance dissoute est appelée le **soluté**. Lorsque l'eau est utilisée comme solvant, la **solution** résultante est dite **aqueuse**.

10.5.1   Les réactions de précipitation et l'équation ionique nette

La **dissolution** d'un **solide ionique** nécessite la séparation des ions de charges opposées présents dans le réseau cristallin. L'eau est un excellent solvant pour

---

1. Les solutions, les réactions acidobasiques et les réactions d'oxydoréduction font l'objet du deuxième cours de chimie de niveau collégial. Cette section ne constitue qu'une introduction utile à la maîtrise de la stœchiométrie.

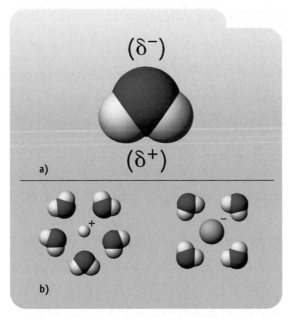

Figure 10.3 L'eau, les cations et les anions. a) La molécule d'eau est polaire. L'extrémité négative du dipôle est située du côté de l'oxygène, l'extrémité positive étant évidemment du côté des atomes d'hydrogène. **b)** Les forces d'attraction électrostatique font en sorte que les molécules d'eau s'orientent de façon différente autour des ions positifs et des ions négatifs : atomes d'oxygène (δ^-) vers le cation, atomes d'hydrogène (δ^+) vers l'anion.

ces composés, à cause de sa polarité. Son extrémité positive (δ^+) peut attirer un anion, tandis que son extrémité négative (δ^-) peut faire la même chose avec un cation. Après dissolution, chaque anion est entouré de molécules d'eau, dont les atomes d'hydrogène chargés partiellement δ^+ sont dirigés vers lui. Il en est de même pour les cations, à la différence près que ce sont les atomes d'oxygène chargés partiellement δ^- qui sont les plus proches de l'ion (figure 10.3). Cette interaction des molécules d'eau et des ions s'appelle l'**hydratation,** nom particulier donné à la solvatation dans le cas de l'eau.

Les **réactions de précipitation** impliquent la formation de composés peu solubles à partir des ions en solution. Si un cation peut former un composé insoluble avec un des anions de la solution, il y a formation d'un **précipité,** qui reste en suspension ou qui tombe au fond du récipient. Par exemple, l'addition de quelques gouttes d'une solution aqueuse de chromate de potassium à une solution aqueuse de nitrate de plomb (II) fait précipiter le chromate de plomb, un solide jaune, très peu soluble (figure 10.4). L'**équation globale** de cette réaction montre tous les réactifs et les produits solubles sous leur forme non dissociée.

$$Pb(NO_3)_2 \text{ (aq)} + K_2CrO_4 \text{ (aq)} \longrightarrow PbCrO_4 \text{ (s)} + 2\ KNO_3 \text{ (aq)}$$

Comme tous les réactifs et les produits, à l'exception du chromate de plomb (II), existent sous forme d'ions en solution, il serait plus judicieux d'écrire l'**équation ionique complète** suivante.

$$Pb^{2+} \text{ (aq)} + 2\ NO_3^- \text{ (aq)} + 2\ K^+ \text{ (aq)} + CrO_4^{2-} \text{ (aq)} \longrightarrow$$
$$PbCrO_4 \text{ (s)} + 2\ K^+ \text{ (aq)} + 2\ NO_3^- \text{ (aq)}$$

Les ions K^+ et NO_3^- sont présents en quantités égales dans l'équation. Comme ils ne participent pas à la réaction et ne subissent aucun changement, on peut les retrancher en tant qu'**ions passifs** et la seule transformation chimique qui se produit se traduit par l'**équation ionique nette.**

Figure 10.4 La précipitation du chromate de plomb (II). L'addition de quelques gouttes d'une solution aqueuse de chromate de potassium à une solution de nitrate de plomb (II) provoque la précipitation du chromate de plomb (II), un solide jaune.
Charles D. Winters

◆ *Les réactions d'échange*

Lorsque deux composés ioniques en solution aqueuse réagissent ensemble, on remarque que la formation d'un précipité résulte de l'échange de leurs ions. Par exemple, les ions Ag^+ (aq) du nitrate d'argent échangent les ions NO_3^- (aq) pour des ions Cl^- (aq) provenant du chlorure de potassium pour former $AgCl$ (s); les ions nitrate du premier composé et les ions chlorure du second restent en solution. On dit dans ce cas qu'il y a eu double substitution.

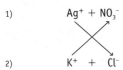

$$Pb^{2+} \text{ (aq)} + CrO_4^{2-} \text{ (aq)} \longrightarrow PbCrO_4 \text{ (s)}$$

Exclure les ions passifs de l'équation de la réaction ne signifie pas qu'ils n'aient pas d'importance. En réalité, les ions Pb^{2+} et CrO_4^{2-} ne peuvent exister seuls dans leur solution originale qui doit contenir respectivement des ions négatifs et des ions positifs pour équilibrer les charges.

EXEMPLE 10.5 L'équation ionique nette

Écrivez l'équation ionique nette correspondant à l'équation suivante non équilibrée.

$$BaCl_2 \text{ (aq)} + Na_2SO_4 \text{ (aq)} \longrightarrow BaSO_4 \text{ (s)} + NaCl \text{ (aq)}$$

SOLUTION

Pour équilibrer l'équation, il suffit d'affecter le coefficient 2 au chlorure de sodium.

$$BaCl_2 \text{ (aq)} + Na_2SO_4 \text{ (aq)} \longrightarrow BaSO_4 \text{ (s)} + 2 NaCl \text{ (aq)}$$

En dissociant chacun des composés solubles, on écrit l'équation ionique complète.

$$Ba^{2+} \text{ (aq)} + 2 Cl^- \text{ (aq)} + 2 Na^+ \text{ (aq)} + SO_4^{2-} \text{ (aq)} \longrightarrow$$
$$BaSO_4 \text{ (s)} + 2 Na^+ \text{ (aq)} + 2 Cl^- \text{ (aq)}$$

On élimine ensuite les ions passifs Cl^- et Na^+.

$$Ba^{2+} \text{ (aq)} + SO_4^{2-} \text{ (aq)} \longrightarrow BaSO_4 \text{ (s)}$$

Vérification

Les nombres d'atomes sont identiques de chaque côté de l'équation et les charges sont nulles à gauche et à droite.

EXERCICE 10.6 L'équation ionique nette

Écrivez l'équation ionique nette de la réaction suivante non équilibrée.

$$AlCl_3 \text{ (aq)} + Na_3PO_4 \text{ (aq)} \longrightarrow AlPO_4 \text{ (s)} + NaCl \text{ (aq)}$$

10.5.2 Les réactions acidobasiques

Les acides et les bases occupent une place importante en chimie: leur origine a toujours préoccupé les chimistes, mais ce n'est qu'au début du XIXe siècle que la distinction entre ces deux types de composés est devenue plus évidente.

Selon Arrhenius, un **acide** est une substance qui augmente la concentration des ions H^+ (aq) en solution aqueuse. Ainsi, HCl (aq) est un acide: il s'ionise dans l'eau et donne en solution des ions H^+ (aq) et Cl^- (aq).

$$HCl \text{ (aq)} \longrightarrow H^+ \text{ (aq)} + Cl^- \text{ (aq)}$$

L'acide chlorhydrique est un **acide fort** parce qu'il est totalement ionisé en solution aqueuse.

Certains acides, comme l'acide sulfurique, peuvent libérer plus d'une mole de H^+ par mole de substance.

Acide fort H_2SO_4 (aq) $\longrightarrow$ H^+ (aq) + HSO_4^- (aq)
Acide sulfurique: Ion hydrogène   Ion hydrogénosulfate
100 % ionisé

Acide faible HSO_4^- (aq) $\rightleftharpoons$ H^+ (aq) + SO_4^{2-} (aq)
Ion hydrogénosulfate   Ion hydrogène   Ion sulfate
Ionisation inférieure
à 100 %

La première réaction d'ionisation de l'acide sulfurique est pratiquement complète, si bien que cet acide est considéré comme fort. Par contre, l'ion hydrogénosulfate ne se transforme pas totalement en ion sulfate et en ion H^+: c'est un **acide faible.**

On ne rencontre communément en solution aqueuse que *six acides forts*; on peut donc considérer que tous les autres acides mentionnés dans ce manuel sont faibles (tableau 10.2).

Selon Arrhenius toujours, une **base** est une substance qui libère des ions OH^- (aq) en solution aqueuse. L'hydroxyde de sodium en est une.

NaOH (aq) $\longrightarrow$ Na^+ (aq) + OH^- (aq)
Hydroxyde de sodium   Ion hydroxyde

L'ammoniac, une autre base courante, ne contient pas d'ion OH^- dans sa formule. C'est malgré tout une base car sa réaction avec l'eau en produit: comme la réaction n'est pas complète, l'ammoniac est une **base faible** (figure 10.5).

NH_3 (aq) + H_2O (ℓ) $\rightleftharpoons$ NH_4^+ (aq) + OH^- (aq)

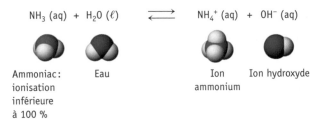

Ammoniac: Eau   Ion   Ion hydroxyde
ionisation   ammonium
inférieure
à 100 %

TABLEAU 10.2 Les acides forts	
Acides forts	
HCl	acide chlorhydrique
HBr	acide bromhydrique
HI	acide iodhydrique
HNO_3	acide nitrique
$HClO_4$	acide perchlorique
H_2SO_4	acide sulfurique

EXERCICE 10.7   **Les acides et les bases**

a) Quels sont les ions produits lors de la dissolution dans l'eau de l'acide nitrique?

b) L'hydroxyde de baryum est modérément soluble dans l'eau. Quels ions sont produits lors de sa dissolution? Justifiez le caractère basique de ce composé.

Les acides nommés dans le tableau 10.2 contiennent tous dans leur formule au moins un atome d'hydrogène, qui peut être libéré dans l'eau en formant un ion H^+. Cependant, d'autres composés ne contenant pas d'atome d'hydrogène peuvent aussi donner des solutions aqueuses acides: c'est le cas notamment des oxydes des non-métaux tels que CO_2 ou SO_2, qui réagissent avec l'eau en libérant des ions H^+ en solution.

CO_2 (g) + H_2O (l) $\rightleftharpoons$ H_2CO_3 (aq)

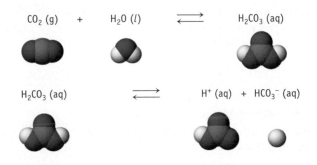

H_2CO_3 (aq) $\rightleftharpoons$ H^+ (aq) + HCO_3^- (aq)

Figure 10.5 L'ammoniac, une base faible. L'ammoniac est une base faible, sa réaction avec l'eau ne produisant que peu d'ions NH_4^+ et OH^- par mole initiale. L'appellation « hydroxyde d'ammonium » de cette bouteille contenant de l'ammoniaque, nom donné à une solution aqueuse d'ammoniac, est incorrecte.

Charles D. Winters

Les oxydes des non-métaux qui, comme CO_2, donnent des solutions aqueuses acides, sont appelés les **oxydes acides.**

Contrairement à ces derniers, les oxydes des métaux qui se dissolvent en quantité appréciable dans l'eau donnent des solutions aqueuses basiques : ce sont des **oxydes basiques.** L'oxyde de calcium (CaO), appelé aussi communément la chaux vive, en est un exemple typique.

$$CaO\ (s)\ +\ H_2O\ (l)\ \longrightarrow\ Ca(OH)_2\ (s)$$
Chaux vive   Hydroxyde de calcium ou chaux éteinte

$$Ca(OH)_2\ (s)\ \rightleftharpoons\ Ca^{2+}\ (aq)\ +\ 2\ OH^-\ (aq)$$

EXERCICE 10.8   **Les oxydes acides et les oxydes basiques**

Les solutions aqueuses des composés suivants sont-elles acides ou basiques ?

a) SeO_2 b) BaO c) P_4O_{10}

Les acides réagissent avec des bases fortes pour former de l'eau et un sel (figure 10.6).

$$HCl\ (aq)\ +\ NaOH\ (aq)\ \longrightarrow\ H_2O\ (l)\ +\ NaCl\ (aq)$$
acide   +   base $\longrightarrow$ eau   +   sel

Le mot « sel » introduit dans les tout premiers débuts de la chimie désigne ainsi un composé ionique dont le cation provient d'une base (Na^+ de la base $NaOH$ dans la figure 10.6) et l'anion, d'un acide (Cl^- de l'acide HCl dans la même figure).

L'équation ionique complète de la **réaction acidobasique** précédente s'écrit :

$$H^+\ (aq)\ +\ Cl^-\ (aq)\ +\ Na^+\ (aq)\ +\ OH^-\ (aq)\ \longrightarrow\ H_2O\ (l)\ +\ Na^+\ (aq)\ +\ Cl^-\ (aq).$$

L'élimination des ions passifs conduit à l'équation ionique nette :

$$H^+\ (aq)\ +\ OH^-\ (aq)\ \longrightarrow\ H_2O\ (l),$$

qui représente la réaction entre un acide fort et une **base forte** quelconques.

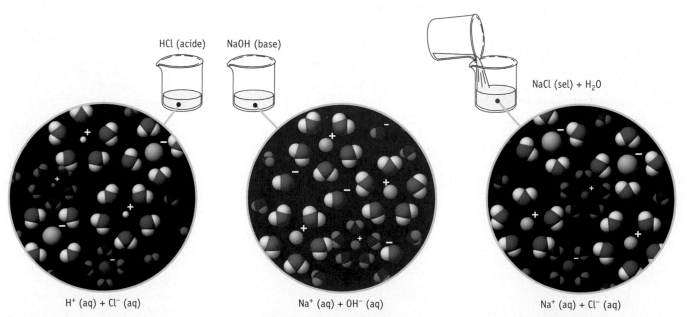

Figure 10.6 Une réaction acidobasique : HCl (aq) et NaOH (aq). L'acide et la base sont complètement dissociés en solution aqueuse. Le mélange des deux solutions se réduit à la combinaison des ions H⁺ et OH⁻ qui donne de l'eau. Les ions Na⁺ et Cl⁻ restent en solution.

EXERCICE 10.9 **Les réactions acidobasiques**

Écrivez les équations globale et ionique nette de la réaction de l'hydroxyde de magnésium avec l'acide chlorhydrique.

10.5.3 Les réactions avec dégagement gazeux

Comment se fait-il que la pâte lève lorsqu'on fait cuire au four une préparation commerciale d'un gâteau quelconque? Il se produit tout simplement un dégagement de dioxyde de carbone lors de la réaction acidobasique entre l'hydrogénocarbonate de sodium ($NaHCO_3$) et un acide, bien souvent l'acide tartrique.

$$C_4H_6O_6 \ (aq) + HCO_3^- \ (aq) \longrightarrow C_4H_5O_6^- \ (aq) + H_2O \ (l) + CO_2 \ (g)$$
Acide tartrique   Ion tartrate

Dans la levure chimique, l'acide et l'hydrogénocarbonate de sodium sont dispersés dans de l'amidon. Mélangés à la pâte contenant de l'eau, ils réagissent ensemble : le dioxyde de carbone formé est emprisonné dans la pâte qui, de ce fait, lève.

Plusieurs types de réactions conduisent à la formation d'un gaz (tableau 10.3).

TABLEAU 10.3 Quelques réactions dégageant un gaz

hydrogénocarbonate ou carbonate + acide $\longrightarrow$ **sel + CO$_2$ (g) + eau**
$$Na_2CO_3 \ (aq) + 2 \ HCl \ (aq) \longrightarrow 2 \ NaCl \ (aq) + CO_2 \ (g) + H_2O \ (l)$$

sulfure + acide $\longrightarrow$ **sel + H$_2$S (g)**
$$Na_2S \ (aq) + 2 \ HCl \ (aq) \longrightarrow 2 \ NaCl \ (aq) + H_2S \ (g)$$

sulfite + acide $\longrightarrow$ **sel + SO$_2$ (g) + eau**
$$Na_2SO_3 \ (aq) + 2 \ HCl \ (aq) \longrightarrow 2 \ NaCl \ (aq) + SO_2 \ (g) + H_2O \ (l)$$

sel d'ammonium + base forte $\longrightarrow$ **sel + NH$_3$ (g) + eau**
$$NH_4Cl \ (aq) + NaOH \ (aq) \longrightarrow NaCl \ (aq) + NH_3 \ (g) + H_2O \ (l)$$

10

EXERCICE 10.10 **Les réactions avec dégagement gazeux**

a) Le carbonate de baryum ($BaCO_3$) est largement utilisé dans l'industrie céramique et du verre et dans la fabrication de la brique. Équilibrez l'équation de sa réaction avec l'acide nitrique et nommez les produits formés.

b) Équilibrez l'équation de la réaction en solution aqueuse du sulfate d'ammonium avec l'hydroxyde de sodium.

10.5.4 La force motrice des réactions

Comment peut-on déterminer que le mélange de deux substances en solution aqueuse va donner lieu ou pas à une réaction chimique?

Remarquez pour commencer un point commun à toutes les réactions en solution aqueuse étudiées : dans chacun des cas, les ions des réactifs ont changé de « partenaire ».

$$A^+B^- + C^+D^- \longrightarrow A^+D^- + C^+B^-$$

C'est la raison pour laquelle ces réactions en solution aqueuse sont appelées les **réactions de substitution** (*voir le tableau 10.4, page 348*).

TABLEAU 10.4 Les réactions de substitution en solution aqueuse

Les réactions de précipitation Les ions en solution se combinent entre eux pour former un *précipité*.	$Pb(NO_3)_2$ (aq) + 2 KI (aq) ⟶ $\qquad\qquad\qquad PbI_2$ (s) + 2 KNO_3 (aq) Pb^{2+} (aq) + 2 I^- (aq) ⟶ PbI_2 (s)
Les réactions acidobasiques Le cation de la base et l'anion de l'acide forment un sel; de l'*eau* est aussi formée dans le cas des acides forts et des bases fortes.	HNO_3 (aq) + KOH (aq) ⟶ H_2O (l) + KNO_3 (aq) H^+ (aq) + OH^- (aq) ⟶ H_2O (l)
Les réactions avec dégagement gazeux Exemple des carbonates métalliques et des acides: production d'acide carbonique, qui se décompose en H_2O (l) et CO_2, qui s'élimine sous *forme gazeuse*.	$CuCO_3$ (s) + 2 HNO_3 (aq) ⟶ $\qquad\qquad\qquad Cu(NO_3)_2$ (aq) + H_2CO_3 (aq) H_2CO_3 (aq) ⇌ H_2O (l) + CO_2 (g) $CuCO_3$ (s) + 2 H^+ (aq) ⟶ $\qquad\qquad\qquad Cu^{2+}$ (aq) + H_2O (l) + CO_2 (g)

La **force motrice** de ces trois types de réactions, c'est-à-dire la force qui fait qu'elles se produisent, est *la formation d'un produit qui retire des ions de la solution*: un composé solide, de l'eau liquide ou un gaz[2].

Une quatrième force motrice est présentée dans la section suivante consacrée aux réactions d'oxydoréduction, dans lesquelles s'échangent des électrons plutôt que des ions.

10.5.5 Les réactions d'oxydoréduction

Une **réaction d'oxydoréduction** implique un transfert d'électrons entre des substances.

La substance qui *accepte* des électrons est *réduite*, tandis que l'autre qui en *perd* est *oxydée*. Dans la réaction suivante:

$$2 \ Ag^+ \ (aq) + Cu \ (s) \longrightarrow 2 \ Ag \ (s) + Cu^{2+} \ (aq),$$

l'ion Ag^+, qui accepte un électron pour donner de l'argent métallique, est réduit, les électrons étant fournis par le cuivre métallique qui s'oxyde en ions Cu^{2+}. L'ion Ag^+ est l'**oxydant,** le cuivre, le **réducteur** (figure 10.7). Dans une réaction, si un composé est réduit, un autre est obligatoirement oxydé: Ag^+ est réduit, Cu est oxydé.

Pour reconnaître une réaction d'oxydoréduction *a priori* non évidente, on peut faire appel au concept de l'**état d'oxydation** développé dans la section 6.7.4.

1. L'état d'oxydation de tout élément d'un corps simple (constitué d'un seul élément) est égal à 0.
2. Le doublet d'électrons liant deux atomes identiques n'influence pas le nombre d'oxydation de ces atomes puisqu'il est partagé également entre les deux.
3. Le nombre d'oxydation du fluor, l'élément le plus électronégatif, lié à tout autre élément est toujours -1.
4. L'état d'oxydation de l'oxygène est égal à -2, sauf dans O_2 et O_3 (0), dans les composés avec le fluor, dans l'ion peroxyde O_2^{2-} (-1) ou dans les espèces contenant la séquence —O—O— (-1).
5. L'état d'oxydation de l'hydrogène est égal à +1, sauf dans H_2 (0) ou lorsqu'il se combine à un élément moins électronégatif que lui (les métaux et le bore): sa valeur est alors égale à -1.

---

2. Le pourquoi plus théorique des réactions chimiques est explicité dans le second manuel de chimie: *Chimie des solutions*.

6. L'état d'oxydation des halogènes (groupe 7A) autres que le fluor est égal à -1, sauf lorsqu'ils se présentent à l'état élémentaire (0) ou qu'ils se combinent avec l'oxygène ou avec d'autres halogènes plus électronégatifs.

7. L'état d'oxydation des ions monoatomiques est égal à leur charge. Les ions monoatomiques des alcalins (groupe 1A), des alcalino-terreux (groupe 2A) et des halogènes (groupe 7A) ont des états d'oxydation respectifs de +1, +2 et -1.

8. Dans une liaison entre deux atomes non mentionnés précédemment, le doublet est attribué à l'élément le plus électronégatif des deux.

9. La somme algébrique des états d'oxydation de tous les atomes d'une espèce chimique est égale à la charge de cette espèce.

Fil de cuivre dans un becher

Quelques heures après l'addition d'une solution diluée de nitrate d'argent

Quelques semaines après l'addition : la couleur bleue de la solution est due à la présence d'ions cuivre (II) et des cristaux d'argent métallique pendent à ce qui reste du fil de cuivre.

Figure 10.7 L'oxydation du cuivre par les ions argent. Un fil de cuivre, déposé dans une solution diluée de nitrate d'argent ($AgNO_3$), réduit lentement les ions Ag^+ en cristaux d'argent qui s'accrochent à lui. La couleur bleue de la solution est due à la présence d'ions Cu^{2+} issus de l'oxydation du cuivre par les ions Ag^+. Charles D. Winters

---

EXEMPLE 10.6 **La détermination des états d'oxydation**

Assignez les états d'oxydation aux éléments soulignés des espèces suivantes.

a) $\underline{Al}_2O_3$ b) $H_3\underline{P}O_4$ c) $\underline{S}O_4^{2-}$ d) $\underline{Cr}_2O_7^{2-}$.

SOLUTION

a) Comme l'état d'oxydation de O est de -2 (règle 4), celui de Al doit être de +3 pour respecter l'électroneutralité du composé Al_2O_3. Cet état d'oxydation est en accord avec la position de l'aluminium dans le tableau périodique (groupe 3A).

b) La somme des états d'oxydation des atomes d'oxygène et d'hydrogène est égale à $[(4 \times (-2)) + (3 \times (+1))] = -5$. Pour respecter l'électroneutralité de H_3PO_4, le phosphore doit être dans un état +5. Cet état est plausible, puisque le phosphore possède cinq électrons périphériques (groupe 5A).

c) On assigne -2 à chaque atome d'oxygène (règle 4), pour un total de -8. Pour aboutir à une charge de -2 dans SO_4^{2-}, le soufre doit être dans un état +6, ce qui est possible étant donné sa configuration électronique $[Ne]3s^23p^4$.

d) La somme des états d'oxydation des atomes d'oxygène est égale à -14 : celle des deux atomes de Cr doit donc être de +12, de manière à ce que l'ensemble aboutisse à -2, la charge de l'ion. Chaque atome de Cr est ainsi dans un état +6, compatible avec sa position dans le tableau (groupe 6B).

EXERCICE 10.11 **L'assignation des états d'oxydation**

Assignez les états d'oxydation aux éléments soulignés des espèces suivantes.

a) $\underline{Fe}_2O_3$ b) $H_2\underline{S}O_4$ c) $\underline{C}O_3^{2-}$ d) $\underline{N}O_2^+$

MnO_4^- (aq) : oxydant

Fe^{2+} (aq) : réducteur

▲ **La réaction entre l'ion permanganate et l'ion fer (II).** La réaction de MnO_4^-, de couleur violette, avec les ions Fe^{2+} en solution aqueuse acide conduit à des ions Mn^{2+} et Fe^{3+} pratiquement incolores.

Charles D. Winters

EXEMPLE 10.7 **Les réactions d'oxydoréduction**

L'ion permanganate réagit avec les ions Fe^{2+} en solution aqueuse acide.

$$5\ Fe^{2+}\ (aq)\ +\ MnO_4^-\ (aq)\ +\ 8\ H^+\ (aq)\ \longrightarrow$$
$$5\ Fe^{3+}\ (aq)\ +\ Mn^{2+}\ (aq)\ +\ 4\ H_2O\ (l)$$

Identifiez les atomes qui subissent un changement de leur état d'oxydation, le réducteur et l'oxydant.

SOLUTION

La simple lecture de l'équation indique que l'état d'oxydation du fer est passé de +2 à +3. L'ion Fe^{2+} a perdu un électron, il a été oxydé. L'ion Fe^{2+} est l'agent réducteur dans cette réaction.

Pour identifier l'agent oxydant, il est souvent pratique de commencer par chercher les états d'oxydation des éléments autres que H ou O. L'état d'oxydation de Mn baisse de +7 dans MnO_4^- à +2 dans Mn^{2+} : MnO_4^- a été réduit, c'est donc l'agent oxydant.

EXERCICE 10.12 **Le repérage des réactions**

Identifiez à quel type (précipitation, acidobasique, dégagement gazeux ou oxydoréduction) appartiennent les réactions suivantes. Dans le cas d'une réaction d'oxydoréduction, identifiez les agents réducteur et oxydant.

a) $NaOH\ (aq)\ +\ HNO_3\ (aq)\ \longrightarrow\ NaNO_3\ (aq)\ +\ H_2O\ (l)$

b) $Cu\ (s)\ +\ Cl_2\ (g)\ \longrightarrow\ CuCl_2\ (s)$

c) $Na_2CO_3\ (aq)\ +\ 2\ HClO_4\ (aq)\ \longrightarrow\ CO_2\ (g)\ +\ H_2O\ (l)\ +\ 2\ NaClO_4\ (aq)$

d) $S_2O_3^{2-}\ (aq)\ +\ I_2\ (aq)\ \longrightarrow\ S_4O_6^{2-}\ (aq)\ +\ 2\ I^-\ (aq)$.

EXERCICE 10.13 **Les réactions d'oxydoréduction**

Pour détecter la présence d'éthanol dans l'air expiré, on utilise un appareil dans lequel a lieu la réaction suivante.

$$3\ C_2H_5OH\ (aq)\ +\ 2\ Cr_2O_7^{2-}\ (aq)\ +\ 16\ H^+\ (aq)\ \longrightarrow$$
$$3\ CH_3COOH\ (aq)\ +\ 4\ Cr^{3+}\ (aq)\ +\ 11\ H_2O\ (l)$$

Identifiez le réducteur et l'oxydant, l'espèce oxydée et l'espèce réduite.

10.5.6   La concentration molaire volumique

Beaucoup d'expériences chimiques impliquent des mesures quantitatives, et les réactions en solution aqueuse n'échappent pas à cette constatation. Pour ce faire, on utilise de la même manière les équations équilibrées des réactions, les quantités de matières (mol), mais on manipule des volumes de solutions plutôt que des masses de solides, de liquides ou de gaz. La composition d'une solution s'exprime par sa concentration, dont la plus commune est la **concentration molaire volumique** (C). Celle-ci représente la quantité (mol) de soluté par litre de solution (mol/L). Comme c'est la plus utilisée en chimie, l'habitude fait que, lorsqu'il n'y a pas de confusion possible, on l'appelle simplement la « concentration molaire » ou le plus souvent la « concentration ».

$$\text{Concentration (molaire volumique)} = C = \frac{\text{quantité (mol) de soluté}}{\text{volume de solution (L)}}$$

Une des façons les plus répandues de symboliser cette concentration est de placer la formule du soluté considéré entre crochets : par exemple, $[Na^+]$ signifie « concentration des ions Na^+ exprimée en moles par litre ».

Retenez bien que cette concentration représente la quantité de soluté par litre de *solution* et non pas par litre de solvant.

Pour transformer une concentration en quantité (mol) de soluté, il suffit de la multiplier par le volume de l'échantillon exprimé en litres.

EXEMPLE 10.8   **La concentration**

Calculez la concentration en carbonate de sodium (Na_2CO_3), en ions Na^+ et CO_3^{2-} d'une solution préparée, en dissolvant 25,3 g de ce composé dans 250 mL de solution.

SOLUTION

Comme la concentration est exprimée en moles par litre, on doit tout d'abord convertir la masse de carbonate de sodium en quantité (mol).

$$\text{Quantité de } Na_2CO_3 = 25,3 \text{ g de } Na_2CO_3 \times \frac{1 \text{ mol}}{105,989 \text{ g de } Na_2CO_3}$$

$$= \frac{25,3}{105,989} \text{ mol}$$

$$[Na_2CO_3] = \frac{\dfrac{25,3}{105,989} \text{ mol}}{0,250 \text{ L}} = 0,955 \text{ mol/L}$$

Puisque le carbonate de sodium se dissocie totalement dans l'eau selon l'équation :

$$Na_2CO_3 \text{ (s)} \longrightarrow 2\ Na^+ \text{ (aq)} + CO_3^{2-} \text{ (aq)},$$

on en déduit que $[Na^+] = 2\ [Na_2CO_3] = 1,91$ mol/L et que $[CO_3^{2-}] = [Na_2CO_3] = 0,955$ mol/L.

EXERCICE 10.14   **La préparation des solutions**

Vous avez besoin d'une solution de nitrate d'argent, dont la concentration, voisine de 0,02 mol/L, doit être connue avec précision. Vous disposez de $AgNO_3$ (s) de pureté garantie, d'eau distillée et d'une fiole de jauge 250,0 mL. Décrivez vos calculs et vos manipulations.

10.5.7   La stœchiométrie des réactions en solution aqueuse

Le carbonate de calcium réagit avec une solution d'acide chlorhydrique pour produire un sel, de l'eau et du dioxyde de carbone.

$$CaCO_3 \text{ (s)} + 2 \text{ HCl (aq)} \longrightarrow CaCl_2 \text{ (aq)} + H_2O \text{ (l)} + CO_2 \text{ (g)}$$

Vous voudriez connaître la masse de carbonate de calcium qui va réagir avec 25,00 mL d'une solution d'acide chlorhydrique en concentration de 0,750 mol/L. La résolution de ce problème suit les mêmes étapes que celles que vous avez vues auparavant (*voir la section 10.3, page 337*), à la condition de convertir au préalable les volumes et les concentrations en quantités (mol) de soluté.

$$\text{Quantité de HCl} = 0{,}02500 \ \cancel{L} \times \frac{0{,}750 \text{ mol}}{1 \ \cancel{L}} = (0{,}02500 \times 0{,}750) \text{ mol}$$

$$\text{Quantité de CaCO}_3 = (0{,}02500 \times 0{,}750) \ \cancel{\text{mol de HCl}} \times \frac{1 \text{ mol de CaCO}_3}{2 \ \cancel{\text{mol de HCl}}}$$

$$= \frac{0{,}02500 \times 0{,}750}{2} \text{ mol}$$

$$\text{Masse de CaCO}_3 = \frac{0{,}02500 \times 0{,}750}{2} \ \cancel{\text{mol de CaCO}_3} \times \frac{100{,}087 \text{ g}}{1 \ \cancel{\text{mol de CaCO}_3}} = 0{,}938 \text{ g}$$

Ce type de calculs souvent effectués par les chimistes est résumé dans l'encadré *Trucs et astuces* intitulé « Les calculs stœchiométriques impliquant des concentrations ».

EXEMPLE 10.9   **La stœchiométrie des réactions en solution aqueuse**

Quel volume d'une solution d'acide chlorhydrique en concentration de 2,50 mol/L doit-on faire réagir avec 11,8 g de zinc pour le transformer complètement en chlorure de zinc selon la réaction :

$$Zn \text{ (s)} + 2 \text{ HCl (aq)} \longrightarrow ZnCl_2 \text{ (aq)} + H_2 \text{ (g)} ?$$

SOLUTION

Pour commencer, on convertit la masse de zinc en quantité (mol). Ensuite, on calcule la quantité (mol) stœchiométrique d'acide chlorhydrique nécessaire pour

---

trucs et astuces

Les calculs stœchiométriques impliquant des concentrations

Pour tenir compte de la présence des concentrations dans les problèmes, on peut modifier la séquence générale de calculs présentée dans la section 10.4 (*voir la page 339*) en introduisant une étape supplémentaire. Ainsi, pour une réaction du type a A + b B $\longrightarrow$ produits, le schéma devient :

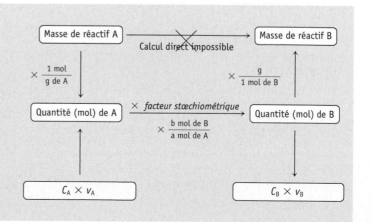

que la réaction soit complète. On transforme finalement cette quantité en volume de solution, en faisant intervenir la concentration.

$$\text{Quantité de Zn} = 11,8 \text{ g de Zn} \times \frac{1 \text{ mol}}{65,39 \text{ g de Zn}} = \frac{11,8}{65,39} \text{ mol}$$

$$\text{Quantité de HCl} = \frac{11,8}{65,39} \text{ mol de Zn} \times \frac{2 \text{ mol de HCl}}{1 \text{ mol de Zn}} = \frac{11,8 \times 2}{65,39} \text{ mol}$$

$$\text{Volume de solution de HCl} = \frac{11,8 \times 2}{65,39} \text{ mol de HCl} \times \frac{1 \text{ L}}{2,50 \text{ mol de HCl}}$$
$$= 0,144 \text{ L ou } 144 \text{ mL.}$$

EXERCICE 10.15 | **La stœchiométrie des solutions aqueuses**

Quelle masse (g) de CO_2 obtient-on lors de la réaction de 75 mL d'une solution d'acide chlorhydrique en concentration de 0,350 mol/L avec un excès de Na_2CO_3?

10.6 LES RÉACTIONS DANS LESQUELLES UN RÉACTIF EST EN QUANTITÉ LIMITÉE

Quand les chimistes effectuent une réaction, ils ont un but précis en tête : obtenir le produit escompté en plus grande quantité possible. Dans votre second cours de chimie de niveau collégial, lorsqu'on abordera les facteurs qui influent sur le déroulement des réactions, vous verrez qu'il est souvent préférable d'utiliser une quantité plus grande d'un des réactifs que ne l'implique l'équation chimique équilibrée. En procédant ainsi, on veut s'assurer de la transformation la plus complète possible de l'autre réactif. Considérez la préparation du *Cisplatine* $(Pt(NH_3)_2Cl_2)$, un médicament utilisé dans la lutte contre certains cancers, dont nous avons déjà parlé dans la préface de ce manuel.

$$(NH_4)_2PtCl_4 \text{ (s)} + 2 \text{ NH}_3 \text{ (aq)} \longrightarrow 2 \text{ NH}_4Cl \text{ (aq)} + Pt(NH_3)_2Cl_2 \text{ (s)}$$
$$\text{Ammoniaque} \qquad\qquad\qquad\qquad \textit{Cisplatine}$$

On combine le réactif le plus cher $(NH_4)_2PtCl_4$ (plus de 100 $ le gramme) avec un large excès du réactif le moins cher, NH_3 (aq) (quelques cents le gramme). Lorsque tout $(NH_4)_2PtCl_4$ a réagi, il reste dans le milieu réactionnel de l'ammoniac (aq). Combien obtient-on de $Pt(NH_3)_2Cl_2$? Cela dépend de la quantité de $(NH_4)_2PtCl_4$ présente au départ, et non pas de NH_3. $(NH_4)_2PtCl_4$ est le **réactif limitant** de la réaction : il se transforme complètement et détermine ou limite la quantité de produit formé.

L'équation équilibrée de l'oxydation du monoxyde de carbone en dioxyde de carbone s'écrit :

$$2 \text{ CO (g)} + O_2 \text{ (g)} \longrightarrow 2 \text{ CO}_2 \text{ (g).}$$

Supposez que le mélange initial contienne quatre molécules de CO et trois de O_2.

Réactifs : 4 CO et 3 O_2.　　　　　　　Produits : 4 CO_2 et 1 O_2.

Les quatre molécules de CO requièrent seulement deux molécules de O_2 pour produire quatre molécules de CO_2. À la fin de la réaction, il reste donc une molécule de O_2 qui n'a pas réagi. Dans cet exemple, CO est le réactif limitant et l'oxygène est en excès.

L'oxydation de l'ammoniac en présence de platine (figure 10.8) nous permet d'aborder l'aspect quantitatif des réactions limitées par un réactif.

EXEMPLE 10.10 Le réactif limitant

L'oxydation de l'ammoniac en présence de platine donne du monoxyde d'azote et de l'eau. Le mélange initial renferme 750 g d'ammoniac et 750 g d'oxygène.

a) Quel est le réactif limitant de cette réaction ?

b) En supposant que la réaction est complète, quelle masse de monoxyde d'azote sera formée ?

c) Quelle masse du réactif en excès restera-t-il en fin de réaction ?

SOLUTION

Question a)

1) Équilibrez l'équation.

$$4\,NH_3\,(g)\,+\,5\,O_2\,(g)\,\longrightarrow\,4\,NO\,(g)\,+\,6\,H_2O\,(g)$$

2) Convertissez les masses en quantités (mol).

$$\text{Quantité de } NH_3 = 750 \text{ g de } NH_3 \times \frac{1 \text{ mol}}{17,0304 \text{ g de } NH_3} = \frac{750}{17,0304} \text{ mol}$$

$$\text{Quantité de } O_2 = 750 \text{ g de } O_2 \times \frac{1 \text{ mol}}{31,9988 \text{ g de } O_2} = \frac{750}{31,9988} \text{ mol}$$

3) Comparez le rapport des quantités initiales (mol) au rapport des coefficients stœchiométriques.

Selon l'équation équilibrée de la réaction, cinq moles de O_2 réagissent avec quatre moles de NH_3. Le **rapport stœchiométrique** des réactifs est égal au rapport de leurs coefficients.

$$\text{Rapport stœchiométrique} = \frac{5 \text{ mol de } O_2}{4 \text{ mol de } NH_3} = 1,25 \text{ mol de } O_2 \text{ pour 1 mol de } NH_3.$$

Initialement, avant que ne débute la réaction, le rapport entre l'oxygène et l'ammoniac est égal à :

Figure 10.8 L'oxydation de l'ammoniac. a) L'oxydation de l'ammoniac à la surface d'un fil de platine dégage tellement d'énergie que le fil devient incandescent. **b)** L'oxydation de l'ammoniac en présence de platine constitue la première étape de la fabrication de millions de tonnes d'acide nitrique (HNO_3) chaque année.

a) Charles D. Winters   **b)** Johnson Matthey

$$\frac{\dfrac{750}{31,9988}\text{ mol de O}_2}{\dfrac{750}{17,0304}\text{ mol de NH}_3} = 0,532 \text{ mol de O}_2 \text{ pour 1 mol de NH}_3.$$

Ce rapport, plus petit que le rapport stœchiométrique, montre qu'il n'y a pas suffisamment d'oxygène pour réagir avec tout l'ammoniac. L'oxygène est le réactif limitant de cette réaction.

Question b)
Sachant que l'oxygène est le réactif limitant, on peut calculer la quantité (mol) de NO formé et la masse correspondante.

$$\text{Quantité de NO} = \frac{750}{31,9988}\text{ mol de O}_2 \times \frac{4\text{ mol de NO}}{5\text{ mol de O}_2} = \frac{750 \times 4}{31,9988 \times 5}\text{ mol}$$

$$\text{Masse de NO} = \frac{750 \times 4}{31,9988 \times 5}\text{ mol de NO} \times \frac{30,0061\text{ g}}{1\text{ mol de NO}} = 563\text{ g}$$

Question c)
L'ammoniac est en excès. Ce qu'il reste en fin de réaction est égal au montant initial diminué de ce qui a réagi.

$$\text{Quantité de NH}_3 \text{ qui a réagi} = \frac{750}{31,9988}\text{ mol de O}_2 \times \frac{4\text{ mol de NH}_3}{5\text{ mol de O}_2}$$

$$= \frac{750 \times 4}{31,9988 \times 5}\text{ mol}$$

$$\text{Quantité de NH}_3 \text{ en excès} = \left(\frac{750}{17,0304} - \frac{750 \times 4}{31,9988 \times 5}\right)\text{ mol} = 25,29\text{ mol}$$

$$\text{Masse de NH}_3 \text{ en excès} = 25,29\text{ mol de NH}_3 \times \frac{17,0304\text{ g}}{1\text{ mol de NH}_3} = 431\text{ g}$$

Il peut être utile, en particulier à des fins de vérification, de regrouper tous les résultats dans un tableau et parfois même de le remplir (cases en grisé du tableau 10.5).

TABLEAU 10.5 Les données et les résultats de l'exemple 10.10

	4 NH$_3$ (g) +	5 O$_2$ (g) $\longrightarrow$	4 NO (g) +	6 H$_2$O (g)
masse initiale (g)	750	750	0	0
quantité initiale (mol)	$\dfrac{750}{17,03} = 44,04$	$\dfrac{750}{31,999} = 23,44$	0	0
variation de la quantité (mol)	$-\left(\dfrac{4}{5} \times 23,44\right)$ $= -18,75$	$-23,44$	$+\left(\dfrac{4}{5} \times 23,44\right)$ $= 18,75$	$+\left(\dfrac{6}{5} \times 23,44\right)$ $= 28,13$
quantité finale (mol)	25,29	0	18,75	28,13
masse finale (g)	431	0	563	507

La somme des masses finales, toutes calculées à partir des quantités (mol), 1501 g, est effectivement égale (aux erreurs d'approximation près) à la somme des masses des réactifs, 1500 g. Cette égalité confirme que le raisonnement utilisé et que les calculs effectués sont exacts.

EXEMPLE 10.11 **Le réactif limitant**

Une des manières de préparer en laboratoire de petites quantités de deutérium (D_2) consiste à faire réagir du lithium, un métal alcalin très réactif, avec de l'eau lourde (D_2O).

$$2 \text{ Li (s)} + 2 \text{ D}_2\text{O (l)} \longrightarrow 2 \text{ LiOD (aq)} + \text{D}_2 \text{ (g)}$$

Lors d'un essai, vous déposez 0,125 g de lithium dans un flacon contenant 15,0 mL de D_2O ($\rho = 1,11$ g/mL). Quelle quantité (mol) de D_2 peut-on s'attendre à former? Le gaz sec est recueilli dans un flacon de 1500 mL, à la température de 22,0 °C. Quelle en sera sa pression (kPa)? ($M_D = 2,0147$ g/mol)

Charles D. Winters

SOLUTION

Puisqu'on combine deux réactifs sans savoir si les proportions stœchiométriques sont respectées, la première étape consiste à identifier le réactif limitant. On procède ensuite au calcul de la quantité de D_2 produite et au calcul de la pression.

```
        ┌──────────────┐
        │ Masses de Li │
        │  et de D₂O   │
        └──────────────┘
               │
               │ × 1 mol
               │   ─────
               │   g de _
               ▼
  ┌──────────────┐      ┌──────────┐  Facteur          ┌──────────────┐
  │ Quantités    │ ───► │ Réactif  │  stœchiométrique  │ Quantité     │
  │ (mol) de Li  │      │ limitant │ ────────────────► │ (mol) de D₂  │
  │ et de D₂O    │      └──────────┘                   └──────────────┘
  └──────────────┘                                            │
                                              P = n_D₂ RT / V  │
                                                               ▼
                                                      ┌──────────────┐
                                                      │  Pression    │
                                                      │  de D₂       │
                                                      └──────────────┘
```

a) $\text{Quantité de Li} = 0{,}125 \text{ g de Li} \times \dfrac{1 \text{ mol}}{6{,}941 \text{ g de Li}} = \dfrac{0{,}125}{6{,}941} \text{ mol}$

$\text{Masse de D}_2\text{O} = 15{,}0 \text{ mL de D}_2\text{O} \times \dfrac{1{,}11 \text{ g}}{1 \text{ mL de D}_2\text{O}} = (15{,}0 \times 1{,}11) \text{ g}$

$\text{Quantité de D}_2\text{O} = (15{,}0 \times 1{,}11) \text{ g de D}_2\text{O} \times \dfrac{1 \text{ mol}}{20{,}0288 \text{ g de D}_2\text{O}}$

$\qquad\qquad\qquad = \dfrac{15 \times 1{,}11}{20{,}0288} \text{ mol}$

$\dfrac{\text{quantité de D}_2\text{O}}{\text{quantité de Li}} = \dfrac{\dfrac{15 \times 1{,}11}{20{,}0288} \text{ mol}}{\dfrac{0{,}125}{6{,}941} \text{ mol}} = 46$

Il y a environ 46 fois plus de moles de D_2O que de moles de Li, alors que ces composés réagissent dans le rapport de 1 à 1. Le D_2O est en large excès et le lithium est le réactif limitant. Les calculs subséquents se feront donc à partir de Li.

b) $\text{Quantité de D}_2 = \dfrac{0{,}125}{6{,}941} \text{ mol de Li} \times \dfrac{1 \text{ mol de D}_2}{2 \text{ mol de Li}} = \dfrac{0{,}125}{6{,}941 \times 2} \text{ mol}$

c) On calcule la pression à l'aide de l'équation des gaz parfaits réarrangée pour isoler P.

$R = 8{,}314 \text{ kPa·L·mol}^{-1}\text{·K}^{-1}$ $\qquad\qquad T = 22{,}0 + 273{,}15 = 295{,}15 \text{ K}$

$$n = \frac{0,125}{6,941 \times 2} \text{ mol} \qquad\qquad V = 1500 \text{ mL} = 1,500 \text{ L}$$

$$P = \frac{nRT}{V} = \frac{\dfrac{0,125}{6,941 \times 2} \text{ mol} \times 8,314 \text{ kPa·L·mol}^{-1}\text{·K}^{-1} \times 295,15 \text{ K}}{1,500 \text{ L}}$$

$$= 14,7 \text{ kPa}$$

Exceptionnellement, il peut arriver qu'aucun des réactifs ne soit en excès, c'est-à-dire que tous soient épuisés en même temps lorsque la réaction est terminée. On dit alors qu'ils étaient en **proportions stœchiométriques.**

EXERCICE 10.16　**Le réactif limitant**

Le tétrachlorure de titane ($TiCl_4$), un composé d'une certaine importance industrielle, est à la base de la fabrication de l'oxyde de titane (IV) (TiO_2), un pigment blanc utilisé dans la préparation des peintures et la fabrication de certains papiers. Il est produit en soumettant un minerai qui contient du titane, souvent sous la forme d'oxyde de titane (IV) impur, à l'action du chlore et du carbone.

$$TiO_2 \text{ (s)} + 2 \, Cl_2 \text{ (g)} + C \text{ (s)} \longrightarrow TiCl_4 \text{ (l)} + CO_2 \text{ (g)}$$

On dispose de 125 g de chlore, de 125 g de carbone et d'une grande quantité de minerai. Calculez la masse de $TiCl_4$ que l'on pourrait obtenir dans ces conditions.

EXERCICE 10.17　**Le réactif limitant**

On obtient du silicium de grande pureté, qui entre dans la fabrication des puces électroniques et des piles solaires, en faisant réagir du tétrachlorure de silicium et du magnésium.

$$SiCl_4 \text{ (l)} + 2 \, Mg \text{ (s)} \longrightarrow Si \text{ (s)} + 2 \, MgCl_2 \text{ (s)}$$

Quelle masse de silicium peut-on obtenir à partir de 225 g de $SiCl_4$ et de 225 g de Mg?

10.7　LE RENDEMENT D'UNE RÉACTION

On peut calculer la quantité de produit obtenue à l'issue d'une réaction chimique en se servant des relations découlant de son équation. C'est ce que l'on a fait dans la section précédente : tous les résultats, qu'ils soient exprimés en quantités (mol) ou en masses, sont *théoriques* et correspondent aux quantités maximales que l'on peut espérer de la réaction. La réalité est tout autre. L'isolation des produits du mélange réactionnel, leur purification et leur récupération font en sorte que du produit est perdu. En plus,

- bon nombre de réactions ne sont pas complètes, c'est-à-dire qu'il reste dans le mélange réactionnel une certaine quantité de tous les réactifs ;
- des réactions secondaires indésirables aboutissant à des produits non attendus consomment une certaine quantité de réactifs, qui ne peut donc se transformer en produit désiré.

Pour toutes ces raisons, la masse *réelle* de produit obtenue lors d'une expérience est inférieure à la **masse théorique.** On appelle le **rendement d'une réaction** le rapport entre la masse réelle et la masse théorique. Il est souvent exprimé en pourcentage :

$$Rendement = \frac{masse~réelle}{masse~théorique} \times 100~\%$$

et est généralement publié par l'équipe qui, la première, a mis au point l'expérience. Il donne une indication quantitative sur ce à quoi peut s'attendre tout chimiste qui reproduit la réaction.

EXEMPLE 10.12   **Le rendement d'une réaction**

En laboratoire, on peut fabriquer de l'aspirine en faisant réagir de l'acide salicylique et de l'anhydride acétique en excès.

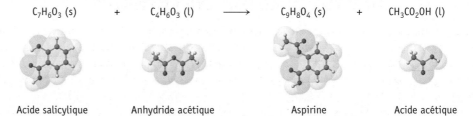

| $C_7H_6O_3$ (s) | + | $C_4H_6O_3$ (l) | $\longrightarrow$ | $C_9H_8O_4$ (s) | + | CH_3CO_2OH (l) |

Acide salicylique   Anhydride acétique   Aspirine   Acide acétique

À partir de 14,4 g d'acide salicylique, on réussit à récupérer 6,26 g d'aspirine. Quel est le rendement de la réaction?

SOLUTION

1) Équilibrez l'équation.
   L'équation est déjà équilibrée.

2) Convertissez les masses en quantités (mol).
   Le réactif limitant est l'acide salicylique.

$$Quantité~de~C_7H_6O_3 = 14,4~\text{g de } C_7H_6O_3 \times \frac{1~mol}{138,123~\text{g de } C_7H_6O_3}$$
$$= \frac{14,4}{138,123}~mol$$

3) Le nombre maximal de moles d'aspirine que l'on peut espérer obtenir est égal au nombre initial de moles d'acide salicylique, $\frac{14,4}{138,123}$, puisque leurs coefficients stœchiométriques sont égaux.

4) Convertissez les quantités (mol) en masses.

$$Masse~théorique~d'aspirine = \frac{14,4}{138,123}~\text{mol d'aspirine} \times \frac{180,160~g}{1~\text{mol d'aspirine}}$$
$$= \frac{14,4 \times 180,160}{138,123}~g$$

5) Calculez le rendement.

$$Rendement = \frac{masse~réelle}{masse~théorique} \times 100~\% = \frac{6,26~g}{\dfrac{14,4 \times 180,160}{138,123}~g} \times 100~\%$$
$$= 33,3~\%$$

Un rendement étant rarement exprimé avec une décimale (car il diffère généralement d'un essai à un autre), la réponse est 33 %.

EXERCICE 10.18 **Le rendement d'une réaction**

Le méthanol (CH₃OH) peut, soit être brûlé pour produire de l'énergie thermique, soit être décomposé en CO et H₂, celui-ci pouvant servir de combustible.

$$CH_3OH \ (l) \longrightarrow 2 \ H_2 \ (g) + CO \ (g)$$

Lors de la décomposition de 125 g de méthanol, on a récupéré 13,6 g d'hydrogène. Calculez le rendement de la réaction.

◆ *Qualitatif ou quantitatif ?*
L'analyse qualitative a pour but l'identification des constituants d'un mélange, tandis que l'analyse quantitative détermine la quantité d'un ou de plusieurs constituants du mélange.

10.8 L'ANALYSE QUANTITATIVE CHIMIQUE

Les chimistes analystes ont à leur disposition une variété de techniques qui leur permet de mesurer les quantités des constituants d'un mélange. Maintenant, on a de plus en plus recours aux techniques instrumentales, mais certaines réactions chimiques classiques et leurs relations stœchiométriques mises en jeu ont toujours leur place.

Pour procéder à des analyses quantitatives d'un mélange, on choisit généralement entre deux types de techniques fondamentales largement répandues.
- On convertit la substance en une ou plusieurs autres. Le nombre de moles de produits formés permet de remonter à la quantité de substance initialement présente dans le mélange à analyser.
- On fait réagir quantitativement la substance présente en concentration inconnue dans un mélange avec une quantité connue d'une autre substance. Les relations stœchiométriques de la réaction permettent de calculer la quantité inconnue.

10.8.1 L'analyse quantitative des mélanges et les produits issus de la réaction de transformation

À titre d'exemple d'une technique relevant de la première catégorie, citons la détermination de la teneur d'un échantillon en un édulcorant bien connu, la saccharine (C₇H₅NO₃S).

Le principe est simple : on détruit la saccharine de manière à ce que ses atomes de soufre se retrouvent dans des ions sulfate solubles dans l'eau.

$$C_7H_5NO_3S + réactif \longrightarrow SO_4^{2-} \ (aq) + d'autres \ produits$$

L'addition de chlorure de baryum à la solution aqueuse fait précipiter le sulfate de baryum, qui est recueilli par filtration, séché et pesé.

$$Na_2SO_4 \ (aq) + BaCl_2 \ (aq) \longrightarrow BaSO_4 \ (s) + 2 \ NaCl \ (aq)$$

Comme une mole de saccharine conduit finalement à une mole de $BaSO_4$, on peut remonter par calcul à la quantité initiale de saccharine présente dans l'échantillon.

$$1 \text{ mol de } C_7H_5NO_3S \longrightarrow 1 \text{ mol de } S \longrightarrow 1 \text{ mol de } SO_4^{2-} \longrightarrow 1 \text{ mol de } BaSO_4$$

EXEMPLE 10.13   L'analyse quantitative des minéraux

On désire déterminer la teneur en sulfure de nickel (II) de la millérite, une roche minérale relativement rare. On traite dans un premier temps 0,468 g d'un échantillon de roche avec de l'acide nitrique.

$$NiS \text{ (s)} + 4 \text{ HNO}_3 \text{ (aq)} \longrightarrow Ni(NO_3)_2 \text{ (aq)} + S \text{ (s)} + 2 \text{ NO}_2 \text{ (g)} + 2 \text{ H}_2\text{O (l)}$$

À la solution aqueuse de nitrate de nickel (II), on ajoute de la diméthylglyoxime ($C_4H_8N_2O_2$). Ce composé organique forme avec les ions Ni^{2+} un composé insoluble rouge $Ni(C_4H_7N_2O_2)_2$ ($M = 288,916$ g/mol). On en recueille 0,206 g.

$$Ni(NO_3)_2 \text{ (aq)} + 2 \text{ C}_4\text{H}_8\text{N}_2\text{O}_2 \text{ (aq)} \longrightarrow Ni(C_4H_7N_2O_2)_2 \text{ (s)} + 2 \text{ HNO}_3 \text{ (aq)}$$

Quelle est la teneur en NiS de l'échantillon de millérite ?

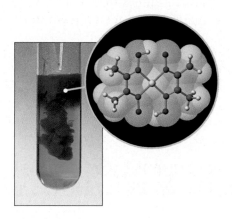

▲ L'addition de diméthylglyoxime à une solution aqueuse d'ions Ni^{2+} donne un composé rouge peu soluble $Ni(C_4H_7N_2O_2)_2$. Charles D. Winters

SOLUTION

Les différentes manipulations se traduisent quantitativement par la séquence :

$$1 \text{ mol de } NiS \longrightarrow 1 \text{ mol de } Ni(NO_3)_2 \longrightarrow 1 \text{ mol de } Ni(C_4H_7N_2O_2)_2$$

Quantité de $Ni(C_4H_7N_2O_2)_2 =$

$$0{,}206 \text{ g de } Ni(C_4H_7N_2O_2)_2 \times \frac{1 \text{ mol}}{288{,}916 \text{ g de } Ni(C_4H_7N_2O_2)_2} = \frac{0{,}206}{288{,}916} \text{ mol}$$

Comme 1 mol de $Ni(C_4H_7N_2O_2)_2$ est issue de 1 mol de NiS, l'échantillon de millérite contenait $\dfrac{0{,}206}{288{,}916}$ mol de NiS.

$$\text{Masse de } NiS = \frac{0{,}206}{288{,}916} \text{ mol de NiS} \times \frac{90{,}759 \text{ g}}{1 \text{ mol de NiS}} = \frac{0{,}206 \times 90{,}759}{288{,}916} \text{ g}$$

$$\text{Teneur en NiS de l'échantillon} = \frac{0{,}206 \times 90{,}759}{288{,}916 \times 0{,}468} \times 100 \text{ \%} = 13{,}8 \text{ \%}$$

EXERCICE 10.19 **L'analyse quantitative d'un mélange**

La transformation quantitative de TiO_2 (s) en TiF_4 (s), Br_2 et O_2 à l'aide de BrF_3 (l) est utilisée pour déterminer la teneur d'un mélange en TiO_2.

$$3\ TiO_2\ (s)\ +\ 4\ BrF_3\ (l)\ \longrightarrow\ 3\ TiF_4\ (s)\ +\ 2\ Br_2\ (l)\ +\ 3\ O_2\ (g)$$

L'oxygène produit peut être récupéré facilement et pesé. Lors d'un essai, on a recueilli 0,143 g d'oxygène à partir d'un échantillon de 2,367 g. Déterminez la teneur en TiO_2 de ce dernier.

Les analyses par combustion se situent dans cette même catégorie d'analyses chimiques nécessitant la transformation de la substance initiale. Vous avez vu à la section 3.6.2 (*voir la page 92*) que l'on pouvait déterminer la formule empirique d'un composé à partir de sa composition donnée en fractions massiques. Mais, d'où proviennent ces données quantitatives? En plus de la spectrométrie dont il a été aussi question dans la section 3.6.3 (*voir la page 96*), les chimistes ont recours aux **analyses par combustion,** dans lesquelles les éléments de la substance qui brûle se combinent avec l'oxygène pour donner l'oxyde correspondant.

Considérez, par exemple, l'analyse par combustion du méthane (CH_4). L'équation équilibrée de la réaction montre que chaque mole de carbone présent dans le méthane se transforme en une mole de dioxyde de carbone (CO_2) et que chaque mole de H donne une demi-mole d'eau.

$$CH_4\ (g)\ +\ 2\ O_2\ (g)\ \longrightarrow\ CO_2\ (g) +\ 2\ H_2O\ (l)$$

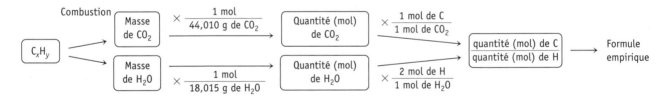

Ces deux produits sont séparés dans un appareil semblable à celui montré dans la figure 10.9. À partir de leurs masses, on trouve la formule empirique du composé à analyser en suivant la séquence de calculs suivante.

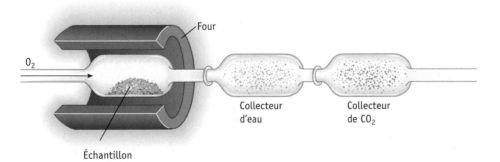

Figure 10.9 L'analyse par combustion d'un hydrocarbure. Du dioxyde de carbone et de l'eau sont formés lors de la combustion d'un composé contenant du carbone et de l'hydrogène. L'eau est absorbée par du perchlorate de magnésium et le dioxyde de carbone réagit quantitativement avec de l'hydroxyde de sodium finement divisé et mélangé à des fibres d'amiante. Les deux collecteurs sont pesés avant et après la combustion de l'échantillon, afin de calculer les masses d'eau et de dioxyde de carbone. Quelques milligrammes seulement d'échantillon sont nécessaires pour mener une telle analyse.

EXEMPLE 10.14   **L'analyse par combustion et la formule empirique**

La combustion de 1,1250 g d'un hydrocarbure liquide (C_xH_y) a donné 3,4471 g de CO_2 et 1,6472 g d'eau. Sachant que sa masse molaire est égale à 86,18 g/mol, trouvez sa formule moléculaire.

SOLUTION

$$\text{Quantité de CO}_2 = 3{,}4471 \text{ g de CO}_2 \times \frac{1 \text{ mol de CO}_2}{44{,}010 \text{ g de CO}_2} = \frac{3{,}4471}{44{,}010} \text{ mol}$$

$$\text{Quantité de H}_2\text{O} = 1{,}6472 \text{ g de H}_2\text{O} \times \frac{1 \text{ mol de H}_2\text{O}}{18{,}0152 \text{ g de H}_2\text{O}} = \frac{1{,}6472}{18{,}0152} \text{ mol}$$

$$\text{Quantité de C} = \text{quantité de CO}_2 = \frac{3{,}4471}{44{,}010} \text{ mol} = 7{,}8326 \times 10^{-2} \text{ mol}$$

$$\text{Quantité de H} = 2 \times \text{la quantité de H}_2\text{O} = \frac{2 \times 1{,}6472}{18{,}0152} \text{ mol} = 0{,}18287 \text{ mol}$$

$$\frac{\text{quantité de H}}{\text{quantité de C}} = \frac{0{,}18287 \text{ mol}}{7{,}8326 \times 10^{-2} \text{ mol}} = 2{,}335 = \frac{7}{3}$$

Comme la masse molaire de l'hydrocarbure est environ le double de la masse de la formule empirique (C_3H_7), 43 g, on en déduit que la formule moléculaire est C_6H_{14}.

EXERCICE 10.20   **La détermination de la formule moléculaire d'un hydrocarbure**

On brûle dans l'air 0,523 g d'un composé inconnu de formule C_xH_y. On recueille 1,612 g de CO_2 et 0,7425 g d'eau. Sachant que sa masse molaire est égale à 114 g/mol, trouvez sa formule moléculaire.

10.8.2   L'analyse quantitative des mélanges : les dosages

Dans le deuxième type d'analyses quantitatives, on fait réagir complètement la substance présente en quantité inconnue dans un mélange avec une quantité connue d'une autre substance.

Supposez que l'on vous demande d'analyser un échantillon d'acide oxalique ($H_2C_2O_4$), un composé présent en faible concentration dans de nombreuses plantes alimentaires (rhubarbe, épinards, etc.), pour en déterminer sa pureté. Cet acide réagit avec l'hydroxyde de sodium, une base, selon l'équation :

$$\underset{\text{Acide}}{H_2C_2O_4 \text{ (aq)}} + \underset{\text{Base}}{2 \text{ NaOH (aq)}} \longrightarrow Na_2C_2O_4 \text{ (aq)} + 2 \text{ H}_2\text{O (l)}$$

À partir de cette réaction, on peut calculer la masse d'acide oxalique présente dans une masse connue d'échantillon si l'on est en mesure de connaître avec précision la quantité d'hydroxyde de sodium ajouté réagissant quantitativement avec l'acide oxalique. Cette condition est remplie dans un **dosage volumétrique.** On dissout dans un peu d'eau contenue dans un erlenmeyer une masse, connue avec précision, de l'échantillon d'acide oxalique à doser. On y ajoute quelques gouttes d'une solution d'un **indicateur coloré,** qui a la propriété de changer de couleur quand la réaction acidobasique est terminée. Ensuite, à l'aide d'une burette graduée, on y ajoute lentement la solution d'hydroxyde de sodium dont on connaît avec précision la concentration. Tant qu'il reste de l'acide oxalique,

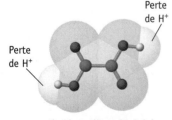

Perte de H⁺

Perte de H⁺

L'acide oxalique ($H_2C_2O_4$)

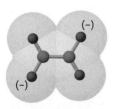

(−)

(−)

L'anion oxalate ($C_2O_4^{2-}$)

l'hydroxyde de sodium ajouté est totalement consommé selon l'équation précédente et la couleur de l'indicateur ne varie pas. Cependant, au **point équivalent,** la quantité totale d'hydroxyde de sodium ajouté correspond exactement à la quantité d'acide oxalique présente initialement (les deux réactifs sont alors en proportions stœchiométriques). Une goutte en excès de la solution de NaOH fait changer la coloration de l'indicateur: on détecte ainsi la **fin du dosage.** Le volume total de base ajouté à ce point s'appelle le **volume équivalent.**

EXEMPLE 10.15 **Le dosage volumétrique**

Lors d'un dosage, il a fallu 17,2 mL de solution d'hydroxyde de sodium en concentration de 0,121 mol/L pour réagir complètement avec 0,0966 g d'un échantillon d'acide oxalique impur dissous dans un peu d'eau. Déterminez la pureté de l'échantillon d'acide oxalique.

SOLUTION

1) Équilibrez l'équation.

$$H_2C_2O_4 \text{ (aq)} + 2 \text{ NaOH (aq)} \longrightarrow Na_2C_2O_4 \text{ (aq)} + 2 H_2O \text{ (l)}$$

2) Convertissez les concentrations en quantités (mol).

Quantité de NaOH au point équivalent

$$= \frac{0,121 \text{ mol de NaOH}}{1 \text{ L}} \times (17,2 \times 10^{-3}) \text{ L} = (0,121 \times 17,2 \times 10^{-3}) \text{ mol}$$

3) Calculez la quantité (mol) d'acide oxalique.

L'équation équilibrée indique qu'une mole d'acide oxalique réagit avec deux moles d'hydroxyde de sodium.

Quantité de $H_2C_2O_4$

$$= (0,121 \times 17,2 \times 10^{-3}) \text{ mol de NaOH} \times \frac{1 \text{ mol de } H_2C_2O_4}{2 \text{ mol de NaOH}}$$

$$= \frac{0,121 \times 17,2 \times 10^{-3}}{2} \text{ mol}$$

4) Convertissez les quantités (mol) en masses.

$$\text{Masse de } H_2C_2O_4 = \frac{0,121 \times 17,2 \times 10^{-3}}{2} \text{ mol de } H_2C_2O_4 \times \frac{90,035 \text{ g}}{1 \text{ mol de } H_2C_2O_4}$$

$$= \frac{0,121 \times 17,2 \times 10^{-3} \times 90,035}{2} \text{ g} = 0,093 \text{ 69 g}$$

5) Déterminez la pureté de l'échantillon.

Dans 0,0966 g d'échantillon, on trouve 0,093 69 g de $H_2C_2O_4$.

$$\text{Pureté de l'échantillon} = \frac{0,093 \text{ 69 g}}{0,0966 \text{ g}} \times 100 \% = 96,99 \%$$

Compte tenu de la précision initiale de la concentration et du volume de la solution d'hydroxyde de sodium (incertitude maximale relative voisine de 1,4 %), on dira que la pureté de l'échantillon d'acide oxalique est de 97 %.

EXERCICE 10.21 **Un dosage volumétrique**

On dose 25,00 mL d'un échantillon de vinaigre à l'aide d'une solution d'hydroxyde de sodium en concentration de 0,953 mol/L. Sachant que le volume équivalent est égal à 28,3 mL,

a) calculez la concentration de l'acide acétique dans ce vinaigre;

b) calculez la masse d'acide acétique présente dans l'échantillon.

Fermer
Sauvegarder
Sauvegarder sous...

(**SAUVE**garder)

L'ÉQUILIBRAGE DES ÉQUATIONS CHIMIQUES : MÉTHODE PAR TÂTONNEMENTS

1. Écrivez l'équation non équilibrée de la réaction.

$$Pb(C_2H_5)_4 \text{ (l)} + O_2 \text{ (g)} \longrightarrow PbO \text{ (s)} + H_2O \text{ (g)} + CO_2 \text{ (g)}$$

2. Sélectionnez la formule la plus complexe.

$$Pb(C_2H_5)_4.$$

3. Équilibrez en premier l'élément de la formule précédente, généralement différent de O et de H, qui n'apparaît que dans un seul produit de la réaction.

$$Pb(C_2H_5)_4 \text{ (l)} + O_2 \text{ (g)} \longrightarrow PbO \text{ (s)} + H_2O \text{ (g)} + CO_2 \text{ (g)}$$

4. Repérez et équilibrez un autre élément qui n'apparaît que dans une seule substance de chaque côté de la flèche.

$$Pb(C_2H_5)_4 \text{ (l)} + O_2 \text{ (g)} \longrightarrow PbO \text{ (s)} + H_2O \text{ (g)} + 8 \text{ } CO_2 \text{ (g)}$$
$$Pb(C_2H_5)_4 \text{ (l)} + O_2 \text{ (g)} \longrightarrow PbO \text{ (s)} + 10 \text{ } H_2O \text{ (g)} + 8 \text{ } CO_2 \text{ (g)}$$

5. Équilibrez en dernier l'élément présent sous forme de corps simple (comme O_2, H_2).

$$Pb(C_2H_5)_4 \text{ (l)} + \frac{27}{2} O_2 \text{ (g)} \longrightarrow PbO \text{ (s)} + 10 \text{ } H_2O \text{ (g)} + 8 \text{ } CO_2 \text{ (g)}$$

6. Multipliez l'ensemble des coefficients pour éliminer les nombres fractionnaires.

$$2 \text{ } Pb(C_2H_5)_4 \text{ (l)} + 27 \text{ } O_2 \text{ (g)} \longrightarrow 2 \text{ } PbO \text{ (s)} + 20 \text{ } H_2O \text{ (g)} + 16 \text{ } CO_2$$

7. Vérifiez l'équilibrage.

2 Pb, 16 C, 40 H, 54 O de chaque côté de la flèche.

LES ÉQUATIONS CHIMIQUES EN SOLUTION AQUEUSE

Équation globale	
Réactifs et produits écrits sous leur forme non dissociée.	$Pb(NO_3)_2$ (aq) + K_2CrO_4 (aq) $\longrightarrow$ $PbCrO_4$ (s) + 2 KNO_3 (aq)
Équation ionique complète	
Réactifs et produits écrits tels qu'ils apparaissent en solution.	Pb^{2+} (aq) + 2 NO_3^- (aq) + 2 K^+ (aq) + CrO_4^{2-} (aq) $\longrightarrow$ $PbCrO_4$ (s) + 2 K^+ (aq) + 2 NO_3^- (aq)
Équation ionique nette	
Ne contient que les espèces qui participent à la réaction.	Pb^{2+} (aq) + CrO_4^{2-} (aq) $\longrightarrow$ $PbCrO_4$ (s)

LES DIFFÉRENTS TYPES DE RÉACTIONS EN SOLUTION AQUEUSE

Types de réactions	Exemples	Forces motrices
Réaction de précipitation Réaction impliquant la formation d'un produit insoluble ou très peu soluble à partir des ions en solution.	Précipitation du chromate de plomb (II) $Pb(NO_3)_2$ (aq) + K_2CrO_4 (aq) $\longrightarrow$ $PbCrO_4$ (s) + 2 KNO_3 (aq) Équation ionique nette Pb^{2+} (aq) + CrO_4^{2-} (aq) $\longrightarrow$ $PbCrO_4$ (s)	Formation d'un précipité
Réaction acidobasique Réaction entre un acide (composé qui accroît la concentration des ions H^+ dans l'eau) et une base (composé qui accroît la concentration des ions OH^- dans l'eau) donnant de l'eau et un sel.	Réaction de l'acide chlorhydrique sur l'hydroxyde de sodium en solution aqueuse HCl (aq) + NaOH (aq) $\longrightarrow$ H_2O (l) + NaCl (aq) Équation ionique nette H^+ (aq) + OH^- (aq) $\longrightarrow$ H_2O (l)	Formation de H_2O (l)
Réaction avec dégagement gazeux Réaction en solution aqueuse dont au moins un des produits est à l'état gazeux.	Dégagement de dioxyde de carbone Na_2CO_3 (aq) + 2 HCl (aq) $\longrightarrow$ 2 NaCl (aq) + CO_2 (g) + H_2O (l) Équation ionique nette CO_3^{2-} (aq) + 2 H^+ (aq) $\longrightarrow$ H_2O (l) + CO_2 (g)	Dégagement d'un gaz insoluble ou peu soluble dans l'eau
Réaction d'oxydoréduction Réaction au cours de laquelle des électrons sont transférés d'une substance à une autre.	Oxydation du cuivre par les ions Ag^+ ou réduction des ions Ag^+ par le cuivre 2 Ag^+ (aq) + Cu (s) $\longrightarrow$ 2 Ag (s) + Cu^{2+} (aq)	Transfert d'électrons

10

LES RÈGLES D'ASSIGNATION DES ÉTATS D'OXYDATION

1. L'état d'oxydation de tout élément d'un corps simple (constitué d'un seul élément) est égal à 0.	0: H_2, O_2, F_2
2. Le doublet d'électrons liant deux atomes identiques n'influence pas le nombre d'oxydation de ces atomes puisqu'il est partagé également entre les deux.	C—C
3. Le nombre d'oxydation du fluor, l'élément le plus électronégatif, lié à tout autre élément est toujours -1.	-1: —F
4. L'état d'oxydation de l'oxygène est égal à -2, sauf dans O_2 et O_3 (0), dans les composés avec le fluor, dans l'ion peroxyde O_2^{2-} (-1) ou dans les molécules contenant la séquence —O—O— (-1).	-2: =O, —O—H 0: C—O—F, O_3, O_2 -1: O_2^{2-}, C—O—O—C
5. L'état d'oxydation de l'hydrogène est égal à +1, sauf dans H_2 (0) ou lorsqu'il se combine avec un élément moins électronégatif que lui (les métaux et le bore): sa valeur est alors égale à -1.	+1: C—H, —O—H -1: LiH
6. L'état d'oxydation des halogènes (groupe 7A) autres que le fluor est égal à -1, sauf lorsqu'ils se présentent à l'état élémentaire (0) ou qu'ils se combinent avec l'oxygène ou avec d'autres halogènes plus électronégatifs.	-1: —C—Cl, C—Br, Cl—Br 0: Cl_2, I_2 +1: —O—Cl, Cl—Br

LES RÈGLES D'ASSIGNATION DES ÉTATS D'OXYDATION (*SUITE*)

7. L'état d'oxydation des ions monoatomiques est égal à leur charge. Les ions monoatomiques des alcalins (groupe 1A), des alcalino-terreux (groupe 2A) et des halogènes (groupe 7A) ont des états d'oxydation respectifs de +1, +2 et -1.	+3 : Fe^{3+} +2 : Ca^{2+}, Fe^{2+} +1 : Na^+, K^+ -1 : Cl^- -2 : O^{2-}
8. Dans une liaison entre deux atomes non mentionnés précédemment, le doublet est attribué à l'élément le plus électronégatif des deux.	-3, +2 : H—C≡N
9. La somme algébrique des états d'oxydation de tous les atomes d'une espèce chimique est égale à la charge de cette espèce.	NH_4^+ $(-3) + 4(+1) = +1$

LES MASSES ET LES CALCULS STŒCHIOMÉTRIQUES

Masse de réactif A - - - - - - - //- - - - - → Masse de réactif B
Calcul direct impossible

$\times \dfrac{1 \text{ mol}}{\text{g de A}}$ $\times \dfrac{\text{g}}{1 \text{ mol de B}}$

Quantité (mol) de A $\xrightarrow[\times \frac{\text{b mol de B}}{\text{a mol de A}}]{\times \text{ facteur stœchiométrique}}$ Quantité (mol) de B

Exemple

Calculez la masse de chlore qui se combine avec 1,45 g de phosphore.

$$P_4 \text{ (s)} + 6 \, Cl_2 \text{ (g)} \longrightarrow 4 \, PCl_3 \text{ (l)}$$

$$\text{Quantité de } P_4 = 1{,}45 \text{ g de } P_4 \times \frac{1 \text{ mol}}{123{,}895 \text{ g de } P_4} = \frac{1{,}45}{123{,}895} \text{ mol}$$

$$\text{Quantité de } Cl_2 = \frac{1{,}45}{123{,}895} \text{ mol de } P_4 \times \frac{6 \text{ mol de } Cl_2}{1 \text{ mol de } P_4} = \frac{1{,}45 \times 6}{123{,}895} \text{ mol}$$

$$\text{Masse de } Cl_2 = \frac{1{,}45 \times 6}{123{,}895} \text{ mol de } Cl_2 \times \frac{70{,}9054 \text{ g}}{1 \text{ mol de } Cl_2} = 4{,}98 \text{ g}$$

LES GAZ ET LES CALCULS STŒCHIOMÉTRIQUES

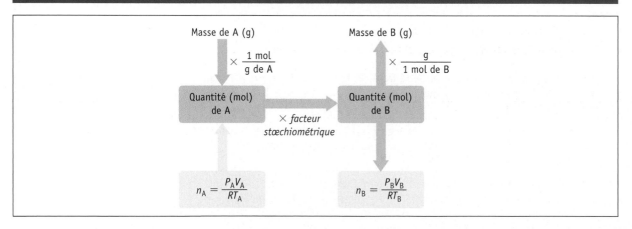

LA CONCENTRATION ET LES CALCULS STŒCHIOMÉTRIQUES

Concentration molaire volumique ou concentration

$$C = \frac{\text{quantité (mol) de soluté}}{\text{volume de solution (L)}}$$

Dissolution de 0,0420 mol de HCl dans 250 mL de solution $$[\text{HCl}] = \frac{0,0420 \text{ mol}}{0,250 \text{ L}} = 0,168 \text{ mol/L}$$	Quantité (mol) de HCl contenue dans 25,00 mL de solution en concentration de 0,168 mol/L $$\frac{0,168 \text{ mol}}{1\cancel{L}} \times 0,02500 \cancel{L} = 4,20 \times 10^{-3} \text{ mol}$$

LE RÉACTIF LIMITANT

$$4 \text{ NH}_3 \text{ (g)} + 5 \text{ O}_2 \text{ (g)} \longrightarrow 4 \text{ NO (g)} + 6 \text{ H}_2\text{O (g)}$$
$$(750 \text{ g}) \qquad (750 \text{ g})$$

1. Convertissez les masses en quantités (mol).

$$\text{Quantité de NH}_3 = 750 \text{ g de NH}_3 \times \frac{1 \text{ mol}}{17,0304 \text{ g de NH}_3} = \frac{750}{17,0304} \text{ mol}$$

$$\text{Quantité de O}_2 = 750 \text{ g de O}_2 \times \frac{1 \text{ mol}}{31,9988 \text{ g de O}_2} = \frac{750}{31,9988} \text{ mol}$$

2. Comparez le rapport des quantités initiales (mol) au rapport des coefficients stœchiométriques.

$$\frac{\dfrac{750}{31,9988} \text{ mol de O}_2}{\dfrac{750}{17,0304} \text{ mol de NH}_3} = 0,532 \text{ mol de O}_2 \text{ pour 1 mol de NH}_3.$$

$$\text{Rapport stœchiométrique} = \frac{5 \text{ mol de O}_2}{4 \text{ mol de NH}_3} = 1,25 \text{ mol de O}_2 \text{ pour 1 mol de NH}_3.$$

⇒ L'oxygène est le réactif limitant.

LE RENDEMENT D'UNE RÉACTION

$$\text{Rendement} = \frac{\text{masse réelle}}{\text{masse théorique}} \times 100 \%$$

Exemple

Masse réellement récupérée: 3,8 g.

Masse théorique espérée d'après les quantités initiales de réactifs: 6,2 g.

$$\text{Rendement} = \frac{3,8 \cancel{g}}{6,2 \cancel{g}} \times 100 \% = 61 \%$$

10

Revue des concepts importants

1. Quelle information une équation chimique équilibrée vous donne-t-elle?

2. a) Équilibrez l'équation chimique représentant la formation de l'ammoniac (NH_3 (g)) à partir de N_2 (g) et H_2 (g).

b) Vous disposez de 3 mol de N_2 et désirez calculer la quantité de NH_3 produit. Quel rapport stœchiométrique utiliserez-vous dans ce calcul?

3. L'aluminium et le brome réagissent ensemble selon l'équation suivante.

$$2\ Al\ (s)\ +\ 3\ Br_2\ (l)\ \longrightarrow\ Al_2Br_6\ (s)$$

a) Combien de molécules de brome sont requises pour réagir avec 2000 atomes d'aluminium?

b) Combien de molécules de Al_2Br_6 sont formées à la suite de cette réaction?

4. a) Expliquez comment vous calculeriez la masse théorique de ZnI_2 produit lors de la réaction suivante, connaissant la masse initiale de zinc (l'iode est en excès).

$$Zn\ (s)\ +\ I_2\ (s)\ \longrightarrow\ ZnI_2\ (s)$$

b) Quelle donnée expérimentale vous manque-t-il pour calculer le rendement de cette réaction?

5. Le monoxyde de carbone réduit l'oxyde de fer (III) en fer.

$$Fe_2O_3\ (s)\ +\ 3\ CO\ (g)\ \longrightarrow\ 2\ Fe\ (s)\ +\ 3\ CO_2\ (g)$$

a) Un mélange réactionnel contient 25 mol de Fe_2O_3 et 65 mol de CO. Trouvez le réactif limitant.

b) En supposant la réaction complète, quelle quantité (mol) de fer obtiendra-t-on?

6. Le mélange de solutions aqueuses de nitrate d'argent et de chlorure de sodium conduit à la formation de chlorure d'argent, un composé insoluble.

$$AgNO_3\ (aq)+\ NaCl\ (aq)\ \longrightarrow\ AgCl\ (s)\ +\ NaNO_3\ (aq)$$

Décrivez comment vous utiliseriez cette réaction pour déterminer la teneur en NaCl d'un minerai.

Exercices

L'équilibrage des équations chimiques
(*Voir l'exemple 10.1*)

7. Équilibrez les équations suivantes.
a) $Cr\ (s)\ +\ O_2\ (g)\ \longrightarrow\ Cr_2O_3\ (s)$
b) $Cu_2S\ (s)\ +\ O_2\ (g)\ \longrightarrow\ Cu\ (s)\ +\ SO_2\ (g)$
c) $C_6H_5CH_3\ (l)\ +\ O_2\ (g)\ \longrightarrow\ H_2O\ (l)\ +\ CO_2\ (g)$
d) $Cr\ (s)\ +\ Cl_2\ (g)\ \longrightarrow\ CrCl_3\ (s)$
e) $SiO_2\ (s)\ +\ C\ (s)\ \longrightarrow\ Si\ (s)\ +\ CO\ (g)$
f) $Fe\ (s)\ +\ H_2O\ (g)\ \longrightarrow\ Fe_3O_4\ (s)\ +\ H_2\ (g)$
g) $BF_3\ (g)\ +\ H_2O\ (l)\ \longrightarrow\ HF\ (aq)\ +\ H_3BO_3\ (l)$

8. Complétez et équilibrez les équations suivantes, et nommez tous les composés.
a) $Fe_2O_3\ (s)\ +\ Mg\ (s)\ \longrightarrow$
b) $AlCl_3\ (s)\ +\ H_2O\ (l)\ \longrightarrow$
c) $NaNO_3\ (s)\ +\ H_2SO_4\ (l)\ \longrightarrow$
d) $NiCO_3\ (s)\ +\ HNO_3\ (aq)\ \longrightarrow$
e) $NH_3\ (aq)\ +\ O_2\ (g)\ \longrightarrow$

Les calculs stœchiométriques impliquant des masses
(*Voir l'exemple 10.2*)

9. L'oxydation de l'aluminium par l'oxygène conduit à la formation d'oxyde d'aluminium.

$$4\ Al\ (s)\ +\ 3\ O_2\ (g)\ \longrightarrow\ 2\ Al_2O_3\ (s)$$

a) Calculez le nombre de moles de O_2 nécessaire pour oxyder complètement 6,0 mol de Al.

b) Calculez la masse de produit formé.

10. On fait réagir $Al(OH)_3$ avec HCl.
a) Équilibrez l'équation de la réaction.
b) Calculez la masse de HCl qui réagit avec 0,750 g de $Al(OH)_3$.
c) Calculez la masse d'eau produite.

11. Lorsque le fer réagit avec l'oxygène, il se forme de l'oxyde de fer (III).
a) Équilibrez l'équation de cette réaction.
b) Quelle masse d'oxyde de fer (III) est produite quand un clou ordinaire en fer (on suppose qu'il est pur) de 2,68 g s'oxyde complètement?
c) Quelle masse de O_2 sera consommée?

12. Le méthane (CH_4) brûle en présence d'oxygène.
a) Équilibrez l'équation de la réaction.
b) Calculez la masse de O_2 nécessaire pour brûler complètement 25,5 g de méthane.
c) Quelle est la masse totale de produits formés?

Les gaz et la stœchiométrie
(*Voir les exemples 10.3 et 10.4*)

13. La combustion de l'octane produit du dioxyde de carbone et de la vapeur d'eau.

$$2\ C_8H_{18}\ (g)\ +\ 25\ O_2\ (g)\ \longrightarrow\ 16\ CO_2\ (g)\ +\ 18\ H_2O\ (g)$$

a) On brûle complètement 0,095 g d'octane. Quelle sera la pression de la vapeur d'eau recueillie dans un contenant de 4,75 L, à 30,0 °C?

b) Si l'oxygène nécessaire à la combustion complète de 0,095 g d'octane se trouvait dans un récipient de 4,75 L, à 22 °C, quelle en serait sa pression (kPa)?

14. Le silane (SiH_4) réagit avec O_2 pour former du dioxyde de silicium et de l'eau.

$$SiH_4\ (g)\ +\ 2\ O_2\ (g)\ \longrightarrow\ SiO_2\ (s)\ +\ 2\ H_2O\ (l)$$

La réaction s'effectuant à 25 °C, quel volume de O_2 sous une pression de 56,7 kPa est nécessaire pour réagir complètement avec 5,20 L de SiH_4 à une pression de 47,5 kPa?

15. Un appareil respiratoire autonome régénère l'oxygène à partir du dioxyde de carbone expiré, à l'aide du superoxyde de potassium (KO_2).

$$4\ KO_2\ (s)\ +\ 2\ CO_2\ (g)\ \longrightarrow\ 2\ K_2CO_3\ (s)\ +\ 3\ O_2\ (g)$$

Calculez la masse de KO_2 nécessaire pour réagir avec 8,90 L de CO_2, à 22,0 °C et sous une pression de 102 kPa.

Les solutions aqueuses et la stœchiométrie
(*Voir les exemples 10.5 à 10.9*)

16. Écrivez les équations ioniques nettes correspondant aux équations suivantes non équilibrées.
a) $(NH_4)_2CO_3\ (aq)\ +\ Cu(NO_3)_2\ (aq)\ \longrightarrow$
$$CuCO_3\ (s)\ +\ NH_4NO_3\ (aq)$$
b) $Pb(OH)_2\ (s)\ +\ HCl\ (aq)\ \longrightarrow\ PbCl_2\ (s)\ +\ H_2O\ (l)$

17. Complétez et équilibrez les équations acidobasiques suivantes. Nommez les réactifs et les produits.
a) $CH_3COOH\ (aq)\ +\ NaOH\ (s)\ \longrightarrow$
b) $HNO_3\ (aq)\ +\ Ba(OH)_2\ (s)\ \longrightarrow$

18. Équilibrez les équations suivantes et déterminez à quel type de réaction (précipitation, acidobasique ou dégagement gazeux) elles appartiennent.
a) $Ba(OH)_2\ (s)\ +\ HCl\ (aq)\ \longrightarrow\ BaCl_2\ (aq)\ +\ H_2O\ (l)$
b) $HNO_3\ (aq)\ +\ CoCO_3\ (s)\ \longrightarrow$
$$Co(NO_3)_2\ (aq)\ +\ H_2O\ (l)\ +\ CO_2\ (g)$$
c) $Na_3PO_4\ (aq)\ +\ Cu(NO_3)_2\ (aq)\ \longrightarrow$
$$Cu_3(PO_4)_2\ (s)\ +\ NaNO_3\ (aq)$$

19. Pour chacune des réactions suivantes, identifiez l'espèce oxydée et l'espèce réduite, ainsi que le réducteur et l'oxydant.
a) $Cr_2O_7^{2-}\ (aq)\ +\ 3\ Sn^{2+}\ (aq)\ +\ 14\ H^+\ (aq)\ \longrightarrow$
$$2\ Cr^{3+}\ (aq)\ +\ 3\ Sn^{4+}\ (aq)\ +\ 7\ H_2O\ (l)$$
b) $FeS\ (s)\ +\ 3\ NO_3^-\ (aq)\ +\ 4\ H^+\ (aq)\ \longrightarrow$
$$3\ NO\ (g)\ +\ SO_4^{2-}\ (aq)\ +\ Fe^{3+}\ (aq)\ +\ 2\ H_2O\ (l)$$

20. Calculez la concentration en dichromate de potassium ($K_2Cr_2O_7$), en ions K^+ et $Cr_2O_7^{2-}$ d'une solution préparée en dissolvant 2,335 g de ce composé dans suffisamment d'eau pour donner 500 mL de solution.

21. Quel volume (mL) d'une solution de NaOH dont la concentration est de 0,123 mol/L contient 25,0 g de ce composé?

22. Calculez la masse d'acide oxalique ($H_2C_2O_4$) nécessaire pour préparer 250 mL d'une solution de concentration égale à 0,15 mol/L. Décrivez les manipulations requises pour préparer cette solution.

23. Calculez la masse (g) de Na_2CO_3 requise pour réagir complètement avec 50,0 mL d'une solution de HNO_3 en concentration de 0,125 mol/L.

$$Na_2CO_3\ (aq)\ +\ 2\ HNO_3\ (aq)\ \longrightarrow$$
$$2\ NaNO_3\ (aq)\ +\ CO_2\ (g)\ +\ H_2O\ (l)$$

24. Quel volume d'une solution d'acide oxalique ($H_2C_2O_4$) en concentration de 0,125 mol/L faut-il ajouter à 35,2 mL d'une solution de NaOH en concentration de 0,546 mol/L pour que la réaction soit complète?

$$H_2C_2O_4\ (aq)\ +\ 2\ NaOH\ (aq)\ \longrightarrow$$
$$Na_2C_2O_4\ (aq)\ +\ 2\ H_2O\ (l)$$

Le réactif limitant
(*Voir les exemples 10.10 et 10.11*)

25. La réaction du méthane avec l'eau est un des procédés de préparation de l'hydrogène, qui peut être utilisé comme carburant.

$$CH_4\ (g)\ +\ H_2O\ (g)\ \longrightarrow\ CO\ (g)\ +\ 3\ H_2\ (g)$$

Un mélange initial renferme 995 g de méthane et 2510 g d'eau.
a) Quel est le réactif limitant de cette réaction?
b) En supposant que la réaction est complète, quelle masse de H_2 sera formée?
c) Quelle masse du réactif en excès restera-t-il à la fin de la réaction?

26. On peut préparer de l'ammoniac à partir d'un oxyde métallique, tel que l'oxyde de calcium, et de chlorure d'ammonium.

$$CaO\ (s)\ +\ 2\ NH_4Cl\ (s)\ \longrightarrow$$
$$2\ NH_3\ (g)\ +\ H_2O\ (g)\ +\ CaCl_2\ (s)$$

Si vous mélangez 112 g de CaO et 224 g de NH_4Cl,
a) quelle masse de NH_3 sera formée?
b) quelle masse du réactif en excès restera-t-il à la fin de la réaction?

27. En laboratoire, on peut préparer de l'aspirine ($C_9H_8O_4$) en faisant réagir de l'acide salicylique ($C_7H_6O_3$) et de l'anhydride acétique ($C_4H_6O_3$).

$$C_7H_6O_3\ (s)\ +\ C_4H_6O_3\ (l)\ \longrightarrow\ C_9H_8O_4\ (s)\ +\ CH_3COOH\ (l)$$

En supposant la réaction complète, quelle masse d'aspirine obtiendrez-vous si vous mélangez 100 g de chacun de ces réactifs?

Le rendement d'une réaction
(*Voir l'exemple 10.12*)

28. La synthèse de l'ammoniac est présentée dans l'énoncé du numéro **26**. À partir d'un mélange de 112 g de CaO et de 224 g de NH_4Cl, on récupère 16,3 g de NH_3. Calculez le rendement de cet essai.

29. Wächtershäuser et Huber (*voir le texte* Les cheminées noires et l'origine de la vie *en début de chapitre*) ont étudié la réaction suivante.

$$2\ CH_3SH\ +\ CO\ \longrightarrow\ CH_3COSCH_3\ +\ H_2S$$

Un mélange contient 10,0 g de CH_3SH et un excès de CO.

a) Quelle masse théorique de CH_3COSCH_3 devrait-on obtenir ?

b) Quel est le rendement de la réaction si l'on a isolé 8,65 g de CH_3COSCH_3 ?

30. Le sulfate de cuivre (II) réagit avec l'ammoniac pour former le composé bleu $[Cu(NH_3)_4]SO_4$.

$$CuSO_4 \text{ (aq)} + 4\ NH_3 \text{ (aq)} \longrightarrow [Cu(NH_3)_4]SO_4 \text{ (aq)}$$

Un collègue a fait réagir 10,0 g de $CuSO_4$ avec un excès de NH_3. Quelle masse de produit a-t-il obtenu si le rendement de cette réaction est de 88 % ?

L'analyse des mélanges
(*Voir l'exemple 10.13*)

31. Un mélange de $CuSO_4$ et $CuSO_4 \cdot 5\ H_2O$ pèse 1,245 g. Après l'avoir chauffé jusqu'à déshydratation complète, le mélange ne pèse plus que 0,832 g. Calculez la fraction massique de $CuSO_4 \cdot 5\ H_2O$ dans ce mélange.

32. Un pesticide donné contient du sulfate de thallium (I) (Tl_2SO_4). Lorsqu'on dissout dans l'eau 10,20 g d'un échantillon impur de ce pesticide et qu'on y ajoute de l'iodure de sodium, 0,1964 g d'iodure de thallium (I) précipite. Quel est le pourcentage massique de Tl_2SO_4 dans cet échantillon ?

33. L'aluminium présent dans 0,764 g d'un échantillon inconnu est précipité en hydroxyde d'aluminium ($Al(OH)_3$), lequel est ensuite transformé par chauffage intense en Al_2O_3. Calculez la teneur en aluminium de l'échantillon, si l'on a isolé 0,127 g de Al_2O_3.

La détermination des formules empirique et moléculaire
(*Voir l'exemple 10.14*)

34. On a recueilli 0,364 g de CO_2 et 0,0596 g d'eau à la suite de la combustion de 0,106 g d'azulène, un hydrocarbure (C_xH_y) d'un très beau bleu.

a) Quelle est sa formule empirique ?

b) Quelle est sa formule moléculaire, sachant que sa masse molaire, déterminée dans une autre expérience, est égale à 128,2 g/mol ?

35. La réaction du soufre et du chlore donne généralement plusieurs produits différents. Dans des conditions particulières, 0,125 g de soufre (S) a formé 0,263 g d'un seul composé (S_xCl_y).

a) Déterminez la formule empirique de S_xCl_y.

b) Sa masse molaire, déterminée dans une autre expérience, est de 135,0 g/mol. Trouvez sa formule moléculaire.

36. Le nickel et le monoxyde de carbone forment le composé $Ni_x(CO)_y$. Pour déterminer sa formule, vous chauffez doucement dans l'air un échantillon de 0,0973 g afin de transformer le nickel en NiO (0,0426 g) et le CO en 0,100 g de CO_2 (selon l'équa-

tion non équilibrée suivante). Trouvez la formule empirique du $Ni_x(CO)_y$.

$$Ni_x(CO)_y \text{ (s)} + O_2 \text{ (g)} \longrightarrow x\ NiO \text{ (s)} + y\ CO_2 \text{ (g)}$$

Les dosages
(*Voir l'exemple 10.15*)

37. Quel est le volume équivalent (mL) d'une solution de HCl en concentration de 0,812 mol/L lors du dosage de 1,45 g de NaOH ?

$$NaOH \text{ (aq)} + HCl \text{ (aq)} \longrightarrow H_2O \text{ (l)} + NaCl \text{ (aq)}$$

38. Quelle est la concentration d'une solution de HCl s'il en faut 38,55 mL pour doser 2,150 g de Na_2CO_3 ?

$$Na_2CO_3 \text{ (aq)} + 2\ HCl \text{ (aq)} \longrightarrow$$
$$2\ NaCl \text{ (aq)} + CO_2 \text{ (g)} + H_2O \text{ (l)}$$

Questions de révision
Ces questions peuvent combiner plusieurs des concepts vus précédemment. Les numéros de couleur correspondent à des questions demandant plus de réflexion.

39. Équilibrez les équations des réactions suivantes.

a) La synthèse de l'urée, un engrais usuel.

$$CO_2 \text{ (g)} + NH_3 \text{ (g)} \longrightarrow NH_2CONH_2 \text{ (s)} + H_2O \text{ (l)}$$

b) La synthèse du diborane.

$$NaBH_4 \text{ (s)} + H_2SO_4 \text{ (aq)} \longrightarrow$$
$$B_2H_6 \text{ (g)} + H_2 \text{ (g)} + Na_2SO_4 \text{ (aq)}$$

c) La synthèse du chlorure de titane (IV), transformé ensuite en titane.

$$TiO_2 \text{ (s)} + Cl_2 \text{ (g)} + C \text{ (s)} \longrightarrow TiCl_4 \text{ (l)} + CO \text{ (g)}$$
$$TiCl_4 \text{ (l)} + Mg \text{ (s)} \longrightarrow Ti \text{ (s)} + MgCl_2 \text{ (s)}$$

d) La production des engrais « superphosphate ».

$$Ca_3(PO_4)_2 \text{ (s)} + H_2SO_4 \text{ (aq)} \longrightarrow$$
$$Ca(H_2PO_4)_2 \text{ (aq)} + CaSO_4 \text{ (s)}$$

e) La décomposition du dichromate d'ammonium.

$$(NH_4)_2Cr_2O_7 \text{ (s)} \longrightarrow N_2 \text{ (g)} + H_2O \text{ (l)} + Cr_2O_3 \text{ (s)}$$

40. Le magnésium réagit spontanément avec l'acide nitrique selon l'équation non équilibrée suivante.

$$Mg \text{ (s)} + HNO_3 \text{ (aq)} \longrightarrow$$
$$Mg(NO_3)_2 \text{ (aq)} + NO_2 \text{ (g)} + H_2O \text{ (l)}$$

a) Équilibrez l'équation.

b) Nommez chaque composé.

c) Écrivez l'équation ionique nette.

d) Identifiez le réducteur et l'oxydant.

41. Choisissez parmi les composés suivants : $ZnCO_3$, HCl, Cl_2, HNO_3, $Zn(OH)_2$, NaCl, $Zn(NO_3)_2$ et Zn, ceux qui vous permettent de préparer du chlorure de zinc par :

a) une réaction acidobasique ;

b) une réaction avec dégagement gazeux ;

c) une réaction d'oxydoréduction.

42. Le *cisplatine* $(Pt(NH_3)_2Cl_2)$ peut être préparé en faisant réagir $(NH_4)_2PtCl_4$ avec l'ammoniaque. Du chlorure d'ammonium est également produit lors de cette réaction.

a) Équilibrez l'équation de la réaction.

b) Calculez la masse requise de $(NH_4)_2PtCl_4$ pour produire 12,50 g de *Cisplatine*. Quel volume d'ammoniaque en concentration de 0,125 mol/L doit être utilisé ?

43. On peut préparer de l'acétylène à partir de la réaction suivante.

$$CaC_2 \text{ (s)} + 2\ H_2O \text{ (l)} \longrightarrow C_2H_2 \text{ (g)} + Ca(OH)_2 \text{ (s)}$$

Calculez le rendement en acétylène lorsque, après avoir fait réagir 2,65 g de CaC_2 avec un excès d'eau, vous récupérez 795 mL d'acétylène à 25,2 °C, à une pression de 98,02 kPa.

44. Quelques halogénures métalliques, comme $TiCl_4$, réagissent avec l'eau pour produire l'oxyde du métal et l'halogénure d'hydrogène (*voir la photographie*).

$$TiCl_4 \text{ (l)} + 2\ H_2O \text{ (l)} \longrightarrow TiO_2 \text{ (s)} + 4\ HCl \text{ (g)}$$

Charles D. Winters

a) Nommez les quatre composés impliqués dans cette réaction.

b) Si vous utilisez 14,0 mL de $TiCl_4$ ($\rho = 1,73$ g/mL), quelle masse d'eau vous faudra-t-il pour que la réaction soit complète ?

c) Calculez la masse attendue de chacun des produits.

d) Calculez le rendement en TiO_2 si vous en avez récupéré 6,43 g.

45. La réaction suivante permet de préparer de l'iode en laboratoire.

$$2\ NaI \text{ (s)} + MnO_2 \text{ (s)} + 2\ H_2SO_4 \text{ (aq)} \longrightarrow$$
$$Na_2SO_4 \text{ (aq)} + MnSO_4 \text{ (aq)} + I_2 \text{ (s)} + 2\ H_2O \text{ (l)}$$

a) Déterminez l'état d'oxydation de chacun des atomes de l'équation.

b) Identifiez l'oxydant et l'espèce oxydée. Identifiez le réducteur et l'espèce réduite.

c) Quelle masse de I_2 est obtenue lorsqu'on fait réagir 20,0 g de NaI avec 10,0 g de MnO_2 ?

▲ **Préparation de l'iode.** Un mélange d'iodure de sodium et d'oxyde de manganèse (IV) est placé dans une fiole, sous une hotte (à gauche). En y ajoutant de l'acide sulfurique (à droite), de l'iode (brun) est formé. Charles D. Winters

46. Dans une expérience, la réaction de 750 g de NH_3 et de 750 g de O_2 a produit 562 g de NO.

$$4\ NH_3 \text{ (g)} + 5\ O_2 \text{ (g)} \longrightarrow 4\ NO \text{ (g)} + 6\ H_2O \text{ (g)}$$

a) Quelle masse d'eau a aussi été produite ?

b) Quelle masse de O_2 aurait-il fallu pour transformer totalement les 750 g de NH_3 ?

47. Quelle est la masse de diméthyldichlorosilane $((CH_3)_2SiCl_2)$ produit à la suite de l'ajout de 2,25 g de silicium dans un récipient de 6,56 L contenant du chlorométhane (CH_3Cl) à une pression de 78,0 kPa, à 25 °C ?

$$Si \ (s) \ + \ 2 \ CH_3Cl \ (g) \longrightarrow (CH_3)_2SiCl_2 \ (g)$$

Quelle serait la pression de $(CH_3)_2SiCl_2$ dans ce même contenant, à 95 °C?

48. Les canettes d'aluminium peuvent être dissoutes par une base tel l'hydroxyde de potassium.

$$2 \ Al \ (s) \ + \ 2 \ KOH \ (aq) \ + \ 6 \ H_2O \ (l) \longrightarrow$$
$$2 \ KAl \ (OH)_4 \ (aq) \ + \ 3 \ H_2 \ (g)$$

Dans un becher, si vous placez 2,05 g d'aluminium et 185 mL d'une solution de KOH en concentration de 1,35 mol/L,
a) restera-t-il de l'aluminium non dissous?
b) quelle quantité (mol) de $KAl \ (OH)_4$ obtiendrez-vous?

49. Vous mélangez 25,0 mL d'une solution de $FeCl_3$, dont la concentration est de 0,234 mol/L, avec 42,5 mL d'une solution de NaOH, dont la concentration est de 0,453 mol/L.
a) Identifiez le réactif en excès.
b) Calculez la masse (g) de $Fe(OH)_3$ précipité.
c) Calculez la concentration finale du réactif en excès.

50. Pour déterminer la quantité de $NaNO_2$ présente dans un mélange solide de $NaNO_2$ et de NaCl, vous effectuez la réaction suivante.

$$NaNO_2 \ (aq) \ + \ HSO_3NH_2 \ (aq) \longrightarrow$$
$$NaHSO_4 \ (aq) \ + \ H_2O \ (l) \ + \ N_2 \ (g)$$

Calculez la fraction massique de $NaNO_2$ dans le mélange, sachant que 1,232 g produit 295 mL de N_2 à une pression de 95,1 kPa et à une température de 21,0 °C.

51. Vous avez un échantillon d'édulcorant de 0,2140 g qui contient de la saccharine ($C_7H_5NO_3S$). Après sa décomposition permettant de libérer le soufre et de le convertir en ion SO_4^{2-}, celui-ci est isolé sous forme de $BaSO_4$, un composé insoluble dans l'eau.

$$SO_4^{2-} \ (aq) \ + \ BaCl_2 \ (aq) \longrightarrow BaSO_4 \ (s) \ + \ 2 \ Cl^- \ (aq)$$

On obtient 0,2070 g de $BaSO_4$. Calculez la fraction massique de saccharine dans l'échantillon.

52. Le bore forme avec l'hydrogène une série de composés dont la formule générale est B_xH_y. Leur combustion complète conduit à B_2O_3.

$$B_xH_y \ (s) \ + \ excès \ de \ O_2 \ (g) \longrightarrow B_2O_3 \ (s) \ + \ H_2O \ (g)$$

Lors de la combustion de 0,148 g de B_xH_y, on a recueilli 0,422 g de B_2O_3. Quelle est la formule empirique de ce composé?

53. La quinone, utilisée dans l'industrie de la teinture et de la photographie, est un composé organique contenant seulement C, H et O. Déduisez sa formule empirique à partir des résultats expérimentaux suivants: la combustion complète de 0,105 g de quinone a produit 0,257 g de CO_2 et 0,0350 g de H_2O.

54. La décomposition par la chaleur de 0,158 g d'un carbonate de métal (M) en oxyde métallique et en CO_2 a donné 285 mL de ce gaz, à une pression de 9,31 kPa et à 25 °C. Identifiez M.

$$MCO_3 \ (s) \longrightarrow MO \ (s) \ + \ CO_2 \ (g)$$

55. Lorsqu'on chauffe 1,598 g d'oxyde de titane (IV) en présence d'hydrogène, il se forme de l'eau et 1,438 g d'un nouvel oxyde Ti_xO_y. Quelle est la formule de ce nouvel oxyde?

56. Vous désirez déterminer la pureté d'un échantillon de thiosulfate de sodium ($Na_2S_2O_3$) utilisé comme fixateur pour les photographies en noir et blanc. Lors du dosage, selon l'équation ci-dessous, il a fallu 40,21 mL d'une solution de I_2 en concentration de 0,246 mol/L pour réagir complètement avec 3,232 g d'un échantillon de $Na_2S_2O_3$ impur dissous dans un peu d'eau. Déterminez la pureté de cet échantillon.

$$I_2 \ (aq) \ + \ 2 \ Na_2S_2O_3 \ (aq) \longrightarrow 2 \ NaI \ (aq) \ + \ Na_2S_4O_6 \ (aq)$$

57. Quelle masse maximale de Ag_2MoS_4 peut-on obtenir à partir de 8,63 g d'argent, 3,36 g de molybdène et 4,81 g de soufre?

58. Un brûleur Bunsen est alimenté au méthane (CH_4) à raison de 5,0 L/min, à une température de 28 °C et à une pression de 103 kPa. À quel taux doit-il être alimenté en oxygène, à une pression de 98,9 kPa et à 26 °C, pour que la combustion du méthane soit complète?

59. La thioridazine ($C_{21}H_{26}N_2S_2$) est un produit pharmaceutique utilisé dans la régularisation de la dopamine, un neurotransmetteur du cerveau. Un chimiste détermine la teneur en thioridazine d'un échantillon en le décomposant afin de transformer le soufre du composé en ion sulfate. Celui-ci est ensuite isolé sous forme de $BaSO_4$, un composé insoluble dans l'eau.

$$SO_4^{2-} \ (aq) \ + \ BaCl_2 \ (aq) \longrightarrow BaSO_4 \ (s) \ + \ 2 \ Cl^- \ (aq)$$

Douze comprimés produisent 0,301 g de $BaSO_4$. Quelle est la teneur (mg) en thioridazine par comprimé?

60. La réaction complète d'une quantité constante de brome (Br_2) avec différentes quantités de fer (Fe) conduit à la formation d'un seul produit, qui est isolé et pesé. Les résultats des expériences ont été portés sur un graphique. À partir de 2,0 g de fer, la quantité de produit formé se stabilise à 10,8 g.
a) Quelle masse de Br_2 a réagi complètement avec 2,0 g de Fe?
b) Calculez le rapport moles de Br_2/moles de Fe.
c) Quelle est la formule empirique du produit?
d) Équilibrez l'équation $\dfrac{\text{quantité (mol) de } Br_2}{\text{quantité (mol) de Fe}}$ de cette réaction.
e) Nommez le produit de la réaction.
f) Vrai ou faux?

i) Quand on ajoute 1,00 g de Fe au brome, Fe est le réactif limitant.

ii) Quand on ajoute 3,50 g de Fe au brome, il y a un excès de Br_2.

iii) Quand on ajoute 2,50 g de Fe au brome, les deux réactifs sont consommés complètement.

iv) Quand on ajoute 2,00 g de Fe au brome, 10,0 g de produit sont formés. Le rendement de la réaction est alors de 20 %.

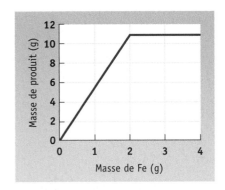

61. Le technétium est un élément artificiel, radioactif, très apprécié en médecine. Par exemple, on utilise le pertechnétate de sodium ($NaTcO_4$) en imagerie du cerveau, des glandes thyroïde et salivaires, et dans l'étude de l'écoulement du sang dans les reins.

a) Dans quel groupe et dans quelle période du tableau périodique le trouve-t-on?

b) Ses électrons périphériques sont logés dans les orbitales $5s$ et $4d$. Quelles sont les valeurs des nombres quantiques n, l et m pour un des électrons de la sous-couche $5s$?

c) Il émet des rayons γ d'une énergie de 0,141 MeV ($1 \ eV = 1,60 \times 10^{-19}$ J). Quelle est la longueur d'onde et la fréquence d'un photon de ces rayons γ?

d) Pour produire du $NaTcO_4$, le métal est dissous dans l'acide nitrique.

$$7 \ HNO_3 \ (aq) + Tc \ (s) \longrightarrow$$
$$HTcO_4 \ (aq) + 7 \ NO_2 \ (g) + 3 \ H_2O \ (l)$$

Le produit $HTcO_4$ est ensuite traité avec l'hydroxyde de sodium pour produire $NaTcO_4$.

i) Équilibrez l'équation de la réaction de $HTcO_4$ avec NaOH.

ii) Quelle masse (g) de $NaTcO_4$ obtiendrez-vous si vous utilisez 4,5 mg de Tc? Quelle masse de NaOH est nécessaire pour transformer tout le $HTcO_4$ en $NaTcO_4$?

62. Le chlore (Cl_2), utilisé comme désinfectant dans les systèmes de traitement des eaux municipales, est de plus en plus remplacé par le dioxyde de chlore (ClO_2), un gaz jaune-vert, ou l'ozone (O_3). ClO_2 est préféré à Cl_2 parce qu'il forme moins de sous-produits chlorés, eux-mêmes des polluants.

a) Déterminez le nombre d'électrons périphériques de ClO_2.

b) Dessinez une structure de Lewis plausible pour l'ion chlorite (ClO_2^-) obtenu par réduction de ClO_2.

c) Quelle est l'hybridation de l'atome de chlore dans ClO_2^-? Quelle est la forme de cet ion?

d) Des deux espèces, O_3 et ClO_2^-, laquelle possède le plus grand angle de liaison? Expliquez brièvement votre réponse.

e) On peut préparer le dioxyde de chlore en faisant réagir du chlore et du chlorite de sodium.

$$2 \ NaClO_2 \ (s) + Cl_2 \ (g) \longrightarrow 2 \ NaCl \ (s) + 2 \ ClO_2 \ (g)$$

Quelle masse de ClO_2 obtiendra-t-on à la suite de la réaction de 15,6 g de $NaClO_2$ avec le chlore, se trouvant à une pression de 140,0 kPa dans un récipient de 1,45 L, à 22 °C?

10

ANNEXE A

Définitions des unités du système international (SI)

Note Les valeurs numériques de cette annexe sont exactes.

Grandeurs	Unités	Abréviations
masse	kilogramme	kg
longueur	mètre	m
temps	seconde	s
température	kelvin	K
quantité de matière	mole	mol
courant électrique	ampère	A
intensité lumineuse	candela	cd

Le kilogramme

Le kilogramme est l'unité de masse; il est égal à la masse du prototype international du kilogramme.

Ce prototype international en platine iridié est conservé au Bureau international des poids et mesures de Sèvres (France), dans des conditions fixées par la Conférence générale des poids et mesures (CGPM), en 1889.

Le mètre

Le mètre est la longueur du trajet parcouru dans le vide par la lumière pendant une durée de $\dfrac{1}{299\ 792\ 458}$ de seconde (17ᵉ CGPM, 1983).

La seconde

La seconde est la durée de 9 192 631 770 périodes de la radiation correspondant à la transition entre les deux niveaux hyperfins de l'état fondamental de l'atome de césium 133 (13ᵉ CGPM, Résolution 1).

L'ampère

L'ampère est l'intensité d'un courant constant qui, maintenu dans deux conducteurs parallèles, rectilignes, de longueur infinie, de section circulaire négligeable et placés à une distance de 1 m l'un de l'autre dans le vide, produirait entre ces conducteurs une force égale à 2×10^{-7} newtons par mètre de longueur (CIPM, 1946; 9ᵉ CGPM, Résolution 2, 1948).

Le kelvin

Le kelvin, unité de température thermodynamique, est la fraction $\dfrac{1}{273,16}$ de la température thermodynamique du point triple de l'eau (13ᵉ CGPM, Résolution 4).

Note En dehors de la température thermodynamique (T), exprimée en kelvins, on utilise aussi la température en degrés Celsius (t) définie par l'équation: $t = T - T_0$ où $T_0 = 273,15$ K.

La mole

a) *La mole est la quantité de matière d'un système contenant autant d'entités élémentaires qu'il y a d'atomes dans 0,012 kilogramme de carbone 12.*

b) *Lorsqu'on emploie la mole, les entités élémentaires doivent être spécifiées et peuvent être des atomes, des molécules, des ions, des électrons, d'autres particules ou des groupements spécifiés de telles particules* (14e CGPM, Résolution 3).

Le nom de cette grandeur est, en français, « quantité de matière » et, en anglais, *amount of substance.*

La candela

La candela est l'intensité lumineuse, dans une direction donnée, d'une source qui émet un rayonnement monochromatique de fréquence 540×10^{12} hertz et dont l'intensité énergétique dans cette direction est de $\frac{1}{683}$ de watt par stéradian (16e CGPM, Résolution 3).

Les préfixes utilisés dans le SI

Préfixes	Valeurs	Abréviations
exa	10^{18}	E
péta	10^{15}	P
téra	10^{12}	T
giga	10^{9}	G
méga	10^{6}	M
kilo	10^{3}	k
hecto	10^{2}	h
déca	10^{1}	da
déci	10^{-1}	d
centi	10^{-2}	c
milli	10^{-3}	m
micro	10^{-6}	μ
nano	10^{-9}	n
pico	10^{-12}	p
femto	10^{-15}	f
atto	10^{-18}	a

Quelques unités SI dérivées

Grandeurs	Noms des unités	Symboles	Unités
surface, superficie	mètre carré	m^2	m^2
volume	mètre cube	m^3	m^3
masse volumique	kilogramme par mètre cube	kg/m^3	$kg \cdot m^{-3}$
force	newton	N	$kg \cdot m \cdot s^{-2}$
pression	pascal	Pa	N/m^2 ou $kg \cdot m^{-1} \cdot s^{-2}$
énergie	joule	J	$kg \cdot m^2 \cdot s^{-2}$
charge électrique	coulomb	C	$A \cdot s$
différence de potentiel électrique	volt	V	$kg \cdot m^2 \cdot A^{-1} \cdot s^{-3}$

Quelques facteurs de conversion importants

1 atm = 760 mm Hg = 101,325 kPa
1 bar = 100 000 Pa = 100 kPa
1 L = 1000 mL = 1000 cm³
$1 \ cal_{15} = 4{,}1858 \ J$
1 tonne (métrique) = 1000 kg
$t = T - T_0$ où $T_0 = 273{,}15$ K

ANNEXE B

Symboles ou abréviations des grandeurs ou des unités courantes

Grandeurs	Symboles ou abréviations	Grandeurs	Symboles ou abréviations
atmosphère	atm	longueur d'onde	λ
bar	bar	masse	m
charge nucléaire effective	Z_{eff}	masse molaire	M
concentration (molaire volumique)	c	masse volumique	ρ_t
conditions normales	TPN	mètre	m
coulomb	C	millimètre de mercure	mm Hg
cycle par seconde	Hz	newton	N
debye	D	nombre d'Avogadro	N
électron	e^-	nombre de masse	A
électronégativité	χ	numéro atomique	Z
énergie	E	pascal	Pa
enthalpie	H	point d'ébullition	$T_{éb}$
enthalpie standard	H^0	point de fusion	T_{fus}
enthalpie standard de formation	ΔH_f^0	pression	P
fraction molaire	χ	pression osmotique	Π
fréquence	ν	quantité de chaleur	q
hertz	Hz	quantité (mol)	n
heure	h	seconde	s
joule	J	solution aqueuse	(aq)
kelvin	K	température (°C)	t
kilogramme	kg	température (K)	T
liquide	(l)	vitesse de la lumière	c
litre	L	volume	V

ANNEXE C
Valeurs de quelques constantes physiques

Constantes	Symboles	Valeurs
accélération due à la pesanteur	g	$9,806\ 65\ \text{m·s}^{-2}$
charge élémentaire	e	$1,602\ 176\ 462 \times 10^{-19}\ \text{C}$
constante de Planck	h	$6,626\ 068\ 76 \times 10^{-34}\ \text{J·s}$
constante de Rydberg	R	$1,097\ 373\ 156\ 855 \times 10^{7}\ \text{m}^{-1}$
constante des gaz parfaits	R	$8,314\ 472\ \text{kPa·L·mol}^{-1}\text{·K}^{-1}$
masse au repos de l'électron	m_e	$0,910\ 938\ 188 \times 10^{-30}\ \text{kg}$
masse au repos du neutron	m_n	$1,674\ 927\ 16 \times 10^{-27}\ \text{kg}$
masse au repos du proton	m_p	$1,672\ 621\ 58 \times 10^{-27}\ \text{kg}$
nombre d'Avogadro	N	$6,022\ 141\ 99 \times 10^{23}\ \text{entités·mol}^{-1}$
unité de masse atomique	u	$1,660\ 540\ 2 \times 10^{-27}\ \text{kg}$
vitesse de la lumière dans le vide	c	$2,997\ 924\ 58 \times 10^{8}\ \text{m·s}^{-1}$
volume molaire à TPN d'un gaz parfait	V_m	$22,414\ 10\ \text{L·mol}^{-1}$

ANNEXE D
Tableau des nomenclatures

Nomenclatures utilisées	Formules	Nomenclatures systématiques
acide chloreux	$HClO_2$	dioxochlorate d'hydrogène
acide chlorique	$HClO_3$	trioxochlorate d'hydrogène
acide nitreux	HNO_2	dioxonitrate d'hydrogène
acide nitrique	HNO_3	trioxonitrate d'hydrogène
acide hypochloreux	$HClO$	oxochlorate d'hydrogène
acide perchlorique	$HClO_4$	tétraoxochlorate d'hydrogène
acide phosphoreux	H_3PO_3	trioxophosphate de trihydrogène
acide phosphorique	H_3PO_4	tétraoxophosphate de trihydrogène
acide sulfureux	H_2SO_3	trioxosulfate de dihydrogène
acide sulfurique	H_2SO_4	tétraoxosulfate de dihydrogène
azote	N_2	diazote
brome	Br_2	dibrome
ion carbonate	CO_3^{2-}	ion trioxocarbonate
carbonate de sodium	Na_2CO_3	trioxocarbonate de disodium
ion chlorate	ClO_3^-	ion trioxochlorate (V)
chlore	Cl_2	dichlore

(suite)

Nomenclatures utilisées	Formules	Nomenclatures systématiques
ion chlorite	ClO_2^-	ion dioxochlorate (III)
chlorure de calcium	$CaCl_2$	dichlorure de calcium
ion chromate	CrO_4^{2-}	ion tétraoxochromate (VI)
ion dichromate	$Cr_2O_7^{2-}$	ion heptaoxodichromate (VI)
ion dihydrogénophosphate	$H_2PO_4^-$	ion dihydrogénotétraoxophosphate (V)
fluor	F_2	difluor
hydrogène	H_2	dihydrogène
ion hydrogénocarbonate	HCO_3^-	ion hydrogénotrioxocarbonate
ion hydrogénophosphate	HPO_4^{2-}	ion hydrogénotétraoxophosphate (V)
ion hydrogénosulfate	HSO_4^-	ion hydrogénotétraoxosulfate (VI)
hydroxyde de calcium	$Ca(OH)_2$	dihydroxyde de calcium
ion hypobromite	BrO^-	ion oxobromate (I)
ion hypochlorite	ClO^-	ion oxochlorate (I)
ion hypoiodite	IO^-	ion oxoiodate (I)
ion iodate	IO_3^-	ion trioxoiodate (V)
iode	I_2	diiode
ion nitrate	NO_3^-	ion trioxonitrate (V)
nitrate de calcium	$Ca(NO_3)_2$	bis(trioxonitrate) de calcium
ion nitrite	NO_2^-	ion dioxonitrate (III)
oxygène	O_2	dioxygène
ozone	O_3	trioxygène
ion perchlorate	ClO_4^-	ion tétraoxochlorate (VII)
ion periodate	IO_4^-	ion tétraoxoiodate (VII)
ion permanganate	MnO_4^-	ion tétraoxomanganate (VII)
ion persulfate	$S_2O_8^{2-}$	ion octaoxodisulfate (VI)
ion phosphate	PO_4^{3-}	ion tétraoxophosphate (V)
phosphate de calcium	$Ca_3(PO_4)_2$	bis(tétraoxophosphate) de tricalcium
ion sulfate	SO_4^{2-}	ion tétraoxosulfate (VI)
sulfate de sodium	Na_2SO_4	tétraoxosulfate de disodium
ion sulfite	SO_3^{2-}	ion trioxosulfate (IV)

Réponses aux exercices internes des chapitres

Chapitre 1

1.1 $15,5 \text{ g d'air} \times \dfrac{1 \text{ cm}^3}{1,18 \times 10^{-3} \text{ g d'air}} = 1,31 \times 10^4 \text{ cm}^3$

1.2 $t = T - 273,15 = 77 - 273,15 = -196 \text{ °C}$

1.3 Changement chimique: combustion du bois. Changement physique: ébullition de l'eau.

1.4 Longueur: $25,3 \text{ cm} \times \dfrac{1 \text{ m}}{100 \text{ cm}} = 0,253 \text{ m}.$

$25,3 \text{ cm} \times \dfrac{10 \text{ mm}}{1 \text{ cm}} = 253 \text{ mm}$

Largeur: $21,6 \text{ cm} \times \dfrac{1 \text{ m}}{100 \text{ cm}} = 0,216 \text{ m}.$

$21,6 \text{ cm} \times \dfrac{10 \text{ mm}}{1 \text{ cm}} = 216 \text{ mm}$

Surface: $25,3 \text{ cm} \times 21,6 \text{ cm} = 546 \text{ cm}^2.$

$546 \text{ cm}^2 \times \left(\dfrac{1 \text{ m}}{100 \text{ cm}}\right)^2 = 0,0546 \text{ m}^2$

1.5 $750 \text{ mL} \times \dfrac{1 \text{ L}}{1000 \text{ mL}} = 0,750 \text{ L}$

$0,750 \text{ L} \times \dfrac{10 \text{ dL}}{1 \text{ L}} = 7,50 \text{ dL}$

1.6 a) $325 \text{ mg} \times \dfrac{1 \text{ g}}{1000 \text{ mg}} = 0,325 \text{ g}$

$0,325 \text{ g} \times \dfrac{1 \text{ kg}}{1000 \text{ g}} = 3,25 \times 10^{-4} \text{ kg}$

b) $19\,320 \dfrac{\text{kg}}{\text{m}^3} \times \dfrac{1000 \text{ g}}{1 \text{ kg}} \times \dfrac{1 \text{ m}^3}{1 \times 10^6 \text{ cm}^3} = 19,320 \text{ g/cm}^3$

c) Diamètre: $5,0 \text{ mm} \times \dfrac{1 \text{ cm}}{10 \text{ mm}} = 0,50 \text{ cm};$

rayon: $0,25 \text{ cm}.$

Volume: $\pi(\text{rayon})^2(\text{hauteur}) =$
$3,1416(0,25 \text{ cm})^2(3 \text{ cm}) = 0,589 \text{ cm}^3.$

Masse: $0,589 \text{ cm}^3 \times 21,450 \dfrac{\text{g}}{\text{cm}^3} = 13 \text{ g}.$

1.7 a) Somme: $10,26 + 0,063 = 10,32$; multiplication: $10,26 \times 0,063 = 0,65.$

b) $x = \dfrac{110,7 - 64}{0,056 \times 0,00216} = 3,9 \times 10^5$

Chapitre 2

2.1 $\dfrac{\text{rayon}_{\text{noyau}}}{\text{rayon}_{\text{atome}}} = \dfrac{0,001 \text{ pm}}{100 \text{ pm}} = 1 \times 10^{-5}$

$\text{rayon}_{\text{noyau}} = 1 \times 10^{-5} \text{ rayon}_{\text{atome}}$

$\text{rayon}_{\text{noyau}} = (1 \times 10^{-5})(100 \text{ m}) = 1 \times 10^{-3} \text{ m} = 1 \text{ mm}$
diamètre du noyau $= 2 \text{ mm}.$

2.2 a) Fe: $Z = 26$, $A = 26 + 30 = 56$

b) $59,930\,788 \text{ u}\left(1,661 \times 10^{-27} \dfrac{\text{kg}}{\text{u}}\right) = 99,55 \times 10^{-27} \text{ kg}$

$(99,55 \times 10^{-27} \text{ kg}) \dfrac{1000 \text{ g}}{1 \text{ kg}} = 99,55 \times 10^{-24} \text{ g}$

c) Zn: $Z = 30$; 30 protons, 30 électrons et $(64 - 30) = 34$ neutrons.

2.3 a) Ar: $Z = 18$; ^{36}Ar, ^{38}Ar et ^{40}Ar.

b) Ga: $Z = 31$; ^{69}Ga: 31 protons, 38 neutrons; ^{71}Ga: 31 protons, 40 neutrons; abondance isotopique de $^{71}\text{Ga} = 100 - 60,1 = 39,9 \text{ %}.$

2.4 $(34,968\,85 \text{ u} \times 0,7577) + (36,965\,90 \text{ u} \times 0,2423) = 35,45 \text{ u}$

2.5 a) $1,5 \text{ mol de Si} \times \dfrac{28,0855 \text{ g}}{1 \text{ mol de Si}} = 42 \text{ g}$

b) $454 \text{ g de S} \times \dfrac{1 \text{ mol}}{32,066 \text{ g de S}} = 14,2 \text{ mol}$

$14,16 \text{ mol} \times \dfrac{6,022 \times 10^{23} \text{ atomes}}{1 \text{ mol}} = 8,53 \times 10^{24} \text{ atomes}$

c) $\dfrac{32,066 \text{ g}}{1 \text{ mol de S}} \times \dfrac{1 \text{ mol de S}}{6,022 \times 10^{23} \text{ atomes}} = 5,3248 \times 10^{-23} \text{ g/atome}$

2.6 Huit éléments dans la troisième période. Sodium (Na), magnésium (Mg) et aluminium: métaux; silicium (Si): métalloïde; phosphore (P), soufre (S), chlore (Cl) et argon (Ar): non-métaux.

Chapitre 3

3.1 K perd un électron pour donner K^+, qui possède le même nombre d'électrons que Ar; Se gagne deux électrons pour donner Se^{2-}, qui possède le même nombre d'électrons que Kr; Ba perd deux électrons pour donner Ba^{2+}, qui possède le même nombre d'électrons que Xe; Cs perd un électron pour donner Cs^+, qui possède le même nombre d'électrons que Xe.

3.2 a) NaF: un ion sodium (Na^+) et un ion fluorure (F^-)

$Cu(NO_3)_2$: un ion cuivre (II)(Cu^{2+}) et deux ions nitrate (NO_3^-).

CH_3COONa: un ion sodium (Na^+) et un ion acétate (CH_3COO^-).

b) $FeCl_2$ et $FeCl_3$.

c) Na_2S, Na_3PO_4, BaS, $Ba_3(PO_4)_2$

3.3 1. a) NH_4NO_3

b) $CoSO_4$

c) $Ni(CN)_2$

d) V_2O_3

e) $(CH_3COO)_2Ba$

f) $Ca(ClO)_2$

2. a) Bromure de magnésium.

b) Carbonate de lithium.

c) Hydrogénosulfite de potassium.

d) Permanganate de potassium.

e) Sulfure d'ammonium.

f) Chlorure de cuivre (I) et chlorure de cuivre (II).

3.4 Force d'attraction entre ions proportionnelle au produit de leurs charges (loi de Coulomb). Environ quatre fois plus élevée entre Mg^{2+} et O^{2-} dans MgO qu'entre Na^+ et Cl^- dans NaCl. Température plus élevée nécessaire pour détruire le réseau cristallin de MgO que celui de NaCl.

3.5 1. a) CO_2 b) PI_3 c) SCl_2 d) BF_3 e) O_2F_2 f) XeO_3

2. a) Tétrafluorure de diazote.

b) Bromure d'hydrogène.

c) Tétrafluorure de soufre.

d) Trichlorure de bore.

e) Décaoxyde de tétraphosphore.

f) Trifluorure de chlore.

3.6 a) Acide citrique : $M = 192,125$ g/mol
$MgCO_3$: $M = 84,3142$ g/mol.

b) $454 \text{ g d'acide citrique} \times \dfrac{1 \text{ mol}}{192,125 \text{ g d'acide citrique}} = 2,36 \text{ mol}$

c) $0,125 \text{ mol de } MgCO_3 \times \dfrac{84,3142 \text{ g}}{1 \text{ mol de } MgCO_3} = 10,5 \text{ g}$

3.7 a) Une mole de NaCl contient 1 mol de Na (22,9898 g) et 1 mol de Cl (35,4527 g). Fraction massique de

$Na = \dfrac{22,9898 \text{ g}}{22,9898 \text{ g} + 35,4527 \text{ g}} = 0,3934 \text{ ou } 39,34 \text{ \%.}$

Fraction massique de Cl = $1 - 0,3934 = 0,6066$ ou 60,66 %.

b) C_8H_{18} : $M = 114,23$ g/mol. Une mole contient 8 mol de C ou 96,088 g de C (fraction massique = 0,8412). Fraction massique de H = $1 - 0,8412 = 0,1588$.

c) $(NH_4)_2CO_3$: $M = 96,086$ g/mol. Une mole contient 2 mol de N ou 28,013 g de N (fraction massique = 0,2915), 8 mol de H ou 8,0632 g de H (fraction massique = 0,0839), 1 mol de C ou 12,011 g de C (fraction massique = 0,1250), 3 mol de O ou 47,9982 g de O (fraction massique = 0,4995).

3.8 C_8H_{18} : $M = 114,23$ g/mol

Quantité d'octane =

$454 \text{ g d'octane} \times \dfrac{1 \text{ mol}}{114,23 \text{ g d'octane}} = \dfrac{454}{114,23} \text{ mol}$

Quantité de C =

$\dfrac{454}{114,23} \text{ mol d'octane} \times \dfrac{8 \text{ mol de C}}{1 \text{ mol d'octane}} = \dfrac{454 \times 8}{114,23} \text{ mol}$

Masse de C =

$\dfrac{454 \times 8}{114,23} \text{ mol de C} \times \dfrac{12,011 \text{ g}}{1 \text{ mol de C}} = 382 \text{ g}$

3.9 a) C_5H_4 b) $C_2H_4O_2$

3.10 $88,17 \text{ g de C} \times \dfrac{1 \text{ mol}}{12,011 \text{ g de C}} = 7,34 \text{ mol de C}$

$11,83 \text{ g de H} \times \dfrac{1 \text{ mol}}{1,0079 \text{ g de H}} = 11,74 \text{ mol de H}$

$\dfrac{\text{quantité de H}}{\text{quantité de C}} = \dfrac{11,74 \text{ mol}}{7,34 \text{ mol}} = 1,60 = \dfrac{8}{5}$

Formule empirique : C_5H_8. Masse formulaire de $C_5H_8 = 68,12$ g/mol = masse molaire du composé.

Formule moléculaire de l'isoprène : C_5H_8.

3.11 $78,90 \text{ g de C} \times \dfrac{1 \text{ mol}}{12,011 \text{ g de C}} = 6,569 \text{ mol de C}$

$10,59 \text{ g de H} \times \dfrac{1 \text{ mol}}{1,0079 \text{ g de H}} = 10,507 \text{ mol de H}$

$10,51 \text{ g de O} \times \dfrac{1 \text{ mol}}{15,9994 \text{ g de O}} = 0,6569 \text{ mol de O}$

$\dfrac{\text{quantité de C}}{\text{quantité de O}} = \dfrac{6,569 \text{ mol}}{0,6569 \text{ mol}} = 10$

$\dfrac{\text{quantité de H}}{\text{quantité de O}} = \dfrac{10,507 \text{ mol}}{0,6569 \text{ mol}} = 16$

Formule empirique : $C_{10}H_{16}O$.

3.12 $0,586 \text{ g de K} \times \dfrac{1 \text{ mol}}{39,0983 \text{ g de K}} = 0,01499 \text{ mol de K}$

$0,480 \text{ g de O} \times \dfrac{1 \text{ mol}}{15,9994 \text{ g de O}} = 0,03000 \text{ mol de O}$

$\dfrac{\text{quantité de O}}{\text{quantité de K}} = \dfrac{0,03000 \text{ mol}}{0,01499 \text{ mol}} = 2$

Formule empirique : KO_2.

3.13 Masse d'eau éliminée = $0,235 \text{ g} - 0,128 \text{ g} = 0,107 \text{ g}$

Quantité d'eau éliminée =

$0,107 \text{ g d'eau} \times \dfrac{1 \text{ mol}}{18,015 \text{ g d'eau}} = 0,00594 \text{ mol}$

Quantité de $NiCl_2$ =

$0,128 \text{ g de } NiCl_2 \times \dfrac{1 \text{ mol}}{129,599 \text{ g de } NiCl_2} = 0,000988 \text{ mol}$

$\dfrac{\text{quantité de } H_2O}{\text{quantité de } NiCl_2} = \dfrac{0,00594 \text{ mol}}{0,000988 \text{ mol}} = 6,01$

Formule de l'hydrate : $NiCl_2 \cdot 6 \, H_2O$.

Chapitre 4

4.1 a) 10 cm b) 5 cm c) 4, 7 nœuds entre les extrémités.

4.2 a) La plus haute fréquence : le violet ; la plus basse : le rouge.

b) Micro-onde : fréquence plus élevée que les ondes FM.

c) Rayons X : longueurs d'onde plus petites que les radiations UV.

4.3 Lumière bleue: $\lambda = 400$ nm $= 4{,}00 \times 10^{-7}$ m

$$\nu = \frac{c}{\lambda} = \frac{2{,}998 \times 10^8 \text{ m·s}^{-1}}{4{,}00 \times 10^{-7} \text{ m}} = 7{,}495 \times 10^{14} \text{ s}^{-1}$$

$$\frac{E_{\text{bleu}}}{E_{\text{micro-onde}}} = \frac{h\nu_{\text{bleu}}}{h\nu_{\text{micro-onde}}} = \frac{\nu_{\text{bleu}}}{\nu_{\text{micro-onde}}}$$

$$= \frac{7{,}495 \times 10^{14} \text{ s}^{-1}}{2{,}45 \times 10^9 \text{ s}^{-1}} = 3{,}06 \times 10^5$$

4.4 E_n (par atome) $= -R\dfrac{hc}{n^2}$

$$= -(1{,}097 \times 10^7 \text{ m}^{-1}) \frac{(6{,}626 \times 10^{-34} \text{ J·s})(2{,}998 \times 10^8 \text{ m·s}^{-1})}{3^2}$$

$$= -2{,}421 \times 10^{-19} \text{ J}$$

E_n (par mole)
$$= (-2{,}421 \times 10^{-19} \text{ J/atome})(6{,}022 \times 10^{23} \text{ atomes/mol})$$

$$= -1{,}458 \times 10^5 \text{ J/mol} = -145{,}8 \text{ kJ/mol}$$

4.5 Transition de moindre énergie: retour de l'électron de l'état excité $n = 2$ au niveau fondamental $n = 1$.

$$\Delta E = -1312\left(\frac{1}{n_f^2} - \frac{1}{n_i^2}\right) \text{ kJ/mol}$$

$$= -1312\left(\frac{1}{1^2} - \frac{1}{2^2}\right) \text{ kJ/mol} = -1312 \times \frac{3}{4} \text{ kJ/mol}$$

$$= 984 \text{ kJ/mol}$$

$$984 \text{ kJ/mol} \times \frac{1 \text{ mol}}{6{,}022 \times 10^{23} \text{ atomes}}$$

$$= 163{,}4 \times 10^{-23} \text{ kJ/atome} = 1{,}634 \times 10^{-18} \text{ J/atome}$$

$$\nu = \frac{\Delta E}{h} = \frac{1{,}634 \times 10^{-18} \text{ J}}{6{,}626 \times 10^{-34} \text{ J·s}} = 2{,}466 \times 10^{15} \text{ s}^{-1}$$

$$\lambda = \frac{c}{\nu} = \frac{2{,}998 \times 10^8 \text{ m·s}^{-1}}{2{,}466 \times 10^{15} \text{ s}^{-1}} = 1{,}216 \times 10^{-7} \text{ m} = 121{,}6 \text{ nm}$$

4.6 $E = \dfrac{1}{2}\,mv^2 \qquad v^2 = \dfrac{2E}{m} \qquad v = \sqrt{\dfrac{2E}{m}}$

$$v = \sqrt{\frac{2 \times 6{,}21 \times 10^{-21} \text{ kg·m}^2\text{·s}^{-2}}{1{,}675 \times 10^{-27} \text{ kg}}} = 2{,}72 \times 10^3 \text{ m·s}^{-1}$$

$$\lambda = \frac{h}{mv} = \frac{6{,}626 \times 10^{-34} \text{ kg·m}^2\text{·s}^{-1}}{(1{,}675 \times 10^{-27} \text{ kg})(2{,}72 \times 10^3 \text{ m·s}^{-1})}$$

$$= 1{,}45 \times 10^{-10} \text{ m}$$

4.7 a) $l = 0$ ou 1.   d) $l = 0$ et $m = 0$.

b) $m = -1$, 0 ou 1.   e) Trois orbitales p.

c) Sous-couche d.   f) Sept valeurs et sept orbitales.

4.8 a) $6s: n = 6, l = 0$ $4p: n = 4, l = 1$ $5d: n = 5, l = 2$ $4f: n = 4, l = 3$

b) $4p$: un plan nodal par orbitale.
$6d$: deux plans nodaux par orbitale.

Chapitre 5

5.1 a) $4s$ $(n + l = 4)$ avant $4p$ $(n + l = 5)$.

b) $6s$ $(n + l = 6)$ avant $5d$ $(n + l = 7)$.

c) $5s$ $(n + l = 5)$ avant $4f$ $(n + l = 7)$.

5.2 a) Le chlore (Cl).

b) Phosphore

Notation spdf $1s^2 2s^2 2p^6 3s^2 3p^3$

Cases quantiques   [Ne] $\boxed{\uparrow\downarrow}$ $\boxed{\uparrow\,\uparrow\,\uparrow}$
                                    $3s$ $3p$

c) Électrons périphériques du calcium: $4s^2$

$$n = 4, \; l = 0, \; m = 0, \; s = \frac{1}{2} \text{ et } -\frac{1}{2}.$$

5.3 (*Voir le tableau 5.3*)

5.4 V^{2+} [Ar] $\boxed{\uparrow\,\uparrow\,\uparrow\,\,}$ $\boxed{}$
                        $3d$ $4s$

V^{3+} [Ar] $\boxed{\uparrow\,\uparrow\,\,\,}$ $\boxed{}$
                        $3d$ $4s$

Co^{3+} [Ar] $\boxed{\uparrow\downarrow\,\uparrow\,\uparrow\,\uparrow\,\uparrow}$ $\boxed{}$
                          $3d$ $4s$

Avec respectivement trois, deux et quatre électrons non appariés, les trois ions sont paramagnétiques.

5.5 $r_C < r_{Si} < r_{Al}$

5.6 a) $r_C < r_B < r_{Al}$

b) Énergie d'ionisation: Al < B < C.

c) Affinité électronique la plus négative: C.

5.7 Série isoélectronique. $r_{F^-} < r_{O^{2-}} < r_{N^{3-}}$: même nombre d'électrons, mais la charge nucléaire diminue de F à N, la force d'attraction diminue de F^- à N^{3-}, le rayon augmente de F^- à N^{3-}.

5.8 Si $MgCl_3$ existait, il contiendrait un ion Mg^{3+} (et trois ions Cl^-). La formation de Mg^{3+} n'est guère favorisée d'un point de vue énergétique, un gros apport étant nécessaire pour extraire un électron interne. De ce fait, la formation de $MgCl_3$ est exclue.

Chapitre 6

6.1

$\dfrac{1}{2} I_2$ (g) $\longrightarrow$ I (g)	+106,8 kJ/mol
I (g) + e^- $\longrightarrow$ I^- (g)	-295,2 kJ/mol
Na (s) $\longrightarrow$ Na (g)	+107,3 kJ/mol
Na (g) $\longrightarrow$ Na^+ (g) + e^-	+496 kJ/mol
Na^+ (g) + I^- (g) $\longrightarrow$ NaI (s)	-702 kJ/mol
$\dfrac{1}{2} I_2$ (g) + Na (s) $\longrightarrow$ NaI (s)	-287 kJ/mol

6.2

$$\left[\begin{array}{c} H \\ | \\ H-N-H \\ | \\ H \end{array} \right]^+ \qquad :C\equiv O: \qquad \left[:N\equiv O: \right]^+ \qquad \left[\begin{array}{c} :\ddot{O}: \\ | \\ :\ddot{O}-S-\ddot{O}: \\ | \\ :\ddot{O}: \end{array} \right]^{2-}$$

6.3

Méthanol   Hydroxylamine

6.4

6.5 a) Anion C_2^{2-} et azote (N_2) : isoélectroniques (10 électrons périphériques), structures de Lewis identiques.

b) NO_2^- : 18 électrons périphériques, O_3 est isoélectronique.

c) HF : huit électrons périphériques, OH^- est isoélectronique.

6.6 Formes limites de l'ion nitrate :

Acide nitrique :

6.7 ClF_2^+ : $\left[:\overset{..}{\underset{..}{F}}-\overset{..}{\underset{..}{Cl}}-\overset{..}{\underset{..}{F}}: \right]^+$, deux doublets de liaison et deux doublets libres.

ClF_2^- : $\left[:\overset{..}{\underset{..}{F}}-\overset{..}{\underset{..}{Cl}}-\overset{..}{\underset{..}{F}}: \right]^-$, deux doublets de liaison et trois doublets libres.

6.8 a) CN^- : charge formelle de C = -1, de N = 0.

b) SO_3 : charge formelle de S = +2, de O = $-\dfrac{2}{3}$.

6.9 a) H : charge partielle positive ; liaison H—F (ΔX = 1,9) plus polaire que H—I (ΔX = 0,4), F étant le plus électronégatif des deux halogènes.

b) B, situé plus à gauche dans le tableau que C et F de la même période, porte la charge partielle positive ; liaison B—F (ΔX = 2,0) plus polaire que B—C (ΔX = 0,5), F étant plus électronégatif que C.

c) C, deuxième période, est plus électronégatif que Si, troisième période du même groupe : C porte la charge partielle négative.

On ne peut *a priori* départager C et S, S étant situé plus bas dans le tableau, mais plus à droite que C. Liaison C—Si (ΔX = 0,7) plus polaire que C—S (ΔX = 0).

6.10

Liaisons S—O : polaires, charge partielle négative portée par les atomes O plus électronégatifs que S. Les charges formelles montrent aussi que les liaisons sont polaires et que les atomes d'oxygène sont plus négatifs que S.

6.11 a) C=N : indice de liaison = 2 ; C≡N : indice de liaison = 3 ; C—N : indice de liaison = 1 ; longueur de liaison : C—N > C=N > C≡N.

b)

Indice de liaison entre N et O = 1,5. Longueur de liaison (124 pm) entre celle d'une liaison simple (136 pm) et celle d'une liaison double (115 pm) : c'est effectivement le cas.

6.12 CH_4 (g) + 2 O_2 (g) $\longrightarrow$ CO_2 (g) + 2 H_2O (g)

Bris de quatre liens C—H

$$4 \; \text{mol} \times 413 \; \text{kJ/mol} = 1652 \; \text{kJ}$$

Bris de deux liens O=O

$$\underline{2 \; \text{mol} \times 498 \; \text{kJ/mol} = 996 \; \text{kJ}}$$

$\sum D$ (liaisons rompues) $\qquad\qquad$ = 2648 kJ

Formation de deux liens C=O

$$2 \; \text{mol} \times 745 \; \text{kJ/mol} = 1490 \; \text{kJ}$$

Formation de quatre liens O—H

$$\underline{4 \; \text{mol} \times 463 \; \text{kJ/mol} = 1852 \; \text{kJ}}$$

$\sum D$ (liaisons formées) $\qquad\qquad$ = 3342 kJ

$\Delta H^0 = \sum D$ (liaisons rompues) $- \sum D$ (liaisons formées)
$\qquad$ = 2648 kJ $-$ 3342 kJ = -694 kJ

6.13 CH_2Cl_2 : H et Cl aux sommets d'un tétraèdre dont le centre est occupé par l'atome C, angle Cl—C—Cl voisin de 109°.

6.14 Dans chacune des espèces, géométries des paires d'électrons et des molécules ou ions identiques : trigonale plane dans BF_3 et tétraédrique dans BF_4^-. Ajout de F^- à BF_3 : ajout d'une quatrième paire d'électrons à l'atome de bore central et la forme change.

6.15 Géométrie des paires d'électrons dans ICl_2^- : bipyramidale trigonale ; molécule linéaire.

6.16 a) PO_4^{3-} : tétraédrique.

b) Géométrie des paires d'électrons dans SO_3^{2-} : tétraédrique, forme de l'ion : pyramide trigonale.

6

c) Géométrie des paires d'électrons dans IF_5: octaédrique, forme de l'ion: pyramide à base carrée.

6.17 $BFCl_2$: polaire, charge partielle négative du côté de F, l'élément le plus électronégatif.

NH_2Cl: polaire, charge négative du côté de Cl.

SCl_2: polaire, charge partielle négative du côté des deux atomes Cl.

Chapitre 7

7.1 H_3O^+: atome O hybridé sp^3. Les trois liaisons O—H: recouvrement d'une orbitale sp^3 de O et de l'orbitale s d'un atome H; quatrième orbitale sp^3 de O: un doublet libre.

CH_3NH_2: atomes C et N hybridés sp^3. Les trois liaisons C—H: recouvrement d'une orbitale sp^3 de C et de l'orbitale s d'un atome H; liaison C—N: recouvrement d'orbitales sp^3 de ces deux atomes; les deux liaisons N—H: recouvrement d'une orbitale sp^3 de N et de l'orbitale s d'un atome H; quatrième orbitale sp^3 de N: un doublet libre.

7.2 Acétone: les atomes C des groupements —CH_3 hybridés sp^3, l'atome C central hybridé sp^2. Les six liaisons C—H: recouvrement d'une orbitale sp^3 de C et de l'orbitale s d'un atome H. Les deux liaisons C—C: recouvrement de la quatrième orbitale sp^3 de l'un avec une orbitale sp^2 de l'autre. Liaison C=O: recouvrement d'une orbitale sp^2 de chacun des deux atomes (liaison σ) et recouvrement des orbitales p (liaison π).

7.3 CH_3CN: l'atome C du groupement —CH_3 hybridé sp^3, l'autre atome C hybridé sp. Les trois liaisons C—H: recouvrement d'une orbitale sp^3 de C et de l'orbitale s d'un atome H. La liaison C—C: recouvrement de la quatrième orbitale sp^3 de l'un avec une orbitale sp de l'autre. Liaison C≡N: recouvrement d'une orbitale sp de l'atome C et d'une orbitale p de l'atome N (liaison σ) et recouvrement des orbitales p (deux liaisons π). Angles de liaison: H—C—H $\approx 109°$, H—C—C $\approx 109°$, C—C—N $= 180°$.

7.4 H_2^+: $(\sigma_{1s})^1$. Indice de liaison $= \frac{1}{2}$; pourrait exister.

He_2^+ et H_2^-: $(\sigma_{1s})^2(\sigma_{1s}^*)^1$. Indice de liaison $= \frac{1}{2}$; pourraient exister.

7.5 Li_2^-: $(\sigma_{1s})^2(\sigma_{1s}^*)^2(\sigma_{2s})^2(\sigma_{2s}^*)^1$. Indice de liaison $= \frac{1}{2}$; pourrait exister.

7.6 O_2^+: [électrons internes]$(\sigma_{2s})^2(\sigma_{2s}^*)^2(\pi_{2p})^4(\sigma_{2p})^2(\pi_{2p}^*)^1$. Indice de liaison $= 2,5$. Ion paramagnétique (un électron non apparié).

Chapitre 8

8.1 O_2 et N_2: molécules non polaires, seulement des forces de dispersion, plus fortes dans O_2 que dans N_2 à cause de la masse molaire plus élevée. $t_{éb}(O_2) > t_{éb}(N_2)$

SO_2 et CO_2: forces intermoléculaires plus élevées dans SO_2 (polaire) que dans CO_2 (non polaire et masse molaire plus faible). $t_{éb}(SO_2) > t_{éb}(CO_2)$

SiH_4 et GeH_4: molécules non polaires, seulement des forces de dispersion, plus fortes dans GeH_4 que dans SiH_4 à cause de la masse molaire plus élevée. $t_{éb}(GeH_4) > t_{éb}(SiH_4)$

8.2 H_2O: polaire; hexane et CCl_4: non polaires.

H_2O et hexane, ou H_2O et CCl_4: forces de dispersion de London (présentes partout), forces de Debye (l'eau polaire peut induire un dipôle dans l'autre composé).

Hexane et CCl_4: forces de dispersion de London seulement.

Mélange des trois liquides: l'eau polaire forme une couche, tandis que l'hexane et CCl_4, tous deux non polaires, en forment une autre.

8.3

Exemples de propriétés affectées par la liaison hydrogène: point d'ébullition, chaleur de vaporisation.

8.4 a) O_2 liquide: molécule non polaire, forces de dispersion de London seulement;

b) méthanol: les quatre types de forces, car molécule polaire possédant des liaisons O—H;

c) entre O_2 (aq) et eau (l): forces de dispersion de London (présentes partout), forces de Debye (l'eau polaire peut induire un dipôle dans l'oxygène).

Classement: O_2 liquide $<$ O_2 dans l'eau $<$ méthanol.

8.5 Quantité de méthanol $=$

$$(1,00 \times 10^3 \text{ g de méthanol}) \frac{1 \text{ mol}}{32,042 \text{ g de méthanol}} = 31,209 \text{ mol}$$

Énergie requise $= 35,2$ kJ/mol $\times 31,209$ mol $= 1,10 \times 10^3$ kJ.

8.6 a) Environ 16 kPa.   b) État liquide.

8.7 À la même température, glycérol plus visqueux que l'éthanol: molécule plus grosse, forces d'attraction plus élevées à cause essentiellement de la présence de trois groupements —OH pouvant donner lieu à des liaisons hydrogène.

8.8 Structure cubique à faces centrées: quatre anions A. Huit sites tétraédriques tous occupés: huit cations M. Formule empirique: M_2A.

Chapitre 9

9.1 0,83 bar (83 kPa) > 75 kPa > 0,63 atm (64 kPa) > 250 mm Hg (33,3 kPa)

9.2

État initial	État final
P_i	$P_f = P_i$
$V_i = 45$ L	$V_f = ?$
n_i	$n_f = n_i$
$T_i = 298,15$ K	$T_f = 263,15$ K

$$V_i = \frac{n_i R T_i}{P_i} \qquad V_f = \frac{n_f R T_f}{P_f} = \frac{n_i R T_f}{P_i}$$

$$\frac{V_i}{V_f} = \frac{T_i}{T_f} \qquad V_f = \frac{V_i T_f}{T_i}$$

$$= 45 \text{ L} \times \frac{263,15 \text{ K}}{298,15 \text{ K}} = 40 \text{ L}$$

9.3 Quantité d'hélium contenue dans le cylindre =

$$n_c = \frac{P_c V_c}{R T_c}.$$

Quantité d'hélium contenue dans un ballon =

$$n_b = \frac{P_b V_b}{R T_b}.$$

Nombre de ballons $= \dfrac{n_c}{n_b} = \dfrac{(P_c V_c T_b)}{(P_b V_b T_c)}$

$$= \frac{(15\ 199 \text{ kPa} \times 22 \text{ L} \times 295,15 \text{ K})}{(100,66 \text{ kPa} \times 5,0 \text{ L} \times 304,15 \text{ K})} \approx 640.$$

9.4 $V = \dfrac{nRT}{P} \qquad V = 1300 \text{ mol} \times 8,314 \text{ kPa·L·mol}^{-1}\text{·K}^{-1}$

$$\times \frac{296 \text{ K}}{100 \text{ kPa}} \approx 3,2 \times 10^4 \text{ L}$$

9.5 $\rho = \dfrac{PM}{RT} = \dfrac{(101,325 \text{ kPa} \times 28,96 \text{ g·mol}^{-1})}{(8,314 \text{ kPa·L·mol}^{-1}\text{·K}^{-1} \times 288,15 \text{ K})}$

$$= 1,22 \text{ g/L}$$

9.6 $n = \dfrac{PV}{RT} = \dfrac{(74,8 \text{ kPa} \times 0,125 \text{ L})}{(8,314 \text{ kPa·L·mol}^{-1}\text{·K}^{-1} \times 296,15 \text{ K})}$

$$= 0,003797 \text{ mol}$$

$$M = \frac{0,100 \text{ g}}{0,003797 \text{ mol}} = 26,3 \text{ g/mol}$$

9.7 $P_{\text{halothane}} = \dfrac{nRT}{V}$

$$P_{\text{halothane}} = \frac{0,07599 \text{ mol} \times 8,314 \text{ kPa·L·mol}^{-1}\text{·K}^{-1} \times 298,15 \text{ K}}{5 \text{ L}}$$

$$= 37,673 \text{ kPa}$$

$$P_{\text{oxygène}} = \frac{nRT}{V}$$

$$P_{\text{oxygène}} = \frac{0,7344 \text{ mol} \times 8,314 \text{ kPa·L·mol}^{-1}\text{·K}^{-1} \times 298,15 \text{ K}}{5 \text{ L}}$$

$$= 364,09 \text{ kPa}$$

$$P_{\text{tot}} = P_{\text{halothane}} + P_{\text{oxygène}} = 37,673 \text{ kPa} + 364,09 \text{ kPa}$$
$$= 402 \text{ kPa}$$

9.8 Hélium:

$$\sqrt{\overline{v^2}} = \sqrt{\frac{3(8,314 \text{ kg·s}^{-2}\text{·m}^2\text{·mol}^{-1}\text{·K}^{-1})\, 298,15 \text{ K}}{4,0026 \times 10^{-3} \text{ kg·mol}^{-1}}} = 1363 \text{ m/s}$$

Azote:

$$\sqrt{\overline{v^2}} = \sqrt{\frac{3(8,314 \text{ kg·s}^{-2}\text{·m}^2\text{·mol}^{-1}\text{·K}^{-1})\, 298,15 \text{ K}}{28,0134 \times 10^{-3} \text{ kg·mol}^{-1}}} = 514 \text{ m/s}$$

9.9 $\dfrac{\text{vitesse d'effusion du gaz inconnu}}{\text{vitesse d'effusion du méthane}} = \sqrt{\dfrac{M_{\text{inconnu}}}{M_{\text{méthane}}}}$

$$\frac{284 \text{ s}}{90 \text{ s}} = 3,156 = \sqrt{\frac{M_{\text{inconnu}}}{16,04}} \qquad M_{\text{inconnu}} = 160 \text{ g/mol}$$

9.10 Équation des gaz parfaits: $P = \dfrac{nRT}{V}$

$$P = \frac{10,0 \text{ mol} \times 8,314 \text{ kPa·L·mol}^{-1}\text{·K}^{-1} \times 298,15 \text{ K}}{1 \text{ L}}$$

$$= 2,48 \times 10^4 \text{ kPa}$$

Équation de Van der Waals:

$$\left(P + a\left[\frac{n}{V}\right]^2\right)(V - bn) = nRT$$

$$P = \left[\frac{nRT}{(V - bn)}\right] - a\left[\frac{n}{V}\right]^2$$

$$= \frac{10,0 \text{ mol} \times 8,314 \text{ kPa·L·mol}^{-1}\text{·K}^{-1} \times 298,15 \text{ K}}{1,00 \text{ L} - (0,02370 \text{ L·mol}^{-1} \times 10,0 \text{ mol})}$$

$$- \left[3,457 \text{ kPa·L}^2\text{·mol}^{-2} \times \left(\frac{10,0 \text{ mol}}{1,00 \text{ L}}\right)^2\right]$$

$$= \frac{24\ 788}{0,763} \text{ kPa} - 34,57 \text{ kPa} = 3,25 \times 10^4 \text{ kPa}$$

Chapitre 10

10.1 a) $2 \text{ C}_4\text{H}_{10} \text{ (g)} + 13 \text{ O}_2 \text{ (g)} \longrightarrow$
$$8 \text{ CO}_2 \text{ (g)} + 10 \text{ H}_2\text{O (g)}$$

b) $4 \text{ NH}_3 \text{ (g)} + 3 \text{ O}_2 \text{ (g)} \longrightarrow 2 \text{ N}_2 \text{ (g)} + 6 \text{ H}_2\text{O (g)}$

10.2 $\text{C}_3\text{H}_8 \text{ (g)} + 5 \text{ O}_2 \text{ (g)} \longrightarrow 3 \text{ CO}_2 \text{ (g)} + 4 \text{ H}_2\text{O (g)}$

Quantité de propane =

$$454 \text{ g de propane} \times \frac{1 \text{ mol}}{44,0962 \text{ g de propane}}$$

$$= \frac{454}{44,0962} \text{ mol}$$

Masse de O_2 =

$$\frac{454}{44,0962} \text{ mol de propane} \times \frac{5 \text{ mol de } O_2}{1 \text{ mol de propane}} \times \frac{31,9988 \text{ g}}{1 \text{ mol de } O_2}$$

$$= 1,65 \times 10^3 \text{ g}$$

Masse de CO_2 =

$$\frac{454}{44,0962} \text{ mol de propane} \times \frac{3 \text{ mol de } CO_2}{1 \text{ mol de propane}} \times \frac{44,0098 \text{ g}}{1 \text{ mol de } CO_2}$$

$$= 1,36 \times 10^3 \text{ g}$$

Masse de H_2O =

$$\frac{454}{44,0962} \text{ mol de propane} \times \frac{4 \text{ mol de } H_2O}{1 \text{ mol de propane}} \times \frac{18,0152 \text{ g}}{1 \text{ mol de } H_2O}$$

$$= 742 \text{ g}$$

10.3   44,8 L de O_2; 22,4 L de CO_2 (g) et 44,8 L de H_2O (g)

10.4 $n_{H_2} = \dfrac{PV}{RT}$

$$= \frac{72,3 \text{ kPa} \times 355 \text{ L}}{4RT}$$

Quantité d'ammoniac =

$$n_{H_2} \text{ mol de } H_2 \times \frac{2 \text{ mol de } NH_3}{3 \text{ mol de } H_2} = \frac{72,3 \text{ kPa} \times 355 \text{ L} \times 2}{3RT} \text{ mol}$$

$$P = \frac{nRT}{V}$$

$$P = \frac{72,3 \text{ kPa} \times 355 \text{ L} \times 2RT}{3RT \times 125 \text{ L}}$$

$$= 137 \text{ kPa}$$

10.5   Quantité de N_2H_4 =

$$180 \text{ g de } N_2H_4 \times \frac{1 \text{ mol}}{32,045 \text{ g de } N_2H_4} = \frac{180}{32,045} \text{ mol}$$

Quantité de O_2 =

$$\frac{180}{32,045} \text{ mol de } N_2H_4 \times \frac{1 \text{ mol de } O_2}{1 \text{ mol de } N_2H_4} = \frac{180}{32,045} \text{ mol}$$

$$V = \frac{nRT}{P}$$

$$V = \frac{\frac{180}{32,045} \text{ mol} \times 8,314 \text{ kPa·L·mol}^{-1}\text{·K}^{-1} \times 294,15 \text{ K}}{100 \text{ kPa}}$$

$$= 137 \text{ L}$$

10.6 Al^{3+} (aq) + PO_4^{3-} (aq) $\longrightarrow$ $AlPO_4$ (s)

10.7   a) H^+ (aq) et NO_3^- (aq).

     b) Ba^{2+} (aq) et OH^- (aq), libération d'ions OH^- en solution aqueuse.

10.8   Oxydes métalliques: basiques; oxydes de non-métaux: acides.

     a) SeO_2: acide.   c) P_4O_{10}: acide.

     b) BaO: basique.

10.9 $Mg(OH)_2$ (s) + 2 HCl (aq) $\longrightarrow$ $MgCl_2$ (aq) + 2 H_2O (l)

     $Mg(OH)_2$ (s) + 2 H^+ (aq) $\longrightarrow$ Mg^{2+} (aq) + 2 H_2O (l)

10.10   a) $BaCO_3$ (s) + 2 HNO_3 (aq) $\longrightarrow$
$$Ba(NO_3)_2 \text{ (aq)} + CO_2 \text{ (g)} + H_2O \text{ (l)}$$

     Produits: nitrate de baryum, dioxyde de carbone et eau.

     b) $(NH_4)_2SO_4$ (aq) + 2 NaOH (aq) $\longrightarrow$
$$Na_2SO_4 \text{ (aq)} + 2 NH_3 \text{ (g)} + 2 H_2O \text{ (l)}$$

10.11   a) Fe: +3   b) S: +6   c) C: +4   d) N: +5

10.12   a) Acidobasique.

     b) Oxydoréduction; réducteur = Cu (il est oxydé), oxydant = Cl_2 (il est réduit).

     c) Acidobasique et dégagement gazeux.

     d) Oxydoréduction; réducteur = $S_2O_3^{2-}$ (S est oxydé), oxydant = I_2 (il est réduit).

10.13 $Cr_2O_7^{2-}$ = oxydant = espèce réduite (Cr passe de +6 à +3); éthanol = réducteur = espèce oxydée (chaque C passe d'une moyenne de -2 à une moyenne de 0).

10.14   Quantité de $AgNO_3$ nécessaire =
0,02 mol/L $\times$ 0,250 L = 5,00 $\times$ 10^{-3} mol.

     Masse de $AgNO_3$ =

$$(5,00 \times 10^{-3} \text{ mol de } AgNO_3) \frac{169,87 \text{ g}}{1 \text{ mol de } AgNO_3}$$

$$= 0,849 \text{ g}$$

     Technique   Peser avec précision environ 0,85 g de $AgNO_3$; transférer quantitativement, à l'aide d'un entonnoir et d'un flacon-laveur, dans une fiole jaugée de 250 mL; ajouter de l'eau; agiter pour dissoudre le sel; remplir d'eau jusqu'au trait de jauge; homogénéiser.

10.15 Na_2CO_3 (s) + 2 HCl (aq) $\longrightarrow$
$$2 \text{ NaCl (aq)} + CO_2 \text{ (g)} + H_2O \text{ (l)}$$

     Quantité de HCl = 0,350 mol/L $\times$ 0,075 L

$$= 2,625 \times 10^{-2} \text{ mol}$$

     Quantité de CO_2 =

$$(2,625 \times 10^{-2} \text{ mol de HCl}) \frac{1 \text{ mol de } CO_2}{2 \text{ mol de HCl}}$$

$$= \frac{2,625 \times 10^{-2}}{2} \text{ mol}$$

     Masse de CO_2 =

$$\frac{2,625 \times 10^{-2}}{2} \text{ mol de } CO_2 \times \frac{44,0098 \text{ g}}{1 \text{ mol de } CO_2} = 0,58 \text{ g}$$

10.16   Quantité de C =

$$125 \text{ g de C} \times \frac{1 \text{ mol}}{12,011 \text{ g de C}} = 10,407 \text{ mol}$$

     Quantité de Cl_2 =

$$125 \text{ g de } Cl_2 \times \frac{1 \text{ mol}}{70,9054 \text{ g de } Cl_2} = 1,763 \text{ mol}$$

$$\frac{\text{quantité de C}}{\text{quantité de } Cl_2} = \frac{10,407 \text{ mol}}{1,763 \text{ mol}} = 5,90$$

Rapport supérieur au rapport des coefficients stœchiométriques : Cl_2 est le réactif limitant.

Quantité de $TiCl_4$ =

$$1,763 \text{ mol de } Cl_2 \times \frac{1 \text{ mol de } TiCl_4}{2 \text{ mol de } Cl_2} = \frac{1,763}{2} \text{ mol}$$

Masse de $TiCl_4$ =

$$\frac{1,763}{2} \text{ mol de } TiCl_4 \times \frac{189,6778 \text{ g}}{1 \text{ mol de } TiCl_4} = 167 \text{ g}$$

10.17 Quantité de $SiCl_4$ =

$$225 \text{ g de } SiCl_4 \times \frac{1 \text{ mol}}{169,896 \text{ g de } SiCl_4} = 1,324 \text{ mol}$$

Quantité de Mg =

$$225 \text{ g de } Mg \times \frac{1 \text{ mol}}{24,3050 \text{ g de } Mg} = 9,257 \text{ mol}$$

$$\frac{\text{quantité de } Mg}{\text{quantité de } SiCl_4} = \frac{9,257 \text{ mol}}{1,324 \text{ mol}} = 6,99$$

Rapport supérieur au rapport des coefficients stœchiométriques : $SiCl_4$ est le réactif limitant.

Quantité de Si =

$$1,324 \text{ mol de } SiCl_4 \times \frac{1 \text{ mol de } Si}{1 \text{ mol de } SiCl_4} = 1,324 \text{ mol}$$

$$\text{Masse de } Si = 1,324 \text{ mol de } Si \times \frac{28,0855 \text{ g}}{1 \text{ mol de } Si}$$
$$= 37,2 \text{ g}$$

10.18 Quantité de CH_3OH =

$$125 \text{ g de } CH_3OH \times \frac{1 \text{ mol}}{32,042 \text{ g de } CH_3OH} = \frac{125}{32,042} \text{ mol}$$

Quantité théorique de H_2 =

$$\frac{125}{32,042} \text{ mol de } CH_3OH \times \frac{2 \text{ mol de } H_2}{1 \text{ mol de } CH_3OH}$$
$$= \frac{125 \times 2}{32,042} \text{ mol}$$

Masse théorique de H_2 =

$$\frac{125 \times 2}{32,042} \text{ mol de } H_2 \times \frac{2,0158 \text{ g}}{1 \text{ mol de } H_2} = 15,73 \text{ g}$$

$$\text{Rendement} = \frac{\text{masse réelle}}{\text{masse théorique}} \times 100 \%$$

$$= \frac{13,6 \text{ g}}{15,73 \text{ g}} \times 100 \% = 86 \%$$

10.19 Quantité de O_2 =

$$0,143 \text{ g de } O_2 \times \frac{1 \text{ mol}}{31,9988 \text{ g de } O_2} = \frac{0,143}{31,9988} \text{ mol}$$

Quantité de TiO_2 =

$$\frac{0,143}{31,9988} \text{ mol de } O_2 \times \frac{3 \text{ mol de } TiO_2}{3 \text{ mol de } O_2} = \frac{0,143}{31,9988} \text{ mol}$$

Masse de TiO_2 =

$$\frac{0,143}{31,9988} \text{ mol de } TiO_2 \times \frac{79,8658 \text{ g}}{1 \text{ mol de } TiO_2} = 0,3569 \text{ g}$$

$$\text{Teneur en } TiO_2 = \frac{0,3569 \text{ g}}{2,367 \text{ g}} \times 100 \% = 15,1 \%$$

10.20 Quantité de CO_2 =

$$1,612 \text{ g de } CO_2 \times \frac{1 \text{ mol}}{44,0098 \text{ g de } CO_2} = \frac{1,612}{44,0098} \text{ mol}$$

Quantité de C =

$$\frac{1,612}{44,0098} \text{ mol de } CO_2 \times \frac{1 \text{ mol de } C}{1 \text{ mol de } CO_2} = 0,036 \, 63 \text{ mol}$$

Quantité de H_2O =

$$0,7425 \text{ g de } H_2O \times \frac{1 \text{ mol}}{18,0152 \text{ g de } H_2O} = \frac{0,7425}{18,0152} \text{ mol}$$

Quantité de H =

$$\frac{0,7425}{18,0152} \text{ mol de } H_2O \times \frac{2 \text{ mol de } H}{1 \text{ mol de } H_2O} = 0,082 \, 43 \text{ mol}$$

$$\frac{\text{quantité de } H}{\text{quantité de } C} = \frac{0,08243 \text{ mol}}{0,03663 \text{ mol}} = 2,25 \text{ ou}$$
$$\left(2 + \frac{1}{4}\right) = \frac{9}{4}$$

Formule empirique : C_4H_9.
Masse formulaire : 57,11 g/mol, soit la moitié de la masse molaire. Formule : C_8H_{18}.

10.21 $CH_3COOH \text{ (aq)} + OH^- \text{ (aq)} \longrightarrow$
$$CH_3COO^- \text{ (aq)} + H_2O \text{ (l)}$$

$$\text{Quantité de } OH^- = 0,953 \text{ mol/L} \times 0,0283 \text{ L}$$
$$= 0,953 \times 0,0283 \text{ mol}$$

Quantité de CH_3COOH =

$$(0,953 \times 0,0283) \text{ mol de } OH^- \times \frac{1 \text{ mol de } CH_3COOH}{1 \text{ mol de } OH^-}$$
$$= 0,953 \times 0,0283 \text{ mol}$$

Masse de CH_3COOH dans l'échantillon =

$$(0,953 \times 0,0283) \text{ mol de } CH_3COOH \times \frac{60,0524 \text{ g}}{1 \text{ mol de } CH_3COOH}$$
$$= 1,62 \text{ g}$$

$$[CH_3COOH] = \frac{(0,953 \times 0,0283) \text{ mol}}{0,025 \text{ L}} = 1,08 \text{ mol/L}$$

10

Réponses aux exercices de fin de chapitre

Chapitre 1

1. Les cristaux ont une forme cubique, par conséquent Ca et F sont disposés alternativement selon un arrangement cubique.

2. Solide, liquide et gaz. (*Voir les descriptions à la section 1.6.1*)

3. Le mélange est hétérogène. Un petit aimant attirera le fer magnétique et le séparera du sable.

4. Un composé est une substance pure composée d'au moins deux éléments différents alors qu'une molécule est la plus petite entité de matière, qui possède les propriétés de la substance. Par exemple, un composé telle l'eau est formé de molécules d'eau dont la formule chimique est H_2O.

5. a) Propriété physique.
   b) Propriété chimique.
   c) Propriété chimique.
   d) Propriété physique.
   e) Propriété physique.
   f) Propriété physique.

6. a) Chimique.
   b) Physique.
   c) Chimique.
   d) Physique.

7. Le mercure et l'eau sont liquides, et le cuivre est solide. Le mercure est la substance la plus dense alors que l'eau est la moins dense.

8. Exothermique : le système perd de la chaleur au profit du milieu extérieur (la combustion du méthane). Endothermique : le système gagne de la chaleur fournie par le milieu extérieur (la fonte de la glace).

9. Observations qualitatives : état physique solide, couleur bleu-vert.
   Observations quantitatives : longueur de 4,6 cm, masse volumique de 2,65 g/cm³, masse de 2,5 g.
   Propriétés extensives : longueur et masse.
   Propriétés intensives : état physique, couleur et masse volumique.

10. a) Sodium. c) Chlore. e) Magnésium.
    b) Potassium. d) Phosphore. f) Nickel.

11. a) Ba d) Pb
    b) Ti e) As
    c) Cr f) Zn

12. a) Na (élément) et NaCl (composé).
    b) Sucre (composé) et carbone (élément).

c) Or (élément) et chlorure d'or (composé).
d) Silicium (élément) et sable (composé).

13. a) Physique : un liquide incolore. Chimique : il brûle en présence d'air.
    b) Physique : un métal brillant et un liquide orange. Chimique : il réagit avec le brome.
    c) Physique : un solide blanc et une masse volumique de 2,71 g/cm³. Chimique : il forme du dioxyde de carbone gazeux.
    d) Physique : en poudre, un métal gris, de l'iode violet et un solide blanc. Chimique : il réagit avec l'iode.

14. 555 g

15. 2,79 mL (ou 2,79 cm³).

16. 0,865 g/cm³

17. Al ($\rho_{calculée} = 2,82$ g/cm³)

18. 298 K

19. $5,8 \times 10^3$ K

20. a) -196 °C b) 336 K c) 1180 °C

21. a) 42 195 m
    b) 26,22 milles.

22. $1,9 \times 10^2$ mm et 0,19 m.

23. $5,0 \times 10^6$ J

24. 109 cm² et $1,09 \times 10^{-2}$ m².

25. a) 250 cm³
    b) 0,250 L
    c) $2,50 \times 10^{-4}$ m³
    d) 0,250 dm³

26. a) $1,5 \times 10^3$ mL
    b) $1,5 \times 10^3$ cm³
    c) 1,5 dm³
    d) $1,5 \times 10^6$ µL

27. $2,52 \times 10^3$ g et $2,52 \times 10^6$ mg

28. $7,3 \times 10^3$ kg/m³

29. a) 3 CS f) 4 CS
    b) 3 CS g) 4 CS
    c) 3 CS h) 3 CS
    d) 2 CS i) 5 CS
    e) 5 CS j) 6 CS

30. a) 0,122 ; 3 CS.
    b) 0,0286 ; 3 CS.

31. a) $7,2282 \pm 0,0004$

b) $16,43 \pm 0,02$

c) $8,4 \pm 0,2$

32. $0,0854 \text{ cm}^3$

33. 22 g

34. $20\ 036 \text{ L}$ (200×10^2, en tenant compte des CS).

35. La température normale du corps est de 37 °C. Par conséquent, le gallium devrait fondre s'il est tenu dans votre main.

36. $24,6 \text{ K}$ et $27,1 \text{ K}$.

37. $0,197 \text{ nm}$ et 197 pm.

38. L'eau. À masse égale, la substance la moins dense occupera le plus grand volume.

39. 68 mL

40. Le plastique (moins dense que le CCl_4) flottera. L'aluminium (plus dense que le CCl_4) coulera.

41. 170 g Pb

42.

43. On pourrait sentir avec précaution l'odeur des vapeurs, s'il y en a. Déterminer si le point d'ébullition, le point de fusion et la masse volumique du liquide sont respectivement d'environ 100 °C, 0 °C et 1 g/mL (à la température ambiante). Pour vérifier la présence d'un sel en solution, faire évaporer complètement le liquide. S'il reste un résidu, il se peut que ce soit un sel, mais d'autres tests seraient nécessaires pour valider cette hypothèse.

44. La masse volumique de l'urine augmente lorsqu'il y a trop de sucre qui est éliminé. Par contre, elle diminue lorsqu'il y a trop d'eau qui est éliminée.

45. **a)** Évaporer l'eau en chauffant la solution; le résidu est le sel.

b) L'utilisation d'un aimant attirera la limaille de fer, la séparant du plomb.

c) Ajouter de l'eau pour dissoudre le sucre. Filtrer la solution pour en séparer le soufre solide. Récupérer le sucre de la solution en évaporant l'eau par chauffage.

46. $0,018 \text{ mm}$

47. $8,0 \times 10^4 \text{ kg de NaF/année}$.

48. $245 \text{ g d'acide sulfurique}$.

Chapitre 2

1. L'électron (-1), le proton (+1) et le neutron (0). Ces deux derniers constituent le noyau. L'électron est la particule la plus légère.

2. Exactement le $\frac{1}{12}$ de la masse d'un atome de carbone 12 possédant six protons et six neutrons.

3. Numéro atomique: nombre de protons contenus dans le noyau. Nombre de masse: somme des protons et des neutrons contenus dans le noyau.

4. Elle a montré que les atomes doivent être divisibles, ce qui implique qu'ils sont constitués de particules encore plus petites, des particules subatomiques.

5. Environ 600 000 cm (6 km).

6. Titane, Ti, $Z = 22$, 47,867 u, 4B (4), quatrième période, métal.
Thallium, Tl, $Z = 81$, 204,3833 u, 3A (13), sixième période, métal.

7. ^7Li (La masse atomique du lithium est plus proche de 7 que de 6.)

8. **a)** 0,5 mol de Si (14 g) > 0,5 mol de Na (11 g).

b) 0,5 mol de Na (11 g) > 9,0 g de Na.

c) Dix atomes de Fe sont plus lourds que 10 atomes de K, car celui-ci a une masse molaire plus faible que celle du fer.

9. Dans le tableau périodique de la figure 2.6, les métaux sont en mauve, les non-métaux, en jaune, et les métalloïdes, en vert. Par exemple:

a) fer (Fe): métal, groupe 8B (8) de la quatrième période;

b) brome (Br): non-métal, groupe 7A (17) de la quatrième période;

c) silicium (Si): métalloïde, groupe 4A (14) de la troisième période.

10. Éléments de transition: molybdène (Mo), or (Au), titane (Ti).
Halogène: brome (Br).
Gaz rare: néon (Ne).
Métal alcalin: rubidium (Rb).

11. Polonium, Po, $Z = 84$, origine du nom: Pologne, pays d'origine. Radium, Ra, $Z = 88$, origine du nom: élément qui émet des radiations.

12. Oxygène: O_2 et O_3. Carbone: graphite, diamant, fullerènes (comme le buckminsterfullerène C_{60}). Soufre: le plus commun est le cycle à huit côtés ayant la forme d'une couronne. (*Voir les descriptions à la section 2.7*)

a) Nombre de masse = 27.

b) Nombre de masse = 48.

c) Nombre de masse = 62.

a) $^{39}_{19}K$ **b)** $^{84}_{36}Kr$ **c)** $^{60}_{27}Co$

15. a) 12 électrons, 12 protons et 12 neutrons.

     b) 50 électrons, 50 protons et 69 neutrons.

     c) 90 électrons, 90 protons et 142 neutrons.

16. ^{99}Tc a 43 protons, 43 électrons et 56 neutrons.

17. ^{241}Am a 95 protons, 95 électrons et 146 neutrons.

18. $^{57}_{27}Co$, $^{58}_{27}Co$, $^{60}_{27}Co$.

19. ^{205}Tl. La masse atomique du thallium (204,3833) est plus près de 205 que de 203.

20. Masse atomique = (masse ^{24}Mg)(% abondance) + (masse ^{25}Mg)(% abondance) + (masse ^{26}Mg)(% abondance).

21. ^{69}Ga, 60,12 % ; ^{71}Ga, 39,88 %.

22. ^{121}Sb, 57,20 % ; ^{123}Sb, 42,80 %.

23. a) 68 g de Al.   **c)** 0,60 g de Ca.

     b) 0,0698 g de Fe.   **d)** $1,32 \times 10^4$ g de Ne.

24. a) 1,9998 mol de Cu ; $1,2043 \times 10^{24}$ atomes de Cu.

     b) 0,0017 mol de Li ; $1,0 \times 10^{21}$ atomes de Li.

     c) $2,1 \times 10^{-5}$ mol de Am ; $1,2 \times 10^{19}$ atomes de Am.

     d) 0,250 mol de Al ; $1,51 \times 10^{23}$ atomes de Al.

25. a) $1,0552 \times 10^{-22}$ g

     b) $7,9487 \times 10^{-23}$ g

26. Cinq éléments. Non-métaux : azote (N) et phosphore (P). Métalloïdes : arsenic (As) et antimoine (Sb). Métal : bismuth (Bi).

27. a) Deuxième et troisième périodes.

     b) Quatrième et cinquième périodes.

     c) Sixième période.

28. Vingt-six éléments. Les actinides représentent la majorité de ces éléments et plusieurs sont préparés de façon synthétique.

29.

Symbole	^{58}Ni	^{33}S	^{20}Ne	^{55}Mn
Nombre de protons	28	16	10	25
Nombre de neutrons	30	17	10	30
Nombre d'électrons	28	16	10	25
Nom de l'élément	nickel	soufre	néon	manganèse

30. ^{39}K. Le potassium a une masse atomique (39,0983) plus près de celle de l'isotope ^{39}K que de celle de ^{41}K.

31. a) Béryllium, magnésium, calcium, strontium, baryum, radium.

     b) Sodium, magnésium, aluminium, silicium, phosphore, soufre, chlore, argon.

     c) Carbone.

d) Soufre.

e) Iode.

f) Magnésium.

g) Krypton.

h) Germanium ou arsenic.

32. $9,42 \times 10^{-5}$ mol de Kr ; $5,67 \times 10^{19}$ atomes de Kr.

33. $2,7 \times 10^{-4}$ mol de Fe ; $1,6 \times 10^{20}$ atomes de Fe.

34. a) 2,96 cm³   **b)** 1,44 cm

35. $1,9 \times 10^{22}$ atomes de Cr.

36. a) 1,94 g de P/1,00 g de O.

     b) 31,0 u

37. a) $2,3 \times 10^{14}$ g/cm³

     b) $3,34 \times 10^{-3}$ g/cm³

     c) Le noyau est beaucoup plus dense que l'espace occupé par les électrons.

Chapitre 3

1. Deux atomes N et six atomes H. Il y a $3,6 \times 10^{24}$ atomes H dans une mole. $M = 300,05$ g/mol

2. La partie H—C—O—H est dans le plan du papier. Les deux autres atomes H liés au carbone se trouvent au-dessous et au-dessus du plan.

3. Trente-huit électrons. Sr perd deux électrons (Sr^{2+}), il a ainsi le même nombre d'électrons (36) que le krypton.

4. Adénine, $C_5H_5N_5$; $M = 135,1$ g/mol.

     a) 40 g = 0,30 mol alors que $3,0 \times 10^{23}$ molécules ≈ 0,5 mol.

     b) Au moins un cycle à six atomes constitué de C et N.

5. Anion BO_3^{3-}.

6. La formule empirique donne le rapport le plus simple entre les différents atomes dans le composé alors que la formule moléculaire donne le nombre réel d'atomes. La formule empirique de l'éthane est CH_3 et sa formule moléculaire est C_2H_6.

7. Oui. 88,7 % de O dans H_2O et 49,9 % de O dans CH_3OH.

8. a) $C_7H_{16}O$ **b)** $C_6H_8O_6$ **c)** $C_{14}H_{18}N_2O_5$

9. a) 1 Ca, 2 C et 4 O.

     b) 7 C, 6 H et 1 O.

     c) 1 Co, 6 N, 15 H, 2 O et 2 Cl.

     d) 4 K, 1 Fe, 6 C et 6 N.

     e) 4 C, 6 H et 4 O.

10. La structure de H_2SO_4 n'est pas plane, elle forme un tétraèdre autour de l'atome de soufre.

11. La structure de C_7H_8 est quasi plane à l'exception de deux des trois H liés au C du groupement CH_3.

12. a) Mg^{2+} **c)** Ni^{2+} **e)** N^{3-}

   b) Zn^{2+} **d)** Ga^{3+} **f)** Fe^{2+}, Fe^{3+}

13. a) Ba^{2+} **c)** PO_4^{3-} **e)** S^{2-} **g)** CO^{2+}

   b) Ti^{4+} **d)** HCO_3^{-} **f)** ClO_4^{-} **h)** SO_4^{2-}

14. a) MnO_4^{-} **c)** $H_2PO_4^{-}$ **e)** IO_3^{-}

   b) NO_2^{-} **d)** NH_4^{+} **f)** SO_3^{-}

15. Ils gagnent deux électrons. O^{2-} a le même nombre d'électrons que Ne et S^{2-} a le même nombre d'électrons que Ar. O et S forment tous les deux des anions -2 et forment des composés binaires avec l'hydrogène (H_2O, H_2S).

16. Co^{3+}, F^-; CoF_3.

17. a) Deux ions K^+ et un ion S^{2-}.

   b) Un ion Ti^{4+} et deux ions SO_4^{2-}.

   c) Un ion K^+ et un ion MnO_4^{-}.

   d) Trois ions NH_4^{+} et un ion PO_4^{3-}.

   e) Un ion Ca^{2+} et deux ions ClO^-.

   f) Un ion Al^{3+} et trois ions OH^-.

18. a) $PtCl_2$ et $PtCl_4$.   **b)** PtS et PtS_2.

19. Les formules **c)**, **d)** et **f)** sont correctes.

   a) $AlCl_3$

   b) KF

   e) Fe_2O_3 ou FeO.

20. Mg^{2+} et O^{2-} : MgO. Mg^{2+} et PO_4^{3-} : $Mg_3(PO_4)_2$.

Al^{3+} et O^{2-} : Al_2O_3. Al^{3+} et PO_4^{3-} : $AlPO_4$.

21. a) Acétate de calcium.

   b) Phosphate de nickel (II).

   c) Hydroxyde d'aluminium.

   d) Dihydrogénophosphate de potassium.

   e) Sulfure de potassium.

   f) Phosphate d'ammonium.

22. a) $(NH_4)_2CO_3$ **d)** $AlPO_4$

   b) CaI_2 **e)** $AgCH_3COO$

   c) $CuBr_2$

23. a) $Ca(HCO_3)_2$ **d)** K_2HPO_4

   b) $KMnO_4$ **e)** Na_2SO_3

   c) $Mg(ClO_4)_2$

24. Mg^{2+} et PO_4^{3-} : $Mg_3(PO_4)_2$ (phosphate de magnésium). Mg^{2+} et NO_3^{-} : $Mg(NO_3)_2$ (nitrate de magnésium). Fe^{3+} et PO_4^{3-} : $FePO_4$ [phosphate de fer (III)]. Fe^{3+} et NO_3^{-} : $Fe(NO_3)_3$ [nitrate de fer (III)].

25. NaF

26. Dans CaO parce que les charges de ces ions sont plus élevées (+2/-2 pour CaO et +1/-1 pour $NaCl$).

27. a) Pentoxyde de diazote.

   b) Trisulfure de tétraphosphore.

   c) Difluorure d'oxygène.

   d) Tétrafluorure de xénon.

   e) Iodure d'hydrogène.

28. a) BrF_3 **c)** N_2H_4 **e)** C_4H_{10}

   b) B_2O_3 **d)** P_2F_4 **f)** SCl_2

29. a) 159,7 g/mol   **c)** 176,1 g/mol

   b) 117,2 g/mol   **d)** 446,1 g/mol

30. a) 290,8 g/mol   **b)** 249,7 g/mol

31. a) 0,0166 mol de C_3H_7OH.

   b) $5,55 \times 10^{-3}$ mol de $C_{11}H_{16}O_2$.

   c) $5,55 \times 10^{-3}$ mol de $C_9H_8O_4$.

32. 12,5 mol de SO_3; $7,52 \times 10^{24}$ molécules; $7,52 \times 10^{24}$ atomes de S; $2,26 \times 10^{25}$ atomes de O.

33. a) 86,59 % de Pb et 13,41 % de S;

   b) 81,71 % de C et 18,29 % de H;

   c) 79,95 % de C, 9,395 % de H et 10,65 % de O;

   d) 24,77 % de Co, 29,80 % de Cl, 5,084 % de H et 40,35 % de O.

34. 8,66 g de Pb.

35. $2,4 \times 10^3$ g de $FeTiO_3$.

36.

	Formule empirique	Masse molaire (g/mol)	Formule moléculaire
a)	CH	26,0	C_2H_2
b)	CHO	116,1	$C_4H_4O_4$
c)	CH_2	112,2	C_8H_{16}

37. Formule empirique : CH; formule moléculaire : C_2H_2.

38. B_5H_7

39. N_2O_3

40. Les formules empirique et moléculaire sont $C_8H_8O_3$.

41. $MgSO_4 \cdot 7 H_2O$

42. $KAl(SO_4)_2 \cdot 12 H_2O$

43. XeF_2

44. $GeCl_4$

45. 2×10^{21} molécules de H_2O.

46. a) 305,42 g/mol

   b) $1,8 \times 10^{-4}$ mol

   c) C = 0,7078; H = 0,08911; N = 0,04587; O = 0,1572.

   d) 39 mg

47. a) 25,86 % de Cu, 22,80 % de N, 5,742 % de H, 13,05 % de S et 32,55 % de O.

3

b) 2,72 g de Cu et 0,770 g de H_2O.

48. 75,1 kg de $Ca_3(PO_4)_2$.

49. $C_4H_6O_5$

50. $FeSO_4$

51. FeC_2O_4

52. a) $C_{10}H_{15}NO$, $M = 165,23$ g/mol

  b) 0,7269

  c) $7,57 \times 10^{-4}$ mol

  d) $4,56 \times 10^{20}$ molécules et $4,56 \times 10^{21}$ atomes de C.

53. c) LiS, sulfure de lithium.

  d) In_2O_3, oxyde d'indium.

  g) CaF_2, fluorure de calcium.

54. a) Trifluorure de chlore.

  b) Trichlorure d'azote.

  c) Sulfate de chrome (III), ionique.

  d) Nitrate de calcium, ionique.

  e) Pentoxyde de diiode.

  f) Trichlorure de phosphore.

  g) Iodure de potassium, ionique.

  h) Sulfure d'aluminium, ionique.

  i) Difluorure d'oxygène.

  j) Phosphate de potassium, ionique.

55. a) NaClO, ionique.

  b) BI_3

  c) $Al(ClO_4)_3$, ionique.

  d) $Ca(CH_3COO)_2$, ionique.

  e) $KMnO_4$, ionique.

  f) $(NH_4)_2SO_3$, ionique.

  g) KH_2PO_4, ionique.

  h) S_2Cl_2

  i) ClF_3

  j) PF_3

56.

Cations	Anions	Noms	Formules
NH_4^+	Br^-	bromure d'ammonium	NH_4Br
Ba^{2+}	S^{2-}	sulfure de baryum	BaS
Fe^{2+}	Cl^-	chlorure de fer (II)	$FeCl_2$
Pb^{2+}	F^-	fluorure de plomb (II)	PbF_2
Al^{3+}	CO_3^{2-}	carbonate d'aluminium	$Al_2(CO_3)_3$
Fe^{3+}	O^{2-}	oxyde de fer (III)	Fe_2O_3
Li^+	ClO_4^-	perchlorate de lithium	$LiClO_4$
Al^{3+}	PO_4^{3-}	phosphate d'aluminium	$AlPO_4$
Li^+	Br^-	bromure de lithium	LiBr
Ba^{2+}	NO_3^-	nitrate de baryum	$Ba(NO_3)_2$
Al^{3+}	O^{2-}	oxyde d'aluminium	Al_2O_3
Fe^{3+}	CO_3^{2-}	carbonate de fer (III)	$Fe_2(CO_3)_3$

57. Formule empirique : C_5H_4 ; formule moléculaire : $C_{10}H_8$.

58. Les formules empirique et moléculaire sont $C_5H_{14}N_2$.

59. Formule empirique : ICl_3 ; formule moléculaire : I_2Cl_6.

60. V_2S_3

61. 148 g

62. Les énoncés **a)** et **c)** sont vrais.

63. d) Na_2MoO_4

64. 0,346 g

65. M = Ti (titane).

66. La masse atomique de A est de 26 g/mol et celle de Z est de 18 g/mol.

67. a) 0,765 g

  b) NiF_2

  c) Fluorure de nickel (II).

68. a) $7,10 \times 10^{-4}$ mol de U ; U_3O_8 ; oxyde d'uranium (IV) et (VI).

  b) ^{238}U

  c) $UO_2(NO_3)_2 \cdot 6\,H_2O$

Chapitre 4

1. a) $c = \lambda\nu$

  b) $E = h\nu$

  c) $E_n = -Rhc/n^2$

2. L'énergie d'un photon, une particule de radiation sans masse, est proportionnelle à sa fréquence de vibration. $E = h\nu$, où h est la constante de proportionnalité.

3. Violet, indigo, bleu, vert, jaune, orange et rouge.

4. L'électron se comporte comme une onde et une particule. La structure moderne de l'atome se base sur les propriétés ondulatoires de l'électron et décrit des régions de probabilité de présence d'un électron donné autour du noyau.

5. a) Oui.

  b) Non. L'intensité d'un rayonnement lumineux est plutôt liée à son nombre de photons.

  c) Oui.

6. Un photon est une particule sans masse, un « paquet d'énergie ». Pour déplacer un électron, celui-ci doit entrer en collision avec une autre particule. Puisque des rayonnements lumineux dirigés sur certains métaux expulsent des électrons, la lumière doit être constituée de « particules » ou paquets d'énergie appelés les photons.

7. Le modèle atomique de Bohr repose sur les hypothèses qu'un électron ne peut circuler que sur certaines orbites (niveaux d'énergie) et qu'il y reste tant et aussi longtemps qu'il n'est pas perturbé.

8. La série de Lyman se trouve dans l'ultraviolet et la série de Balmer, dans le visible.

9. c)

10. Il est impossible de connaître simultanément avec précision la position d'un électron et son énergie, s'il est décrit comme une onde. Ainsi, la théorie atomique moderne décrit des régions de haute probabilité de présence d'un électron donné autour du noyau.

11. n, nombre quantique principal, décrit la taille de l'orbitale, $= 1, 2, 3, \ldots$
l, nombre quantique secondaire, décrit la forme de l'orbitale, $= 0, 1, 2, \ldots, (n - 1)$.
m, nombre quantique magnétique, décrit l'orientation de l'orbitale, $= 0, \pm 1, \pm 2, \ldots, \pm l$.

12. $l = 3$, orbitale f.
$l = 0$, orbitale s.
$l = 1$, orbitale p.
$l = 2$, orbitale d.

13.   Orbitale s Orbitale p_x

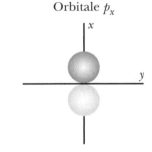

14.

Types d'orbitales	Nombre d'orbitales dans une sous-couche donnée	Nombre de surfaces nodales
s	1	0
p	3	1
d	5	2
f	7	3

15. a) Les micro-ondes.

b) La lumière rouge.

c) L'infrarouge.

16. a) Vert.

b) $5,04 \times 10^{14}$ s^{-1}

17. a) 0,863 longueur d'onde.

b) 73,6 longueurs d'onde.

18. $7,31 \times 10^{14}$ s^{-1}; $4,84 \times 10^{-19}$ J/photon; $2,92 \times 10^5$ J/mol de photons.

19. a) 285,2 nm: région de l'ultraviolet; 383,8 et 518,4 nm: région du visible.

b) $1,051 \times 10^{15}$ s^{-1}

c) 285,2 nm

d) $4,197 \times 10^5$ J/mol

20. d) $<$ **c)** $<$ **a)** $<$ **e)** $<$ **b)**

21. $6,0 \times 10^{-7}$ m; région du visible.

22. Non, cette lumière (540 nm et plus) n'a pas assez d'énergie ($3,68 \times 10^{-19}$ J/photon) pour activer l'interrupteur.

23. a) $7,309 \times 10^{14}$ s^{-1}

b) Violet.

c) $n_i = 6$ et $n_f = 2$.

24. a) $n = 3$ à $n = 2$.

b) $n = 4$ à $n = 1$. À mesure que les niveaux d'énergie augmentent, ils se rapprochent progressivement. La différence d'énergie entre $n = 4$ et $n = 1$ est donc plus grande que celle entre $n = 5$ et $n = 2$.

25. $\lambda = 102,6$ nm et $\nu = 2,922 \times 10^{15}$ s^{-1}; ultraviolet.

26. a) Six raies possibles.

b) $n = 4$ à $n = 3$.

c) $n = 4$ à $n = 1$.

d) $n = 4$ à $n = 3$.

27. 0,29 nm

28. 0,0056 nm

29. $\lambda = 2,2 \times 10^{-25}$ nm; $v = 1,2 \times 10^{-21}$ m·s^{-1}.

30. a) $l = 0, 1, 2, 3$.

b) $m = -2, -1, 0, +1, +2$.

c) $n = 4$, $l = 0$ et $m = 0$.

d) $n = 4$, $l = 3$ et $m = -3, -2, -1, 0, +1, +2, +3$.

31. a) $4d$

b) 25 (n^2)

c) Sept orbitales; $m = -3, -2, -1, 0, +1, +2, +3$.

32. La combinaison **c)** est permise.

a) La valeur de l ne peut être plus grande que $n - 1$.

b) et **d)** Dans ces cas, m ne peut être égal qu'à 0.

e) La valeur de m ne peut se situer qu'entre -1 et +1.

33. a) Aucune. m, dans ce cas, ne peut être égal qu'à 0.

b) Trois orbitales.

c) Onze orbitales.

d) Une orbitale.

34. $2d$ et $3f$ ne peuvent exister parce qu'elles ne suivent pas la règle $l = 0, 1, 2, \ldots, (n - 1)$.

35. a) $n = 2$, $l = 1$ et $m = -1, 0, +1$.

b) $n = 3$, $l = 2$ et $m = -2, -1, 0, +1, +2$.

c) $n = 4$, $l = 3$ et $m = -3, -2, -1, 0, +1, +2, +3$.

36. d) $4d$

37. 319 kJ/mol de photons.

38. a) 0,353 m

b) 0,339 J/mol

4

c) Une mole de photons de lumière bleue a une énergie de 285 kJ/mol, soit environ 840 000 fois plus qu'une mole de photons provenant du signal téléphonique.

39. $5,92 \times 10^4$ photons.

40. L'énergie d'ionisation de He⁺ (5248 kJ/mol) est quatre fois plus grande que celle de H (1312 kJ/mol).

41. a) Trois orbitales.   **e)** Cinq orbitales.

b) Trois orbitales.   **f)** Sept orbitales.

c) Une orbitale.   **g)** Vingt-cinq orbitales.

d) Cinq orbitales.   **h)** Une orbitale.

42. b), e), f), g) et **j).** Cependant, les atomes **h)** et les molécules **i)** peuvent être observés à l'aide d'un microscope électronique à effet tunnel.

43. $2,6 \times 10^2$ s ou 4,3 min.

44. a) la taille

b) l

c) plus

d) 7

e) 1

f) Lettres : d, s, p
l : 2, 0, 1
Surfaces nodales : 2, 0, 1

g) 0, 1, 2, 3 et 4

h) 16

Chapitre 5

1. n, nombre quantique principal, décrit la taille de l'orbitale, $= 1, 2, 3, \ldots$
l, nombre quantique secondaire, décrit la forme des orbitales d'une sous-couche, $= 0, 1, 2, \ldots, (n-1)$.
m, nombre quantique magnétique, décrit l'orientation de l'orbitale d'une sous-couche assignée à un électron, $= 0, \pm 1, \pm 2, \ldots, \pm l$.
s, nombre quantique de spin, décrit la rotation de l'électron sur lui-même, $= +\frac{1}{2}$ ou $-\frac{1}{2}$.

2. Deux électrons dans un atome ne peuvent avoir les quatre mêmes nombres quantiques n, l, m et s.

3. Li : $1s^2 2s^1$ [↑↓] [↑]
$\qquad\qquad\quad 1s \quad 2s$

4. L'arrangement le plus stable des électrons dans un atome est celui qui possède le maximum d'électrons non appariés, tous possédant le même spin.
La configuration du carbone est [↑↓] [↑↓] [↑|↑|],
non [↑↓] [↑↓] [↑↓| |]. $1s \quad 2s \quad 2p$
$\quad 1s \quad 2s \quad 2p$

5. La notation abrégée remplace la configuration électronique correspondant au gaz rare par son symbole mis entre crochets. Par exemple, Li : [He]$2s^1$.

6. Le bore (B) est un élément du groupe 3A (13). Le numéro de groupe d'un élément correspond à son nombre d'électrons périphériques.

7. Le rayon atomique diminue dans une période et augmente dans un groupe. En général, l'énergie d'ionisation et l'affinité électronique augmentent dans une période, et diminuent dans un groupe.

8. Phosphore : $1s^2 2s^2 2p^6 3s^2 3p^3$
[↑↓] [↑↓] [↑↓|↑↓|↑↓] [↑↓] [↑|↑|↑]
$1s \quad 2s \quad\quad 2p \quad\quad 3s \quad\quad 3p$
Le phosphore, qui se trouve dans le groupe 5A, possède cinq électrons périphériques.
Chlore : $1s^2 2s^2 2p^6 3s^2 3p^5$
[↑↓] [↑↓] [↑↓|↑↓|↑↓] [↑↓] [↑↓|↑↓|↑]
$1s \quad 2s \quad\quad 2p \quad\quad 3s \quad\quad 3p$
Le chlore, qui se trouve dans le groupe 7A, possède sept électrons périphériques.

9. Cr : $1s^2 2s^2 2p^6 3s^2 3p^6 3d^5 4s^1$
Fe : $1s^2 2s^2 2p^6 3s^2 3p^6 3d^6 4s^2$

10. a) As : [Ar]$3d^{10}4s^2 4p^3$

b) Kr : [Ar]$3d^{10}4s^2 4p^6$ (ou [Kr]).

11. a) Sr : [Kr]$5s^2$

b) Zr : [Kr]$4d^2 5s^2$

c) Rh : [Kr]$4d^7 5s^2$ (configuration réelle : [Kr]$4d^8 5s^1$).

d) Sn : [Kr]$4d^{10}5s^2 5p^2$

12. a) Ta : [Xe]$4f^{14}5d^3 6s^2$

b) Pt : [Xe]$4f^{14}5d^8 6s^2$ (configuration réelle : [Xe]$4f^{14}5d^9 6s^1$).

13. a) Sm : [Xe]$4f^5 5d^1 6s^2$ (configuration réelle : [Xe]$4f^6 6s^2$).

b) Yb : [Xe]$4f^{13}5d^1 6s^2$ (configuration réelle : [Xe]$4f^{14}6s^2$).

14. Am : [Rn]$5f^7 7s^2$ (symétrie sphérique).

15. a) Mg²⁺ [↑↓] [↑↓] [↑↓|↑↓|↑↓]
$\qquad\qquad\quad 1s \quad 2s \quad\quad 2p$

b) K⁺ [↑↓] [↑↓] [↑↓|↑↓|↑↓] [↑↓] [↑↓|↑↓|↑↓]
$\qquad 1s \quad 2s \quad\quad 2p \quad\quad 3s \quad\quad 3p$

c) Cl⁻ [↑↓] [↑↓] [↑↓|↑↓|↑↓] [↑↓] [↑↓|↑↓|↑↓]
$\qquad 1s \quad 2s \quad\quad 2p \quad\quad 3s \quad\quad 3p$

d) O²⁻ [↑↓] [↑↓] [↑↓|↑↓|↑↓]
$\qquad\qquad 1s \quad 2s \quad\quad 2p$

e) Al³⁺ [↑↓] [↑↓] [↑↓|↑↓|↑↓]
$\qquad\qquad 1s \quad 2s \quad\quad 2p$

16. a) V (paramagnétique ; trois électrons non appariés).

[Ar] [↑][↑][↑][ ][ ] [↑↓]
　　　3d　　　　　4s

b) V²⁺ (paramagnétique ; trois électrons non appariés).

[Ar] [↑][↑][↑][ ][ ] [ ]
　　　3d　　　　　4s

c) V⁵⁺ (diamagnétique ; tous ses électrons sont appariés).

[Ar] [ ][ ][ ][ ][ ] [ ]
　　　3d　　　　　4s

17. a) Mn　[Ar] [↑][↑][↑][↑][↑] [↑↓]
　　　　　　　　　3d　　　　　4s

b) Mn²⁺　[Ar] [↑][↑][↑][↑][↑] [ ]
　　　　　　　　　3d　　　　　4s

c) 5

d) Oui, il est paramagnétique.

18. Cu⁺　[Ar] [↑↓][↑↓][↑↓][↑↓][↑↓] [ ]
　　　　　　　　3d　　　　　4s

Cu²⁺　[Ar] [↑↓][↑↓][↑↓][↑↓][↑] [ ]
　　　　　　　3d　　　　　4s

L'ion Cu²⁺ est paramagnétique.

19. a) Le nombre quantique de spin ne peut être égal à 0. La combinaison est permise si $s = +\frac{1}{2}$ ou $-\frac{1}{2}$.

b) Les valeurs permises pour m doivent se retrouver dans l'intervalle $-l$ et $+l$. La combinaison est permise si $m = -1, 0$ ou $+1$.

c) La valeur maximale pour l est $(n - 1)$. La combinaison est permise si $l = 1$ ou 2.

20. a) Quatorze électrons.

b) Deux électrons.

c) Aucun, parce que l ne peut être égal à n.

d) Un électron.

21. P　[Ne] [↑↓] [↑][↑][↑]
　　　　　　3s　　3p

$n = 3, l = 0, m = 0, s = +\frac{1}{2}$

$n = 3, l = 0, m = 0, s = -\frac{1}{2}$

$n = 3, l = 1, m = -1, s = +\frac{1}{2}$

$n = 3, l = 1, m = 0, s = +\frac{1}{2}$

$n = 3, l = 1, m = +1, s = +\frac{1}{2}$

22. C < B < Al < Na < K

23. P < Ge < Ca < Sr < Rb

24. a) Cl⁻　　**b)** Al　　**c)** In　　**d)** Cs

25. c)

26. K < Li < C < N

27. a) Na

b) O

c) Na < Mg < P < O

28. a) S < O < F. L'énergie d'ionisation diminue dans un groupe et augmente généralement dans une période.

b) O. L'énergie d'ionisation diminue dans un groupe.

c) Cl. L'affinité électronique diminue dans un groupe et augmente généralement dans une période.

d) O²⁻. Les anions sont toujours plus gros que leur atome neutre. O²⁻ et F⁻ sont isoélectroniques, mais O²⁻ a moins de protons que F⁻ pour attirer les électrons.

29. Rf : [Rn]$4f^{14}6d^27s^2$

30. U　[Rn] [↑][↑][↑][ ][ ][ ][ ] [↑][ ][ ][ ][ ] [↑↓]
　　　　　　　　5f　　　　　　　6d　　　　7s

U⁴⁺　[Rn] [↑][↑][ ][ ][ ][ ][ ] [ ][ ][ ][ ][ ] [ ]
　　　　　　5f　　　　　　　6d　　　　7s

L'uranium et l'ion uranium (IV) sont paramagnétiques.

31. a) Ce　[Xe] [↑][ ][ ][ ][ ][ ][ ] [↑][ ][ ][ ][ ] [↑↓]
　　　　　　　　4f　　　　　　　5d　　　　6s

Ce³⁺　[Xe] [↑][ ][ ][ ][ ][ ][ ] [ ][ ][ ][ ][ ] [ ]
　　　　　　　4f　　　　　　　5d　　　　6s

b) Ho　[Xe] [↑↓][↑↓][↑↓][↑↓][↑][↑][↑] [ ][ ][ ][ ][ ] [↑↓]
　　　　　　　4f　　　　　　　5d　　　　6s

Ho³⁺　[Xe] [↑↓][↑↓][↑↓][↑][↑][↑][↑] [ ][ ][ ][ ][ ] [ ]
　　　　　　　4f　　　　　　　5d　　　　6s

32. a) Numéro atomique = 20.

b) Nombre total d'électrons $s = 8$.

c) Nombre total d'électrons $p = 12$.

d) Nombre total d'électrons $d = 0$.

e) Le calcium (Ca) est un métal.

33. a) 4　　　　　　　　**b)** 3

34. a) P, phosphore.　　**d)** Tc, technétium.

b) Be, béryllium.　　**e)** Cl, chlore (*voir la figure 5.10*).

c) N, azote.　　　　**f)** Zn, zinc.

35. Cl⁻ < Cl < Ca²⁺. Il devrait être plus facile d'ioniser un anion que son élément neutre. L'ion positif est le plus difficile à ioniser.

36. a) A est un métal.　　　　**c)** B

b) B est un non-métal.　　**d)** B

37. In⁴⁺. L'indium n'a pas tendance à former un ion +4 parce qu'il ne possède que trois électrons périphériques.

5

Fe^{6+}. Les ions qui possèdent une charge de +3 ou +4 ont peu tendance à perdre des électrons.

Sn^{5+}. L'étain n'a pas tendance à former un ion +5 parce qu'il ne possède que quatre électrons périphériques.

38. $S^{2-} > Cl^- > K^+ > Ca^{2+}$

39. **a)** Se   **c)** Na   **e)** N^{3-}
     b) Br^- **d)** N

40. **a)** $Ca^{2+} < K^+ < Cl^-$
     b) $Cl^- < K^+ < Ca^{2+}$
     c) $Cl^- < K^+ < Ca^{2+}$

41. Tc et Rh.

42. L'énergie d'ionisation diminue dans un groupe parce que l'électron étant de plus en plus éloigné du noyau, la force d'attraction noyau-électron diminue.

43. **a)** Co, cobalt.
     b) Paramagnétique.
     c) Quatre électrons non appariés.

44. L'augmentation de la charge nucléaire effective Z_{eff} dans une période est responsable de la diminution de la taille des atomes.

45. Li, lithium. Le premier électron enlevé (périphérique) provient d'une orbitale $2s$ et le deuxième électron (interne) provient de l'orbitale $1s$. Extraire un électron d'une couche remplie requiert toujours beaucoup d'énergie.

46. L'électron acquis par les éléments du groupe 4A (14) se retrouve dans une orbitale p vide donnant une symétrie sphérique à cet élément. Par contre, les éléments du groupe 5A (15) acquièrent un électron dans une orbitale p déjà occupée. Les répulsions électron-électron causent une diminution de l'affinité électronique, ce qui n'est pas prévu par la tendance.

47. Pour former CaF_3, le calcium doit pouvoir être un cation +3, ce qui est hautement défavorisé énergétiquement puisque cela consiste à lui enlever un électron interne.

48. Puisque la masse des éléments augmente de K à V et que leur rayon atomique diminue, la masse volumique (masse/volume) augmente.

49. Pour le bore, il est plus facile d'extraire un électron situé dans une orbitale $2p$ de plus haute énergie qu'un électron de l'orbitale $2s$ du Be qui est complètement rempli.

50. Pour le soufre, deux de ses quatre électrons $2p$ sont appariés. Ceux-ci subissent une répulsion électron-électron plus forte que s'ils étaient seuls dans une orbitale p. Cette répulsion plus importante rend la première ionisation plus facile.

51. **a)** S
$$\boxed{\uparrow\downarrow}\ \boxed{\uparrow\downarrow}\ \boxed{\uparrow\downarrow}\boxed{\uparrow\downarrow}\boxed{\uparrow\downarrow}\ \boxed{\uparrow\downarrow}\ \boxed{\uparrow\downarrow}\boxed{\uparrow}\boxed{\uparrow}$$
$$1s\quad 2s\quad 2p\quad\quad 3s\quad 3p$$

     b) $n = 3,\ l = 1,\ m = 1,\ s = -\frac{1}{2}$.

     c) S a l'énergie d'ionisation la plus faible et O, le plus petit rayon.

     d) S

Chapitre 6

1. Li: un électron périphérique;
Ti: quatre électrons périphériques;
Zn: deux électrons périphériques;
Si: quatre électrons périphériques;
Cl: sept électrons périphériques.

2. $\cdot K + :\ddot{F}\cdot \longrightarrow \left[K^+\ :\ddot{\underset{\cdot\cdot}{F}}: ^- \right]$

La liaison est ionique.

3. **a)** et **b)** sont ioniques; **c)** et **d)** sont covalents.

4. Énergie de formation d'une mole de composé ionique à l'état solide à partir de ses ions considérés à l'état gazeux. LiF a l'énergie réticulaire la plus négative, car l'ion Li^+ est plus petit que l'ion Cs^+.

5.

6. NH_3 et SO_3 respectent la règle de l'octet. NO_2 et O_2^- ont un nombre impair d'électrons.

7. Le benzène possède deux structures de résonance, la seule différence étant le positionnement des liaisons doubles.

8. Indice de liaison = 1,5.

9. $C-F < C-O < C-N < C-C < C-B$

10. Énergie requise pour briser une liaison dans une molécule, les réactants et les produits étant en phase gazeuse dans des conditions normales de température et de pression ($T = 273,15$ K, $P = 101,325$ kPa). Le bris d'une liaison requiert toujours de l'énergie, la variation d'enthalpie est donc toujours positive.

11. Plus l'indice de liaison est élevé, plus la liaison est courte, plus l'énergie de liaison est élevée.

12. L'électronégativité est la capacité d'un atome situé dans une molécule à attirer un électron. L'affinité électronique est la variation d'énergie lorsqu'un atome en phase gazeuse capte un électron.

13. L'électronégativité augmente généralement dans une période et diminue dans un groupe.

14. Le principe d'électroneutralité stipule que les électrons dans une molécule sont distribués de manière à ce que les charges sur les atomes soient les plus proches possible de zéro. En outre, si une charge négative se crée, elle doit être placée sur l'atome le plus électronégatif. De la même façon, une charge positive se trouve sur l'atome le moins électronégatif. Ce principe permet d'exclure la forme limite suivante :

$$\underset{+1}{:}\overset{0}{O}\equiv\overset{-1}{C}-\ddot{\underset{..}{O}}:$$

15. Théorie expliquant la géométrie des molécules et reposant sur l'idée que les doublets liants ou libres entourant un atome central ont une tendance naturelle à se repousser mutuellement, et cherchent à se situer le plus loin possible les uns des autres.

16. La molécule d'eau comporte quatre paires d'électrons autour de l'atome d'oxygène. La géométrie des paires d'électrons est la géométrie adoptée par ces quatre paires d'électrons. La géométrie de la molécule est la forme décrite par les atomes de la molécule. La géométrie des paires d'électrons de l'eau est tétraédrique, alors que sa forme est coudée.

17. a) Groupe 4A (14), quatre électrons périphériques.

b) Groupe 3A (13), trois électrons périphériques.

c) Groupe 1A (1), un électron périphérique.

d) Groupe 2A (2), deux électrons périphériques.

e) Groupe 7A (17), sept électrons périphériques.

f) Groupe 6A (16), six électrons périphériques.

18. b), e), g) et **h)**.

19. Plus négative : **b)** MgS. Moins négative : **a)** NaCl.

20. RbI < LiI < LiF < CaO

21. Lorsque la distance entre deux ions diminue, la force d'attraction augmente, ce qui rend le réseau plus stable. Il faut donc plus d'énergie pour le fondre.

22. a) $:\!\ddot{F}\!-\!\ddot{N}\!-\!\ddot{F}\!:$, $:\!\ddot{F}\!:$

c) $\left[:\!\ddot{O}\!-\!\ddot{Cl}\!-\!\ddot{O}\!:\right]^{-}$, $:\!\ddot{O}\!:$

b) $H\!-\!\ddot{O}\!-\!\ddot{Br}\!:$

d) $\left[:\!\ddot{O}\!-\!\ddot{S}\!-\!\ddot{O}\!:\right]^{2-}$, $:\!\ddot{O}\!:$

23. a) $:\!\ddot{Cl}\!-\!\overset{H}{\underset{H}{C}}\!-\!\ddot{F}\!:$

c) $H\!-\!\overset{H}{\underset{H}{C}}\!-\!C\!\equiv\!N\!:$

b) $H\!-\!\overset{H}{\underset{H}{C}}\!-\!\overset{:\ddot{O}:}{C}\!-\!\ddot{O}\!-\!H$

d) $\underset{:\ddot{F}:}{\overset{:\ddot{F}:}{C}}\!=\!\underset{:\ddot{F}:}{\overset{:\ddot{F}:}{C}}$

24. a) $:\!\ddot{O}\!-\!\ddot{S}\!=\!\ddot{O}\!: \longleftrightarrow \ddot{O}\!=\!\ddot{S}\!-\!\ddot{O}\!:$

b) $\overset{:\ddot{O}:}{\ddot{O}}\!=\!N\!-\!\ddot{O}\!-\!H \longleftrightarrow :\!\ddot{O}\!-\!\overset{:\ddot{O}:}{N}\!-\!\ddot{O}\!-\!H \longleftrightarrow :\!\ddot{O}\!-\!\overset{:\ddot{O}:}{N}\!=\!\ddot{O}\!-\!H$

c) $\left[S\!\equiv\!C\!-\!N\right]^{-} \longleftrightarrow \left[S\!=\!C\!=\!N\right]^{-} \longleftrightarrow \left[S\!-\!C\!\equiv\!N\right]^{-}$

25. a) $:\!\ddot{F}\!-\!\overset{:\ddot{F}:}{Br}\!-\!\ddot{F}\!:$

c) $:\!\ddot{F}\!-\!\overset{:\ddot{O}:}{\underset{:\ddot{O}:}{Xe}}\!-\!\ddot{F}\!:$

b) $\left[:\!\ddot{I}\!-\!\ddot{I}\!-\!\ddot{I}\!:\right]^{-}$

d) $\left[:\!\ddot{F}\!-\!\overset{:\ddot{F}:}{Xe}\!-\!\ddot{F}\!:\right]^{+}$

26. a) N = 0 ; H = 0

b) P = +1 ; O = -1

c) B = -1 ; H = 0

d) Zéro pour tous les atomes.

27. a) N = +1 ; O = 0

b) N = 0 ; O liaison simple = -1 ; O liaison double = 0.

$$\left[:\!\ddot{O}\!-\!\ddot{N}\!=\!\ddot{O}\right]^{-} \longleftrightarrow \left[\ddot{O}\!=\!\ddot{N}\!-\!\ddot{O}\!:\right]^{-}$$

c) N = 0 ; F = 0

d) $\overset{0}{H}\!-\!\overset{0}{\ddot{O}}\!-\!\overset{+1}{\ddot{N}}\!=\!\overset{0}{\ddot{O}}$, $\underset{-1}{:\ddot{O}:}$

28. a) $\overset{\longrightarrow}{C\!-\!O}$ $\quad$ $\overset{\longrightarrow}{C\!-\!N}$
    $+\delta\;-\delta$ $\qquad$ $+\delta\;-\delta$
    La liaison C—O est la plus polaire.

b) $\overset{\longrightarrow}{P\!-\!Cl}$ $\quad$ $\overset{\longrightarrow}{P\!-\!Br}$
    $+\delta\;-\delta$ $\qquad$ $+\delta\;-\delta$
    La liaison P—Cl est la plus polaire.

c) $\overset{\longrightarrow}{B\!-\!O}$ $\quad$ $\overset{\longrightarrow}{B\!-\!S}$
    $+\delta\;-\delta$ $\qquad$ $+\delta\;-\delta$
    La liaison B—O est la plus polaire.

d) $\overset{\longrightarrow}{B\!-\!F}$ $\quad$ $\overset{\longrightarrow}{B\!-\!I}$
    $+\delta\;-\delta$ $\qquad$ $+\delta\;-\delta$
    La liaison B—F est la plus polaire.

29. a) Les liaisons C—H et C=O sont polaires.

b) La liaison C=O est la plus polaire et l'atome O est le plus électronégatif.

30. a) Même si la charge formelle est -1 sur B et 0 sur F, le fluor est beaucoup plus électronégatif. Puisque les liaisons B—F sont polaires, la charge négative est répartie sur tous les atomes de fluor.

b) Même si la charge formelle est -1 sur B et 0 sur H, l'hydrogène est légèrement plus électronégatif. Ainsi, la charge négative est répartie sur tous les atomes d'hydrogène.

c) La charge formelle est -1 sur O et 0 sur H. Cela est cohérent avec l'électronégativité de l'oxygène qui

6

est supérieure à celle de l'hydrogène. La liaison O—H est polaire.

d) La liaison C=O est la plus polaire avec δ^- porté par l'atome le plus électronégatif, l'oxygène.

31. $\overset{-2}{:}\overset{}{\ddot{N}}-\overset{+1}{N}\equiv\overset{+1}{O}: \longleftrightarrow \overset{-1}{\ddot{N}}=\overset{+1}{N}=\overset{0}{\ddot{O}} \longleftrightarrow \overset{0}{:}N\equiv\overset{+1}{N}-\overset{-1}{\ddot{O}}:$

       A   B   C

La forme limite prépondérante est C : les charges sont les plus petites possible et l'élément le plus électronégatif porte la charge négative.

32. a) Oui, 24 électrons périphériques.

b) CO_3^{2-} en a trois et BO_3^{3-} en a quatre.

c)

	C	$O_{(1)}$	$O_{(2)}$	$O_{(3)}$
C	0	0	0	
$O_{(1)}$	0	-1	-1	
$O_{(2)}$	-1	0	-1	
$O_{(3)}$	-1	-1	0	

	B			
B	0	-1	-1	-1
$O_{(1)}$	-1	0	-1	-1
$O_{(2)}$	-1	-1	0	-1
$O_{(3)}$	-1	-1	-1	0

d) L'ion H^+ se lie à un atome d'oxygène.

33.

$H = 0$, $C = 0$, O liaison simple = -1 et O liaison double = 0 dans les deux formes limites.
L'ion H^+ se lie à l'atome d'oxygène.

34. a) Deux liaisons C—H, indice de liaison 1 ; une liaison C=O, indice de liaison 2.

b) Trois liaisons simples S—O, indice de liaison 1.

c) Deux liaisons doubles N=O, indice de liaison 2.

d) Une liaison N=O, indice de liaison 2 ; une liaison O—Cl, indice de liaison 1.

35. a) B—Cl   **c)** P—O

b) C—O   **d)** C=O

36. L'indice de la liaison NO est égal à 2 dans NO_2^+, à 1,5 dans NO_2^- et à 1,33 dans NO_3^-. NO_3^- possède la liaison NO la plus longue et NO_2^+ possède la liaison NO la plus courte.

37. La liaison CO dans le monoxyde de carbone est une liaison triple, donc elle est plus courte et plus forte que la liaison double dans CH_2O.

38. $\Delta H^0 = -135$ kJ

39. D_{oo} (ozone) = 301 kJ/mol. Cette énergie de liaison se situe entre celles des liaisons simples et des liaisons doubles oxygène—oxygène. L'indice de liaison est 1,5. Par conséquent, l'énergie de liaison oxygène—oxygène dans l'ozone est cohérente avec l'indice de liaison.

40. a) $:\ddot{C}l—\ddot{N}—H$ Géométrie des paires d'électrons : tétraédrique ; forme : pyramidale trigonale.

b) $:\ddot{C}l—\ddot{O}—\ddot{C}l:$ Géométrie des paires d'électrons : tétraédrique ; forme : coudée.

c) $[\ddot{S}=C=\ddot{N}]^-$ Géométrie des paires d'électrons et forme : linéaires.

d) $H—\ddot{O}—\ddot{F}:$ Géométrie des paires d'électrons : tétraédrique ; forme : coudée.

41. a) $[:\ddot{O}—\ddot{C}l—\ddot{O}:]^-$ Géométrie des paires d'électrons : tétraédrique ; forme : coudée.

b) Géométrie des paires d'électrons : tétraédrique ; forme : pyramidale trigonale.

c) Géométrie des paires d'électrons et forme : tétraédriques.

d) $\ddot{S}=C=\ddot{S}$ Géométrie des paires d'électrons et forme : linéaires.

42. a) Géométrie des paires d'électrons et forme : trigonales planes.

b) Géométrie des paires d'électrons et forme : trigonales planes.

c) Géométrie des paires d'électrons : tétraédrique ; forme : pyramidale trigonale.

d) Géométrie des paires d'électrons : tétraédrique ; forme : pyramidale trigonale.

Les ions **a)** et **b)** sont isoélectroniques (24 électrons périphériques) et leur géométrie de paires d'électrons et leurs formes sont identiques. Les ions **c)** et **d)** sont aussi isoélectroniques (26 électrons périphériques) et ont une géométrie des paires d'électrons et une forme identiques.

43. a) $[:\ddot{F}—\ddot{C}l—\ddot{F}:]^-$ Géométrie des paires d'électrons : bipyramidale trigonale ; forme : linéaire.

b) $:\ddot{F}-\overset{..}{\underset{:\ddot{F}:}{Cl}}-\ddot{F}:$ Géométrie des paires d'électrons: bipyramidale trigonale; forme: en T.

c) $\left[\begin{array}{c}:\ddot{F}:\\ :\ddot{F}-\overset{..}{Cl}-\ddot{F}:\\ :\ddot{F}:\end{array}\right]^{-}$ Géométrie des paires d'électrons: octaédrique; forme: plane carrée.

d) $\overset{:\ddot{F}:}{\underset{:\ddot{F}}{\ddot{F}}\overset{|}{\underset{:\ddot{F}:}{Cl}}\ddot{F}:}$ Géométrie des paires d'électrons: octaédrique; forme: pyramidale à base carrée.

44. a) Angle $O-S-O$ théorique dans $SO_2 = 120°$.

b) $120°$

c) $120°$

d) $H-C-H = 109°$ et $C-C\equiv N = 180°$.

45. a) $1 = 120°$; $2 = 109°$; $3 = 120°$; $4 = 109°$; $5 = 109°$.

b) La chaîne ne peut être linéaire parce que la géométrie des paires d'électrons autour du carbone central est tétraédrique avec des angles de liaison de $109°$.

46. a) H_2O b) CS_2 et CCl_4.   c) L'atome F.

47. HBF_2 est trigonale plane et polaire; la charge négative du dipôle se situe entre les 2 F, l'extrémité positive est sur le H. CH_3Cl est tétraédrique et polaire; la charge négative du dipôle est sur le Cl et les trois H représentent l'extrémité positive.

48. a) $\ddot{O}=C=\ddot{O} \longleftrightarrow :\ddot{O}-C\equiv O: \longleftrightarrow :O\equiv C-\ddot{O}:$

b) $\left[\ddot{N}=N=\ddot{N}\right]^{-} \longleftrightarrow \left[:\ddot{N}-N\equiv N:\right]^{-} \longleftrightarrow \left[:N\equiv N-\ddot{N}:\right]^{-}$

c) $\left[\ddot{O}=C=\ddot{N}\right]^{-} \longleftrightarrow \left[:\ddot{O}-C\equiv N:\right]^{-} \longleftrightarrow \left[:O\equiv C-\ddot{N}:\right]^{-}$

Ces trois espèces sont linéaires et comportent 16 électrons périphériques.

49. Les liaisons $N-O$ dans NO_2^- ont un indice de liaison 1,5 alors que dans NO_2^+ l'indice de liaison est 2. La liaison la plus courte (110 pm) est celle ayant l'indice de liaison le plus élevé (NO_2^+), alors que les liaisons $N-O$ dans NO_2^- sont plus longues (124 pm).

50. ClF_2^- a un angle de liaison plus grand en raison de la présence d'une paire supplémentaire d'électrons libres autour de l'atome central.

ClF_2^+ ClF_2^-

$\left[:\ddot{F}-\overset{..}{Cl}-\ddot{F}:\right]^{+}$ $\left[:\ddot{F}-\overset{..}{\underset{..}{Cl}}-\ddot{F}:\right]^{-}$

$F-Cl-F = 109°$ $F-Cl-F = 180°$

51. L'ion H^+ se liera à un des atomes d'oxygène. $\left[:\ddot{O}-\overset{:\ddot{O}:}{\underset{..}{S}}-\ddot{O}:\right]^{2-}$

52. $\Delta H^0 = -1018$ kJ; $\Delta H^0 = -509$ kJ/mol CH_3OH.

53. a) $\left[:C\equiv N-\ddot{O}:\right]^{-} \longleftrightarrow \left[\ddot{C}=N=\ddot{O}\right]^{-} \longleftrightarrow \left[:\ddot{C}-N\equiv O:\right]^{-}$

b) $\begin{array}{ccc} -1 & 1 & -1 \end{array}$ $\begin{array}{ccc} -2 & 1 & 0 \end{array}$ $\begin{array}{ccc} -3 & 1 & 1 \end{array}$

La première forme limite est prépondérante.

c) Le carbone, élément le moins électronégatif dans cet ion, a une charge formelle négative. De plus, les trois formes limites ont une distribution défavorable des charges.

54. a) $1 = 120°$; $2 = 180°$; $3 = 120°$.

b) Le lien double $C=C$.

c) Le lien double $C=C$.

d) La liaison triple $C\equiv N$.

55. a) Les trois doublets libres sur le xénon occupent les trois positions équatoriales à $120°$ l'un de l'autre, de manière à ce qu'il y ait moins de répulsion entre eux.

b) Les deux doublets libres sur le chlore occupent les positions équatoriales. Même raisonnement qu'en a).

56. a) Les atomes S et O ont une charge formelle de 0.

b) $1 = 109°$; $2 = 109°$; $3 = 120°$.

c) La liaison $C-O$.

d) La molécule est polaire.

e) L'atome d'oxygène est dans le même plan que les quatre atomes de carbone puisque ceux-ci ont chacun une forme trigonale plane.

57. a) $\Delta H^0 = -318$ kJ

b) Exothermique.

c) L'acétone est une molécule polaire.

d) Les atomes d'hydrogène $O-H$.

58. a) La liaison $C=C$.

b) La liaison simple $C-C$.

c) L'éthylène est non polaire; l'acroléine est polaire.

d) Exothermique ($\Delta H^0 = -45$ kJ).

Chapitre 7

1. Pour une liaison sigma (σ), la densité électronique se trouve le long de son axe alors que pour une liaison pi (π), elle se trouve au-dessus et au-dessous de l'axe de liaison.

2. Le carbone peut former deux, trois ou quatre orbitales hybrides parce qu'il a quatre orbitales sur sa couche électronique périphérique soit une orbitale s et trois orbitales p.

3. sp: $180°$; sp^2: $120°$; sp^3: $109,5°$.

4. Il reste deux orbitales p non hybridées qui peuvent former deux liaisons π.

5. Tétraédrique: sp^3; linéaire: sp; trigonale plane: sp^2; octaédrique: sp^3d^2; bipyramidale trigonale: sp^3d.

6. L'OM liante est caractérisée par une densité électronique située directement sur l'axe de la liaison et l'OM antiliante possède un plan nodal (densité électronique nulle) entre les deux noyaux.

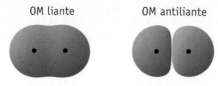

OM liante   OM antiliante

7. Dans la théorie ÉL, les électrons sont toujours partagés par paires et localisés entre deux atomes pour former les liaisons σ et π alors que dans la théorie des OM, les électrons appartiennent à l'ensemble de la molécule, non à des atomes en particulier.

8. Dans les isolants, on trouve une bande interdite entre les bandes de valence et de conduction. Dans les métaux, il n'y a pas de séparation.

9. La géométrie des paires d'électrons est tétraédrique et la forme est pyramidale trigonale. Une orbitale hybridée sp^3 de l'azote recouvre une orbitale $2p$ du fluor pour former une liaison σ.

$$:\!\ddot{F}\!-\!\ddot{N}\!-\!\ddot{F}\!:$$
$$:\!\ddot{F}\!:$$

10. La géométrie des paires d'électrons est tétraédrique et la forme est coudée. Une orbitale hybridée sp^3 du chlore recouvre une orbitale $2p$ du fluor pour former une liaison σ.

$$\left[:\!\ddot{F}\!-\!\ddot{Cl}\!-\!\ddot{F}\!:\right]^+$$

11. La géométrie des paires d'électrons et la forme de la molécule sont tétraédriques. Une orbitale hybridée sp^3 du carbone recouvre une orbitale $3p$ du chlore pour former une liaison σ. Une liaison σ C—H provient du recouvrement d'une orbitale hybridée du carbone avec une orbitale $1s$ de l'hydrogène.

$$:\!\ddot{Cl}\!:$$
$$H\!-\!C\!-\!\ddot{Cl}\!:$$
$$:\!\ddot{Cl}\!:$$

12. a) sp^2 **b)** sp **c)** sp^3 **d)** sp^2

13. a) sp **b)** sp^2 **c)** sp^2 **d)** sp^3

14. a) C: sp^3; O: sp^3.

    b) $\underline{C}H_3$: sp^3; C central: sp^2; $\underline{C}H_2$: sp^2.

    c) N: sp^3; $\underline{C}H_2$: sp^3; $\underline{C}O_2H$: sp^2.

    d) $\underline{C}\!=\!\underline{C}$: sp^2; $\underline{C}\!\equiv\!N$: sp.

15.

	Géométrie des paires d'électrons	Forme	Hybridation
a) [SiF₆]²⁻	octaédrique	octaédrique	sp^3d^2
b) SeF₄	bipyramidale trigonale	tétraédrique déformée	sp^3d
c) [ICl₂]⁻	bipyramidale trigonale	linéaire	sp^3d
d) XeF₄	octaédrique	plane carrée	sp^3d^2

16.

	Géométrie des paires d'électrons	Forme	Hybridation
a) XeOF₄	octaédrique	pyramidale à base carrée	sp^3d^2
b) BrF₅	octaédrique	pyramidale à base carrée	sp^3d^2
c) OSF₄	bipyramidale trigonale	bipyramidale trigonale	sp^3d
d) [Br—Br—Br]⁻	bipyramidale trigonale	linéaire	sp^3d

17. Chaque espèce (HPO_2F_2 et $PO_2F_2^-$), qui possède 32 électrons périphériques, a une forme tétraédrique. Dans les deux cas, l'atome P est hybridé sp^3.

18. L'atome C est hybridé sp^2 et deux de ces trois orbitales se recouvrent chacune avec une orbitale $3p$ du chlore pour former deux liaisons σ C—Cl. La troisième orbitale hybridée du carbone est utilisée pour former une liaison σ C—O. L'orbitale $2p$ non hybridée du carbone se recouvre latéralement avec une orbitale $2p$ de l'oxygène pour former une liaison π C—O.

19. Li_2^+: $(\sigma_{1s})^2(\sigma_{1s}^*)^2(\sigma_{2s})^1$; indice de liaison = 0,5.

    Li_2^-: $(\sigma_{1s})^2(\sigma_{1s}^*)^2(\sigma_{2s})^2(\sigma_{2s}^*)^1$; indice de liaison = 0,5.

7

Le lien dans Li_2 est plus fort (indice de liaison = 1) que celui dans les deux ions (indice de liaison = 0,5).

20. a)

Énergie (axe vertical)
σ^*_{2p}
π^*_{2p}
σ_{2p} [↑↓]
π_{2p} [↑↓][↑↓]
σ^*_{2s} [↑↓]
σ_{2s} [↑↓]

C_2^{2-} a 10 électrons périphériques (isoélectronique avec N_2).

b) Une liaison σ; deux liaisons π; indice de liaison = 3.

c) Oui (indice de liaison dans C_2 = 2).

d) Non.

21. a) NO^+ a 10 électrons périphériques :
[électrons internes]$(\sigma_{2s})^2(\sigma^*_{2s})^2(\pi_{2p})^4(\sigma_{2p})^2$

b) σ_{2p}

c) Diamagnétique.

d) Une liaison σ; deux liaisons π; indice de liaison = 3.

22. Cent atomes Mg, chacun avec une orbitale $2s$ et trois orbitales $2p$, peuvent former 400 OM. Cent atomes Mg fournissent $2 \times 100 = 200$ électrons, ainsi 100 OM seront occupées par des paires d'électrons.

23. Pour le cation, la géométrie des paires d'électrons est tétraédrique et la forme est coudée. Pour l'anion, la géométrie des paires d'électrons est bipyramidale trigonale et la forme est linéaire.
L'angle F—Cl—F est < 109,5° dans le cation et 180° dans l'anion. Le chlore est hybridé sp^3 dans le cation et sp^3d dans l'anion.

$$\left[\ddot{F}-\ddot{Cl}-\ddot{F}\right]^+ \qquad \left[\ddot{F}-\ddot{Cl}-\ddot{F}\right]^-$$

24. La géométrie des paires d'électrons est trigonale plane et la forme est coudée. L'angle O—N—O est de 120°, l'indice de liaison est égal à 1,5 et l'atome N est hybridé sp^2.

$$\left[\ddot{O}=\ddot{N}-\ddot{O}\right]^- \longleftrightarrow \left[\ddot{O}-\ddot{N}=\ddot{O}\right]^-$$

25. L'atome central N est hybridé sp dans chacune des structures. L'autre atome N est hybridé sp^3, sp^2 et sp dans les structures A, B et C respectivement. Les deux orbitales hybrides sp de l'atome central servent à former les liaisons σ N—O et σ N—N. Les orbitales p non hybridées de l'azote servent à former les liaisons π N—N et π N—O.

$$:\ddot{N}-N\equiv O: \longleftrightarrow \ddot{N}=N=\ddot{O} \longleftrightarrow :N\equiv N-\ddot{O}:$$
$$\quad A \qquad\qquad B \qquad\qquad C$$

26. a) Les trois composés sont des isomères : ils ont la même formule moléculaire (C_2H_4O), mais des structures différentes.

b) Oxyde d'éthylène : les deux atomes C sont hybridés sp^3. Acétaldéhyde : l'hybridation du carbone CH_3 est de type sp^3 et celle de l'autre atome C, sp^2. Alcool vinylique : les deux atomes C sont hybridés sp^2.

c) Oxyde d'éthylène et acétaldéhyde : 109,5° ; alcool vinylique : 120°.

d) Polaires.

e) L'alcool vinylique a la liaison C—C la plus forte et l'acétaldéhyde a la liaison C—O la plus forte.

27. a) Onze liaisons σ et une liaison π.

b) $C(1) = sp^3$; $C(2) = sp^2$; $C(3) = sp^3$.

c) Le lien C=O est le plus court et le plus fort.

d) Angle A = 109,5° ; angle B = 109,5° ; angle C = 120°.

28. a) $C(1) = sp^2$; $O(2) = sp^3$; $N(3) = sp^3$; $C(4) = sp^3$; $P(5) = sp^3$.

b) Angle A = 120° ; angle B = 109,5° ; angle C = 109,5° ; angle D = 109,5°.

c) Les liaisons P—O et O—H.

29. a) La géométrie autour de l'atome B est trigonale plane dans BF_3 et tétraédrique dans $H_3N \longrightarrow BF_3$.

b) sp^2 dans BF_3; sp^3 dans $H_3N \longrightarrow BF_3$.

30. a) sp^3d dans SbF_5; sp^3d^2 dans SbF_6^-.

b) La forme de cet ion est coudée et l'atome F est hybridé sp^3.

$$\left[\ddot{F}\underset{H}{\overset{H}{\cdots}}\right]^-$$

31. a) La liaison C=O est la plus polaire.

b) Dix-huit liaisons σ et cinq liaisons π.

c) Oui, l'isomère *cis* est :

(structure de l'isomère cis représentée)

d) Tous les atomes de carbone sont hybridés sp^2.

e) Les trois angles sont de 120°.

32. La géométrie des paires d'électrons de XeO_3 et XeO_4 est tétraédrique. La forme de XeO_3 est pyramidale trigonale alors que celle de XeO_4 est tétraédrique. Le xénon est hybridé sp^3 dans les deux composés.

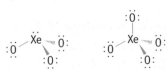

33. N_2 [électrons internes] $(\sigma_{2s})^2(\sigma_{2s}^*)^2(\pi_{2p})^4(\sigma_{2p})^2$

N_2^+ [électrons internes] $(\sigma_{2s})^2(\sigma_{2s}^*)^2(\pi_{2p})^4(\sigma_{2p})^1$

N_2^- [électrons internes] $(\sigma_{2s})^2(\sigma_{2s}^*)^2(\pi_{2p})^4(\sigma_{2p})^2(\pi_{2p}^*)^1$

   a) N_2: diamagnétique; N_2^+: paramagnétique; N_2^-: para-magnétique.

   b) N_2 et N_2^+: deux liaisons π; N_2^-: 1,5 liaison π.

   c) N_2: 3; N_2^+ et N_2^-: 2,5.

   d) $N_2 < N_2^+ \approx N_2^-$.

   e) De la moins forte à la plus forte: $N_2^+ \approx N_2^- < N_2$.

34. a) Paramagnétique.   **d)** Paramagnétique.

   b) Paramagnétique.   **e)** Diamagnétique.

   c) Diamagnétique.

35. a) Atomes de carbone du cycle: sp^2; atomes de carbone de la chaîne: sp^3; atome d'azote: sp^3.

   b) Angle A = 120°; angle B = 109,5°; angle C = < 109,5°.

   c) Vingt-trois liaisons σ et trois liaisons π.

   d) Polaire.

   e) N, l'atome le plus électronégatif de la molécule.

36. a) Tous les atomes C sont hybridés sp^3.

   b) L'angle de la liaison C—O—H < 109,5°.

   c) Oui.

   d) Le cycle à six carbones ne peut être plan puisque la géométrie est tétraédrique. Les angles de liaison sont de 109,5°.

37. Dans un conducteur, la bande de valence est partiellement remplie, ce qui permet aisément la promotion d'électrons vers des niveaux d'énergie légèrement plus élevés (bande de conduction). Par contre, dans un isolant, la bande de valence est complètement remplie et la différence d'énergie entre celle-ci et la bande de conduction est trop importante pour permettre ces promotions.

38. Le silicium est un meilleur conducteur parce que sa bande interdite est moins large que celle du diamant.

39. Le germanium devrait être un meilleur conducteur que le diamant parce que sa bande interdite est beaucoup plus petite, mais il devrait être moins conducteur qu'un métal tel le lithium.

40. a) Non, parce qu'il y a un réarrangement des atomes.

   b) Dans la forme *énol*, les atomes de carbone terminaux sont hybridés sp^3, les atomes de carbone centraux sont hybridés sp^2 et l'atome d'oxygène —OH est hybridé sp^3. Dans la forme *céto*, l'atome de carbone central est hybridé sp^3 et les deux atomes d'oxygène sont hybridés sp^2.

   c) Dans la forme *énol*, la géométrie des atomes de carbone —CH$_3$ est tétraédrique et celle des atomes centraux est trigonale plane. Dans la forme *céto*, le carbone central a une géométrie tétraédrique.

   d) Impossible.

41. a) 60°

   b) sp^3

   c) L'hybridation sp^3 prévoit des angles de liaison d'environ 109°, ce qui est significativement plus grand que les angles observés. Le cycle est donc tendu et facile à briser. (Molécule réactive)

Chapitre 8

1. Forces de Keesom (dipôle-dipôle), forces de Debye (dipôle-dipôle induit), forces de dispersion de London (dipôle instantané-dipôle induit), liaison hydrogène.

2. Des interactions dipôle-dipôle induit (Debye) peuvent se manifester entre H_2O (polaire) et CO_2 (non polaire) en plus des forces de dispersion de London. Le pôle négatif du dipôle de la molécule d'eau interagit avec le pôle positif du dipôle de la liaison carbone-oxygène.

3. N, O et F. Ce sont les atomes qui possèdent la plus forte électronégativité, alors que H est très peu électronégatif. Les liaisons N—H, O—H et F—H sont donc très polaires.

4. En passant de 4 °C à 0 °C, les molécules d'eau adoptent graduellement la structure de la glace dans laquelle se forment des cages (et des cavités) en raison des liaisons hydrogène, d'où la plus faible densité de la glace.

5. La chaleur du corps fait évaporer la sueur présente sur la peau, ce qui rafraîchit le corps.

6. Les longues chaînes hydrocarbonées bougent de façon aléatoire et deviennent ainsi emmêlées, ce qui augmente la viscosité du liquide. Le benzène possède une masse molaire beaucoup plus faible et une structure cyclique. Les forces entre les molécules de benzène sont donc beaucoup plus faibles, ce qui lui confère une faible viscosité.

7. Cubique simple: huit atomes, molécules ou ions identiques, situés aux huit sommets d'un cube.
Cubique centré: semblable à cubique simple, en ajoutant une particule au centre du cube.
Cubique à faces centrées: semblable à cubique simple, en ajoutant une particule au centre de chaque face du cube.

8. Les solides ioniques.

9. a) Liaison hydrogène, forces de Keesom, Debye et London.

   b) Forces de dispersion de London.

   c) Liaison hydrogène, forces de Keesom, Debye et London.

10. Iode solide: forces de dispersion de London.
CH_3OH: liaison hydrogène, forces de Keesom, Debye et London.
CH_3OH et I_2 en solution homogène: forces de Debye et forces de dispersion de London.

11. a) Forces de dispersion de London.

   b) Forces de dispersion de London.

   c) Forces de Keesom, Debye et London.

   d) Liaison hydrogène, forces de Keesom, Debye et London.

   e) Forces de dispersion de London.

12. À première vue l'ordre serait: $Ne < CH_4 < CO < CCl_4$, mais dans les faits on observe les points d'ébullition dans l'ordre suivant: Ne (-246 °C) $< CO$ (-192 °C) $< CH_4$ (-162 °C) $< CCl_4$ (77 °C).

13. $He < CH_4 < CH_3CH_2CH_2CH_3 < CH_3OH$. Seul le méthanol n'est pas gazeux à 25 °C et à 101,3 kPa.

14. c) HF; **d)** CH_3COOH; **f)** CH_3OH.

15. 1,99 kJ

16. a) Environ 55 kPa.

   b) Éthoxyéthane $<$ éthanol $<$ eau.

   c) L'éthoxyéthane est gazeux, alors que l'éthanol et l'eau sont à l'état liquide.

17. a) Lorsque l'eau se refroidit, sa pression de vapeur diminue, ce qui réduit la pression dans le contenant en plastique. Le contenant va se compresser lorsque la pression interne sera inférieure à la pression ambiante.

   b) L'éthoxyéthane ($t_{éb} = 34,6$ °C) s'évapore complètement à la température du corps (37 °C).

18. a) NH_3 **c)** HF

   b) SO_2 **d)** $NOCl$

19. $CH_4 < CO < NH_3 < SCl_2$ (prédiction basée sur l'ordre croissant de la masse molaire et de la présence de liaisons hydrogène dans NH_3). $CO < CH_4 < NH_3 < SCl_2$ (ordre croissant réel de température d'ébullition).

20. a) plus   **c)** ne change pas

   b) moins   **d)** augmente

21. La température critique du propane se situe bien au-dessus de la température ambiante, il peut donc être liquéfié. Le propane liquéfié est couramment utilisé pour le chauffage et la cuisson.

22. Deux mailles élémentaires possibles sont représentées ci-dessous. La formule empirique est AB_8.

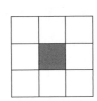 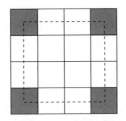

23. Ti^{4+} aux huit sommets = un ion Ti^{4+}.
Quatre ions O^{2-} sur des faces = deux ions O^{2-}.
Un ion Ti^{4+} et deux ions O^{2-} à l'intérieur de la maille.

Il y a donc deux unités TiO_2 dans une maille élémentaire.

24. a) Cubique à faces centrées.

   b) Sites tétraédriques.

   c) CaF_2

25. a) Huit atomes de carbone.

   b) Système cubique à faces centrées avec certains atomes de carbone sur des sites tétraédriques.

26. a) Forces de dispersion.

   b) Les forces intermoléculaires entre les couches de carbone dans le graphite sont faibles. Celles-ci glissent donc facilement les unes contre les autres, ce qui permet de faire glisser une pointe de crayon sur une feuille de papier et d'y laisser ainsi une marque noire.

27. a) Non, la masse volumique de CO_2 (l) est plus petite que celle de CO_2 (s).

   b) Gazeux.

   c) 31 °C

28. a) En phase gazeuse.

   b) Liquide à 76 kPa et à -114 °C.

   c) Environ -117 °C.

   d) 25 kPa

   e) Le solide est plus dense que le liquide parce que la courbe d'équilibre solide-liquide a une pente positive.

29. a) Forces de dispersion de London.

   b) Liaison hydrogène.

30. a)

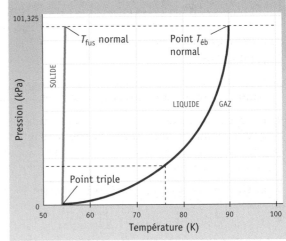

   b) La masse volumique de l'oxygène liquide est moins élevée que celle de l'oxygène solide.

   c) Environ 25 kPa.

31. L'huile n'étant pas miscible avec l'eau, ces deux substances n'ont pas les mêmes forces intermoléculaires. Puisque l'eau est polaire et forme des liaisons hydrogène, on peut déduire que les composés contenus dans l'huile végétale sont peu polaires et ne forment pas de liaison hydrogène.

32. L'acétone forme des liaisons hydrogène avec l'eau.

33. L'éthylène glycol est plus visqueux en raison de sa plus grande capacité à faire des liaisons hydrogène.

34. a) ICl

　　b) Kr

　　c) CH_3CH_2OH

35. Le ménisque est concave en raison des forces d'adhésion entre le méthanol et le silicate du verre.

36. a) 48 kPa

　　b) Éthanol.

　　c) 83 °C

　　d) CS_2 : 46 °C ; C_2H_2OH : 78 °C ; C_7H_{16} : 99 °C.

　　e) CS_2 : gaz ; C_2H_2OH : gaz ; C_7H_{16} : liquide.

37. a) L'eau forme plus de liaisons hydrogène, car elle contient deux liaisons O—H, soit une de plus que l'éthanol.

　　b) Les interactions entre les molécules d'éthanol et d'eau sont très fortes (liaisons hydrogène), elles occupent donc moins d'espace que les 100 mL prévus.

38. CO_2 < CH_3Cl < HCOOH

39. Énergie requise pour la solidification : -1,97 kJ ; pour la fusion : +1,97 kJ.

40. a) Cubique centrée.

　　b) Deux atomes de tungstène.

　　c) 137,0 pm

41. Les forces intermoléculaires sont plus fortes dans le propanol (liaisons hydrogène) que dans le méthoxyéthane (dipôle-dipôle).

42. C_2H_6 < HCl < CH_3OH

43. a) Environ -27 °C.

　　b) 660 kPa

　　c) Au début, le jet est rapide parce que le liquide s'évapore pour former la quantité maximale de vapeur à cette température avec une pression d'environ 660 kPa. Quand le gaz s'échappe de la bonbonne, d'autre liquide s'évapore afin d'atteindre l'équilibre liquide-vapeur. Ce sont les molécules les plus énergétiques, donc les plus chaudes, qui s'évaporent, ne laissant que les moins énergétiques. Cela

fait baisser la température de la bonbonne, d'où la formation de givre sur les parois extérieures. Cette plus basse température diminue également la pression de vapeur, ce qui ralentit le jet.

　　d) ii) Refroidir la bonbonne à -78 °C dans de la glace sèche et ouvrir la valve.

44. $1,357 \times 10^8$ cm

45. Le nombre d'Avogadro = $6,022 \times 10^{23}$ atomes Fe/mol (comparez la masse d'un atome de fer à celle d'une mole de fer).

Chapitre 9

1. TPN : T = 273,15 K, P = 101,325 kPa, $V_{molaire}$ = 22,414 L

2. Des volumes égaux de gaz, dans les mêmes conditions de température et de pression, contiennent le même nombre de molécules. Pour la réaction 2 H_2 (g) + O_2 (g) $\longrightarrow$ 2 H_2O (g), 3 mol de H_2 à TPN (67,2 L) nécessitent 1,5 mol de O_2 (33,6 L) pour produire 3 mol de H_2O (67,2 L).

3. a) La pression d'un mélange de gaz (P_{tot}) est égale à la somme des pressions partielles de chacun des gaz constituant le mélange (P_A, P_B, P_C, etc.).

　　b) 21 kPa

4. La vitesse d'effusion d'un gaz est inversement proportionnelle à la racine carrée de sa masse molaire.

$$\frac{\text{vitesse d'effusion du gaz A}}{\text{vitesse d'effusion du gaz B}} = \sqrt{\frac{M_B}{M_A}}$$

Masse molaire d'un gaz inconnu = 32,3 g/mol.

5. 0,58 atm et 59 kPa.

6. a) 0,754 bar

　　b) 534 mm Hg.

　　c) 934 kPa

7. 0,256 atm < 363 mm Hg < 0,523 bar < 363 kPa.

8. 113 mL

9. 3,7 L

10. a) 75 mL de O_2.　　b) 150 mL de NO_2.

11. a) 18 L de O_2.　　b) 16 L de H_2O.

12. 43 kPa

13. 10,9 kPa

14. 93,1 kPa

15. $1,51 \times 10^5$ L

16. 564 kPa

17. 0,90 g de He.

18. 0,930 g/L

19. 119 g/mol

20. 57,6 g/mol

21. d) B_6H_{10}; masse molaire = 75,0 g/mol.

22. $5,8 \times 10^2$ kPa

23. $P_{H_2S} = 2,1 \times 10^2$ kPa; $P_{CO_2} = 1,4 \times 10^2$ kPa; $P_{N_2} = 4,31 \times 10^3$ kPa

24. a) 0,30 mol d'halothane/mol d'oxygène.

b) $3,0 \times 10^2$ g d'halothane.

25. a) 2,07 g d'hélium.　　**c)** 52,6 kPa

b) 48,7 kPa　　**d)** $\chi_{He} = 0,48$ et $\chi_{O_2} = 0,52$.

26. a) Vrai.　　**c)** Faux.

b) Faux.　　**d)** Vrai.

27. 515 m/s. Le rapport des vitesses (CO/Ar) est de 1,194.

28. $CH_2F_2 < Ar < N_2 < CH_4$

29. a) F_2　　**c)** C_2H_4

b) N_2　　**d)** $CFCl_3$

30. 36 g/mol

31. 353 g/mol

32. $1,28 \times 10^3$ g de CO_2

33. 33 °C

34. 17 °C

35. 12,9 g de O_2.

36. a) Le ballon rempli d'hydrogène.

b) Le ballon rempli d'hélium.

37. 331 K ou 58 °C.

38. $C_2Cl_4F_2$

39. a) 3,1 kPa

b) $P_{N_2} = 0,62$ kPa et $P_{H_2O} = 2,5$ kPa.

40. L'échantillon **d)** contient le plus de molécules, **c)** en contient le moins et **b)** est l'échantillon le plus lourd.

41. $P_{He} = 12$ kPa; $P_{Ar} = 19$ kPa; $P_{tot} = 31$ kPa.

42. 5×10^{-6} kPa

43. $7,70 \times 10^{17}$ molécules de H_2O/cm^3.

44. a) $NO_2 < O_2 < NO$

b) 10 kPa

c) 20 kPa

45. a) O_2 (masse molaire plus faible, donc plus de molécules).

b) Oui.

c) L'énergie cinétique moyenne est la même pour les deux gaz, car ils sont à la même température.

46. a) Oui.　　**b)** Oui.　　**c)** Non.

47. a) 743 kPa　　**b)** 720 kPa

Chapitre 10

1. Une équation chimique équilibrée donne la formule chimique, l'état physique et la quantité relative des réactifs et des produits.

2. a) N_2 (g) + 3 H_2 (g) $\longrightarrow$ 2 NH_3 (g)

b) $\frac{2 \text{ mol de } NH_3}{1 \text{ mol de } N_2}$.

3. a) 3000 molécules de brome.

b) 1000 molécules de Al_2Br_6.

4. a) À l'aide de la masse molaire de Zn, convertir la masse de zinc en moles. Calculer le nombre de moles de ZnI_2 en utilisant le rapport stœchiométrique 1 mol ZnI_2/1 mol Zn. Convertir les moles de ZnI_2 à l'aide de sa masse molaire.

b) La masse réelle de ZnI_2 obtenu.

5. a) La réaction requiert 3 mol de CO pour 1 mol de Fe_2O_3, mais le mélange n'en contient que 2,6 mol $\left(\frac{65 \text{ mol de CO}}{25 \text{ mol de } Fe_2O_3} \right)$. CO est donc le réactif limitant.

b) 43 mol de Fe.

6. Dissoudre dans l'eau une masse connue d'un échantillon du minerai. Y ajouter une solution de $AgNO_3$ pour faire précipiter tous les ions chlorure sous forme de AgCl, filtrer, sécher et peser. Convertir la masse de AgCl en moles, calculer le nombre de moles de NaCl $\left(\frac{1 \text{ mol NaCl}}{1 \text{ mol AgCl}} \right)$ et convertir en grammes. La masse de NaCl divisée par la masse de l'échantillon $\times$ 100 % donne la teneur en NaCl dans le minerai.

7. a) 4 Cr (s) + 3 O_2 (g) $\longrightarrow$ 2 Cr_2O_3 (s)

b) Cu_2S (s) + O_2 (g) $\longrightarrow$ 2 Cu (s) + SO_2 (g)

c) $C_6H_5CH_3$ (l) + 9 O_2 (g) $\longrightarrow$ 4 H_2O (l) + 7 CO_2 (g)

d) 2 Cr (s) + 3 Cl_2 (g) $\longrightarrow$ 2 $CrCl_3$ (s)

e) SiO_2 (s) + 2 C (s) $\longrightarrow$ Si (s) + 2 CO (g)

f) 3 Fe (s) + 4 H_2O (g) $\longrightarrow$ Fe_3O_4 (s) + 4 H_2 (g)

g) BF_3 (g) + 3 H_2O (l) $\longrightarrow$ 3 HF (aq) + H_3BO_3 (l)

8. a) Fe_2O_3 (s) + 3 Mg (s) $\longrightarrow$ 3 MgO (s) + 2 Fe (s)
Réactif: oxyde de fer (III).
Produit: oxyde de magnésium.

b) $AlCl_3$ (s) + 3 H_2O (l) $\rightarrow$ $Al(OH)_3$ (s) + 3 HCl (aq)
Réactifs: chlorure d'aluminium et eau.
Produits: hydroxyde d'aluminium et acide chlorhydrique.

c) 2 $NaNO_3$ (s) + H_2SO_4 (l) $\longrightarrow$ Na_2SO_4 (s) + 2 HNO_3 (l)
Réactifs: nitrate de sodium et acide sulfurique.
Produits: sulfate de sodium et acide nitrique.

d) $NiCO_3$ (s) + 2 HNO_3 (aq) $\longrightarrow$
$Ni(NO_3)_2$ (aq) + CO_2 (g) + H_2O (l)
Réactifs: carbonate de nickel (II) et acide nitrique.

Produits: nitrate de nickel (II), dioxyde de carbone et eau.

e) $4\,NH_3$ (aq) $+ 5\,O_2$ (g) $\longrightarrow 4\,NO$ (g) $+ 6\,H_2O$ (l)
Réactif: ammoniaque.
Produits: oxyde d'azote et eau.

9. a) 4,5 mol de O_2.

b) $3,1 \times 10^2$ g de Al_2O_3.

10. a) $Al(OH)_3$ (aq) $+ 3\,HCl$ (aq) $\longrightarrow AlCl_3$ (aq) $+ 3\,H_2O$ (l)

b) 1,05 g de HCl.

c) 0,520 g de H_2O.

11. a) $4\,Fe$ (s) $+ 3\,O_2$ (g) $\longrightarrow 2\,Fe_2O_3$ (s)

b) 3,83 g de Fe_2O_3.

c) 1,15 g de O_2.

12. a) CH_4 (g) $+ 2\,O_2$ (g) $\longrightarrow CO_2$ (g) $+ 2\,H_2O$ (l)

b) 102 g de O_2.

c) 128 g de produits formés.

13. a) 4,0 kPa   b) 5,4 kPa

14. 8,71 L de O_2.

15. 52,6 g de KO_2.

16. a) CO_3^{2-} (aq) $+ Cu^{2+}$ (aq) $\longrightarrow CuCO_3$ (s)

b) $Pb(OH)_2$ (s) $+ 2\,H^+$ (aq) $+ 2\,Cl^-$ (aq) $\longrightarrow PbCl_2$ (s) $+ 2\,H_2O$ (l)

17. a) CH_3COOH (aq) $+ NaOH$ (s) $\longrightarrow NaCH_3CO_2$ (aq) $+ H_2O$ (l)
Acide acétique; hydroxyde de sodium; acétate de sodium; eau.

b) $2\,HNO_3$ (aq) $+ Ba(OH)_2$ (s) $\longrightarrow Ba(NO_3)_2$ (aq) $+ 2\,H_2O$ (l)
Acide nitrique; hydroxyde de baryum; nitrate de baryum; eau.

18. a) $Ba(OH)_2$ (s) $+ 2\,HCl$ (aq) $\longrightarrow BaCl_2$ (aq) $+ H_2O$ (l);
acidobasique.

b) $2\,HNO_3$ (aq) $+ CoCO_3$ (s) $\longrightarrow Co(NO_3)_2$ (aq) $+ H_2O$ (l) $+ CO_2$ (g); dégagement gazeux.

c) $2\,Na_3PO_4$ (aq) $+ 3\,Cu(NO_3)_2$ (aq) $\longrightarrow Cu_3(PO_4)_2$ (s) $+ 6\,NaNO_3$ (aq); précipitation.

19. a) Espèce oxydée: Sn^{2+}; espèce réduite: $Cr_2O_7^{2-}$.
Réducteur: Sn^{2+}; oxydant: $Cr_2O_7^{2-}$.

b) Espèce oxydée: FeS; espèce réduite: NO_3^-.
Réducteur: FeS; oxydant: NO_3^-.

20. $[K_2Cr_2O_7] = 0,0159$ mol/L; $[K^+] = 0,0318$ mol/L; $[Cr_2O_7^{2-}] = 0,0159$ mol/L.

21. $5,08 \times 10^3$ mL

22. Peser 3,4 g de $H_2C_2O_4$ et les transférer dans une fiole jaugée de 250 mL. Ajouter une petite quantité d'eau distillée et agiter jusqu'à dissolution complète. Ajouter de nouveau de l'eau jusqu'à ce que le bas du ménisque coïncide avec le trait de jauge de la fiole. Boucher la fiole et agiter pour rendre la solution homogène.

23. 0,331 g de Na_2CO_3.

24. 76,9 mL

25. a) CH_4

b) 375 g de H_2.

c) $1,39 \times 10^3$ g de H_2O.

26. a) 68,0 g de NH_3.   b) 10 g de NH_4Cl.

27. 130 g de $C_9H_8O_4$.

28. 24,0 %

29. a) 9,37 g de CH_3COSCH_3.

b) 92,3 %

30. 12,6 g de $Cu(NH_3)_4SO_4$.

31. 0,919 (91,9 % d'hydrate).

32. 1,467 % de Tl_2SO_4.

33. 8,79 % d'aluminium.

34. a) C_5H_4 b) $C_{10}H_8$

35. a) SCl   b) S_2Cl_2

36. $Ni(CO)_4$

37. 44,6 mL

38. 1,052 mol/L

39. a) CO_2 (g) $+ 2\,NH_3$ (g) $\longrightarrow NH_2CONH_2$ (s) $+ H_2O$ (l)

b) $2\,NaBH_4$ (s) $+ H_2SO_4$ (aq) $\longrightarrow B_2H_6$ (g) $+ 2\,H_2$ (g) $+ Na_2SO_4$ (aq)

c) TiO_2 (s) $+ 2\,Cl_2$ (g) $+ 2\,C$ (s) $\longrightarrow TiCl_4$ (l) $+ 2\,CO$ (g)
$TiCl_4$ (l) $+ 2\,Mg$ (s) $\longrightarrow Ti$ (s) $+ 2\,MgCl_2$ (s)

d) $Ca_3(PO_4)_2$ (s) $+ 2\,H_2SO_4$ (aq) $\longrightarrow Ca(H_2PO_4)_2$ (aq) $+ 2\,CaSO_4$ (s)

e) $(NH_4)_2Cr_2O_7$ (s) $\longrightarrow N_2$ (g) $+ 4\,H_2O$ (l) $+ Cr_2O_3$ (s)

40. a) Mg (s) $+ 4\,HNO_3$ (aq) $\longrightarrow Mg(NO_3)_2$ (aq) $+ 2\,NO_2$ (g) $+ 2\,H_2O$ (l)

b) Magnésium, acide nitrique, nitrate de magnésium, dioxyde d'azote, eau.

c) Mg (s) $+ 4\,H^+$ (aq) $+ 2\,NO_3^-$ (aq) $\longrightarrow Mg^{2+}$ (aq) $+ 2\,NO_2$ (g) $+ 2\,H_2O$ (l)

d) Mg est le réducteur et HNO_3 est l'oxydant.

41. a) $Zn(OH)_2$ (s) $+ 2\,HCl$ (aq) $\longrightarrow ZnCl_2$ (aq) $+ 2\,H_2O$ (l)

b) $ZnCO_3$ (s) $+ 2\,HCl$ (aq) $\longrightarrow ZnCl_2$ (aq) $+ H_2O$ (l) $+ CO_2$ (g)

c) Zn (s) $+ 2\,HCl$ (aq) $\longrightarrow ZnCl_2$ (aq) $+ H_2$ (g)

42. a) $(NH_4)_2PtCl_4$ (aq) $+ 2\,NH_3$ (aq) $\longrightarrow Pt(NH_3)_2Cl_2$ (aq) $+ 2\,NH_4Cl$ (aq)

b) 15,54 g de $(NH_4)_2PtCl_4$; 0,667 L de NH_3 (aq).

43. 76,0 %

44. a) Chlorure de titane (IV), eau, oxyde de titane (IV) et acide chlorhydrique (chlorure d'hydrogène).

b) 4,60 g de H_2O.

c) 10,2 g de TiO_2 et 18,6 g de HCl.

d) 63,0 %

45. a) Réactifs : Na (+1), I (-1), Mn (+4), O (-2), H (+1), S (+6).
Produits : Na (+1), S (+6), O (-2), Mn (+2), I (0), H (+1).

b) Oxydant : MnO_2 (Mn^{4+}) ; espèce oxydée : NaI (I^-). Réducteur : NaI ; espèce réduite : MnO_2.

c) 16,9 g de I_2 (NaI est le réactif limitant).

46. a) 507 g de H_2O.

b) $1,76 \times 10^3$ g de O_2.

47. 10,3 g de $(CH_3)_2SiCl_2$; 37,4 kPa.

48. a) Non, l'aluminium est le réactif limitant.

b) 0,0760 mol de $KAl(OH)_4$.

49. a) NaOH

b) 0,625 g de $Fe(OH)_3$.

c) 0,025 mol/L

50. 64,2 %

51. 0,7592 (75,92 % de saccharine).

52. B_5O_7 (le rapport H/B est de 1,4/1,0).

53. C_3H_2O

54. Sr

55. Ti_2O_3

56. 96,8 %

57. 15,4 g de Ag_2MoS_4.

58. 10 L/min

59. 19,9 mg de thioridazine.

60. a) 8,8 g de Br_2.

b) 1,5 mol de Br_2 par mole de Fe.

c) $FeBr_3$

d) $2\ Fe\ (s)\ +\ 3\ Br_2\ (l) \longrightarrow 2\ FeBr_3$.

e) Bromure de fer (III).

f) i) Vrai.   ii) Faux.   iii) Faux.   iv) Faux.

61. a) Groupe 7B (7) et cinquième période.

b) $n = 5$, $l = 0$ et $m = 0$.

c) Fréquence $= 3,40 \times 10^{19}$ s^{-1} ; longueur d'onde $= 8,80 \times 10^{-12}$ m.

d) i) $HTcO_4\ (aq)\ +\ NaOH\ (aq) \longrightarrow NaTcO_4\ (aq)\ +\ H_2O\ (l)$
ii) 0,0085 g de $NaTcO_4$; 0,0018 g de NaOH.

62. a) Dix-neuf électrons périphériques.

b) $\left[:\ddot{O}-\ddot{Cl}-\ddot{O}: \right]^-$

c) sp^3 ; forme coudée.

d) O_3, car l'atome central est hybridé sp^2.

e) 11,2 g de ClO_2.

Glossaire

Abondance isotopique Proportion (souvent exprimée en pourcentage) de chacun des isotopes d'un élément dans la nature.

Acide Substance augmentant la concentration des ions H^+ (aq) en solution aqueuse.

Acide faible Acide partiellement dissocié en solution aqueuse.

Acide fort Acide totalement ionisé en solution aqueuse.

Actinides Éléments allant du thorium (Z = 90) au lawrencium (Z = 103) dans la deuxième série au bas du tableau périodique (remplissage de leurs orbitales $5f$).

Affinité électronique Variation d'énergie accompagnant l'ajout d'un électron à un atome, à l'état gazeux.

Allotropes Formes différentes d'un même élément, possédant chacune ses caractéristiques physicochimiques.

Amplitude Hauteur maximale d'une onde mesurée à partir de son axe de propagation.

Analyse dimensionnelle Décomposition d'une grandeur physique en ses grandeurs fondamentales. Elle peut être appliquée à la résolution de problèmes par la mise en évidence des unités de base et des facteurs de conversion.

Analyse par combustion Analyse quantitative d'une substance dans laquelle ses éléments se combinent à l'oxygène pour donner l'oxyde correspondant que l'on peut isoler et peser.

Anion Ion chargé négativement.

Atome La plus petite partie d'un élément conservant toutes les propriétés caractéristiques de cet élément.

Atome excité (*voir* État excité)

Attraction dipôle instantané-dipôle induit (London) Force d'attraction résultant de la concordance des déformations des nuages électroniques de molécules voisines, un dipôle instantané de l'une induisant un dipôle dans l'autre.

Attraction dipôle permanent-dipôle induit (Debye) Force d'attraction entre une molécule polaire et un dipôle induit dans une autre molécule.

Attraction entre dipôles permanents (Keesom) Force d'attraction s'exerçant entre deux molécules polaires.

Aufbau (*voir* Principe d'Aufbau)

Bande de conduction Dans la théorie des bandes, bande vide regroupant les orbitales moléculaires antiliantes d'énergie supérieure à celle de la bande de valence.

Bande de valence Dans la théorie des bandes, bande de plus haute énergie qui contient des électrons.

Bande interdite Bande d'énergie séparant les deux bandes permises de valence et de conduction, dans laquelle les électrons ne peuvent se trouver.

Base Substance augmentant la concentration des ions OH^- (aq) en solution aqueuse.

Base faible Base partiellement ionisée en solution aqueuse.

Base forte Base totalement dissociée en solution aqueuse.

Bloc *d* Partie centrale du tableau périodique correspondant au remplissage des orbitales *d* (*voir* Éléments de transition).

Bloc *p* Partie du tableau périodique constituée des éléments répondant à la configuration électronique ns^2np^x, où x varie de 1 à 6 (et est égale au numéro du groupe A moins 2).

Bloc *s* Partie du tableau périodique constituée des éléments des groupes 1A (1) et 2A (2), et de l'hélium ayant des configurations périphériques s^1 ou s^2.

Calorie (cal) Ancienne unité de chaleur (1 cal_{15} = 4,1858 J).

Calorie (Cal) Unité d'énergie utilisée parfois en diététique (1 Cal = 4,18 kJ).

Capacité thermique massique (J/g) Quantité de chaleur nécessaire pour élever de 1 K la température d'un gramme de substance.

Capillarité Manifestation de la tension superficielle et des forces d'adhésion, qui permettent à un liquide de monter ou parfois de descendre dans un tube en verre de faible diamètre malgré la gravité.

Carré de la fonction d'onde (ψ^2) Produit de la fonction d'onde par elle-même exprimant la probabilité de trouver l'électron en un point donné de l'espace.

Case quantique Notation écrite d'une orbitale représentée par un carré pouvant contenir une ou deux flèches symbolisant un ou deux électrons.

Cation Ion chargé positivement.

Chaleur Peut être vue comme un processus par lequel de l'énergie est transférée à cause d'une différence de température.

Changement chimique Transformation qui entraîne une modification de la nature de la substance (*voir* Réaction chimique).

Changement physique Transformation des propriétés physiques d'une substance qui préserve son identité.

Charge formelle Charge électrique hypothétique attribuée à un atome dans une espèce représentée selon la notation de Lewis, calculée en supposant que les électrons partagés sont divisés en parts égales entre les atomes liés.

Charge nucléaire effective (Z_{eff}) Charge positive nette à laquelle un électron est soumis dans un atome, résultant de l'effet combiné de l'attraction du noyau et de la répulsion exercée par les autres électrons (*voir* Effet d'écran).

Charge partielle (δ^+ ou δ^-) Charge positive ou négative inférieure à l'unité portée par un atome dans une liaison covalente polaire.

Chiffres significatifs Dans une valeur quelconque, chiffres certains et chiffre sur lequel repose l'incertitude.

Coefficient stœchiométrique Dans une équation chimique équilibrée, nombre placé devant la formule de chacun des réactifs et des produits de la réaction.

Composé (chimique) Substance composée d'au moins deux éléments différents.

Composé hydraté Composé ionique cristallisé avec des molécules d'eau.

Composé ionique (*voir* Solide ionique)

Compressibilité Propriété de pouvoir diminuer de volume sous l'effet d'une pression.

Concentration (molaire volumique) Quantité (mol) de soluté par litre de solution.

Conditions normales de température et de pression (*voir* TPN)

Configuration électronique Arrangement des électrons d'un atome ou d'une molécule dans les différentes orbitales.

Constante de Planck (*h*) Constante universelle valant $6{,}626 \times 10^{-34}$ J·s.

Constante de Rydberg Constante valant $1{,}097 \times 10^7$ m^{-1}.

Constante des gaz parfaits Constante universelle valant 8,314 kPa·L·mol^{-1}·K^{-1}.

Corps simple Substance composée d'un seul élément.

Couche Ensemble d'orbitales atomiques possédant la même valeur de *n*, le nombre quantique principal.

Cubique à faces centrées (réseau) (*voir* Maille cubique à faces centrées)

Cubique centré (réseau) (*voir* Maille cubique centrée)

Cubique simple (réseau) (*voir* Maille cubique simple)

Densité électronique Probabilité de présence d'un électron dans une région donnée de l'espace, reliée au carré de sa fonction d'onde (ψ^2) (*voir* Nuage électronique).

Diagramme de phases Graphique $P = f(T)$ illustrant les zones d'existence de chacun des états physiques d'une substance.

Diffusion Phénomène par lequel les molécules d'un constituant d'un mélange se dispersent complètement dans le contenant fermé et forment un mélange homogène.

Dipôle instantané Dipôle résultant d'une dissymétrie momentanée dans la répartition des charges d'une molécule.

Dissolution Passage en solution d'une substance.

Distribution de charge Manière dont les électrons sont répartis dans les liaisons.

Dosage (ou titrage) Technique d'analyse quantitative où l'on fait réagir complètement la substance présente en quantité inconnue dans un mélange avec une quantité connue d'une seconde substance.

Dosage volumétrique Dosage mettant en jeu des volumes de solution.

Double flèche ($\rightleftharpoons$) Symbole unissant les réactifs et les produits d'une réaction ou les états physiques d'une même substance, en équilibre dynamique.

Double liaison (*voir* Liaison double)

Doublet (d'électrons) (*voir* Paire d'électrons)

Doublet de liaison Paire d'électrons constituant une liaison covalente.

Doublet liant (*voir* Doublet de liaison)

Doublet libre Paire d'électrons non partagée appartenant entièrement à un atome.

Dualité onde-particule Expression signifiant que la lumière ou la matière possède à la fois des caractéristiques corpusculaires et des caractéristiques ondulatoires.

Échantillon (ou prise d'essai) Volume précis de solution du composé à doser par volumétrie.

Échelle Celsius Échelle de température reposant sur les propriétés de l'eau saturée d'air (point de fusion normal : 0 °C ; point d'ébullition normal (pression égale à 101,325 kPa) : 100 °C).

Échelle Kelvin Échelle de température utilisant les mêmes divisions que l'échelle Celsius et dont le point 0 correspond à la température la plus basse possible appelée le zéro absolu (0 K = -273,15 °C).

Effet d'écran Phénomène résultant des répulsions exercées sur un électron donné par les autres électrons d'énergie moindre présents dans un atome (*voir* Charge nucléaire effective).

Effet photoélectrique Phénomène physique au cours duquel un métal exposé à une radiation électromagnétique d'énergie suffisante éjecte des électrons.

Effusion Passage des molécules de gaz à travers de minuscules trous d'une paroi poreuse séparant un récipient d'un autre où règne une pression inférieure.

Électron La plus petite particule ayant une charge électrique négative.

Électronégativité Mesure de la faculté d'un atome d'attirer le doublet de liaison covalente établie entre lui et un autre atome.

Électron non apparié Électron seul dans une orbitale.

Électrons appariés Deux électrons de spins opposés occupant la même orbitale atomique (*voir* Paire d'électrons).

Électrons internes Électrons du gaz rare apparaissant dans la notation abrégée d'un atome.

Électrons périphériques Ensemble des électrons appartenant à la plus haute couche *n* occupée en tout ou en partie et de ceux appartenant à la sous-couche partiellement remplie d'un niveau inférieur à la couche *n*. Ils sont désignés par la notation spdf dans la notation abrégée.

Élément Substance qui ne peut être décomposée par des procédés chimiques (*voir* Atome).

Élément de transition Élément appartenant aux groupes 1B à 8B (de 3 à 12) situés entre les groupes 2A (2) et 3A (13) du tableau périodique.

Élément essentiel Élément nécessaire à la croissance des êtres vivants.

Élément représentatif Élément appartenant aux groupes A (1, 2 et de 13 à 18) du tableau périodique.

Endothermique (*voir* Réaction endothermique)

Énergie Capacité d'effectuer du travail.

Énergie cinétique Énergie qui découle du mouvement.

Énergie de liaison (*D*) Variation d'enthalpie accompagnant le bris d'une liaison dans une molécule, les réactifs et les produits se trouvant à l'état gazeux, dans les conditions normales de température et de pression ($T = 273{,}15$ K, $P = 101{,}325$ kPa).

Énergie d'ionisation Énergie requise pour arracher un électron à un atome à l'état gazeux, dans son état fondamental.

Énergie potentielle Énergie que possède la matière du fait de sa position ou de sa condition.

Énergie réticulaire ($\Delta E_{\text{rét}}$) Énergie de formation d'une mole de composé ionique à l'état solide à partir de ses ions considérés à l'état gazeux.

Enthalpie de condensation (ΔH_{cond}) Quantité de chaleur libérée lors du passage d'une mole de substance de l'état gazeux à l'état liquide, à une pression donnée.

Enthalpie de fusion (ΔH_{fus}) Quantité de chaleur requise pour faire passer une mole de substance de l'état solide à l'état liquide, à une pression donnée.

Enthalpie de réaction (ΔH) Variation d'énergie thermique observée lors d'une réaction chimique se déroulant à une pression constante.

Enthalpie de sublimation (ΔH_{sub}) Quantité de chaleur requise pour faire passer une mole de substance de l'état solide à l'état gazeux, à une pression donnée.

Enthalpie de vaporisation (ΔH_{vap}) Quantité de chaleur requise pour faire passer une mole de substance de l'état liquide à l'état gazeux, à une pression donnée.

Enthalpie standard de formation (ΔH_f^0) Variation d'enthalpie se produisant lors de la formation d'une mole de substance à partir de ses éléments considérés dans leur état standard.

Environnement (*voir* Milieu extérieur)

Équation (chimique) Représentation écrite et condensée d'une réaction chimique, montrant les réactifs, les produits, leur état physique et la direction de la transformation.

Équation de De Broglie Équation associant à une particule de masse (m) se déplaçant à une vitesse (v) une onde de longueur d'onde (λ) définie par la relation : $\lambda = h/mv$.

Équation de Maxwell Équation exprimant la relation entre la vitesse quadratique moyenne des molécules ($\sqrt{\overline{v^2}}$), la température (T) et la masse molaire (M) du gaz : $\sqrt{\overline{v^2}} = \sqrt{\frac{3RT}{M}}$

Équation de Planck Équation exprimant l'énergie d'un quantum dans une radiation électromagnétique : $E = h\nu$.

Équation de Rydberg Équation empirique permettant de calculer les longueurs d'onde observées dans le spectre visible de l'hydrogène à partir de nombres entiers quelconques.

Équation de Van der Waals Équation exprimant le comportement des gaz réels, en tenant compte des forces d'attraction entre les particules et de leur volume : $(P + a[n/V]^2)(V - bn) = nRT$.

Équation globale Équation chimique montrant les réactifs et les produits solubles sous leur forme non dissociée.

Équation ionique complète Équation chimique montrant les réactifs et les produits solubles sous leur forme dissociée.

Équation ionique nette Équation qui ne contient que les espèces participant à la réaction.

Équilibrage (d'une réaction chimique) Opération consistant à s'assurer que le même nombre d'atomes de chacun des éléments est présent dans chaque membre de l'équation chimique.

Équilibre dynamique État d'un système fermé lorsque deux processus, direct et inverse, se produisent en même temps et à la même vitesse.

Équilibre thermique Équilibre atteint lorsque deux ou plusieurs objets mis en contact possèdent la même température.

Espèces isoélectroniques Espèces possédant le même nombre d'électrons.

État (de la matière) Forme sous laquelle se présente la matière (solide, liquide ou gazeuse).

État d'oxydation Charge électrique hypothétique qu'un atome posséderait si chacun des doublets de liaison qu'il partage avec ses voisins était complètement transféré à l'élément le plus électronégatif.

État excité État d'un atome dans lequel l'énergie n'est pas minimale.

État fondamental État d'énergie minimale correspondant au maximum de stabilité. Cet état est présent dans un atome lorsque les électrons occupent les orbitales de moindre énergie.

État standard Forme la plus stable d'une substance qui existe à la pression de 1 bar (exactement 100 kPa) et à la température spécifiée (généralement 25 °C).

Évaporation (*voir* Vaporisation)

Excité (*voir* État excité)

Exothermique (*voir* Réaction exothermique)

Expérience Fait de provoquer un phénomène dans le but de confirmer certaines hypothèses ou d'en infirmer d'autres.

Facteur de conversion Fraction équivalant au nombre 1, dans laquelle le numérateur est une quantité égale ou équivalent à la quantité qui apparaît au dénominateur, mais qui est exprimée à l'aide d'unités différentes.

Fin de dosage Atteinte du point équivalent d'un dosage volumétrique détecté par un indicateur coloré.

Fluide supercritique État d'une substance à des température et pression légèrement supérieures aux coordonnées de son point critique.

Fonction d'état Fonction ne dépendant que de l'état initial et de l'état final du système considéré, indépendante de la façon dont le changement se produit.

Fonction d'onde (ψ) Équation mathématique décrivant le comportement d'une particule (un électron dans un atome par exemple) selon la mécanique ondulatoire.

Force motrice Force faisant que les réactions chimiques se produisent.

Forces d'adhésion Forces d'attraction entre les molécules d'un liquide et les parois de son contenant.

Forces de cohésion Ensemble des forces maintenant une substance à l'état liquide.

Forces de Debye (*voir* Attraction dipôle permanent-dipôle induit)

Forces de dispersion de London (*voir* Attraction dipôle instantané-dipôle induit)

Forces de Keesom (*voir* Attraction entre dipôles permanents)

Forces de Van der Waals Nom donné à l'ensemble des forces d'attraction intermoléculaire entre dipôles permanents, entre dipôle permanent et dipôle induit, entre dipôle instantané et dipôle induit.

Forces électrostatiques Forces s'exerçant entre des particules chargées et dont l'ampleur est donnée par la loi de Coulomb.

Forces intermoléculaires Forces entre les molécules dues à diverses attractions électrostatiques.

Forme bipyramidale trigonale (ou bipyramidale à base triangulaire) Cinq liaisons entourant l'atome central, dont trois dans un même plan et situées à 120° l'une de l'autre et deux perpendiculaires à ce plan.

Forme limite Chacune des structures de Lewis possibles pour une molécule ou un ion polyatomique, se distinguant seulement par la répartition des électrons, le squelette restant le même (*voir* Résonance *et* Hybride de résonance).

Forme linéaire Deux liaisons alignées autour d'un atome central.

Forme octaédrique (ou bipyramidale à base carrée) Six liaisons entourant l'atome central, dont quatre dans un même plan et situées à 90° l'une de l'autre, et deux perpendiculaires à ce plan.

Forme tétraédrique Atome central formant quatre liaisons dirigées vers les sommets d'un tétraèdre.

Forme trigonale plane Trois liaisons autour d'un atome situées dans un plan à 120° l'une de l'autre.

Formule chimique (*voir* Formule moléculaire)

Formule développée Formule indiquant, par des traits symbolisant la liaison chimique, comment les atomes sont liés entre eux dans une molécule ou dans un ion polyatomique.

Formule empirique Formule donnant le nombre relatif d'atomes dans un composé et dans laquelle les indices menant à un composé électriquement neutre sont les plus petits entiers possible.

Formule moléculaire Formule décrivant la composition d'une molécule, c'est-à-dire la nature et le nombre d'atomes de chaque type présents.

Formule semi-développée Formule indiquant les groupements d'atomes dans une molécule.

Fraction massique Proportion, en masse, de chacun des éléments dans un composé quelconque — Proportion, en masse, de chacun des constituants d'un mélange.

Fraction molaire (X) Nombre de moles d'une substance présente dans un mélange homogène divisé par le nombre total de moles présentes dans le mélange.

Fréquence (ν) Nombre de fois par unité de temps qu'une onde atteint son sommet en un point donné (unité : Hz ou s^{-1}).

Fusion Passage de l'état solide à l'état liquide.

Gaz Fluide épousant la forme de son contenant et en occupant tout le volume.

Gaz rare (ou noble ou inerte) Élément appartenant au groupe 8A (18) du tableau périodique.

Gaz réel Gaz n'obéissant pas à la loi des gaz parfaits.

Géométrie des molécules Arrangement spatial de l'atome central et des atomes ou groupements d'atomes qui lui sont liés.

Géométrie des paires d'électrons Forme prise par toutes les paires d'électrons, liantes et libres, entourant l'atome central d'une molécule ou d'un ion polyatomique.

Groupe Chaque colonne verticale du tableau périodique.

Halogène Élément appartenant au groupe 7A (17).

Halogénure Anion monoatomique des halogènes, chargé -1.

Hertz (Hz) Unité de fréquence égale à s^{-1}.

Hybridation des orbitales atomiques Mélange mathématique des fonctions d'onde s, p et, quelquefois, d d'un atome visant à donner des orbitales résultantes dont les directions se rapprochent le plus possible des directions des liaisons formées (observées expérimentalement).

Hybride de résonance Moyenne entre les formes limites de résonance représentant le mieux la structure véritable d'une substance.

Hydracide Composé binaire de l'hydrogène avec les éléments des groupes 6A (16) ou 7A (17), dont les solutions aqueuses sont acides.

Hydratation Interaction entre les molécules d'eau et les ions en solution aqueuse.

Hypothèse Tentative d'explication possible d'un problème, admise provisoirement avant d'être soumise au verdict de l'expérience.

Incertitude Valeur numérique associée à une mesure pour rendre compte de son écart possible par rapport à la valeur exacte inconnue.

Incertitude absolue Incertitude exprimée dans les mêmes unités que la valeur mesurée.

Incertitude maximale absolue Incertitude exprimée dans les mêmes unités que la valeur calculée à la suite d'une ou de plusieurs opérations mathématiques.

Incertitude maximale relative Rapport de l'incertitude maximale absolue sur la valeur calculée.

Incertitude relative Rapport de l'incertitude absolue sur la valeur mesurée.

Indicateur coloré Composé qui a la propriété de changer de couleur lorsque le dosage volumétrique est terminé.

Indice de liaison Nombre de doublets liants partagés par deux atomes — Résonance : nombre de doublets liants entre deux atomes X et Y divisé par le nombre de liaisons entre X et Y dans la molécule — Théorie des OM : $\frac{1}{2}$ (nombre d'électrons dans les OM liantes — nombre d'électrons dans les OM antiliantes).

Ion Atome ou groupement d'atomes qui a gagné ou perdu un ou plusieurs électrons et qui devient, de ce fait, chargé électriquement.

Ion monoatomique Atome possédant une charge électrique non nulle après avoir gagné ou perdu un ou plusieurs électrons.

Ion passif Ion présent dans une solution où se produit une réaction chimique, mais qui ne participe pas à la réaction.

Ion polyatomique Groupement d'atomes liés entre eux par des liaisons covalentes et possédant une charge électrique globale non nulle.

Ions isoélectroniques Ions possédant le même nombre d'électrons.

Isoélectroniques Qualificatif des molécules ou des ions possédant le même nombre d'électrons et la même configuration.

Isolant électrique Matériau qui ne conduit pas l'électricité.

Isomères Composés ayant les mêmes formules moléculaires, mais dont les structures sont différentes.

Isotopes Atomes possédant le même nombre de protons, mais un nombre différent de neutrons.

Joule Unité SI de toutes les formes d'énergie.

Lanthanides Éléments allant du cérium (Z = 58) au lutécium (Z = 71) dans la première série au bas du tableau périodique (remplissage de leurs orbitales 4f).

Liaison (chimique) Forces qui maintiennent des particules ensemble.

Liaison covalente Liaison résultant du partage d'une paire d'électrons provenant de deux atomes, qui fournissent chacun un électron.

Liaison covalente non polaire Liaison covalente caractérisée par un partage égal du doublet d'électrons liant entre deux atomes.

Liaison covalente polaire Liaison covalente caractérisée par un partage inégal du doublet d'électrons liant entre deux atomes.

Liaison de coordinence Liaison covalente dont la paire d'électrons est fournie intégralement par un seul atome.

Liaison double Partage de deux paires d'électrons entre deux atomes liés par covalence. Elle est constituée d'une liaison σ et d'une liaison π.

Liaison hydrogène Attraction de type électrostatique de l'atome d'hydrogène d'une liaison intramoléculaire —X—H avec un atome Y appartenant à une autre molécule (parfois la même), X et Y étant tous deux des éléments très électronégatifs (souvent F, O ou N) et Y comportant au moins un doublet libre d'électrons.

Liaison ionique Liaison résultant de l'attraction électrostatique entre un cation et un anion.

Liaison π Liaison formée par le recouvrement latéral des orbitales p de deux atomes. La densité électronique la plus élevée est située de part et d'autre de l'axe reliant les atomes.

Liaison σ (sigma) Liaison formée par le recouvrement axial des orbitales de deux atomes et caractérisée par une plus grande densité électronique le long de son axe.

Liaison triple Partage de trois paires d'électrons entre deux atomes liés par covalence. Elle est constituée d'une liaison σ et de deux liaisons π.

Liquide Fluide ayant un volume défini et épousant la forme de son contenant.

Litre Unité courante de volume (1 L = 1000 cm^3).

Loi Énoncé concis ou équation mathématique décrivant le comportement général des phénomènes naturels observés.

Loi d'Avogadro Des volumes égaux de gaz, dans les mêmes conditions de température et de pression, contiennent le même nombre de molécules.

Loi de Boyle-Mariotte À température constante, le volume d'un échantillon gazeux est inversement proportionnel à sa pression.

Loi de Charles À pression constante, le volume d'un échantillon gazeux est proportionnel à la température Kelvin.

Loi de Coulomb Loi décrivant l'énergie d'attraction ou de répulsion électrostatique entre deux charges électriques de signes opposés ou de même signe.

Loi de Graham La vitesse d'effusion d'un gaz est inversement proportionnelle à la racine carrée de sa masse molaire.

Loi de Hess Si une réaction est la somme de plusieurs réactions, sa variation d'enthalpie (ΔH) est égale à la somme des variations d'enthalpie des réactions envisagées à chacune des étapes.

Loi de la conservation de la matière Loi formulée par de Lavoisier vers 1790 selon laquelle la masse reste inchangée au cours d'une réaction chimique.

Loi des gaz parfaits Loi générale regroupant les lois de Boyle-Mariotte, de Charles et d'Avogadro, et se traduisant par l'équation : $PV = nRT$.

Loi des pressions partielles (de Dalton) La pression totale d'un mélange de gaz est la somme des pressions partielles de chacun des gaz constituant le mélange.

Longueur de liaison Distance séparant les noyaux de deux atomes liés dans une molécule ou dans un ion polyatomique.

Longueur d'onde (λ) Distance entre deux sommets ou deux creux successifs d'une onde.

Macroscopique (niveau) Niveau de ce qui se perçoit à l'œil nu.

Maille cubique à faces centrées Maille élémentaire ayant huit nœuds situés aux sommets d'un cube et six nœuds situés au centre des faces.

Maille cubique centrée Maille élémentaire ayant huit nœuds situés aux sommets d'un cube et un nœud au centre.

Maille cubique simple Maille élémentaire ayant huit nœuds situés aux sommets d'un cube.

Maille élémentaire Le plus petit motif structural se répétant dans l'espace et possédant toutes les caractéristiques de symétrie de l'arrangement cristallin.

Masse atomique Moyenne pondérée des masses des atomes d'un élément à l'état naturel, exprimée en unités de masse atomique (u).

Masse formulaire Masse en grammes d'une mole d'un composé ionique.

Masse molaire Masse en grammes d'une mole d'un composé moléculaire.

Masse réelle Masse de produit effectivement recueillie après une réaction chimique.

Masse théorique Masse maximale de produit que l'on peut espérer d'une réaction.

Masse volumique Rapport entre la masse d'une substance et son volume.

Mécanique quantique ou ondulatoire Mécanique issue des travaux de De Broglie, Bohr, Schrödinger et de leurs associés, décrivant de façon théorique la structure de l'atome.

Mélange Matière constituée d'au moins deux substances pouvant être séparées en considérant leurs propriétés physiques spécifiques.

Mélange hétérogène Mélange dont la composition n'est pas uniforme au niveau microscopique.

Mélange homogène Mélange dont la composition est uniforme au niveau microscopique.

Métal Élément solide (sauf le mercure, qui est liquide) dans les conditions normales, caractérisé par son éclat lustré, sa grande conductibilité électrique et thermique, sa tendance à perdre des électrons ; les métaux occupent la partie gauche et le centre du tableau périodique.

Métal alcalin Élément appartenant au groupe 1A (1).

Métal alcalino-terreux Élément appartenant au groupe 2A (2).

Métalloïde Élément situé immédiatement de part et d'autre de la ligne de démarcation entre les métaux et les non-métaux dans le tableau périodique, et ayant des propriétés intermédiaires.

Métaux de transition Éléments appartenant aux groupes 1B à 8B (de 3 à 12) dans le tableau périodique.

Méthode scientifique Processus selon lequel des expériences sont menées avec rigueur dans un contexte théorique afin d'étudier ou d'expliquer un phénomène.

Microscopique (niveau) Niveau de ce qui peut être révélé à l'aide d'un microscope.

Milieu ambiant (*voir* Milieu extérieur)

Milieu extérieur Tout ce qui est en dehors du système chimique.

Modèle moléculaire Représentation imagée, en deux ou trois dimensions, des espèces chimiques.

Mole Quantité d'une substance donnée contenant autant d'entités élémentaires (atomes, molécules, ions, protons, etc.) qu'il y a d'atomes dans exactement 0,012 kg de carbone 12, soit $6,022 \times 10^{23}$ entités (une valeur déterminée expérimentalement).

Molécule La plus petite entité identifiable d'une substance, composée d'au moins deux atomes identiques ou différents liés entre eux par des liaisons covalentes, qui conserve sa composition et ses propriétés chimiques.

Molécule binaire Molécule formée de deux éléments.

Molécule diatomique hétéronucléaire Molécule formée de deux atomes d'éléments différents.

Molécule diatomique homonucléaire Molécule formée de deux atomes du même élément.

Moment dipolaire Produit de la charge δ par la distance d qui sépare deux charges électriques égales, mais de signes opposés, δ^+ et δ^-.

Neutron Particule électriquement neutre et de masse presque identique à celle du proton; il est l'un des constituants du noyau de l'atome.

Niveau de Fermi Dans la théorie des bandes, le dernier niveau rempli par les électrons possédant l'énergie la plus élevée à 0 K.

Nœud Point d'une onde d'amplitude zéro — Position d'une particule par rapport aux autres dans une maille élémentaire.

Nombre d'Avogadro Nombre d'atomes contenus dans exactement 12 g de carbone 12, soit $6,022 \times 10^{23}$.

Nombre de masse (A) Somme des protons et des neutrons contenus dans un noyau.

Nombre quantique Paramètre utilisé dans les fonctions d'onde pour caractériser l'électron dans un atome.

Nombre quantique de spin (s) Paramètre déterminant l'orientation du champ magnétique lié à l'électron $\left(\text{valeur} -\frac{1}{2} \text{ ou } +\frac{1}{2}\right)$.

Nombre quantique magnétique (m) Paramètre déterminant l'orientation de l'orbitale (valeurs entières de $-l$ à $+l$, y compris zéro).

Nombre quantique principal (n) Paramètre déterminant l'énergie de l'orbitale et la distance moyenne entre l'électron et le noyau, et par conséquent, la taille de l'orbitale (valeurs entières supérieures à zéro).

Nombre quantique secondaire (l) Paramètre déterminant la forme de l'orbitale [valeurs entières positives inférieures ou égales à $(n - 1)$, y compris zéro].

Non-métal Élément ne possédant pas d'éclat lustré et ne conduisant pas l'électricité, occupant le coin supérieur droit du tableau périodique.

Non polaire (*voir* Liaison covalente non polaire)

Notation de Lewis Représentation des électrons périphériques d'un atome ou d'un ion à l'aide de points.

Notation spdf Représentation de la configuration électronique des atomes utilisant la série ns, np, nd, etc., en y ajoutant en exposant le nombre d'électrons présents dans la sous-couche.

Notation (spdf) abrégée Notation spdf dans laquelle on remplace la configuration électronique des électrons internes par le symbole mis entre crochets du gaz rare qu'ils représentent.

Noyau Partie centrale de l'atome, constituée de protons et de neutrons, comprenant toute la charge positive et presque toute la masse de l'atome.

Nuage électronique Représentation imagée sous forme de points de la probabilité de présence de l'électron dans une région donnée de l'espace.

Numéro atomique (Z) Nombre de protons contenus dans le noyau de chaque élément.

Octet Quatre paires d'électrons entourant un atome.

Onde Mouvement oscillatoire périodique décrit par son amplitude, sa fréquence, sa longueur d'onde et sa vitesse de propagation.

Onde stationnaire Onde de longueur (d) possédant au moins deux nœuds séparés par une demi-longueur d'onde $\left(\frac{\lambda}{2}\right)$ et dont les vibrations possibles satisfont la relation: $d = n\frac{\lambda}{2}$.

Orbitale (atomique) Fonction d'onde d'un électron présent dans un atome, caractérisée par des valeurs déterminées des trois nombres quantiques n, l et m — Région dans laquelle l'électron décrit par sa fonction d'onde est le plus susceptible de se trouver.

Orbitale hybride Orbitale atomique résultant de la réorganisation de deux ou de plusieurs orbitales externes d'un atome donné (*voir* Hybridation des orbitales atomiques).

Orbitale moléculaire (OM) Orbitale résultant de la combinaison des orbitales atomiques d'au moins deux atomes lors de la formation des molécules, s'étendant ou se délocalisant sur plusieurs atomes ou même parfois sur tout le squelette de la molécule.

Orbitale moléculaire antiliante (OM antiliante) Orbitale moléculaire caractérisée par la réduction de la densité électronique entre les atomes d'une molécule.

Orbitale moléculaire liante (OM liante) Orbitale moléculaire caractérisée par la concentration de la densité électronique entre les atomes d'une molécule.

Orbitale moléculaire non liante (OM non liante) Orbitale moléculaire ne contribuant pas à la liaison.

Oxacide Composé issu de la combinaison d'un oxanion et de l'hydrogène.

Oxanion Anion polyatomique contenant de l'oxygène.

Oxydant Espèce gagnant des électrons lors d'une réaction d'oxydoréduction (l'oxydant est réduit).

Oxyde Nom de l'anion O^{2-}.

Oxyde acide Oxyde d'un non-métal donnant des solutions aqueuses acides.

Oxyde basique Oxyde métallique donnant des solutions aqueuses basiques.

Paire d'électrons Deux électrons appariés possédant des spins opposés.

Période Chaque rangée horizontale du tableau périodique.

Périodicité dans les propriétés Caractéristique des propriétés d'éléments se répétant à intervalles réguliers.

Peroxyde Nom de l'anion O_2^{2-}.

Photon Corpuscule de radiation électromagnétique dépourvu de masse, mais possédant une énergie donnée par l'équation de Planck : $E = h\nu$.

Point critique Point limite de la courbe d'équilibre $P_{vap} = f(T)$ à des températures élevées (*voir* Température critique), au-delà duquel les phases liquide et gazeuse d'une substance se confondent en un fluide supercritique.

Point de fusion (normal) Température à laquelle les phases liquide et solide d'une substance sont en équilibre sous une pression de 101,325 kPa.

Point d'ébullition Température à laquelle la pression de vapeur d'un liquide est égale à la pression externe s'exerçant sur lui.

Point d'ébullition normal Température à laquelle la pression de vapeur d'un liquide est égale à 101,325 kPa.

Point équivalent Point d'un dosage volumétrique où la quantité de solution étalon ajoutée correspond précisément à la quantité de substance à doser présente dans l'échantillon.

Point triple Combinaison unique de température et de pression où les trois phases solide, liquide et gazeuse d'une substance coexistent en équilibre.

Polaire (*voir* Liaison covalente polaire)

Polarisabilité Facilité avec laquelle le nuage électronique d'un atome ou d'une molécule peut se déformer pour donner un dipôle.

Polarisation Processus d'induction d'un dipôle.

Polymère Molécule géante formée par l'association de plus petites molécules appelées dans ce cas le monomère.

Précipité Composé solide insoluble résultant d'une réaction chimique en solution.

Pression Force exercée par unité de surface.

Pression critique (P_c) Valeur de la pression au point critique.

Pression de vapeur Pression exercée, à une température donnée, par la vapeur d'une substance en équilibre avec son liquide ou son solide (avec les deux au point triple).

Pression partielle Pression qu'exercerait un gaz s'il était seul dans le contenant.

Principe d'« Aufbau » Règle d'assignation des électrons à des orbitales possédant de plus en plus d'énergie.

Principe de la conservation de l'énergie La somme de toutes les énergies d'un système isolé, n'échangeant ni chaleur ni travail avec le milieu extérieur, est constante. L'énergie peut changer de forme, mais ne peut être créée ni détruite.

Principe d'électroneutralité (de Pauling) Dans une molécule, les électrons sont distribués de telle sorte que les charges sur les atomes soient les plus proches possible de zéro. En outre, si une charge négative se crée, elle doit être placée sur l'atome le plus électronégatif.

Principe d'exclusion (de Pauli) Dans un atome, deux électrons ne peuvent avoir les quatre mêmes nombres quantiques.

Principe d'incertitude (de Heisenberg) Principe imposant une limite à la précision avec laquelle on peut connaître à la fois la position d'un objet et l'énergie qu'il possède.

Produit Substance formée au cours d'une réaction chimique.

Proportions stœchiométriques Les réactifs sont en proportions stœchiométriques lorsque le rapport de leurs quantités (mol) est égal au rapport de leurs coefficients stœchiométriques respectifs apparaissant dans l'équation équilibrée.

Propriété chimique Propriété impliquant un changement de nature de la substance.

Propriété extensive Propriété dépendant de la quantité de matière.

Propriété intensive Propriété ne dépendant pas de la quantité de matière, mais plutôt de sa nature.

Propriété physique Propriété pouvant être observée ou mesurée sans affecter la composition de la substance.

Proton La plus petite particule ayant une charge électrique positive ; il est l'un des constituants du noyau de l'atome.

Purification Opération par laquelle on sépare une substance de ses impuretés.

Qualitative (information, observation) Toute observation non chiffrable relevée lors des expériences.

Quantification de l'énergie Fragmentation de l'énergie en valeurs discrètes, multiples d'un quantum et exclusives de toute autre valeur.

Quantitative (information, observation) Toute donnée numérique issue des mesures prises lors des expériences.

Quantum Quantité élémentaire d'une grandeur discontinue, particulièrement l'énergie.

Radiation électromagnétique Oscillation d'un champ électrique et d'un champ magnétique perpendiculaires entre eux et perpendiculaires à la direction de la propagation de la radiation.

Radical (libre) Molécule possédant un électron non apparié.

Radioactivité Émission de radiations α, β ou γ.

Rapport stœchiométrique Rapport des coefficients stœchiométriques des réactifs.

Rayon atomique Moitié de la distance entre deux atomes d'un même élément dans une molécule – moitié de la distance entre les atomes d'un cristal métallique.

Rayonnement cathodique Rayonnement issu de la cathode des tubes à décharge.

Rayons α Radiations composées de noyaux d'atomes d'hélium, c'est-à-dire de particules constituées de deux protons et de deux neutrons.

Rayons β Radiations composées d'électrons voyageant à très grande vitesse.

Rayons canaux Rayons se déplaçant en sens inverse du rayonnement cathodique.

Rayons γ Radiations électromagnétiques (photons) de très haute énergie dont la longueur d'onde est inférieure à celle des rayons X.

Rayons infrarouges Radiations électromagnétiques dont la longueur d'onde se situe entre celles de la lumière visible (extrémité rouge du spectre) et les micro-ondes.

Rayons ultraviolets Radiations électromagnétiques dont la longueur d'onde se situe entre celles de la lumière visible (extrémité violette du spectre) et les rayons X.

Rayons X Radiations électromagnétiques dont la longueur d'onde est immédiatement inférieure à celle des rayons ultraviolets.

Réactif Substance de départ d'une réaction chimique.

Réactif limitant Réactif complètement transformé au cours d'une réaction chimique et déterminant la quantité de produit formé.

Réaction (chimique) Processus de transformation d'une ou de plusieurs substances en une ou plusieurs autres substances.

Réaction acidobasique Réaction entre un acide et une base.

Réaction de précipitation Réaction chimique impliquant la formation de composés peu solubles à partir des ions en solution.

Réaction de substitution Réaction chimique en solution aqueuse dans laquelle les ions des réactifs changent de « partenaire ».

Réaction d'oxydoréduction Réaction chimique impliquant un transfert d'électrons entre les réactifs.

Réaction endothermique Réaction absorbant de la chaleur [variation d'enthalpie (ΔH) positive].

Réaction exothermique Réaction dégageant de la chaleur [variation d'enthalpie (ΔH) négative].

Recouvrement des orbitales atomiques Interpénétration des nuages électroniques de deux atomes, accroissant la probabilité de présence des électrons de liaison dans la région située entre les deux atomes.

Réducteur Espèce perdant des électrons au cours d'une réaction d'oxydoréduction.

Règle de Hund L'arrangement le plus stable des électrons occupant des orbitales de même énergie est celui qui possède le plus grand nombre possible d'électrons non appariés, tous possédant le même spin.

Règle de l'octet Tendance des molécules et des ions polyatomiques à former des structures dans lesquelles huit électrons entourent chaque atome (sauf l'hydrogène).

Rendement (d'une réaction) Masse obtenue réellement divisée par la masse théorique calculée et multipliée par 100 %.

Répulsion des paires d'électrons (*voir* Théorie de la répulsion des paires d'électrons, RPE)

Réseau (cristallin) Réseau tridimensionnel dans lequel les entités occupent des places particulières répétitives.

Résonance Fait de pouvoir écrire plusieurs structures de Lewis pour un même squelette de molécule.

Revue de la littérature Étape d'un travail de recherche consistant à relever systématiquement les articles publiés sur un sujet.

Semi-conducteur Matériau ne conduisant que de faibles quantités d'électricité.

Série de Balmer Groupe de raies du spectre d'émission de l'hydrogène provenant de la transition des électrons excités $n > 2$ vers le niveau $n = 2$.

Série de Lyman Groupe de raies du spectre d'émission de l'hydrogène provenant de la transition des électrons excités $n > 1$ vers le niveau $n = 1$.

Seuil de fréquence Fréquence minimale que doit posséder une radiation électromagnétique pour produire un effet photoélectrique.

Solide Objet ayant une forme et un volume bien définis.

Solide amorphe Solide constitué de particules ne montrant aucun agencement régulier entre elles.

Solide covalent Solide cristallin composé d'atomes liés uniquement par des liaisons covalentes.

Solide cristallin Solide composé de particules disposées selon une structure géométrique régulière répétitive.

Solide ionique Solide cristallin électriquement neutre formé d'ions de charges opposées retenus ensemble par des attractions électrostatiques.

Solide moléculaire Solide composé de molécules ou d'atomes maintenus ensemble par des forces de Van der Waals et, parfois, par des liaisons hydrogène.

Solide vitreux (*voir* Solide amorphe)

Soluté Toute substance dissoute, généralement en moins grande quantité que le solvant.

Solution Mélange homogène d'au moins deux substances.

Solution aqueuse Solution dans laquelle l'eau est le solvant.

Solvant Constituant se trouvant dans le même état physique que la solution et présent généralement en plus grande quantité.

Sous-couche Ensemble des orbitales atomiques d'une couche possédant la même valeur de l, le nombre quantique secondaire.

Spectre Image représentant la distribution de l'intensité des radiations électromagnétiques émises ou absorbées par un objet quelconque en fonction de leurs fréquences ou de leurs longueurs d'onde.

Spectre continu Spectre dans lequel toutes les fréquences ou toutes les longueurs d'onde des radiations électromagnétiques forment un tout ininterrompu.

Spectre d'émission (*voir* Spectre de raies)

Spectre de raies Spectre sous forme de raies, comportant un nombre limité de fréquences ou de longueurs d'onde de radiations électromagnétiques.

Structure Manière dont les atomes sont arrangés dans l'espace.

Structure de Lewis Représentation plane des composés à l'aide de points et de tirets symbolisant les électrons sur les atomes et les liaisons.

Subatomique (particule) Particule entrant dans la composition des atomes.

Sublimation Passage direct de l'état solide à l'état gazeux.

Submicroscopique (niveau) Niveau des particules constituant la matière.

Substance (pure) Matière possédant un ensemble de propriétés spécifiques et qu'on ne peut séparer en deux ou plusieurs constituants par un moyen physique quelconque.

Substance diamagnétique Substance ne contenant aucun électron non apparié, légèrement repoussée par un puissant aimant.

Substance paramagnétique Substance contenant au moins un électron non apparié, attirée par un champ magnétique externe.

Sujet de recherche Objet sur lequel porte une recherche scientifique.

Surface nodale Surface imaginaire où la probabilité de présence de l'électron est nulle.

Symbole (chimique) Abréviation du nom (ou d'un ancien nom) d'un élément.

Symétrie sphérique Un objet possède cette symétrie quand ses propriétés sont identiques dans toutes les directions issues d'un point central.

Système (chimique fermé) Ensemble de substances susceptibles ou non de réagir entre elles (*voir* Milieu extérieur).

Système cristallin de base Chacune des sept formes géométriques tridimensionnelles, différant l'une de l'autre par la longueur relative des arêtes et par les angles qu'elles forment entre elles dans les solides cristallins.

Système cristallin de base Une des sept formes parallélépipédiques possibles des mailles élémentaires.

Système cubique Structure cristalline de base formée d'arêtes de même longueur situées à angles droits.

Tableau périodique Agencement ordonné des éléments selon leurs propriétés chimiques et leur numéro atomique.

Température Grandeur liée à l'état d'une substance en termes de vitesse moyenne à laquelle se déplacent ses molécules, ses atomes ou ses ions.

Température critique (T_c) Température au-delà de laquelle l'interface liquide-gaz d'une substance disparaît.

Tension superficielle Force avec laquelle la surface d'un liquide se trouvant d'un côté d'une ligne de longueur unitaire attire la surface qui se trouve de l'autre côté.

Théorie Explication de faits observés et de lois s'y rapportant, en fonction d'un modèle simple ayant des propriétés connues.

Théorie cinétique Théorie décrivant le comportement de la matière à l'échelle moléculaire.

Théorie de la répulsion des paires d'électrons (RPE) Théorie expliquant la géométrie des molécules et reposant sur l'idée que les doublets liants ou libres entourant un atome central ont une tendance naturelle à se repousser mutuellement et cherchent à se situer le plus loin possible les uns des autres.

Théorie des bandes Théorie de la liaison métallique reposant sur l'idée que toutes les orbitales moléculaires d'une bande d'énergie s'étendent sur tout le cristal.

Théorie des électrons localisés (ÉL) Théorie décrivant la formation des liaisons covalentes par le recouvrement axial (σ) ou latéral (π) des orbitales de deux atomes adjacents. Les électrons sont toujours partagés par paires et localisés entre deux atomes.

Théorie des orbitales moléculaires (OM) Théorie des liaisons covalentes selon laquelle les orbitales atomiques se combinent lors de la formation des molécules pour donner des orbitales moléculaires délocalisées sur deux ou plusieurs atomes. Les électrons appartiennent à l'ensemble de la molécule, non à des atomes en particulier.

Thermodynamique Science étudiant les relations entre la chaleur et le travail.

Titrage (*voir* Dosage)

TPN (**T**empérature et **P**ression **N**ormales) Température de 273,15 K (0 °C) et pression de 101,325 kPa.

Triple liaison (*voir* Liaison triple)

Unité de base Chacune des sept unités définies dans le système international d'unités (SI) pour les sept grandeurs suivantes: masse, longueur, temps, température, quantité de matière, courant électrique et intensité lumineuse.

Unité de masse atomique (u) Exactement le $\frac{1}{12}$ de la masse d'un atome de carbone 12 possédant 6 protons et 6 neutrons (1 u = $1,661 \times 10^{-27}$ kg).

Vaporisation Passage de l'état liquide à l'état gazeux.

Variation d'enthalpie (ΔH) Variation d'énergie observée lors d'une transformation à pression constante.

Viscosité Résistance d'un liquide à l'écoulement.

Vitesse de propagation d'une onde Produit de sa longueur d'onde par sa fréquence.

Volatilité Tendance des molécules à s'échapper de l'état liquide et à adopter l'état gazeux.

Volume équivalent Volume de solution étalon correspondant précisément à la quantité de substance à doser présente dans l'échantillon.

Volume molaire normal Volume occupé à TPN par une mole de gaz parfait (22,414 L).

Zéro absolu Température la plus basse possible (0 K = -273,15 °C).

Index